'한국근대문학과 중국' 자료총서 ❷

장편소설·중편소설

이광일·김은자 엮음

역락

『'한국근대문학과 중국' 자료총서』편찬위원회

위원장: 김병민

위　원: 이광일 최창록 최　일 장영미 박설매 김　강

편찬자 소개

김병민 연변대학교 조선언어문학학과 교수. 문학박사.

이광일 연변대학교 조선언어문학학과 교수. 문학박사.

최창록 남경대학교 한국어문학과 교수. 문학박사.

최　일 연변대학교 조선언어문학학과 교수. 문학박사.

장영미 연변대학교 조선어학과 교수. 문학박사.

박설매 연변대학교 조선언어문학학과 부교수. 문학박사.

김　강 연변대학교 조선언어문학학과 전임강사. 문학박사.

배　홍 연변대학교 조선언어문학학과 전임강사. 문학박사.

김은자 하얼빈이공대학교 조선어학과 전임강사. 문학박사.

조영추 연세대학교 국어국문학과 박사.

박미혜 성균관대학교 국어국문학과 박사과정 수료.

'한국근대문학과 중국' 자료총서　02

장편소설·중편소설

이광일·김은자 엮음

역락

한국근대문학과 중국체험서사

― 서문을 대신하여 ―

김병민

1. 중국체험의 의미

한·중 문화 교류는 수천 년의 유구한 역사를 가지고 있다. 특히 한국은 한자, 유·불·도, 각종 문물제도를 중국으로부터 수용함으로써 한(漢)문화권에 편입된 뒤 한(漢)문화를 중심으로 한 동아시아문화권의 형성과 발전에 중요한 역할을 하게 되었다. 따라서 한국문학의 발전 역시 중국문학 및 문화와 불가분의 관계에 놓이게 되었다.

한국문학의 발전에 있어서 역대 한국인들의 중국체험은 한국 한(漢)문학 전통의 확립에 결정적인 역할을 했다. 한국문인들의 중국체험은 다양한 양상을 보이고 있는바 최치원 등을 비롯한 문인들의 유학(留學)체험, 혜초, 의상 등을 비롯한 불교 문인들의 구도(求道)체험, 정도전, 허균, 김만중, 홍대용, 박지원 등을 비롯한 문인들의 사행(使行)체험 등을 들 수가 있다. 이들은 중국을 체험하는 과정에 중국의 문인들과 다양한 교류를 진행하게 되었고 한중 문학의 쌍방향적 영향관계를 밀접히 했다. 실제로 한국문학에서 굴지의 작가로 불리는 최치원, 이제현, 허균, 김만중, 박지원 등의 문학은 중국 문학 및 문화와 깊은 연관성을 보여주고 있다. 한국문인들은 중국체험을 통해 자신들의 창작을 전개해갔고 또한 창작을 통해 그들의 문화의식 즉 세계인식과 시대인식을 구축해 가기도 했다. 최치원의 한시가 『전당시』에, 이제현의 사가 『강촌총서』에 수록되었으며 김만중의 경우 중국체험과 중국문화 수용을 통해 세계적 영향을 지닌 『구운몽』을, 박지원의 경우는 사행체험을 통해 세계 기행문학의 백미로 불리는 『열하일기』를 창작했다. 최치원, 이제현, 김만중, 박지원의 문학이 세계적인 명작이 되기에 손색이 없다고 할 때, 한국문학 발전에 있어서 중국체험은 큰 의미를 가진다고 할 수 있다.

중국체험은 한국 문인들에게 시간과 공간에 대한 새로운 인식을 심어주었고 자아와 타자에 대한 새로운 인식을 불러일으키기도 했다. 예를 들어 18세기 후반기 '북학파'의 맹주들인 박지원, 박제가 등이 중국체험을 통해 전통적인 문화의식에서 탈피하여 자본시장의 형성과 과학문명에 대한 인식을 얻고 중세의 몰락과 근대의 여명을 확인한 것은 시대를 앞서나간 문화적 초월이라고 할 수 있다. 그것은 말 그대로 국가 간의 경계, 문화 간의 경계, 민족 간의 경계를 넘어설 수 있었던 탈경계 체험의 산물이라고 하겠다.

20세기를 전후하여 한국은 근대 식민지체계에 편입되기 시작하여 1910년 '한일합방'으로 일제의 식민지로 전락되고 말았다. 망국을 전후한 시기부터 중국은 한국독립투사들의 항일투쟁의 정치적 공간과 근대적 이민의 생활공간이 되기도 했다. 따라서 한국근대문학은 중국의 문학 및 문화와 더욱 밀접한 연관을 맺게 되었고 보다 더 새롭고 다양한 발전 양상을 보여주게 된다.

따라서 한국근대문학과 중국과의 관련양상에 대한 연구는 비단 한·중 근대문학교류사 연구뿐만 아니라 한국문학사 연구에 있어서도 지극히 중요한 가치가 있다고 할 수 있다. 현재까지 이에 대한 한국 학계의 연구는 대체적으로 한국근대문학의 공간적 이동이라는 시각에서 접근하여 중국에서 벌어졌던 한국문인들의 문학을 '이민문학' 혹은 재외 한국근대문학의 범주에 두고 고찰하였다. 반대로 중국 학계에서는 중국에 이주한 한국문인들의 문학을 '조선족문학' 혹은 그 전사(前史)로 범주화하고 연구를 해왔다. 이러한 연구는 한민족문학의 연구에서 극히 중요한 작업임이 분명하며 또한 현재까지 괄목할 만한 성과를 거두었다. 하지만 한국문학의 공간적 이동으로만 접근하게 되면 인적 교류, 이론과 사상의 유동 내지는 상상력의 탈경계 등 한·중 근대문학 교류의 보다 다양한 차원의 문제들을 간과하게 된다. 한 마디로 한·중 근대문학 교류는 문학의 공간적 이동의 시각보다는 탈경계 연구(Border—crossing studies)의 시각에서 접근하는 것이 더 효율적이라고 할 수 있다. 이른바 탈경계 연구는 민족, 국가, 언어, 문화, 이데올로기 및 윤리 등의 탈경계 그리고 그 과정에서 문화적 재건, 융합 및 가치창조를 밝히는 새로운 연구 시각이다.

근대 전환기 및 근대과정에서 이루어진 한국문학의 중국과의 교류는 고금의 인류문학사에서 보기 드문 문학적 현상이었으며 일종의 '증후성(Symptomatic)'을 가진 문학적 사건이라고 할 수 있는바 다음과 같은 특징을 띠고 있다. 우선, 교류의 지속시간이 길고 방대한 양의 텍스트를 형성하였다. 다음으로 그 교류는 일방적인 영향관계가 아닌 쌍방향적인 상호작용의 관계였다. 끝으로 그 교류는 '중심'과 '주변'의 관계가 아닌 '주변'과 '주변'의 관계였다. 그중 탈경계 서사(beyond boundaries narrative)로 특징지어지는 한국근대문학의 중국체험서사는 한국문인들의 중국을 매개로 한 전통, 근대 그리고 미래와의 대화였다. 바로 이러한 의미에서 한국근대문학과 중국과의 문학·문화적 대화는 지극히 생산적인 것이었으며 근대 동아시아의 정신적 가치를 보여주는 소중한 유산이라고 할 것이다.

한국문학의 근대화 과정에서 일본을 통한 서양문학사조, 유파, 관념, 형식 등의 수용이 큰 역할을 하였음은 분명하나 식민지 출신의 한국문인들에게 있어 식민 종주국 일본이 생산적 가치를 가진 이상적인 공간이 될 수는 없었다. 오히려 비슷한 운명에 처한 중국이 생산적인 정치·문화공간이자 생존·생활공간이 될 수 있었다. 중국에 대하여 느낄 수 있었던 시대적 동질감과 유대감은 일본이 갖추지 못한 요소들이었다. 따라서 한국인들은 중국을 독립투쟁의 전장, 근대문명의 '박물관', 평등한 대화와 교류의 장소로 인식하였던 것이다. 한국근대문학과 중국과의 교류는 한국문학의 근대화 과정을 이해하는 데 있어 중요한 가치가 있을 뿐만 아니라 나아가 오늘날 한국과 주변의 관계를 이해하는 데 있어서 상당한 현실적 가치가 있다고 해야 할 것이다. 이에 『'한국근대문학과 중국' 자료총서』는 한국문인들이 중국과의 교류 과정에서 생산한 중국서사와 한국문인들에 의한 중국문학 번역과 소개 등 텍스트를 그 대표성과 중요도에 따라 선별적으로 수록하였다.

2. 저항과 항일체험서사

항일서사는 한국의 독립투사들이 중국에서의 반일활동에 근거한 탈경계 서사로서 의열단(義烈團), 한국애국단(韓國愛國團), 독립군(獨立軍), 유격대(遊擊隊), 조선의용대/의용군(朝鮮義勇隊/義勇軍), 한국청년전지공작대(韓國靑年戰地工作隊), 한국광복군(韓國光復軍), 중국국민군(中國國民軍), 팔로군(八路軍), 항일연군(抗日聯軍) 등 항일부대의 활동과 밀접히 연관되어 있으며 소설, 시, 수필 등 장르를 포함하고 있다.

소설로는 중국에서 전개된 한국의 반일독립운동을 소재로 한 신채호, 최서해, 강경애, 심훈, 장지락 등의 작품이 있다. 우선 아나키즘계열의 항일투쟁을 반영한 소설로는 신채호의 「용과 용의 대격전」, 장지락의 「기묘한 무기」 등이 대표적이다. 신채호의 소설 「용과 용의 대격전」은 환상적인 구조 속에서 일제 침략자를 상징하는 미리와 한국 민중을 상징하는 드래곤 사이의 격전을 그리면서 민중의 승리를 확인하고 있다. 「꿈하늘」(1916)에서 신채호가 국민국가 상상을 보여주었다면 「용과 용의 대격전」에서는 무산민중 주체의 민족국가 상상을 보여주었다고 할 수 있다. 장지락의 소설 「기묘한 무기」는 1922년 김익상 등 한국의 반일지사들이 상하이 황포공원에서 일제 육군대장 다나카를 저격한 사건을 다룬 단편소설로 1930년 북경에서 창작된 작품이다. 이 소설에는 사회주의, 아나키즘, 인도주의 등 다양한 사상들이 혼재되어 있다. '만주'지역에서 전개되고 있던 독립투쟁을 소재로 한 소설로 최서해의 「해돋이」와 강경애의 「모자」, 「축구전」 등이 있다. 「해돋이」는 생활에 시달리다 독립운동에 투신한 주인공 만수의 형상을 통하여 '만주' 지역 한국 이주민들의 일제와 그 주구들에 대한 분노와 항거를 보여주고 있다. 강경애의 「모자」는 간도지역에서 벌어진 항일유격투쟁을 배경으로 하면서 희생된 남편의 못 이룬 뜻을 어린 아들로 하여금 이어가게 하겠다는 한 어머니의 불굴의 의지를 보여주고 있고 「축구전」은 일제의 주구들이 조직한 축구경기에 참가하여 경기는 졌지만 민중들에게 반일정신이 살아있음을 보여준 진보적인 한국 이주민 중학생들을 그리고 있다.

반일투쟁 승리의 강력한 의지를 표출한 시작품으로는 신채호의 「매암의 노래」, 이육사의 「청포도」, 김창숙의 「넋이여 돌아오라」, 이두산의 「당신은 의용의 전사래요」, 문정진의 「4명의 열사를 추모하여」 등을 들 수 있다. 이두산의 시 「당신은 의용의 전사래요」는 중국에서 활약하고 있는 항일부대 '조선의용대'의 영용한 모습과 필승의 신념을 노래하면서 항전의 승리와 조국 귀환의 절절한 정감을 읊고 있다. 김창숙의 시 「넋이여 돌아오라」는 중국

하르빈에서 독립운동을 지도하다 일경에 체포되어 옥사한 독립투사 김동삼을 기린 시로 일제에 대한 불타는 적개심과 구국의 염원을 노래했다. "신계(神溪)는 목 메이고/ 한수(漢水)는 슬픈데/ 한 치의 묻을 땅이 없어/ 다비(茶毘)에 부치더니/ 아, 나라 찾을 그날/ 다가오리니/ 넋이여 돌아오라/ 주저치 말고"라고 하면서 전편에 걸쳐 혁명동지에 대한 뜨거운 애도 그리고 원수격멸의 의지를 그려내고 있다.

이밖에 항일투쟁의 제일선에서 싸운 군인들의 실기, 수필 등은 실제적인 체험을 기록했다는 의미에서 상당한 가치를 가진다. 예를 들면 '조선의용대' 대원들이 창작한 「전선에서의 조선의용대」, 「중국 전장에서의 조선의용대」, 「화평촌통신」 등은 항일전장에서 조선인 대원들의 대적 무장선전, 중국 항일부대와의 협동작전, 민중교육 등 상황을 그려내고 있는바 한국 근대 독립투쟁의 역사와 한중관계를 조명함에 있어서도 중요한 가치를 가진다고 할 수 있다. 중국에서 전개된 한국인들의 독립투쟁을 반영한 작품 『청산리 혈전실기』, 『조선혁명일사』 등과 신채호의 수필 「단아잡감록」, 「조선의 지사」, 이두산의 연작수필 「억(憶)」(「산중 40일」, 「중국 항전에 참가하다」 등 11편) 등 작품들은 중국에서 한국 독립지사들의 투쟁과 생활 그리고 그들의 정신적 궤적을 반영하고 있다는 의미에서 높은 문학적 가치를 가진다고 할 수 있다.

3. 정착과 이민서사

한국근대문학의 탈경계 서사에서 가장 많은 비중을 점하는 작품은 한국 이주민들이 중국에서의 생존체험을 소재로 한 이민서사로 그 주제적 경향에 있어서도 다양성을 보이고 있다.

우선, 한국 이주민과 중국인들과의 갈등은 이민서사에서 가장 많이 보이는 소재이다. 토지의 주인인 중국인들은 '지주'의 신분으로 등장하여 민족·계급이라는 이중적인 갈등구조를 이룬다. 최서해의 소설 「홍염」, 강경애의 소설 『소금』 등이 대표적이다. 「홍염」의 중국인 지주 '은 서방', 『소금』의 중국인 '팡둥'은 토지의 주인이라는 절대적 우위를 이용하여 한국 이주민들을 억압하고 있고 극한적인 생존환경에 처한 한국인 이주민들의 자연발생적인 항거가 계급적 인식으로 나아가게 된다. 이런 의미에서 중국으로의 이주는 한국작가들로 하여금 계급적 대립에 의한 억압의 보편성을 확인할 수 있게 하였고 나아가 현실 인식에 대한 깊이와 정확도를 획득할 수 있게 하였다.

다음으로, 중국에서 새로운 삶의 터전을 건설하려는 정착의식을 그린 작품들이 많이 있다. 안수길의 「벼」, 「북향보」 등과 현경준의 「선구시대」, 이기영의 『대지의 아들』, 『처녀지』 등 소설이 대표적이다. 안수길의 「북향보(北鄉譜)」는 주인공 정학도를 비롯한 이주민들이 어려운 여건 속에서 '북향농장'을 운영하는 과정을 통해 '만주'에 뿌리를 내려야 한다는 정착의식 혹은 지역의식(locality)을 상징적으로 보여주고 있다.

하지만 '만주'의 실질적인 지배자가 일제였기 때문에 '만주'를 향한 정착의식은 '상상적인 탈식민'으로 흐르게 되고 자칫하면 '만주'에서의 일제의 식민주의 담론에 포섭되게 된다. 마약중독자들을 '만주국' 건설에 필요한 인재로 '갱생'시키는 과정을 그린 현경준의 「유맹」, '내부 식민주의'적인 시각에서 원시적인 초원에 사는 몽고인들을 '개량'하는 주인공의 노력을 그린 한찬숙의 「초원」 등이 대표적이다. 이러한 정착의식은 일제에 대한 철저한 순응으로 타락하는 경우도 있어 박영준의 「밀림의 여인」과 같은 노골적인 친일문학작품을 낳기도 했다. 그럼에도 이러한 작품들은 '태평양전쟁' 이후 일제의 전시총동원체제 등 특수한 시대적 상황 속에서 한국문학의 현실대

응의 다양한 예시를 보여준다는 점에서는 상당한 가치가 있다.

　중국 도시에서의 한국 이주민들의 삶을 그린 작품으로는 주요섭의 「봉천역식당」, 김광주의 「북평서 온 영감」, 「남경로의 창공」 등 소설이 있다. 주요섭의 「봉천역식당」은 화자가 봉천역 식당에서 우연하게 만난 한 한국 여인의 10년간의 변화를 그리고 있다. 처음 만났을 때 이 여인은 행복이 넘쳐흐르던 처녀였으나 점차 남성의 노리개로 전락하여, 나중에는 우울한 모습으로 목석처럼 변해버리고 만 비참한 운명을 그리고 있다. 김광주의 「북평서 온 영감」은 살 길을 찾아 '만주'와 북경 등지를 전전하다가 상하이에 온 한국 이주민의 정신적 소외를 보여준 작품으로서 식민주의와 봉건주의의 이중적 억압 하에 놓인 한국 이주민의 삶을 그리고 있다.

　한국 시인들의 중국체험도 주목되는 바이다. 백석, 유치환, 이용악, 서정주 등은 중국체험을 통해 상상력의 확장, 이미지의 다양화 나아가 민족적, 시대적 인식의 전환을 이루게 되었다. 백석은 「조당(澡堂)에서」란 시에서 목욕탕의 벌거벗은 중국인들을 보면서 이방인인 '나'와 중국인들 사이의 역사와 문화, 언어와 몸짓, 그리고 표정 등의 차이를 느끼다가 인간은 결국 벌거벗은 우스운 몸에 지나지 않는다는 초월적 인식에 이르고 있다. 서정주는 취직을 위해 8~9개월 간 중국에 있었던 체험을 바탕으로 "저 만치의 쑥대밭 언덕에서는/ 역시나 때 절은 靑衣의 한 滿洲國 아줌마가/ 누구의 것인가 새 棺널 하나를 앞에 놓고/ <끅! 끅! 끄르륵……/ 끅! 끅! 끄르륵……>/ 꼭 그런 소리로 울고 있었다./ 우리 단군할아버님의 아내가 되신/ 그 잘 참으신 암곰님처럼/ 씬 쑥과 매운 마늘 많이 자신 소리 같았다."(「만주제국 국자가(局子街)의 1940년 가을」) 등 살아서 숨 쉬는 이국 이미지를 창조했다. 또 이용악은 중국 '만주'에서 목격한 망국노의 슬픈 모습을 "울 듯 울 듯 울지 않는 전라도 가시내야/ 두어 마디 너의 사투리로 때 아닌 봄을 불러줄게/ 손때 수집은 분홍

댕기 휘 휘 날리며/ 잠깐 너의 나라로 돌아가거라."(「전라도 가시내」)와 같은 주옥같은 시구에 담아내고 있다. 그런가 하면 유치환은 중국체험을 바탕으로 대체로 여성적인 한국 근대 시단에서 「생명의 서」, 「바위」와 같이 단연 돋보이는 역동적인 시를 써낼 수 있었다.

4. 타자와 중국서사

한국문인들의 중국체험은 중국과 중국인을 소재로 한 다양한 문학작품들의 출현을 가능토록 하였다. 이러한 작품은 중국에서의 전통문화체험을 통한 동양문화의 가치에 대한 재인식, 자본주의적 근대체험을 통한 서양적 가치에 대한 비판, 반식민지 반봉건 사회체험을 통한 현실사회의 부조리에 대한 비판, 항일투쟁체험을 통한 한·중 연대의식 등 다양한 주제를 표현하고 있다.

우선, 전통문화체험을 통한 동양적 가치의 재발견을 보여준 작품으로는 정래동의 수필집 『북경시대』, 한설야의 수필 「연경의 여름」 등과 주요섭의 소설 「진화」, 「죽마지우」 등을 들 수가 있다. 정래동과 한설야 등은 수필창작을 통하여 중국 전통문화의 거대한 힘에 대하여 예찬하였고 주요섭은 소설 「진화」에서 중국문화의 전통성을 인정하면서 동양의 정신적 가치를 발견하려고 했으며 소설 「죽마지우」에서는 북경을 자신의 정신적 고향으로 묘사하는 등 다원적인 문화정체성을 보이기도 했다.

다음으로, 반식민지 반봉건 사회체험을 통한 현실비판을 보여준 작품으로 심훈, 피천득, 박세형 등의 시편들과 최독견의 「벌금」, 주요섭의 「살인」, 「인력거꾼」, 강노향의 「상해야화」 등 소설 작품들을 들 수가 있다. 심훈은 시

「북경의 걸인」에서 걸인의 형상을 통해 하층민에 대한 동정을 보여준 동시에 동등한 운명에 놓인 자기 민족의 고통도 하소연하고 있다. 피천득의 시 「1930년 상해」는 옷을 전당 잡혀 먹을거리를 사야 하는 현실과 곧 팔려갈 어린 생명을 시적 대상으로, 하층민들의 비참한 생활에 대해 공소하였고 박세영의 시 「북해와 매산」은 군벌혼전으로 피폐해진 북경의 암울한 현실을 비판하였다.

이와 더불어, 최독견과 주요섭은 소설 창작을 통해 제국주의 침략과 문화 헤게모니로 하여 식민지화된 상하이 도시문명의 가치결손에 대하여 비판함과 동시에 하층민들의 소외를 적나라하게 폭로하고 있다. 이러한 소설들은 참신한 시각과 심각한 문제의식을 보여주고 있는바, 최독견은 소설 「벌금」에서 중국옷을 입고는 공원으로 들어갈 수가 없는 현실과 서양 여인이 개에게 먹이던 빵조각을 고맙다고 받는 중국인 여성을 통해 굴욕적으로 살아가야 했던 하층민에게 연민의 정을 보이고 있으며 중국의 반식민지 사회현실을 신랄하게 비판하고 있다. 또한 강노향은 소설 「상해야화」에서는 조계지 프랑스인 집에서 노예살이를 하는 중국인과 프랑스 여인의 부정당한 관계 등을 통해 서양의 가치결손과 식민지 조계지에서의 남성의 소외 내지는 타락을 보여주기도 했다. 한편, 주요섭은 소설 「살인」에서 도시 최하층 기생인 우뽀의 형상을 통해 버림받고 소외당한 하층민들의 운명을 보여주면서 그들의 각성을 촉구하기도 했다. 작가의 다른 한 소설인 「인력거꾼」 역시 자본주의 문명이 최하층 인간에게 들씌운 불행에 대하여 묘사하고 있다.

이처럼 상기 다양한 소설작품들은 근대 도시인 상하이를 배경으로 그 속에서 살아가는 하층민들의 불행한 운명, 특히는 생존권을 박탈당하고 소외되어가는 인물들을 통해 식민주의의 죄행을 공소하고 있다. 물론 이러한 문제의식은 한국문인들의 중국에서의 근대적 도시체험에서 얻어진 것이라 해야 할 것이다.

또한, 유자명, 이두석, 이관용, 문일평, 이광수, 최남선, 주요섭, 김광주, 정래동, 강경애 등 쟁쟁한 한국문인들의 수백 편의 기행문들에서는 중국체험과 시대인식이 다양하게 보이고 있다. 즉 이러한 기행문은 중국전통문화와 서양문명에 대한 새로운 인식, 시국에 대한 인식과 비판, 망국 국민으로서의 애환, 민족에 대한 뜨거운 사랑, 민족독립에 대한 열망 등으로 일관되어 있다. 특히 이러한 기행문들은 근대 중국사회를 인식하는 역외시각(域外視角)으로서 귀중한 문헌적 가치가 돋보이는 바이다.

5. 가치 수용으로서의 번역과 비평

한국근대문학과 중국의 관련 양상은 중국근대문학에 대한 번역과 비평에서도 잘 드러나고 있다. 한국에서의 중국근대문학작품에 대한 번역은 주로 양건식, 정래동, 유수인, 이육사, 김광주 등 중국 유학경력이 있는 문인들에 의해 전개되었다. 소설로는 루쉰의 「아Q정전」, 「광인일기」, 「고향」, 궈모뤄(郭沫若)의 「목양애화(牧羊哀話)」, 딩링(丁玲)의 「떠나간 후」, 위다푸(郁達夫)의 「피와 눈물」, 린위탕(林語堂)의 「북경호일」, 샤오쥔의 「사랑하는 까닭에」 등이 있으며, 시작품으로는 후스(胡適)의 「등산」, 「11월 24일 밤」, 궈모뤄(郭沫若)의 「봄 맞은 여신의 노래」, 「죽음의 유혹」, 쉬즈모(徐志摩)의 「가거라」, 「우연」, 주즈칭(朱子淸)의 「잠자라, 작은 사람아」, 저우쭤런(周作人)의 「소하」 등이 있으며, 연극으로는 궈모뤄(郭沫若)의 「탁문군 삼경」, 톈한(田漢)의 「상상의 비극」, 어우양위첸(歐陽予倩)의 「반금련」 등이 있다. 그 외에도 루쉰 등의 산문이 번역 소개되었다.

이외, 중국근대문학과 관련된 비평으로는 양건식의 「호적 씨를 중심으로 한 중국의 문학혁명」(1920, 번역문), 김태준의 「문학혁명 후의 중국문예관」(1930), 정래동의 「중국 양대 문학단체 개관」(1931, 번역문), 「노신과 그의 작품」(1931), 「중국문단의 신작가 파금의 창작태도」(1933), 김광주의 「중국 좌익문예운동의 과거와 현재」(1931), 이육사의 「노신 추도문」(1936) 등이 있다.

이러한 중국근대문학 작품의 번역과 비평을 통해 한국 근대 문인들의 중국문학에 대한 인식과 수용 자세, 한국 근대에 있어서의 중국의 사회사상과 미학사상이 미친 영향, 나아가서 한국 근대 문학번역사와 문체의 변천과정도 이해할 수가 있다. 주지하다시피, 한국 근대 문인들은 대부분 일본을 통해 서구문학을 수용하였고 또한 서구문학에 대한 번역과 소개도 적지 않게 진행한 바이다. 그럼에도 프로문학 등 특수한 영역을 제외하고는 한국 근대 문단에서 일본문학이 별로 번역·소개되지 않았음은 주목이 필요한 대목이다. 이에는 식민지시기라는 특수한 시대적 상황 속에서 형성된 이질감과 거부감이 작용했을 것이다. 이러한 점을 염두에 둘 때 한국에서의 중국 근대문학의 전파와 수용은 근대 한국 문인들이 중국 근대작가들과 함께 20세기의 동아시아적 가치를 창출하고 공유하고자 한 시대의식과 무관하지 않을 것이다. 바로 이런 의미에서 중국근대문학에 대한 번역·소개와 비평은 한국근대문학과 중국근대문학, 나아가 중국과의 관련을 해명하는 데 불가결한 중요한 영역이기도 하다.

6. 편찬 동기와 총서의 구성

일찍 2014년 연변대학 통문화센터에서는 중국어로 된 『'중국현대문학과 한국' 자료총서』(1~10권)를 간행한바 있다. 베이징에서 열린 이 총서의 출판 기념 좌담회에서 중국의 근대문학 연구자들은 필자에게 『'한국근대문학과 중국' 자료총서』를 편찬할 것을 제안한 바가 있다. 이에 상기 자료집 편찬의 중요성과 절박성을 깊이 인식하게 된 나머지 편찬위원회를 묶어 총서의 편찬사업을 시작했다. 한국근대문학과 중국 관련 자료는 이미 적지 않은 자료집에서 수록되기도 한 바이다. 예하면 연변대학 문학연구소에서 편찬한 『중국조선족문학대계』, 북경민족출판사에서 편찬한 『중국조선족 문학유산 정리편찬』 등에 수록된 적지 않은 작품들은 편찬자 나름의 시각에 따라 중국조선족문학의 출발점으로 인식되어 중국 조선족문학 권역에 귀속시켰지만, 한국근대문학사에 있어서도 중요한 작가와 작품들이다. 물론 상기 자료집들은 한국근대문학과 중국 관련 연구를 위해 정리된 자료 총서가 아니며 한국근대문학과 중국과의 관련 양상을 살피기에는 전체적이지 못함도 짚고 넘어가야 할 것이다.

한국근대문학과 중국 관련 연구는 1990년대부터 학계의 주목을 받기 시작하여 적지 않은 연구 성과를 내고 있다. 그럼에도 아직까지 중요한 자료들에 대한 발굴과 정리가 진일보 요청되고 있으며 일부 연구들은 충분한 자료적 검토가 확실하지 못한 점도 없지 않다. 이러한 상황은 한국근대문학과 중국 관련양상의 전반적 검토와 연구의 심화에 장애로 작용하고 있으며, 이에 본 자료집은 그에 대한 극복을 목적으로 하고 있다.

『'한국근대문학과 중국' 자료총서』는 편찬 의도를 구현하기 위해 작품 선정에서 첫째로, 한국근대작가들의 중국체험을 바탕으로 중국의 시간과 공간에서 벌어진 인물과 사건들이어야 하며, 둘째로, 중국인들의 생활 혹은 중국에서의 한국인들의 생활을 소재로 해야 하며, 셋째로, 중국체험을 기반으로 하는 동서양 관련 문화인식을 다룬 작품도 가능하다는 원칙을 지키고자 했다. 한편, 편찬과정에서 적지 않은 애로에도 봉착하였는바, 일부 작품들은 당시의 중국 경내에서 꾸려진 신문, 잡지들에 발표되었으나 신문과 잡지의 보존상태가 완전치 못하여 그 전모를 알 수가 없으며, 아울러 신문, 잡지의 경우 여러 곳의 도서관과 서류관에 분산되어 있었다. 또한 일부 작품들은 유고로서 분실된 것도 있었기 때문에 편집자들은 이러한 난제를 풀기 위해 국내외 도서관들을 찾아다녀야 했고 따라서 관련 인사들을 찾아 방문하기도 해야 했다. 비록 편찬자들이 많은 노력과 심혈을 기울였지만 아직 미비한 점이 적지 않다.

본 총서는 총 16권으로서 창작편 11권(소설 4권, 시 3권, 기행문 2권, 정론·실기·수필·희곡 2권)과 비평집 5권이다. 편집과정에서 편찬자는 발표 당시의 원본 형태를 그대로 보여주기에 노력을 경주하였으며, 섣불리 개정이나 첨삭을 시도하지 않았다.

본 총서는 편찬과정에서 국내외 많은 한·중 문학관계를 연구하는 전문가들의 열정적인 관심과 도움을 받았으며 특히 국내외 도서관, 서류관의 지지와 성원을 받은 바 있다. 총서의 편집에 도움을 주신 모든 이들에게 진심으로 되는 감사를 드리는 바이다. 앞으로 본 총서가 한·중 문학관계 연구자들과 독자들에게 도움이 되기를 진심으로 바라며, 미진한 점에 대해 전문가들과 독자들의 기탄없는 비평을 기대하는 바이다.

2020년 2월 1일

차례

●

일러두기

1. 본 총서는 1919년 중국의 '5·4운동' 전후시기부터 시작하여 1948년 남북한 단독정부 수립에 이르기까지 중국인 및 중국에서의 체험을 소재로 창작한 문학작품 중 문헌적, 문학적 가치가 높은 작품들을 수록하였다.

2. 본 총서는 총 16권으로 구성되었는바 소설(1~4권), 시(5~7권), 기행문(8-9권), 평론(10-14권), 정론·실기·수필·희곡(15-16권)으로 나누었다.

3. 초간본을 저본으로 하여 원본의 표기를 최대한 보류하는 것을 원칙으로 하였으나 일부 초간본을 확인할 수 없는 작품의 경우 초간본에 가장 가까운 판본을 수록하였다.

4. 독자들의 읽기와 이해를 돕기 위하여 표기법은 아래와 같은 원칙을 적용하였다.

   • 근대 모음을 현대 모음으로 바꿨다.

   예: ㆍ → ㅏ

   • 근대 겹자음을 현대 겹자음으로 바꿨다.

   예: ㅅㅣ → ㄲ, ㅅㅐ → ㅃ

   • 띄어쓰기는 현행 한국어 표기법의 기준을 따랐다.

   • 소설의 경우 문장부호를 현행 한국어 표기법의 문장부호로 통일하였다. 대화는 " ", 간행물과 단행본의 명칭은 『 』, 기사와 작품의 명칭은 「 」, 음악작품의 제목은 < >, 연극작품은 ≪ ≫로 통일하였고, 명확하지 않으면 ✳ ✳를 사용하였다.

   • 기행문, 평론, 수필, 정론, 시가, 희곡의 경우 원본의 문장부호를 보류하였다.

   • 원본에서 판독이 불가한 문자는 □로 표시하고 판독 불가한 문자가 1행 이상일 경우에는 주해에 "이하 × 자 판독 불가"를 밝혔다.

   • 원본의 오탈자, 오식은 보류하고 해석이 필요한 경우에는 주해에 "편자 주"를 밝혔다.

   예: 1) "浙江"은 "浙江"의 오식 — 편자 주

5. 외래어는 원본의 표기를 보류하였다.

6. 인명, 지명 등 고유명사는 원본의 표기를 보류하였다.

7. 한자는 원본의 표기를 보류하였다.

8. 잘못된 인명, 작품명, 신문·잡지명 등과 한자들을 중국어 원문과 대조해 바로잡았다.

장편소설

北風의 情熱

함대훈

(전략)

八

　아침상을 대하고 지나간 삼 년 전의 해옥이가 야밤에 찾아와서 늘어놓던 순영이의 이야기가 아직도 눈에 선하게 전개될 때 동철은 멍하니 뜰 앞 소나무에 꽃이 핀 듯 얹혀있는 흰 눈송이를 바라봤다. 아침 햇살을 받고 밤새 쌓인 눈은 더욱 빛났다.

　"편지 왔어요."

　심부름 하는 계집애가 편지 몇 장과 신문을 들고 들어온다.

　동철은 편지부터 살폈다. 그중에 뜻밖에도 만주 공주령(公主嶺)에서 온 편지 하나가 눈에 얼른 들었다. 동철은 곧장 그 편지부터 뜯었다.

　　"경애하는 동철 형

　　너무나 오래 ○○할 정회를 풀지 못한 이 허물을 끝내 용서해주오. 우리가 동경서 같은 대학을 다니면서 우리의 장래를 토의하든 그 때의 ○○○ 나는 아즉도 잊을 길이 없소. 그 동안의 편지조차 못 한 것은 결국 정의가 소각해 졌다는 것보담 일에 골몰했든 탓이오. 어찌 지나간 날의 우정을 잊을 수가 있고 동지애를 버리리까. 여러 대학을 중도 퇴학하고 만주사변이 일기 전 해 도만(渡滿)한 덕은 나는 앞을 밟기 때문이었소. 나는 도만하는 즉시 거기서 활약하는 청년들을 많이 만났소. 그러니 그들은 대개다 관렴논자요. 우국 지사인 듯하나 실상은 갈 방향을 똑바로 보지를 못했었소……"

九

동철은 한참동안 침묵을 지키고 걷다가

"정현!"

하고 다시 불렀다.

"네?"

"저어 만주 가 본 일 있어요!"

"만주요?"

"응!"

"봉천엘 잠간 가군 못 갔어요. 그것두 전문 시대에 잠깐 단체루 다녀왔으니 만주 본 것이 주마간산 격이죠 뭐!"

"그럴게군!"

"왜 만주 이야긴 뜻밖에 하서요."

"아니 그건 좀 잡지에 대한 계획 땜에 그러는 거야."

동철은 말을 싱겁게 끊어버리고 만다.

"그리든 것을 여러 가지로 지도하여 가는 동안 그들은 만주의 건국에 힘을 쓰게 되는 사람이 적지 않소. 그러므로 지금 우리는 이 만주 땅에 있는 조선인의 통일된 기도들 일본정선 밑에 세우는 것이 지금 당면한 중대 과제라 생각하오. 동시에 만주국에 있어서 조선 사람이 살길은 오즉 황민으로서의 만주에서 활동하는 것이라 생각하오. 형! 나는 지금 공주령에다 수전 농장을 경영하고 있소. 이것은 내가 돈을 모아 부자가 되었다는 꿈이 아니오. 조선 사람이 너무 관념적이기 때문에 그 폐풍을 타파시키고 현실에 직립해서 조선인의 살길을 찾고 나아가 조선인을 황민화 시키러 만주 있는 사람들을 이같이 갔을 길을 개척하는데 커다란 힘을 기른다는 것이오.

형! 내가 이 농장을 만들기 시작한 건 작년 봄 만주건국이 되든 때 그 기념으로 시작을 한 것이오. 나도 꿈이 많은 인간이 돼서 여기 동장이 잘 되는 날엔 이 자금으로 한 번 재만 조선인의 생활의 기초를 세워주려는 생각이오.

형! 존경하는 형! 나는 형을 존경하므로 해서 형의 금후의 지도를 받고 싶소. 조선서 잡지사 편집차장의 생활도 좋고 의미 있는 일이라 하지만 형이 잡지를 만들지 않는다고 잡지가 나오지 않을 리 없으니 나와 같이 만주서 이 농장을 개척할 의향은 없소? 형이 생각는 만주와 오늘날은 퍽으나 달러졌소. 작년 우리 농장의 개간사업을 시작할 때만 해도 이쯤 농사 지으러 나갈 때는 일본 수비대의 구원을 얻어 병사들과 같이 들에 나갔소. 때때로 습격해오는 비적들의 총소리에 농부들의 가슴을 놀렸으나 그러나 우리 뒤에 무장한 일본 병사들의 노력에 의해서 농장은 나날이 개척이 되어 갔소. 형! 만주의 식량문제를 해결할 이 농장개척이 우리는 우리 개인의 입을 살리는 것보담 이것이 결국 만주건국에 중요한 식량이 되고 또 장래 인민공영의 열쇠가 되리라 믿소. 그러기 그 여기 있는 농부는 모도 전장에 나간 병사와 같은 기분으로 농토를 개척하오. 한 손에 총검을 들고 한 손에 호미와 괭이를 든 농부를 세계 어느 나라에서 본 일이 있소. 그들은 씩씩히 일을 너무 잘하고 있소.

형! 만주로 오시잖으렵니까!"

十

편지를 다 읽고 나서 동철은 가슴속에 흔들리는 파동을 참을 수가 없었다.

(결국 그는 일을 시작하고야 말었구나.)

지나간 날 동경의 하늘이 생각되고 사공진(司空鎭)이의 열변을 토하든 그 광경이 눈앞에 얼른거림을 볼 수 있었다.

동철은 멍하니 아침상을 대한 체 편지를 읽고 난 뒤에 여러 가지 생각 속에 밥을 몇 술 뜨고 나니 지나간 날의 열정과 사공진군의 지금의 활약과 또 개인적인 지금의 자기의 고민이 한데 겹쳐 머리가 어지러웠다.

아내는 긴 병이 들어 이미 세상을 떠났고 옛날의 사랑하는 사람은 또 딴 남자와 약혼이 됐고 동철은 가슴이 무거웠다.

어떻든 순영일 한 번 오늘 다시 만나기로 하자하고 그는 밥상을 물리고 옷을 갈아입는 뒤 대문을 나섰다.

十一

거리로 나가자 빨간 뻰끼 칠한 공중전화실로 얼른 들어선 동철은 수화기를 든 지 한참만에야

"고까○ 三00방"

하고 물었다.

"오하나시쥬대스."

나오기는 늦게 나오면서 그 말은 대번에 빨랐다. 한참을 기다리고 있다가 다시 그 전화번호를 불렀다.

"네 대학이에요?"

하는 교환수의 가냘픈 소리가 들리자

"이와이 나이까(岩井內科)노 이교꾸(○局)."

를 불렀다.

김순영이를 찾았건만 순영인 나오지를 않고 무뚝뚝한 사내 말소린데 전날 밤 숙직을 하고 오늘은 쉰다는 것이다.

그 길로 순영이 집을 찾아가고도 싶었으나 잡지 편집 마음 얻고 바쁘고 해서 오후 두 시까지 명치정 어느 찻방으로 오라는 속말을 내이고 사로 향했다. 사엔 전원이 다 출근했는데 동철은 두 편집 책임자를 불러 편집 지시를 하고 나서 본정으로 들어섰다. 뜻밖에 옛날 동경에 의전의 해옥이를 명치제과 앞에서 만났다. 그건 참말 의외였다.

"언제 오셨어요?"

동철도 깜짝 놀란 듯이 물었다.

"수일 전에 왔어요. 동양문화사에 계시다고요."

"네 거기서 밥을 먹고 있습니다. 그런데 서울은 오래 유하시오?"

"뒤 곧 또 떠나야 같아요. 현지의 일이 바쁘니깐요."

"지금도 거기십니까?"

"아뇨, 하르빈에 있어요."

"하르빈요?"

"네?"

"그럼 여기서 어디 유해서요."

"친척집에 있어요. 그런데 순영인 약혼을 했다죠?"

"했다나 보드군요."

동철은 가슴이 아팠다.

"어떤 분인가요?"

"저도 잘 모릅니다."

"아이 선생님두 이젠 뭘 그러서우. 선생이 어마어마한 남자라구 그러시잖구!"

"참만 모르○○ 어떻든 차래두 한 잔 마십시다."

하고 그들은 명치제과 이층으로 올라갔다.

"참 오래만이야요."

해옥인 여전히 명랑했다.

"벌써 삼 년이 됐죠?"

"그렇게 되나 봐요. 선생님께 그만 실연을 당하구서 전 만주로 갔죠."

"건 무슨 말씀입니까?"

"그 상처는 지금껏 낫지는 않았어도 북만의 자연과 기후가 나를 살려주어요. 전 선생님도 만주로 가서요."

"제가 갈 위인이 돼야죠?"

"그러진 마시구요. 그런데 가정 재미 좋으시겠죠. 어린앤 몇이나 났어요?"

"뭐 자미두 모르겠어요. 결혼하자 석 달두 못 돼서 병들어 일 년 만에 죽었으니깐요?"

"저걸 어쩌나 무슨 병이었기요?"

"폐……"

하고 그는 한숨을 쉬고 나서

"저어 해주 요양원에 가있다 죽었어요."

해옥인 그 말을 곧장 받아서

"저걸 어떡허문……"

하고 안색이 흐려진다.

"……"

"……"

한참동안 그들은 ○○이 가져온 커피를 마시고 있다가

"그럼 순영인 자주 만나서요?"

하고 해옥인 화제를 돌렸다.

"……"

"순영인 저도 여기 와서 한 번 밖엔 만나지 못했어요. 그 애도 고민이 큰가 봐요."

"무슨 고민이?"

하고 해옥이의 표정을 봤다.

"글쎄 그때 선생님과의 오해 땜에 서로 갈라지군 그게 지금껏 후회 나나 부든데요?"

"후회 되문 약혼을 했껏어요?"

"그야 선생님이 결혼을 하셨으니 뭐 갠들 호박처럼 늙겠어요?"

"……"

"저어 그러면 선생님 혼자 게서요."

"네 하숙 생활을 합니다."

"봄이 돼서 낡은 나무에 싹이 나야 떨어지잖은 묵은 잎도 힘이 없어지듯이 순영이가 어서 결혼을 해야 선생님두 마음이 안정되겠어요."

무슨 말인지 해옥인 이런 말을 한 마디 던지곤 아무 말도 없이 층계를 내려가고 말았다.

"……"

十二

"……봄이 돼서 날근 나뭇가지에 싹이 나야 떨어지잖은 묵은 잎도 힘이 없어지듯이 순영이가 결혼을 해야 ……"

"……"

"……"

동철인 부인 찻잔만 남기고 뜻도 모를 소리를 던지고서 가버린 해옥이가 한층 원망스러웠다. 동경서 자기 집을 찾아왔던 날 밤 순영이 이야기로 밤이 늦어서야 돌아가는 그들 문턱에서 보내고 난 그 무례만이 아니라 몇 번이고 같이 어디든지 가자는 유혹을 물리치고 순영이와 단둘이서 다닌 그 사실을 알자 곧장 학교에다 퇴학원을 내고 삼 학년 삼 학기에 만주로 간 그 여자를 삼사 년 만에 만나서도 그렇게 싱겁게 보낸 생각을 하면 끝없이 미안했다. 그러나 그인 만주로 가서 만주사변 당시에 의사로서 황군점령지 제일전선에서 활약을 했고 지금도 적십자병원에서 근무한다는 말을 들으나 동경 시대 자기도 상당한 활동분자이던 것을 생각하면 지금은 모든 것이 새잎처럼 너무나 뒤떨어진 것 같아서 얼굴이 화끈화끈 달아오르기도 했다.

"조선이란데는 돌아오는 날부터 활동이 정지 되거든……"

그는 이런 말을 남기고 만주란 무대를 머리에 그리면서 찻집을 나섰다. 순영이와 약속한 오후 두 시까지 기다리려면 아직도 한 시간 반이 남았다. 그동안을 어디서 어떻게 기다릴까 궁리해 보던 끝에 그는 다시 자기 집으로 돌아가리라 생각했다. 차라리 집에 들어 누워 공상을 해보는 것이 정처 없이 돌아다니는 것보다 나으리라 생각했기 때문이다.

집에 돌아오자 그는 자기 방으로 들어가 자리에 들어 누웠다. 순영이와 동경서 지낸 장면이 앞은 지나간다.

"언제쯤 떠나시죠?"

그건 졸업하기 전 해 방학 때 순영이가 찾아와서 하던 말이다.

"왜 불쾌하세요?"

"……"

그래도 그는 대답을 않고 머리를 든 채 순영의 얼굴을 뚫어지도록 바라만 봤다.

"글쎄 제가 한 말씀 뭐시 그리 불쾌하신께 있어요. 결혼을 제가 언제 한댔어요. 그저 어머님이 그렇게 강요한다는 것뿐이 아니야요? 그걸 가지구 제가 마치 선생님을 배반하구 딴 곳으루 결혼이나 하려구 하는 듯이 막 이맛살을 찌푸리시구 아이참 난 몰라!"

순영도 이제는 속이 탄다는 듯이 토라진 얼굴로 동철을 쏘아보고는 자리에서 일어났다.

"……"

동철은 그래도 아무 말이 없었다. 방학을 며칠 남기지 않고 만난 두 사람 사이의 이런 오해가 얽히고 침묵을 지켜야 할 처지에 이른 것이 단순히 자기 오해에서만일까? 순영은 과연 순영이 말대로 집에서 서두르는 결혼이오, 순영이 자신은 조금도 거기 반응이 없는 것일까?

그는 한참 생각에 잠겼다가 벌떡 일어나 이층 층대를 바로 내려섰을 순영을 뒤쫓아나갔다. 그러나 순영은 벌서 보이지가 않았다. 구두를 끌고 얼른 뒤를 따라섰○지만 순영은 벌써 어디로 살어졌는지 보이지가 않는다.

동철은 골목길로 발길을 다시 돌면서 우울한 심정으로 하숙집 문을 들어섰다. 칠월 초순이면 동경의 하늘은 가라앉은 듯이 낮아지고 매우철 들어서 그치지 않는 비와 흐린 날은 연일 꼬리를 물고 계속한다. 개 인 날보다도 흐린 날이 많은 동경의 하늘은 그 날도 아침녘에는 비가 내리더니 낮이 기울어 비는 그쳤으나 여전히 날은 찌그리고 개다가 이따금씩 안개 실은 비가 후려 갈겼다.

다시 자기 방으로 돌아온 동철은 순영이가 앉았던 방석 우에 체온이 남은 온기에 다시금 아늑한 순영의 향기를 찾아 맡으면서 사라진 순영의 모양을 그려봤다. 그 날씬한 몸매가 원피—쓰에 쌓여 정렬적인 눈과 코며 맺혀진 입과 함께 얼굴 전체에 매력을 갖춘 순영의 모양은 여자 의학생이란 것보다 음악생 같은 감을 주었다.

(중략)

十六

"자유주의? 개인주의?"

"그럼 독신 생활두 일종 구미사상의 감화야! 그 노처녀 시집보낼 순 없나?"

"거야 어딘 게 다른 사람이 맘대루 하나? 자기 주견일 걸."

"그래 그 동경출신 여자를 써야겠어! 자네네 학교는 영미풍이 들어서 자미없어!"

"건 또 무슨 소린가? 모두 총독부 학재에 의해서 가르키는 데!"

"그야 그렇지만 아무대두 따다 냄새가 많어!"

"건 자네가 너무 보수적일세. 문화의 교류를 그렇게 단순히 고집하문 어떻게 문화의 발전이 있겠나?"

"그야 그렇게 고집하는 건 아니지만 도대체 난 영미주의는 반대야 심각한 맛이란 없구 그저 댕하구 특히 미국이란 나라는 전통이 없기 땜에 ○○하구 싶질 않거든. 그런데 물질문명이 극도루 반달이 돼 가지구 정신보다 그 화려한 물질에 사람들은 정신을 ○○했단 말야. 정신적 진정성이 없구 물질에 노예가 돼서 인간의 진선진미란 맛이 없단 말야. 미국의 그 배금사상이란 통난 구역이 나서 볼 수가 없어! 심각한 철학미가 있는 민족이라야 거기 인간의 고민도 있고 사색도 있을게 아냐 마치 무식쟁이가 일조해 나리김에 돼지가구 돈은 있어두 그건 어떻게 쓸 줄 모르는 거와 마찬가지 꼴이거든……"

"……"

"그들은 지금 세계에 군비를 자랑하지만 일본의 그 정신적으로 단련된 해군으론 넉넉히 적은 군비로도 해낼 수 있을걸 세. 도대체 五五三비율로 군복들을 주장해서 그것이 결국 일본의 난리를 보게까지 된 거지만 어떻든 그들은 일본을 어떻게든 해군국으로의 실력을 축소시키려 들어두 그건 도저히 안 될걸 세. 난 이 영미의 거만한 태도에 불과 몇 년이 안 가서 일미전생이 있을 것으루 믿네?"

"일미전쟁?"

"지금 만주건국에 대해서도 국제연맹에서 리튼 보고서에 의해서 문제를 일으켰고 또 이것을 기회루 해가지구 영미가 장개석을 충동이질 하니깐 그들이 취해서 일지전쟁을 일으키게 하구 자기들은 뒤루 물자와 무기를 대줄걸세. 그러문 자연 일지전쟁에서 일영미 전쟁까지 될거 아냐! 독불의 사이가 나쁘니 독불전쟁은 불가피요 또 이태리는 독일에 가세하게 될 테니 자연 세계전쟁이 될 걸세. 다만 싸베―트엽방의 스○민외교가 ○○○○시 싸베―트가 결국 어디 가담하느냐가 문젤 걸세!"

"그럴까!"

"난 단정하지만 금년이 소화 십 년이니 一二년내에 꼭 일지전쟁은 있을 거고 이리 되면 자연 영미의 그 아니꼬운 행동에 일본은 영미에 대해서 선전할 걸세. 이리 되면 구주와 동양이 모두 전쟁판이 되게 되는데 구주서 전단이 먼저 터지느냐? 동양에서 먼저 터지느냐가 문제일걸세. 장개석이가 저 영미에게 빚 많이 지고 송미령이가 미국의 미끼가 되지 영미의 충동이를 듣거든 장개석이야 송미령이 믿어라문 소금섬을 물 속으루 끌래루 끌 판 아닌가? 송자문이 집안이 절강재민(浙江○○)의 유구한 집안인데 이건 토대루 일하는 장개석이가 송미령이 말 아니 듣구 백이겠나?"

"그럼 될까?"

"되구 말구……"

(중략)

二十

"어제 편즙회의에서 결정한 결혼 문제 특집호는 내월 호에 기어이 넣는데 각 방면 인사의 원고를 되도록 많이 실으십쇼. 그리구 난 오늘 오후 차로 만주에 출장을 가게 됐는데 여성 기사를 특히 잘 좀 만들어주십시오."

"언제쯤 돌아오세요!"

"한 이십 일 걸리겠죠."

"네!"

"그럼 잘 부탁합니다."

"네! 열심히 해 보겠어요."

정현인 다시 자기 자리로 돌아왔다. 가슴이 더 한층 설레었다. 자기에게 사무적으로는 관심을 가지면서 말하는 태도에는 엄격한 것 뿐 무슨 사랑을 느낀 것 같지도 않았다. 아무리 직장이라 해도 웃는 표정 하나쯤 있을 수 있을 것도 같았다. 웃지를 못하면 눈으로라도 사랑하거나 하는 그런 표시가 없는 것 같았다.

정현인 밤새도록 가슴에 파도가 일었고 밤새도록 잠을 못 이룬 자기가 오히려 어리석은 것도 같았다.

그러나 정현인 동철이를 그렇게 손쉽게 사랑이라거나 연애라는 것에 들어올 사람이라고는 보지를 않았다. 그래도 어쩐지 마음의 한 구석이 빈 것 같았다.

(하필 왜 사 월호는 결혼문제 특집호야?)

이런 플랜을 정한 것도 정현인 무슨 까닭이 있는 것 같이만 생각이 되었다.

(사랑!)

(나는 사랑이라는 것을 모르는 순정 처녀가 아닌가?)

이렇게 혼자 마음의 피○○르○ 접고 정현인 다시 붓을 들었다. 붓은 들었으나 통 기사가 쓰여 지지 않았다. (만주를 가신다면 무엇을 사다 드릴까? 차중에서라도 잡수시게시리. 여성다운 생각이 있었다. 여성은 두 가지 타입이 있다 한다. 하나는 모성형(母性型) 하나는 창부형(娼婦型) 그러면 나는 모성형인가? 혹은 창부형인지도 몰라.)

이런 생각도 해봤다. 그러면 그럴수록 가슴은 설레고 손은 떨리었다.

"저어 외근 잠간 나갔다 오겠어요."

정현인 인동철이 앞으로 가서 빨개지는 얼굴로 말을 했다.

"다녀오시죠."

동철은 사무적으로 대답을 했다.

정현인 자리를 물러섰다. 다시 자기 자리로 돌아와서 핸드빽을 들고 편집실 문을 나섰다. 난만한 봄 향기를 품은 볕이 다정스럽게 정현일 내리쬐었다.

문밖을 나섰으나 어디를 가야 할 텐지 갈 방향을 알 수가 없었다. 우신 본정으로 가기로 마음을 결정하고 광화문통에서 부정 앞을 지나 장곡전정 조선호텔 앞을 지났다.

(무얼 사드릴까?)

걸으면서도 생각은 그뿐이었다.

(포케트, 위스끼, 과일, 손수건)

이렇게 혼자 머릿속에서 생각을 해봤다.

그리고는 (손수건은 인연이 없다는데)

하고 혼자 얼굴이 빨개지기도 했다.

(아이 어찌문 좋아!)

그러는 가운데 정현인 어느새 본정 입구로 발길이 들어섰다.

(난 인사로 푸리젠트를 하는 걸까 혹시 사랑 때문인가?)

아무리 생각해도 자기 스스로 동철에 대한 생각이 단순한 인사를 차리는 정도만이 아니 것을 자기 스스로도 인식하지 않을 수가 없었다.

二十一

동철인 예정대로 지금 신경행 열차에 몸을 싣고 달음질치는 차창 밖으로 연선풍광에 눈을 보내고 있었다. 단조로운 연선풍광이나 오랜만에 꽃피는 산과 들을 바라보고 흐르는 시냇물을 보니 마음속의 먼지를 터는 듯이 기분이 새로워진다.

신의주를 건너 압록강 철교를 지날 때 어둠속이 있다. 밤 열두 시가 지났으니 깜깜한 밤하늘 아래 푸른 강물이나마 자세히 볼 수가 없었다. 초승달은 이미 기울었고 별빛 아래 흐르는 강수를 굽어만 보고 동철은 잠속에 묻히고 말았다. 여기가 인젠 만주 땅이구나 하는 생각을 하니 잠은 어슴푸레 들었으나 생각은 가지가지였다.

공무도 공무려니와 만주 있는 옛 동무 사공진이와의 만남이 더 크게 기대되는 일이었다. 지난겨울 그 열렬한 장문의 편지 뒤에 오고간 시간의 내용으로 모아 착실히 사공진이는 만주건국에 큰 힘을 쓴 사람이오, 만주에 있는 조선동포를 위해 커다란 사업을 하는 사업가이다. 만주에 대한 인식을 새로이 할 것은 아니나 사공진이의 그 두 주먹으로 개척된 토지가 보고 싶었고 그의 사상 실천에 대한 이야기가 듣고 싶었다.

(만주는 어떤 땅이 됐나? 건국 이후 어떻게 변했나?)

이것은 잡지사의 기자가 아니라 동철이 개인으로도 알고 싶던 일이다. 만주의 정치기구 경제기구 산업 공업 임업 농업 등 가지가지가 어떤 형태로 발전했나 하는 그 모양이 보고 싶었다. 사공진이의 개척한 농토는 어떠하고 그가 지금 꿈꾸는 것은 어떤 실현할 가능성이 있는 것인가 그 호기심도 없지 않았다.

봉천에 차가 닿았을 때는 아침 여덟 시 경이었고 툭 터진 광야의 호흡이 벌써 대륙적인 맛이 있었다. 봉천을 내리려 했던 순서였으나 동철은 봉천에는 돌아오는 길에 들르기로 하고 일도 사공진이가 있는 공주령부터 보리라 했다. 사공군과 같이 오랜 정담을 하고 싶은 것도 첫째이지만 그와 같이 만주를 몇 곳 보고 싶었던 것도 사실이었다. 그래 봉천역 폼에 잠간 내리어 귀에 서툴게 들리는 만어를 약간 알아들으면서 잡담한 폼을 이리저리 오고갔다.

전날 경성역두에 나온 여러 동무와 동료 중에 한 떨기 꽃! 그것은 확실히 동철의 머릿속에 잊을 수 없었다. 한 폭 아름다운 꽃이었다.

(연정현(蓮靜賢!))

확실히 정현인 동철의 가슴에 깊이 파고든 한 마리 비둘기였다.

(연정현!)

입속으로 몇 번이나 불러 보았는지 모른다. 그가 사다준 초콜레이트, 위스키, 과일, 계란 이것들은 확실히 정현이가 정성을 드린 프레젠트였다. 그 동근 눈으로 빤히 바라보던 그 정현이의 눈! 그러나 동철은 머리를 흔들었다. 동철은 여성이란 멀리서만 바라볼 것이라 했다. 아름다운 꽃향기는 코를 대고 맡을 것이 아니라 했다. 순영이와의 사랑이 깨진 뒤에 동철은 여자는 요물이오, 저 하늘의 별처럼 멀리 바라 볼 것이라고만 생각했다. 순진스런 정현이의 그 아름다운 눈도 비극을 비춰줄 눈 같았고 그 빨간 입술도 거기서 독기가 흘러나올 것만 같았다.

순영이가 자기와의 일시 오해가 풀렸다면 당연히 자기와 결혼해야 할 것이다. 그렇지만 자기 집이 가난하고 자기 어머님의 생활비를 자기가 대어

드려야 한다는 다만 그 한 조건으로 자기와의 사랑에 좀이 든다는 것은 결국 여성이란 도대체 믿을 수 없는 것이라 생각하지 않을 수가 없었다. 자기의 안일을 위해 자기 어머님의 생활을 위해 돈만 있다는 조건 하나로 그 남자에게로 시집을 간다면 그 전 평양의 어떤 회사 사장과의 관계는 또 어떻게 된 것인지 알 수 없는 일이었다. 순영인 아름답고 영리했다. 그리고 순진스런 것 같았다. 그러나 순영인 세파 속에 부닥치는 동안 결국 거친 인생행정에 시달린 꽃이 피었던가? 동철은 정현이의 아름다운 그 눈이 자기를 쏘아보는 것을 연상할 때마다 순영이의 눈이 눈앞에 떠올랐다.

(순영이! 순영이는 아름다운 여자! 순영인 첫사랑의 애인! 그러나 남의 아내!)

동철이는 머리를 몇 번이나 흔들었는지 모른다.

二十二

벨이 울고 차가 떠날 무렵에 동철은 차에 겨우 올랐다. 북으로 달리는 차는 넓고 넓은 뜰을 지나 산도 없는 광야로 줄달음질을 친다. 조선서는 상상도 할 수 없는 그 넓은 광야! 그 광야를 개척하는 개척민 하고라도 속히 가서 개척된 만주 광야가 보고 싶었다. 그 개척민의 대부분이 조선동포란 것을 생각할 때 차가 광야를 헤치고 달음질치는 무렵에 거기 정신을 빼앗기고 있던 동철은 문득 자기 앞자리에 사람의 인기척을 듣고 머리를 들었다 부였던 자리에 남녀 두 사람이 나란히 앉았다.

"순영이!"

동철인 소리라도 크게 지를 뻔했다. 그것은 확실히 순영이었다. 그 옆에 앉은 남자는 아마 그의 신혼한 남편인가? 동철은 시선을 어디로 두어야 좋을지 몰랐다. 원망스럽다면 끝까지 원망스러운 순영이었다. 그러나 밤마다 낮마다 잊을 수 없는 것도 순영이었다. 그렇게 사랑하고 아끼는 순영이 자기와 결혼이라도 했을 순영이, 만일 자기와 결혼을 했다면 순영인 자기 아내가 아닌가? 그 순영이가 지금 자기 앞자리에 앉았다. 눈에 불이 번쩍 나고 눈앞이 캄캄해졌다. 앞니로 아랫입술을 깨물어졌다.

그 순간 순영인

"어쩐 일이세요?"

아주 침착한 어조였다.

"어디꺼정 가세요?"

동철이가 대답할 사이도 없었다.

"……"

"언제 떠나셨어요?"

"……"

동철이는 말보다 눈앞이 캄캄했다.

"신경꺼지 가세요?"

"공주령을 들러……"

동철인 말끝을 다 맺지 못했다.

"공주령요?"

"네!"

"저두 공주령을 가는데요."

"……"

동철은 머리를 숙였다.

"저어 인사하시죠."

순영인 옆에 앉은 남자를 동철이에게 소개했다.

"제 오빠야요!"

"순영인 오빠가 없다드니."

동철은 혼자 입속으로 중얼거렸다.

"인동철입니다."

"네 김순구입니다."

"저어 십육 년 만에 오빠를 만났어요."

"네!"

동철은 힘없이 대답했다. 그리고선 담배 하나를 꺼내서 피어 물고 담배 연기를 한 모금 뿌욱 빨아 차창 밖으로 뿜어냈다.

"전 신경까지 가는데 공주령서 며칠이나 유하십니까?"

준구의 말이다.

"네 공주령서 일주일 있을 작정입이다. 그리군 신경, 하르빈, 길림을 들러 쟈므스(가목사), 목단강을 들러 간도에도 잠간 들를 예정입니다"

"피로하시겠습니다. 신경에 오시면 꼭 들러주십시오!"

"고맙습니다."

동철인 주는 명함을 받아 들었다. 그러나 자기 오빠는 신경까지 간다는데 순영인 공주령엘 간다는 것은 무슨 뜻일까? 순영인 그걸 눈치했는지

"저어 오빤 급한 일이 있어서 신경까지 가시지만 전 저어 공주령에 제 동창이 있어요. 참 아시겠군요. 해옥이 살어요. 그래 거길 잠간 들르려구요."

"해옥씨가 공주령에 있어요?"

"네 저어 하르빈인가 있다가 그리로 왔다는군요."

"참 인연도 이상하군요."

동철은 가슴속이 어지러웠다. 설레기도 했다.

"저인 괜히 용천서 하로를 쉬이고 오든 길입니다. 얘 순영이가 작고 봉천을 들르제서 하는 수 없이 하로를 쉬었죠. 난 급해죽겠는데."

"퍽 오래간만에 만났었죠?"

"십륙 년만이죠. 아버님이 돌아가시자 가산도 다 기울어지구 해서 저는 그때부터 만주로 왔었지요. 통 집에 기별도 없이 하고 있다가 이번 순영이 결혼이 있잖었어요? 우연히 그걸 알게 돼서 한 번 가려했는데 그 땐 또 급한 용건이 있어서 가진 못하구 이번에 그야말루 십륙 년 만에 조선엘 돌아가서 어미님도 뵈옵구 순영이두 만났지요."

"대단 반가우시겠습니다."

"참 그동안 저도 너무 무책임 했어요. 늙은 어머님과 어린 누이를 두고 떠나와서 십여 년을 소식도 없이 지냈으니! 참 인 선생님의 존함은 신문 잡지를 통해서 많이 뵈었습니다만 오늘 우연히 이렇게 뵈우니 더욱 반갑습니다. 바루 신경으로 가시죠. 신경서 공주령은 얼마 머지 않으니깐 곧 회정할 수도 있으니깐요."

"얘 넌 순영이두 신경으루 바루 가자!"

"전 공주령에 벌써 연락을 다 해나서 후일 찾아뵙지요."

"저두 전보를 쳐두구 했는데요, 머!"

"허허 나혼자 그럼 몬저 가지요."

툭 터진 지평선우로 기차는 쉴 새 없이 달음질치고 있다. 화제가 잠간 중단이 돼서 침묵이 흘렀을 때 동철은 순영이 얼굴을 한 번 힐끗 쳐다봤다.

二十三

그렇게 침착하던 순영이 얼굴엔 어쩐지 검은 구름장이 떠돌고 있었다. 여름날 소낙비가 쏟아지려는 하늘처럼 눈물이라도 막 쏟아질 것 같았다.

(순영이!)

마음속으로 이렇게 불러도 봤다. 이제는 남의 아내가 아니냐? 잊어버리자. 영원히 잊자. 말도 마자. 이렇게 가슴 속에선 단단한 결심이 생겼으나 마음은 괴로웠다.

동철인 담배 하나를 다시 꺼내 물었다.

"저녁이나 하시러 가시죠."

순구의 말이다.

"전 속이 좀 거북해서 그만 두겠습니다."

"가시죠."

순영이가 일어서면서 동철을 봤다.

"네, 고맙습니다."

"……"

순영인 더 말을 못하고 동철일 물끄러미 바라보았다.

"그럼 우린 몬저 실례하겠습니다."

순구는 그대로 앞서 식당 편으로 갔다. 순영이도 힘없이 오빠 뒤를 따랐다.

광야의 해는 저물었다. 지평선 너머로 자줏빛 구름이 어여쁘게 넘어가는 해를 곱게 싸고 지평선은 붉은 빛으로 요란한 무늬를 놓았다. 그름이 모였다 흩어졌다 하건만 지평선 너머의 구름은 넘어가는 해를 포근히 싼 그대로 오색찬란하게 광야의 저문 노을을 물들이고 있다. 밤바람이 차가워진다. 무덥던 대지의 더위가 가고 차창으로 들이치는 바람이 선선하다.

대륙! 넓고 넓은 대륙. 저기 수수가 자라고 조가 자라고 마음껏 마음대로 길길이 자라서 한광이 두 광이 갈고 심고 키우는 농부의 가슴 속에 희열이 벅차서 그 소박한 얼굴에 웃음이 들 때 이 대륙은 풍년이 든다. 남만은 수전이 많이 보이지 않으나 이 넓은 뜰! 이 넓은 뜰을 수전으로 만든다면! 하고 동철인 북만에 많은 수전을 연상했다.

조선 사람의 수전개척의 공노를 생각하고 동철인 또 만주와 조선의 인연이 깊은 것을 생각하지 않을 수가 없었다.

이 만주, 여기 조선 사람이 이 백만이 있다하지만 그들은 이 만주를 불모(不毛)의 땅 비적만이 사는 땅이라 경멸했고 무서워하지 않았는가. 여기가 옛 조선인의 개척의 땅이라는 것을 알고 오기나 했던가? 오족협화와 만선일치가 역사에 근거를 두고 만주의 결국의 진실인 것을 여기 흩어진 조선동포들은 알 것인가? 부질없이 만주를 경멸 하던 조선 사람들이 만일 여기가 옛 조선인의 개척해온 땅인 것을 안다면 만주를 간다는 것을 그렇게 눈물에 저서 압록강을 건너지 않았을 것이 아닌가?

창밖이 점점 어두워진다. 하늘의 조각달이 서천에 걸렸다. 넓은 들에 밤바람 소리가 요란해졌다.

"이게 북만 땅인가?"

"천년 말일세!"

"그렇지 난 소화 오년에 이곳 오두 왔으니."

"자네는 큰일을 했네."

"큰일은 뭐이 큰일이야 그저 해본게지."

"……"

동철이가 사공진 두 사람은 지금 아침 햇볕을 맞으며 쌍두마차(雙頭馬車)를 타고 공주령 서편에 있는 사공진이의 경영하는 농장으로 가는 길이다. 오월이라면 만주 땅엔 아직도 찬 바람기가 있다. 그러나 전중포림(田中包林)처럼 된 밭 속에 서있는 벼들이 이미 푸르렀다.

"만주를 보면 사변 후 육 년 동안에 더구나 지나사변으로 이 년 동안은 충분히 능률을 내지 못했는데도 훌륭히 건설이 된 건 결국 일본 사람의 참된 집단적 건설 정신이 위대한 것을 알 수 있어. 글쎄 이 농장을 처음 경영할 때만 해도 일본 현병이 권총을 들고 우릴 수비를 해줬으니깐!"

"참말…… 그러니 아즉껏 조선 사람들은 자립정신이 부족하기 때문에 생활상 문제가 다 해결이 된 것은 아니지만 그 전에 비하면 정신적으로나 경제적으로 상당히 발전이 됐어! 더구나 수전(水田)사업이야 조선 사람이 공로자가 아닌가? 지금(소화 십삼 년) 만주국내에서 생산되는 쌀이 四百만 석인데 지금 시세로 한 석에 십륙 원이니 일 년 六천二백만원의 생산액이란 말야. 이것이야말로 상당한 금액이 아닌가? 지금 나만 문제되는 것을 만인(滿人)지주와의 싸움인데 이것은 만인과의 예약이 불충분해서 그런 경의도 있지만 그건 다 좋게 해결이 될 걸세."

"……"

二十四

동철인 마차 우에 흔들리면서 귀를 기울이고 있었다. 산도 없는 넓은 뜰! 이 광야에 농가가 이따금씩 보인다. 거센 바람이 몰아다 먼지를 갈기고 간다. 마차의 방울소리가 광야 지평선 우에 퍼져나간다. 마부의 채찍 소리가 획 획 말잔 등 위에서 난다. 하늘의 구름이 뵈락해락 첫 여름 바람이 선선한 감각을 가지고 불어다 준다.

"바로 저기가 내 농장일세!"

"저어기 전부가?"

"그럼 六十쌍(一垧이 千三百 町步)이니깐 꽤 넓은 셈이지."

"여긴 비료가 필요없대지?"

"이 넓은 뜰에 비료를 내면 어떻거겠나?"

"그저 갈고 모만 심으면 되는구먼…… 허허."

"그러기 소작인 한 사람이 조선식으로 말하자면 二三十 두락씩 붙이는 셈이야."

"그럼 소작인들두 생계가 괜찮겠구먼."

"여기서 도박을 하지 않고 또 주색에도 과히 빠지지 않는다면 십년이면 조그만 부자는 될 걸세!"

"그렇겠는데."

"그래 우리 농장엔 조그만 학교도 두어 농민의 자제들을 가르치구, 훈련소를 둬 농민의 정신을 단련도 시키네. 그들의 생활필수품은 공동구입을 해서 되도록 편의를 보아주는 셈이지.”

“자넨 큰일을 했네.”

“자! 여기가 수원지(水源池)일세.”

마차를 내려 큰 호수처럼 푸는 물에 감도는 수원지 옆에 그들은 섰다. 들에 나무는 없고 버드나무만이 그 수원지 옆으로 섰다. 푸른 잎을 돋은 버드나무들이 물 우에 음역을 지우면서 거친 바람에 흔들리고 있다. 툭 터진 벌이 사면으로 아무리 돌아보아도 끝이 없다. 지평선 너머론 푸른 하늘만이 보일 뿐이다.

“만주는 넓고 커……”

동철은 그저 가슴이 벅차서 다른 말을 꺼낼 것이 없었다.

二十五

"자네두 만주로 오게!"

"나?"

"응! 꼭 와!"

"내가 만주 와서 필하겠나."

"만주엔 지도적인 지식계급이 절대 필요하네."

"내가 뭣을 안다고 지도를 하겠어!"

"그런 말 말구 꼭 와주게 내가 경영하는 이 농장을 내가 내 개인의 부를 축적하려고만 한 것이 아니니깐."

"고맙네!"

"처음 일을 시작할 땐 돈이 없어서 쩔쩔 매구 야단이었는데. 그 땐 은행에서두 돈을 안 꾸어 주드니 이젠 사업에 자리가 잡히니깐 돈이 필요치 않은데 두 돈을 자꾸 갔다 쓰라는구먼. 참 이 사회란 그러기 실력이 있어야 하겠어!"

"……"

"이젠 그만치 기초가 잽혔으니 무엇이나 와서 해보세."

"……"

동철은 지나간 육칠 년의 세월이 자기에겐 속절없이 흘러간 것 같았다.

"그런데 순영씬 어떻게 됐어 어제 차에선 같이 나리드니……"

"해옥이한테 간 모양이야!"

"응!"

"왜 같이 오시잖구?"

"나 순영이와 갈라졌어?"

"뭐이 결혼은 했었나?"

"아니."

"그럼 순영씬?"

"금년 이월에 결혼했어!"

"누구와?"

"부르죠아야."

"건 또 어떻게 돼서? 난 동경에 그만치 지내기 결혼 하신 줄 알었는데."

"못하게 돼서 그만 뒀어. 글쎄 오해 때문이야. 내가 졸업하기 전 해 방학에 나오려고 순영일 찾아가지 않었겠나? 그 땐 해옥이 하구 한 하숙에 있었을 땐데 내가 떠난다니까 점심을 자기 집에 와서 먹으라는군 그래서 오라는 시각을 일 분도 어기지 않구 갔잖었겠나. 참! 그런데 그때 해옥이가 척 나오더니 순영인 오늘 아침 차루 조선엘 갔다는군. 무슨 약혼 문제로 전보가 와서 떠났다겠지. 그 땐 앞이 캄캄한 걸 하는 수가 있어야. 그래 그대로 되돌아서선 바루 동경역으로 나와 가지군 부랴사랴 조선에 들어가는 길루 그저 사방 사람을 늘어놔 가지구 결혼을 해버렸지. 그 순영이에 대한 복수를 하는 셈으루 그랬는데 알고 보니 참 일이 분하게 됐어?"

"그것 참 자미있네."

"이 사람 그 때문에 난 지금껏 혼자 몸일세."

"부인께선?"

"저 세상으로 갔어."

"언제?"

"수 년 됐어."

"그럼 참말루 혼자야?"

"중신할 텐가?"

"못할 것두 없지 그런데 그 뒤가 어떻게 됐어?"

"그리구 어젠 또 어떻게 같이 한 차루 여길 오구?"

"어제 한 차루 온 것두 다 묘할 일이 있어! 그런데 동경서 내가 멍텅구리 노릇을 했단 말야. 기실은 해옥이하구 순영이 하구 두 사람이 짜구서 내 맘을 떠볼려구 했다는군."

"그래서?"

"말하자면 순영이가 약혼하러 조선을 갔다면 방으루 들어와서 몇 시에 떠나구 그동안은 무슨 연락이 있었구 순영이도 그래 맘이 있어 갔느냐구 꼬치꼬치 캐물으면 그 때 순영인 '오시이레' 속에 있다 '깨꼬'하고 나오려구 했더라는군."

"……"

二十六

　"그런 걸 난 고지식하게 듣구 그대루 성이 나서 조선으루 돌아가질 않었겠나. 나중에 순영일 만나서 들었지만 그대로 이층 층계를 뚜벅뚜벅 나려가는 소리를 듣곤 '오시이레' 속에서 부를 수도 없구 가슴이 아퍼 일어나질 못했다는군! 그래 그게 오해가 돼서 난 딴 여자허구 결혼을 했었지. 그래두 순영인 날 믿구 지금껏 있었대두 과언이 아냐. 그런데 작년에두 몇 번 만나서 서로 오해를 풀었는데 웬일인지 작년 겨울부터 마음이 변해가지구 딴 남자와 결혼을 했어."

　"그런데 어젠 어떻게 동행을 했나?"

　"우연히 봉천서 한 기차에 타게 된 거 뿐야."

　"좀 승겁네."

　"그래, 끝이 너무 승겁지."

　"만주가 좋긴 하여 서울서도 못 보든 사람을 이 만주 땅에 와선 볼 수가 있으니!"

　"그러기 만주로 오라니깐."

　"그래 순영씬 공주령에 뭘 하러 왔어?"

　"건 자세한 몰라두 신경 자기 오빠 집에 다니러 가는 길에 해옥이가 꼭 들르랬다나?"

　"건 자네가 여길 나린다니깐 따라나린 걸세."

"이제야 뭐 소용 있나?"

"그래두 잊진 못하겠는 모양이군."

"잊지 어려워도 할 수 있나?"

물 우를 젖어 오는 바람이 맘에 젖힌 얼굴에 시원히 와 부딪친다.

"자… 이젠 돌아가지. 그리군 오늘 밤은 천천히 나와 술이나 마시세. 내일 낮엔 역 유지들과 간담이나 하구!"

"글쎄 출장일자가 너무 짧어서!"

"그래두 혼자 얼른 돌아다니는 것보담 네 이야기 듣는 게 퍽 낳을 걸세."

"그렇기도 하이."

"자! 그럼 천천히 들어가 볼까?"

"그러세."

그들은 발길을 돌리던 길에 바로 길옆에 있는 만인 소작인 집으로 갔다 만 만인의 집 구조는 들어서는 대로 길 하나를 사이에 두고 높다랗게 된 온돌이 있다. 말하자면 난리 많은 만주에서 총알이 날아 들어오면 그 아래 나려와 엎드리기만 하면 일시 총알을 피할 수 있는 때문이란다. 소박한 얼굴에 애교를 띠우고 만인 소작인은 차를 다려다 준다. 이 광야 한 복판에 두서너 집 밖에 없는 이 농가. 비바람에 늙어가는 인생의 비극도 희열도 그들은 이 농토와 싸우고 벗함으로 생을 즐기고 있다 흰 옷 입은 선농부가 들어와 인사를 한다. 조선인과 만인과의 화목한 모양이 마치 옛날 고구려 발해시대로 생각을 달리 하게 한 것은 동철이가 역시 더 한 층 깊게 느낀 것이다. 만선만은 일어가 될 수 있다. 감격에 찬 그의 눈이 만인 농부와 주고받는 조선 농부의 눈에서 만인의 웃음에서 엿 볼 수 있었다.

"자아! 일어서지!"

사공진의 말소리에 잠을 깬 듯

"가볼까?"

하고 동철도 자리에서 일어났다.

그들은 다시 마차에 몸을 실었다.

二十七

공주령 역전 조그마한 일본 여관 서편을 향한 이층 관조방에 동철은 혼자 천정을 쳐다보고 누워있었다. 저녁을 먹으면서 마신 맥주 기운이 전신에 피잉 돌아 피로한 정신을 포근히 꿈나라 속에 배회하게 만들었다. 열어놓은 서창으로 조각달이 훤히 들어오고 선선한 저녁 바람이 대륙의 기후답게 조금 거세게 창을 흔든다.

정적! 끝없는 정적이 흐르는 공주령의 밤은 불빛이 조요한 가운데 깊어가고 있었다. 사공진이는 신경에 급한 일이 있다하여 다음날 돌아올 것을 약속하고 오후차로 떠났기 때문에 한밤을 만주 넓은 광야의 한 기점 공주령에서 보내기는 너무 고독했다.

(어데로 갈까? 내 이상은 무엇인가?)

동철은 혼자 자기 생각에 깊었다.

(만주에 일할 것이 많어.)

(만주로 올까?)

(만주 와서 일을 해볼까?)

(만주에 근거를 두어볼까?)

동철은 이런 생각이 머리를 감돌고 있었다.

그는 초인종을 눌렀다. 술이 한잔 더 마시고 싶었다.

"네에."

하고 들어온 건 스물셋이나 되어 보일까 한 하녀였다.

"불르셋에요?"

"삐루 한 잔 좀 줄 수 없어요!"

"곧 가져 오겠어요."

구주(九州) 사투리를 쓰긴 하지만 얼굴은 경도(京都)지방 여자 같이 때가 벗고 조금 나긋나긋한 게 세련된 맛이 있다.

"객지에 나서서 혼자 퍽 적적 하시겠어요."

"동무 하나가 있었는제 급한 볼 일이 있어 신경엘 갔어."

"참 사 선생 그 분은 아조 활동가이시죠. 공주령서도 대 사업가로 명망이 높아요."

하녀는 컵에 삐루 한 잔을 부어 놓고 제법 이야기를 꺼낸다.

"원래 진실한 사람이이니깐."

"그러신가 봐요. 통 무슨 스캔들이 없으신 것 같아요."

"응, 그래?"

삐루를 한 모금 들이키고 컵을 놓으려는데 아래층에서 하녀를 부르는 소리가 났다.

"잠간 실례하겠어요."

하고 인사를 고분이 하고 나간 지 오 분도 못 되어 하녀는 되돌아 와 가지구

"부인 손님이 오셨는데 안내할까요?"

한다.

"누군데?"

"저어 한 차에 오신 손님이시라구요."

"으응?"

동철은 잠간 주저했다. 그저 들어오랄 수도 없는 것 같고 또 그저 돌려보

낼 수도 없는 것 같았다. 한참 당황한 태도로 두리번거리다가 하녀가 오히려
이상히 보는 것 같아서

"들어오시래지."

했다.

二十八

(뭣 때문에 날 찾아왔을까?)

(내가 여기 있는 것은 또 어떻게 알았을까?)

하고 혼자 중얼거리는 동철의 방으로

"실례합니다."

하고 방문이 바시시 열리더니 들어서는 것은 틀림없는 순영이었다.

"들어오시죠."

말은 그렇게 했으나 가슴은 어쩐지 설레었다.

"혼자 적적 하시죠!"

"괜찮습니다. 그래 삐루를 마시고 있었습니다."

"해옥이와 같이 오려구 했는데 그 앤 무슨 일이 있대서 저 혼자 왔에요."

"……"

"며칠이나 게서요?"

"글쎄…… 모르겠습니다."

동철은 대답하는 말이 어쩐지 자꾸 끊어지곤 했다.

어색한 수 분 간이 지나갔다.

"인 선생님."

"네?"

동철인 기계적으로 대답했다.

"선생님, 그동안 약혼하셨다죠?"

"네?"

그건 자기도 모르는 일이었다.

"언제 결혼은 하세요?"

"결혼요?"

"약혼만 하시구 결혼은 안 하실 작정이세요?"

"전 약혼두 결혼두 모르는 말입니다."

"그럼, 그게 허실일까요?"

"모릅니다."

"참말이세요?"

"건 또 뭣 때문에 물으셔요?"

"묻는 것이 잘못이야요?"

"……"

"물을 권리가 없으시단 말씀이죠? 시집간 계집이 남의 약혼은 알어 뭣을 하구 결혼은 알어 뭘 하느냐 말씀이죠?"

"……"

"잘 알었어요. 선생님은 저를 과거에 사랑도 아니 하셨구 지금도 마음속엔 사랑하신 그 흔적도 없어졌어요. 사랑이란 말로 하는 것보담 그 사랑이 가슴속에 마음의 등불이 피가지구 평생 맘속의 사랑의 등불이 켜져있어야해요. 그렇지만 선생님은 그런 순정주의자는 아니야요. 잘 알었어요. 제가 미친 여자죠!"

"대체 순영씬 이게 무슨 연극하는 무대신줄 아십니까? 뜻밖에 만나서 이건 또 무슨 말씀입니까? 결혼한 지 이삼 개월 밖에 안 된 순영인 이가 무슨 연극이에요?"

"연극이면 연극으로 해석하세요. 그래두 전 할 말을 하고 나니 가슴 속이 시원해요. 저는 결혼하기 전에 퍽 고민을 했어요. 그리구 결혼한 뒤룬 더욱 괴로움 속에 눈물로 지내요. 제가 이런 말씀을 드린다문 선생님은 거짓말이라구 하실 거야요. 그건 선생님이 아무렇게 생각하서두 좋아요. 전 이제 선생님에게 제 가슴속에 있는 생각을 모주리 말씀드린다구 그전 그대루 믿어 달라는 것두 아니구 또 그 말씀 드린 것을 어떻게 생각해시사고 하는 것두 아니야요. 다못 전 어떡허문 한 번 뵙구 가슴 속에 있는 말을 쏟아놓을까 그래서 선생님의 양해를 구할까 하는 것 뿐이야요."

"……"

"사실 제가 결혼한다는 말씀을 사뢰였을 때 선생님은 퍽 낙망하시는 표정이 있어요. 그러나 전 선생님의 표정이 거짓으로만 생각됐어요. 그래서 선생님을 뫼시고 일평생 부부로서 산다면 선생님은 불행하리라 생각했어요. 전 선생님에게 적당치 않은 여자라고 생각했기 때문이죠."

"이젠 지나간 말씀은 모나 흘러가는 물에 씻어버립시다. 이 너른 만주의 벌판에 내버립시다. 그리고 순영씨 이젠 남의 아내가 아닙니까?"

"저도 잘 알어요. 그러나 선생님 제가 왜 딴 남자와 결혼한 지 아세요?"

"……"

"그걸 선생님이 아세요?"

"그야 그 분이 좋으니깐 결혼했겠지요."

"그렇게 생각하셨죠?"

"그럼요?"

"전 선생님을 오해했어요."

"?"

"선생님을 오해한 건 다름이 아니었어요. 여기자와의 스캔달이 있어요?"

"여기자?"

동철은 가슴이 찌르르했다. 정현이를 말하는 것일까 하는 생각에서다. 물론 정현이완 사랑한다든지 이런 사인 아니라고 동철인 정현이가 맘속에 한 구석을 점령한 여자기 때문이다.

"왜 시두 쓰구 하는 여명사의 여기자 말씀야요. 이젠 그만 뒀다지만……"

"이순명양 말요?"

"……"

순영은 대답 대신 고개만 까딱인다. 새별 같은 눈이 아름답다. 원망하는 듯도 사랑하는 듯도 그리고 지나간 일을 용서해달라는 듯도 그 아름다운 눈웃음이 지나간 날 사랑에 취했던 시절에 오고가던 두 사람의 시선이 연상되었다.

"전 그걸 오해했어요."

"그인 딴 남자와……"

"그러기 말야요. 천하에 그 여자의 스캔달을 모르는 이가 있어요? 그런 것을 전 공연스러이 오해만 했지요. 작년 그 어느 늦인 가을 날 밤 선생님 하숙으루 선생님을 찾아갔을 때 선생님 문 밖에 흰 고무신이 놓여 있겠죠? 그래 가슴이 설레어 잠간 귀를 기울이고 있었드니 두 분의 말소리가 잘은 안 들려도 때때도 웃음소리가 섞여 나오면서 이야기 소리가 나서 ○○ ○○○ 같어요. 무슨 이야기인지 《쯔바○○○》의 ○○하는 장면 이야기 같어요. 그 순간 전 선생님을 오해했어요. 자기 잡지사에 데리고 있는 여자와 사랑을 하면서 나와는 참사람은 하지 않는 거라고 그래서 그 때부터 전 선생님을 오해했죠. 제가 차라리 선생님과 그런 말씀이라도 하고 쌈이라두 했드면 오해는 자연 풀렸겠는 걸. 제 꽁한 성격으룬 비겁한 것 같구 뭐 자기 체모가 깨지는 것 같어서 전 딴 데루 결혼 할 생각을 가졌었어요. 그때 제 여학교 시절의 선생님의 소개루 지금 그이게루 갔죠, 머…… 그렇지만 선생님! 전 선생님을 잊고 살 순 없어요?"

"이젠 지나간 꿈이외다. 기리 평안히 그 분과 사십시오."

"……"

"여잔 한번 결혼한 그 남자와 평생을 같이 하는 것이 부덕(婦德)의 제일 이니깐요."

"건 알어요. 잘 알어요. 그렇지만!"

순영인 눈물이 글썽해진 눈으로 동철을 원망스런 눈초리로 바라보았다.

二十九

동철이가 만주서 돌아온 건 오월도 다 늦은 삼십 일이었다. 역두에 마중 나온 사원들과 몇몇 벗들 그 중에도 정현이의 파마네트에 엷은 하늘빛 원피 쓰는 특히 피로한 동철의 눈에 새로운 청량제였다.

동철인 사에 돌아오는 길로 만주시찰 보고 강연을 했었고 뒤이어 편집회 의가 있었다.

동철의 만주에 대한 견해는 사원들의 관념적인 만주에 대한 인식을 시정 (是正)하는 데 큰 충격을 주었다.

결국 만주건국 이후 민족 융화와 대리상 왕도낙토의 실천은 조선 사람의 만주 이주의 안정처요, 안주지로서 힘이 되었다는 것을 전제해주고

"여러분 나는 이번 만주 여행이 십일 동안에 느낀 것은 조선 사람들이 만 주에 있어서 큰 공을 세운 사실을 발전한 것입니다. 그건 조선인의 수전 개 척 사업입니다. 내 친구 중의 한 사람이 공주령서 수전 개척 사업에 성공한 것을 내 눈으로 목도하고 왔습니다만 조선 농민의 지나간 날의 만주 개척의 공은 만주국 정부로도 인증하는 사실로 소화 십삼 년 현재 륙천 이백 만 석 의 쌀을 생산하고 있는 것입니다. 그러기 지금까지의 조선이민은 막연히 자 유로 이민했지만 금년부터 일 년 일만 명식의 정식으로 이민을 하리라 하빈 다.("하빈다."는 "합니다."의 오식― 편자주) 이것은 개척총국(開拓總局) 변사처(辯事處) 에서 지도하게 되는데 지금까지 이민에는 집단(集團) 집합(集合) 분산(分散)의

세 종류의 이민이 있었다는 것입니다. 집단이민이라는 것은 만선○○(滿鮮 ○)○에서 알선해서 내오는 것이고 집합이민은 금융회사와 농부계를 통해서 오는 것입니다. 그리고 분산이민은 연고이민이라고도 하는 것으로 만주에 있는 조선 농민의 친척이나 지기를 통해서 오는 것인데 대게 그들의 이주기는 구 정월부터 사 월경까지라고 합니다. 그런데 작년 즉 소화 십삼 년 십으로 이민국책(移民國策)을 세우려고 각 방면에 대해서 여러 기관을 총동원해가지고 거듭 거듭 회의를 하고 또 십사 년 一월 오륙 양월 동안 현지안을 작성하여 일만의 결과로서 조선이민을 국책이민으로 바로 결정이 되었다는 새 소식을 알고 왔습니다.

지금까지 분산적으로 망연히 가든 이민들이 국책이민에 의해서 이제부터 그들을 집단적으로 이민을 하게 되고 이에 따라 재만 조선이민의 대우도 점차로 나허가게 되었습니다. 그리고 금년부터는 이민의 형태시설(形態施設) 토지제도(土地制度)에 적지 않은 변혁이 있을 모양인데 그 주에 하나는 청소년 이민 문제라는 것입니다. 이 청소년은 어느 대나 그 지도 육성에 커다란 주의가 필요한 것이지만 이주 청소년 농민의 지도 육성은 지금 개척총국으로서 크다란 주의와 관심을 가졌다 합니다. 그래서 각 민족(民族)의 청소년을 넣어서 공동훈련(共同訓鍊)을 시키는데 조선 청소년은 금년도에 있어서 이십 명을 가도성에서 모집해가지고 녕안(寧安)에서 훈련을 시킨다고 합니다. 그리고 금년도부터 토지개척 사업에 한 가지 난관이 생겼는데 그 것은 미곡통제법에 의해서 수전조성(水田造成)에는 만주국의 인가를 얻어야 하는 것이지만 견실한 사업가면 무론 이것이 큰 문제가 아니라는 것입니다. 말하자면 좀 더 과학적으로 규모 있고 광대한 농토를 만들자는 것이겠지오. 그러나 여기 한 가지 우서운 에피소드가 있습니다.

말하자면 이것은 현대 과학에 대한 일종 '히니꾸'입니다. 과학적으로 수전을 개발한다고 학자들 기사들이 모두 모여서 실제 계획한 수전이 결국 물의 관개가 잘되지 않아 실패한 사실이 많은데 조선농민은 담뱃대 하나를 들고 수원지 있는 쭉 오도가시 보를 이렇게 내라고만 하면 훌륭한 수전이 됐다고 물론 이것은 만주건국 초창기의 이야기입니다만 조선 농민은 그만치 만주 땅을 잘 알고 또 순전 개척에 자신이 있다는 것입니다.

더구나 토지 값이 조선보다 ○○○○○ 수입 되는 것도 많은 것입니다. 토지 질로 보면 논 한 평에 십오 전내지 이십 전인데 비료도 쓰지 않고 기음으로 년 삼 할의 수확은 된다 합니다……"

조선 사람은 자기 고향 떠나는 것을 몹시 두려워하는 경향이 많습니다. 바다를 건너 망양도 가고 강을 건너 만주나 지나로도 가서 개척 사업도 하고 무역업도 해야 할 것입니다. 그러나 고구려 시절 같은 기개가 요즈음은 퉁 없어졌고 만주 가는 것을 무슨 못 갈 곳에 쫓겨 가는 것처럼 해석하는 것은 조선 사람이 해외로 발전할 길을 잃은 좌증입니다.

만주 값싼 토지에서 많은 생산을 얻을 수 있다면 농토 좁은 조선서 하필 싸울 것이 없는 것입니다. 이것은 지주나 농민이 모두 만주에서 영농할 필요가 있는 것을 인식하지 않아서는 안 될 것입니다.

그리고 조선인의 재만 교육문제에 있어서도 중등학교 이상은 문제가 없으나 초등학교 아동들의 교육인데 말하자면 일본 대사관에서 조선인 아동의 초등학교를 직관하지 않기 때문에 이중으로 교육을 받게 되는 것인데 이것도 장차 잘 해결 될 문제입니다.

그리고 금융기관은 금융회(金融會)라는 것이 있는데 이것은 조선금융조합을 모방한 것입니다. 전 만주에 三十八개 소의 금융회가 있고 七개 소의 지소(支所)가 있는데 이곳에서 조선 농민의 영농자금 기타 농촌 금융을 취급하는 것입니다. 이 금융회와 또 불가분의 관계가 있는 것은 농무제(農務制)입니다. 농무제는 조선 ○○의 개에서 본을 따서 출발한 것인데 이것은 상호부조의 정신 밑에서 개원 각자의 이익을 증진시미고 지나갈 구습의 나쁜 것을 교정하려는 취지에서 금융회로부터 농경자금(農耕資金)의 대부를 받는 연대 농업합작사(農業合作社)가 되고 각 촌에 실행합작사(實行合作社)가 되어 그 부문에 속한 사항을 점차 합작사로 흡수하고 금융회로부터 농경자금의 차입(借入) 회수(回收)의 알선 기관처럼 되어 써는 것입니다. 강덕 오 년 이 월말 현재로 전만 각지의 농무게는 一천一백九十四 게원이 六만 五천六백六십구 명이나 된다는 것입니다. 그리고 금년부터는 긍융회와 농무게를 동원시켜가지고 이민의 용지(用地)를 준비시켜 집합이민(集合移民)의 형식으로 八백七십九 호, 천六백십一 인의 이민 이입시키게 된다는 것입니다. 다음으로 이민부락의 금융자금을 주로하고 있습니다. 그런데 대부금 총액이 一천一백○四만 六천八십三 원으로 그 내역은

一. 간도(間島) 봉천(奉天) 통화(通化) 길림(吉林) 다섯 ○○○에서 자작농 ○○○○○ 만 백八십九 원.

二. 전반 각지금융회의 중앙통제기관인 금융연합회 대부액이 八십三만 원.

三. 이민에 대한 이주비 영농(營農) 자금 등 대부액이 三백六六만 六육천一백九십 원.

四. 기설(旣設) 농촌 선만농(鮮滿農)에 대한 영농자금이 三백四십二만.

五. 기타 일백이만八천九백九사원을 대부하고 있는데 대부 이율은 단기 일 일보二전三리, 자작농 제정자금이 열일활로 되었습니다.

그 외에 간도동지에는 조선인을 상대로 한 은행, 무전업, 금융회사 등의 기관이 있어 조선인의 금융을 원활히 하고 있습니다. 그리고 협화회(協和會)가 있어 각 민족 단위의 정신적 모태를 만들어 놔서 활동하고 있습니다. 이러므로 조선인의 만주 이주는 우리 사로서 당연히 주장해야 할 것입니다. 여

기 만주 특집호를 만드는 정신이 있는 것입니다.

박수소리가 요란히 울렸다. 동철은 긴장된 얼굴로 자리에 앉았다. 편집실 안은 긴장된 빛으로 꽉 찼다.

三十

　사장의 위로 인사가 있은 다음 그들은 명월관으로 가서 편집차장 인동철의 환영연이 열리었다.

　"편집차장의 만주 이십여 일 돈 것이 딴 사람 오 년간 있은 것 만한 수확은 있었소."

　이것은 솔직한 사장의 의견이었다.

　"역사가가 본 만주는 참 달러도 잠시 본 것이지만 과거와 현재를 비교하고 장내를 말하는 태도는 우리로썬 도저히 할 수 없는 말이죠."

　편집장(編輯長)의 찬사이다.

　"만준 사장선생께서도 다시 한 번 보시죠. 가을 쯤 편즙장과 같이 꼭 가시죠. 수확이 많을 겁니다."

　"글쎄 만주문제는 이제는 세계적 관점의 하나가 됐으니깐!"

　"정치적으로도 그러하지만 만주의 경제는 농업에 의한 경제 다시 말하자면 끝없이 넓은 들에서 나는 고량(高粱)과 대두(大豆)의 농산물이 그 농업의 대근간이었지만 지금부터 만주의 모양은 작고 변하고 있습니다. 만주산업 오개년 계획과 실시를 계기로 하야 전만 각지에 ○생하기 시작한 ○공○(○工이○)이 지금까지 조본(○本) 농업으로 중시해온 만주로 하여금 근대 공업국으로 전화시키려 하고 있습니다. 현재 제가 가 본 것만으로 말씀드리래도 만주강공업주분의 발전은 크게 놀랄 만했습니다. 오개년 계획의 중핵체(中核體)인 무순탕항(撫順炭坑)과 안산(鞍山), 본계호(本溪湖) 두 제철소는 놀랄만한 팽창을 하고 있고 부신(埠新) 밀산(密山) 학립강(鶴立岡) 북표(北票) 등 전만 수십 개의 처녀 탄전(炭田)은 석탄 기근에 대항하여 필사의 확장을 하고 있는 중입니다. 철과 석탄의 동변도(東邊道) 보꼬(寶庫)가 개발되는 일방 송화강(松花江) 압녹강의 대발전 공사가 건설되고 있는 것은 크게 주목할 일입니다. 또한 자원개발과 호응하여 석탄액화(石炭液化)공업 전기화공업 경금속공업 등이 이젠 점차로 발동돼 가지구 그것으로 인해서 길림(吉林) 사평가(四平街) 금주(錦州) 안동(安東) 같은데는 농민상대의 지방 상업도시로부터 가장 근대화한 공업도시로 비약하려고 하고 있습니다. 그리구 이와 호응해서 호로도(壺蘆島) 조자구(趙子溝)의 두 항구가 새로히 건설되게 됐습니다.

이러한 생활체재의 변화와 함께 농민들의 도시집중화의 현상이 자연 생기게 되고 또 그래 따라서 도시란 도시는 주택난에 빠지게 된 것도 사실입니다. 더욱이 신경 같은 데의 주택난이란 어떻게 심한지 모르겠어요.

그리구 만주국에 있어서 또한 없우이 볼 수 없는 것은 협화회(協和會)의 활동이드군요. 만주국의 정치는 협화회와 분리해서 생각할 수 없으리만치 불가분의 관계가 있드군요. 협화회는 만주국의 조직법에는 씨어 있지 않어두 '국가기구로서 정해진 단체'로서 '불문(不文)의 헌법상(憲法上)의 존재이고 또 정부의 정신모체(精神母體)인 것'이 사실이여요. 그런 의미에서 협화회는 정부의 종속기관도 아니오, 대립기관도 아니고 말하자면 만주국 유일의 측면적인 정치 기구의 하나라 할 것입니다.

원래 만주국엔 일본내지인을 중핵체로 하고 만, 선, 몽(蒙), 로(○)의 오개 민족으로 국가를 형성하고 있느니 만큼 이것을 한데 ○연히 할치 만주국을 진설히 하려는 것입니다. 그러기 만주엔 민족 협화의 실현, 왕도락토의 완성, 도의세계의 청건이란 커다란 정신만에 생장 발전하고 있습니다……"

(중략)

八十五

    국민연극연구소가 六개월의 수업기간을 마치고 졸업식을 거행하기는 十六년 이 월 십오 일이었다. 四十여명 강사가 늘어앉고 七十명 졸업생이 이날 기쁨 속에서 업을 내치었다. 소장의 훈시를 이어 간단한 식이 끝난 뒤에 졸업생들의 연극시연회가 있었다. 남녀 연구생 七十명이 총 동원이 되어 의의 있는 연기를 보여주어 내빈의 갈채를 받았다.

    이구는 이날 처음으로 유쾌했다. 새 사업에 이만한 성과가 나타난 건 당국의 좋은 지시와 강사들의 열성에서 있다고 생각했다. 물론 여기는 불철주야하고 노력한 이구의 힘이 전적으로 큰 것은 두말할 것도 없었다.

    졸업생중 십팔 명을 국민극장에서 수용했다. 그리고 나머지 졸업생은 국민극장과 유기적 관계를 갖고 극작, 연출, 연기 연극에 힘쓰기로 했다.

    그러나 이 기쁨의 날 김채희의 모양이 보이지 않은 것은 이상한 일이었다. 화려한 무대 생활을 하는 그가 그처럼 고독해 우는 것을 다만 처녀의 쎈치멘탈리즘이라고만 생각지는 않았지만 그러나 이구는 시골 있는 아내를 생각하곤 가슴에 끓는 열정도 다 눌러버리었다. 채희는 그런 눈치를 모를 리가 없었다. 슬픈 인생행로를 다만 고요히 눈물지면서 그 여잔 북만 쟈므쓰(가목사)로 가버리었다.

"이 선생님!

오랫동안 선생의 열의 있는 연구소 일을 조곰이라도 도아 드린 제 마음은 행복스러웠나이다. 이제 사흘을 앞두고 졸업식이 있게 된 오늘 제가 거기 참례하는 것도 좋을 것이나 저는 마음이 괴로와 그만 조선 땅을 잠간 떠났나이다. 숭가리(松花江) 대안 쟈므쓰로 한 두 달 동안 여행을 하고 돌아오겠어요. 그동안 부디 편히 게시오며 연극운동에 열의 있는 성과가 나타나 날로 왕성하기 바라나이다.

二月 十二日

佳木斯에서

金彩嬉

편지는 극히 간단했으나 그러나 채희의 심정을 모를 리가 없었다.

시연회를 마치고 집으로 돌아와서 채희의 슬픈 편지를 읽으니 자기의 고독한 심경이 더 한 층 외로워지는 것 같았다. 어딘지 모르게 외국냄새가 나면서도 동양적인 애수가 흐르는 채희와의 매일의 만남과 이 번이 한 동무 같은 우정도 있었고 나아가서는 이성으로의 애정도 느끼지 않은 것은 아니다. 그러나 그 여자 쫓아 북쪽으로 달아났음을 생각할 때 이구는 마음의 고독이 더 한층 느껴졌다.

"채희!"

책상 위 사진 '와꾸'에 넣어둔 채희의 무용포즈를 들여다보고 이렇게 불러도 봤다.

써나간 바닷물처럼 가버린 그 여자가 그날 밤은 더 한 층 이구의 눈앞에 아른거려졌다.

(일도 끝이 나고 사랑도 끝이 났나?)

이런 생각도 했다.

(사랑에 주린 채희를 왜 좀 더 나는 붙잡지 못했을까? 시골의 아내? 그것 때문에 나는 평생을 고독과 싸워야 할 것인가? 고독? 외로움! 인생은 이렇게 슬프고 외롭고 비난 속에서만 살 것인가? 쟈므스로 간 그 여자! 북쪽의 거센 바람 속에 그 연약한 여자는 지금 어떻게 지내고 있는가?)

자리에 누우니 온 정신이 채희로 꽉 차있었다.

(왜지! 나는 그 여자를 사랑하는가?)

(그 여자도 나를 사랑하는가?)

(내 시골 아내가 문제가 되어 결혼할 수 없다면 그것을 청산하자. 국민이 하나라도 더 나서야 할 이때 이렇게 생과부와 생 호래비의 눈물속의 처녀가 있어 비극에 운다는 것을 이 모든 것이 비극이다. 좀 더 명랑히 건실하게 살자.)

그때 문을 두드리고 '전보' 받으라는 소리가 들렸다. 그는 얼른 대문간으로 뛰어 나갔다.

八十六

전보는 채희에게서 온 것이다.

"ケマノヨキノセイカイライワフ ヤマヒキトクスキテクレバ カンシヤ
ニタヘズ サキ"

전문은 분명히 쟈므스에서 친 것이나 이구는 눈이 둥그레져서

(갈까?)

(어떡헐까?)

망설이고 있는데 시급 전보 한 삼이 다시 날려 왔다. 그것도 채희에서 온
것이다.

"キウヒイスイェンデ キトラヒアヒタテ サイユゴノホネガヒラキイテ
ゴンベ○○タテサイキ"

이구는 맘을 놓을 수가 없었다. 기차시간표를 꺼내보니 함경선은 아침 여덟
시 四十五 분밖에 없었다.

뜬 눈으로 겨우 그 밤을 밝히고 아침 일어나는 길로 행장을 수습하고 경
성역으로 나가가는 이구의 발길은 허전했다.

(채희가 웬일일까?)

(쟈므스는 무엇 때문에 갔을까?)

(병은 어떻게 났을까?)

가지가지 생각에 머리가 어정쩡했다. 기차에 앉았으나 그러나 조금도 마

음이 안정되지를 않았다.

쟈므스에 내리었을 땐 아침이었다. 황량한 뜰에 흰 눈이 그대로 깔리고 그 넓은 지평선 위로 솟아오르는 태양은 불을 뿜는 듯 붉은 원이 동쪽 하늘에 솟아올랐다.

거대한 냉장고 속 같은 추위는 습랭한 추위가 아니오. 맑고 깨끗한 추위였다. 싸늘하게 부딪히는 감촉은 쏘고 저리었다. 외투를 입고 방한모자에 목도리를 휘감았으나 추위는 그대로였다.

영하 四十도 꽉 막힌 눈 속에 무치인 넓은 들 그 속에 우뚝 솟은 쟈므스역.

이구는 전보는 쳐두었으므로 누가 맞으러 나온 사람이 있을까고 개찰구를 나서자 눈을 두리번거렸다.

그러나 아무도 그럴듯한 사람은 보이지가 않았다. 얼마를 기다려도 그럴듯한 사람이 없으므로 그는 마차에 실려 그 주소를 찾아갔다. 그 주소를 찾으니 어젯밤 ××병원에 입원했다는 것이다. 다시 마차를 몰아 ××병원으로 가니 눈 속에 묻힌 ××병원은 조그마한 이층 건물이었다.

"김채희씨의 병실이 어딥니까?"

수부에서 물어 이층 十五호실이라는 데를 찾아 올라가니 페치카는 피워서 방은 밝지 않으나 채희는 단 혼자 들어 누워 있었다.

"이 선생님!"

힘없이 부르는 채희의 손을 붙들고

"좀 어떻세요?"

하고 물었다.

"안 올 곳엔 왔어요."

"그래 열은?"

"四十도를 이틀이나 계속하다가 오늘 아츰에야 조금 나렸어요."

"병원에선 이렇게 혼자 게시오?"

"네, 간호부가 와보죠. 쯔끼소에도 없어요."

"열이 내리기 시작하니깐 괜찮겠지요?"

"네, 멀리 오십시사고 해서 미안해요."

"괜찮습니다."

"졸업식은 성대히 되었어요?"

"아주 성대히 했습니다. 시연회가 더 걸작이었고 평판이 좋았습니다."

"제가 죄를 많아서 이렇게 병이 났죠."

"그런데 여긴 누가 게서요?"

"제 동모가 있어요. 어린 시절의 동모가! 그런데 그이두 어데루 가고 없어요. 내가 오기 사흘 전 하르빈으루 이사를 갔대나요. 오자 병은 나구 아는 사람은 없구 혹 죽을 것만 같았어요. 죽기 전에 선생님이나 한 번 뵈옵고저 전보를 치댔어요.. 저는 부모도 형제도 없잖어요. 선생님 놀래셨죠?"

"놀랬습니다. 나는 꼭 차중에서 불행을 당하지 않나 하고 염려를 했어요."

八十七

"선생님 은덕으루 죽진 않을 것 같아요."

"아직두 열이 대단한 모양이군요."

이구는 채희의 머리를 짚었다.

"이전 그래두 살 것 같아요. 四十도가 됐을 땐 정신이 통 없었어요. 지끔 마악 열을 달었는데 三十八도이부라니 이전 살 것 같아요."

"그래두 조심을 잘 하서야 합니다."

"감사해요."

채희는 피로한 얼굴, 초최한 낯빛이었으나 행복의 웃음이 흘렀다.

"그런데 채희씨."

"네?"

"대체 여긴 급작시리 어떻게 오섰어요?"

"여기오?"

채희는 가볍게 웃고

"뭐라구 할까요? 그저 방랑객 기분이랄까요. 전 나기는 함경도에서 낳지 만 이 쟈므스에서 잠시 살었고 로시아에 가 오래 ○○○○○ 마음이 괴로우 면 북쪽으로 오죠. 찬바람을 맞어야 기운이 날 것 같아요."

"......"

"더구나 선생님과는 작고작고 감정이 가까워지고 선생님은 웬일인지 저를 경계하시는 태도구……"

"경계요?"

"네, 확실히 경계하는 태도였어요."

"전 아내가 있어요."

이구는 이 말을 하려다가 병자란 것을 알자 입을 봉했다.

"경계요?"

한참 있다가 숙였던 머리를 들고 그는 채희의 얼굴을 봤다.

"네, 그랬어요. 전 믿을 사람은 선생님 한분이라구 생각했어요. 그런데 선생님은 경계하시는 태도구. 그래 속이 타든 끝에 이 길을 떠났죠. 죄가 돌았나 봐요."

"……"

"선생님!"

"……"

대답 대신 그는 채희 눈을 봤다.

"선생님은 저를 어떻게 생각하세요?"

"병이 낳으시문 조선으루 같이 나가시죠."

"조선으루요?"

"왜 조선이 싫으십니까?"

"아니요. 그러나 제가 조선으루 가두 괜찮을까요?"

"왜요?"

"선생님이 또 저를 경계 하시문."

"허허, 왜 어린애 같이 그리십니까?"

"전 어린애야요."

그 웃는 채희가 예뻤다.

"채희씨"

"네?"

"조선으루 가문 우리 같이 일을 합시다."

"네, 무에든지 하죠."

"그럼 속히 낳으십시오. 그러구 조반은 잡수섰어요?"

"네, 죽을 먹었어요. 참 선생님 진지 잡수섰어요?"

"열차 식당에서 먹었습니다."

"퍽 날이 차죠?"

"얼어 터지는 것 같군요."

"선생님은 만주가 처음이세요?"

"네, 처음입니다. 이런 치위는 평생 처음입니다."

"그러서요?"

"참 눈이 잘 오는데요."

이중창 너머로 눈이 송이송이 내리고 있었다.

"시베리아 같은 기분이군요."

"시베리아! 그렇죠. 시베리아. 그 눈, 그늘 그 바람 시베리안 더 춥죠."

채희는 얼굴에 약간 홍조를 띄웠다.

八十八

밤이 되자 바람은 더 새어졌다. 이중창(二重窓)을 때리는 눈보라 소리는 광막한 들을 지나 호랑이 울음소리 같이 포효했다.

"바람이 세군요."

"이게 보통이죠."

"서울은 그래두 봄맛이 조금 있는데."

"여긴 五월이 돼야 싹이 트죠."

"그런데 기분이 좀 어떠십니까?"

"기적이아요. 의사두 기적이라는군요. 三十七도 五부의 열이 계속되는 건 뜻밖이요. 또 밤에 三十七도 五부는 병이 거의 회복된 증거라구요."

"다행입니다."

"선생님이 오신 덕이죠. 기분이 좋아지니 병도 쉽사리 낳는 것 같아요."

"그래요? 감사합니다."

이구는 채희의 머리를 짚었다. 평일에 거의 가까웠다. 맥박을 짚어봤다 맥박도 거의 회복되었다.

"퇴원하는대루 조선으루 갑시다."

"전 선생님만 믿어요."

"무용연구소는 어떻게 됐어요?"

"조수로 있는 이○ 한 명을 여행하구 온다구 매껴 뒀지요."

"이번엔 국민극장에서 제 일회 공연으로 만주를 무대로 한 것을 상연하는데 무용연구생들도 등장시킵니다."

"그럭허죠."

"……"

"……"

한참 동안의 침묵이 흘렀다.

"채희씨!"

"네?"

그 대답이 약간 떨리었다. 그리고 애원 하는 듯 했다.

"전 아내가 있습니다."

"다아 알어요."

침착한 태도였다.

"아세요?"

"알어요."

"어떻게?"

"우연히 알게 됐어요."

"그래두 채희 당신은 나를 사랑할 수 있소?"

"……"

채희는 아무 말 없이 눈만 내려감았다.

(채희! 채희! 채희!)

……

한지 이십 년 동안 그는 아내라고 그를 불러도 볼 일이 없다. 살을 델 일은 더구나 없다. 호적에 있다고 그것이 문제가 되어 순수한 사랑도 무두 희생당한 자기였다.

"채희! 감사하오."

"채희"

내려감은 두 눈은 잠든 듯 했다. 그러나 그 얼굴은 천사같이 평화롭고 행복스러워 보였다.

그는 두 손으로 채희의 두 뺨을 가볍게 만졌다.

八十九

"채희!"

"……"

채희의 두 눈이 반짝 떴다. 그 두 눈이 아름다운 별처럼 아름다웠다. 이구는 채희가 누운 침대 옆에 걸터앉았다.

"그럼, 벌써 그 사실을 알구 날 용서했소?"

"아니오. 그리 오래된 건 아니야요. 이젠 그 이야긴 그만둬요. 저두 괴로워요."

"……"

이구는 할 말이 없었다. 비록 형식적이라고는 하나 아내 있는 사람을 사랑한다는 것은 아무리 생각해도 괴로운 일인 듯싶었다.

"날이 퍽 차군요."

이중창을 두들기는 눈보라 소리에 이구는 얼른 화재를 돌렸다. 그러구 이어서

"송화강 물이 단단히 얼어붙었겠지오?"

했다.

"풀릴 날은 아즉두 멀었어요."

"여긴 시베리아 지방과 얼마 머지않은 지역이죠?"

"하바롭스크가 바로 시베리아 땅이 아니에요? 여기서 북으로 몇 시간 걸

리지 않아서 갈 수 있어요. 그러고 보라고 에스키스크도 머잖구요 흑룡강 물줄기가 나려와 우스러강과 숭가리가 되잖었어요. 그 흑룡강이야말로 슬라브 민족과 동아민족과의 오레인 투쟁의 …… 흘러 나리는 이 강수를 끼고 유혈의 역사가 비저진건 너무나 유명하잖어요? 지금은 一천메터이나 되는 넓이를 갖고 一천三백리란 길고 긴 흐름을 가진 그 강이 얼음과 눈 속에 쌓이어 한 줄기 얼음조각으로 변했지만 이 강수는 四十이 년 전 대안인 조상의 땅에서 쫓긴 만주기족(滿洲旗族)으로서는 잊을 수 없는 '강동(江東) 六十四둔(屯)사건'이 일어난 것으로 지금껏 알려지고 있는 곳이죠."

"강동 六十四둔 사건요?"

"네, 저두 어려서 들었기 땜에 잘은 모르즈만 명치 三十三년 천진(天津)에 의화단(義和團)의 난이 일어나지 않았어요. 이 의화단의 난이라는 게 소위 배외(排外)주의가 중심이 되어 있었으무로 각국 연합군이 북경으로 처들어왔는데 그 당시 시베리아에 있든 로시아 군사두 이 병변을 진압한다는 구실루 만주령 내 통과 할 것을 용인해 달라구 지지하로(치치할)에 있는 흑룡강장군 수미산(壽眉山)에게 왔드라나요. 그런데 이 용감한 수장군은 이 요구를 일인 지하에 거절하구 국경지대의 三백년의 전통을 지키려구 이 지방에 주영하고 있든 부도통(副都統) 봉상(鳳翔)에게 국경엄수를 명령하고 연안일대의 방비를 굳세게 했다겠지오. 그런데 때마츰 로시아 군사는 북지 방면에 출병하기 위해서 군함 十八척에 군사들을 싣구 제야강을 나려 왔다는군요. 그래 그들 병단을 전송하려고 '보라고 예스첸스크'에 주재하고 있든 로시아의 일 외교관이 너른 배에 타고서 이편 하류까지 내려왔다가 오후가 되니 다시 '보라고 에스첸스크'로 돌아가려고 조강(潮江)을 해오고 있었다는군요 그때 마츰 이 지대의 병비를 국게 하고 있든 항동흠(恒同欽)이란 대대장이 이걸 발견하고 '서라'는 명령을 했는데 그 외교관은 유연히 어깨를 제끼고 명령을 듣지 않으니깐 갑자기 항대장은 총으로 탕 하고 쏘았대요. 그 외교관은 등과 눈이 맞어서 배우에 쓰러지구 그것 때문에 로시아 군사들은 만주측에 대해서 복수를 했다나요. 말하자문 일주일에 지나선 대 흑룡강의 물이 붉은 빛으로 물들였었대요. 화교 二만 명이 로시아 군사게 맞어죽고 독기로 패서 죽고 총에 맞구 해서 죽엇다는군요. 이 진상을 안 그 일대 수비대들은 겨우 六十四문이 있○ 주민들의 구원을 하려고 범선두 처을 보내이어뿐만이 한 만명만 겨우 구해냈다는군요. 그렇지만 거기 조상의 분묘가 있고 살 차비를 해논 주민들은 최후까지 고집을 하고 있다가 한 사람도 남지 않고 죽었다겠죠. 이것이 도화선이 돼가지구 나중엔 만노군지에 맹렬한 쌈이 이러났다는군요.”

“……”

“그래서 일주일동안을 싸윘는데 결국 로시아 군사보다 무기 같은 것이 없는 만주군은 무참히 패하구 말었대죠. 이래서 三백년의 전통과 높은 문화를 자랑하든 성내(城內)는 삽시간에 병화(兵火)에 불타고 슬라브 민족의 발아래 짓밟혔다구 그러든데요.”

“동방사람들의 피눈물 나는 역사인데요?”

“여기두 일종 국경지대가 되니깐 어렸을 때도 살기가 무서웠어요. 그래서 우리 부모님들도 시베리아로 이사를 갔대지오.”

“시베리아루?”

“시베리안 생각하는 것 보담은 그리 무섭지 않어요.”

“칩고 먹을 것두 없구 그렇잖어요? 저 도스토엡흐스키의 「死人의 家」란 소설에 나오는 것을 보문 무시무시 하든데요. 그리고 돌스토이의 「부활」에 나오는 시베리아 장면을 봐두 끔찍스럽드군요.”

“춥지오. 그렇지만 치운 겨울이 오문 벽돌집에 따스한 페치카가 방 안을 덮혀주지오. 아무리 치운 겨울이라 해두 방 안만은 봄날 같이 따스해요. 그리구 좀 잘 사는 집은 방마다 열대 식물의 화분이 놓이구 가지각색 꽃들이 봄동산처럼 피어나지오. 로시아 처녀들이 피아노 앞에서 폴리카며 왈츠며 마즈루카 같은 곡을 치면 그 앞에서 몇 쌍의 젊은 남녀들이 춤을 추면서 기나긴 겨울밤을 새지오. 춤추는 사이사이마다 향기 높은 홍차와 피로지느이 봐레니에 구은 빵 같은 것이 나오구 이리 하는 동안 시베리아의 밤은 새는 줄 모르게 새지오. 원래 시베리아는 옛날부터 죄수들이 와서 살았으니깐 무섭게만 생각되지만 그렇지두 않어요.

그리구 시베리아는 겨울두 자미있지만 사오월로부터 六七월이 되면 아주 녹음이 우거저 언제 그런 눈 속에 살었드냐는 듯이 푸르러지지오. 씨를 뿌리구 여름철이 달려들면 태양은 즉사돼서 상당히 덥긴 해두 푸르고 넓은 들에 농사짓는 자미로 좋은가 봐요. 클라특(頭巾)을 쓴 여자들이 일하는 것을 보문 그것두 한 좋은 풍경이죠. 저녁때나 돼서 뜨락에 둘러 앉어서 해개우리 씨를 까면서 이야기하는 재미두 좋구요. 그리군 누가 몬저 냈는지 아지두 못하는 새 손풍금 소리가 나고 그리고 노랫소리가 화합이 되구요."

(하략)

출처: 조선출판사, 1943.10.

장편소설

북향보(北鄕譜)

안수길

봄눈이 오건만(一)

지난해에는 봄에 비라고는 변변히 내리지 않아 춘경과 파종이 다 함께 말이 어니였든 데다가 가을 잡아들어서는 쓸데도 없이 장마가 계속하여 마가둔(馬家屯)일대는 홍수사태로 법석이었다.

하여, 농사는 겨우 흉년은 면하였을 정도었으나, 금년은 입춘(立春)철에 들어서 벌써 자(尺)가 넘는 봄눈이 세차레나 쌓이어 오늘은 새벽부터 그 세 번째의 눈이, 소복이 마가둔 벌판에 내리는 중이었다.

농민들은 모두 이 중년의 앞 차비인 봄눈을 대견히 여기었고 강아지마저 무엇이 기뿐지 쫓으며 쫓기 우며 눈 속을 제 세상인양 즐거웁게 뛰놀고 있는 것이었다.

마가둔 한 모퉁이 와우산(臥牛山)기슭에 자리를 잡아 있는 북향목장(北鄕牧場)에도 이 상서로운 눈을 내려덮이는 것이었으나 이날 낮, 사무실에서 한명식(韓明植)이와 마주 앉아 지난해의 결산을 맞추고 있는 오찬구(吳贊求)의 얼굴에는 각각으로 검은 구름이 짙어 갔다.

적자(赤字) 一萬 一千二百三十九 元 四十一 錢也, 장부에 적힌 숫자는 이런 것이었다.

친구는 이 엄청난 숫자에 놀라 명식이로 하여금 두 번 세 번 부르게 하고 자신이 수판을 튀겨보았으나 내내 그것이 틀리지 안은 것을 밝히고는 힘없이 장부를 덮는 수밖에 없었다.

그는 담배를 태워 물었다.

천정을 향하여 연기를 뿜고 나서 그는 명식이를 쳐다보고 말하였다.

"엄청난데ㅡ."

"그만 손해야 각오해얍죠."

찬구의 말이 맥없는 것과는 달리 명식이의 말에는 대수롭지 않다는 가벼움이 숨어 있었다.

홍수로 말미암아 벌통(蜂箱)절반은 잃었고 기류(杞柳)와 약초(藥草)는 전멸이었고 사태로 돈사(豚舍)와 인부 숙사(人夫宿舍)가 무너져 그것을 다시 짓고 거기에 돈역(豚疫)으로 도야지가 二十여마리 넘어졌고 그랬으나 명식이의 말같이 찬구도 손해는 각오한 것이었으나 이러한 숫자까지 되리라고는 예상치 않은 것이었다.

거기에 그의 마음을 더 어둡게 하는 것은 월급을 지급치 못하여 인부들이 하나 둘 목장을 하직하고 가는 것이었다.

한 달 전에는 양봉을 전문으로 하는 사람이 물러갔고 어저께는 도야지를 치는 로우승(老僧)이 떠날 뜻을 말하였다.

로우승에게는 수일 내에 현성(縣城)에 가서 돈을 가져다 줄 터이니 금년도 잠자코 일을 보아 달라 달래기는 했으나 돈 날 구멍이 별로 있는 것도 아니었다.

떠나려는 사람은 목장인부들만이 아니었다.

학교 교원들도 슬금슬금 다른 위직처("위직처"는 "이직처"의 오식ㅡ 편자주)를 방구하고 있는 눈치었다.

그러나 이런 것보다도 더한 걱정은 정학도(鄭學道)의 병이었다.

(정 선생이나 가림이 왕성해야 될 터인데) 찬구는 이렇게 생각하는 것이었으나 벌써 석 달째 누어있는 학도는 기력이 극도로 쇠약하여 다시 목장을

위하여 그것보다는 그의 사업을 위하여 선두에 서서 일할 수 있을 것 같지
않았다.

(정 선생의 사업는 그러면 이것으로 마감이 되니—)

생각만하여도 않다까운 일이었다.

"이를 어쩌나—"

찬구는 머릿속에서 뱅뱅 돌든 말이 모르는 사이에 그대로 입 밖에 튀여나
왔다.

"별수 없지요, 증자(增資)를 해야죠."

명식이는 또 찬구의 복잡한 감정을 아랑곳도 없이 쉽게 대답하는 것이었다.

봄눈은 오건만(二)

　글쎄 물론 증자하는 것이 제일의 타개책인 것은 명식이와 함께 찬구도 빤히 아는 일이었다.

　그러나 밑져 만들어가는 목장에 주주(株主)들이 선뜻 돈을 넣으려 할까. 증자문제는 작년에도 난 것이었다.

　그때에는 그렇게 큰 손이 아니였었는데도 주주들은 여간 찡찡댄 것이 아니었다.

　하는 것을 주주의 한 사람인 이기철(李起哲)이가 우리가 목장에 투자한 것은 정학도의 사업을 후원하자는 것이 첫 동기었다는 점과 대체로 목장의 경영이란 최소한 3년간은 적자를 예상해야 된다는 뜻을 간곡히 설명하여 겨우 목장을 담보로 은행에서 1만원을 돌려쓰기로 낙착이 되었던 것이었다.

　"허지만 모두들 돈을 내자구 할까요?"

　"안 내면 별수 잇나요, 그대로 팽개쳐 둔다면 그저 밑지고 자빠질 것밖에 없는 일이 아닐까요."

　"냇으면야 문제없겠지만, 왜 손해 낫느냐 말았느냐 안할 것 같소?"

　"하늘이 시킨 일이지 오 선생이나 내 잘못은 하나도 없는 것이 아니오."

　"그래도……"

　"그 장마에 그 물에 인명을 상치 안은 것만도 오히려 천행이요, 그 사판에서 양이 새끼까지 곱게 낳았다면 하늘의 은혜라 생각해야지, 거기에 무슨 말이 있겠다구."

그것은 사실이었다. 그 노력을 고맙게 생각해야 될 일이었다.

그러나 손해난 것은 또한 엄연한 사실이고 봄에 도시에 머무는 주주들이 그러한 아량을 베풀리라고는 바랄 순 없는 일이었다.

"원, 될 것두 같지 않소."

"하, 이런 오 선생은 그저 서울이 무섭다니까 남태평령에서부터 긴다구, 맞닥뜨려 보지두 않구 겁부터 집어먹는구려."

"겁 내는 게 아니라 뻔한 일 아니오."

"총회 때 나두 같이 갑시다. 기언가 미언가만 하면 내가 다 제껴내리다."

"허허, 제끼다니, 누굴 치겠소."

"우릴 일 잘 못했다 해보지. 치기라도 해야지요."

하며 공연히 그 우람한 팔을 내려치고 익살맞게 주먹을 허공에 내두르는 것이었다.

"핫핫핫."

친구는 걸걸한 명식이의 언동에 웃음이 저절로 나와 한번 웃고 난 다음에,

"여보, 그 주먹엔 바위라도 부서지겠소, 나도 주주니 나부터 맞읍시다."

"핫핫핫."

"헛헛헛."

명식이도 찬구도 함께 맘 놓고 웃어댔다.

한바탕 웃고 나니 마음이 한결 거뜬해지는 것이었으나 우울할 때마다 그 기미를 잘 알아차리고 이렇게 익살을 부리며 마음을 녹여주는 명식이는 찬구에겐 일에서 뿐 아니라 성격상으로도 천생의 짝패가 되는 것이었다.

난로에 장작을 지피고 나서 찬구는 미농괘지에 복사지를 받혀 결산 보고서를 작성하려고 하는데 찌르릉 밑창이 열리면서 조그만 보퉁이를 오른손

에 들고 국민학교 여교원 석순임(石荀琳)이 사무실로 들어서는 것이었다.

"석 선생, 이 눈에 어떻게 오십니까."

찬구는 일어나 맞이하였고 명식이는

"자, 이리 와 몸을 녹이십시오."

하고 난로를 가리키었다.

봄눈은 오건만(三)

"저어 정 선생께서 오 선생님 곧 오셔달라구요."

순임이는 보재기를 매만지면서 나로 옆으로는 오려도 하지 않고 말하였다.

"정 선생 댁을 들르셨든가요."

찬구는 무슨 일일까 생각하며 물었다.

"학교에 갈려고 나올 차비를 하는데 사모님께서 오셔서 전해달라고 말씀하셨어요."

"그래요?"

"들려 뵈옵고 올 것을 세시부터 직원회의가 있어 시간두 없고 하기에 그냥 오구 말았습니다."

순임이의 하숙집에서 학도의 집으로 가려면 거기에서 사무실로 오는 절반을 올라가야 됨으로 순임이는 들르지 못한 까닭을 이렇게 변명 비슷이 말하였다.

"좀, 어떠신지?"

사흘 전에 찾았을 때에는 폭 쇠약하였는데 그러면 갑자기 위급해진 것은 아닐까. 마음이 당황하여져서 혼자말같이 하였다.

"사모님께 여쭈어 보았는데 그저 그러신 것 같은데요."

(그러면 당장 위급해서 그러시는 것은 아니구나.)

찬구는 순임이의 말에서 학도의 부인 윤 씨(尹氏)의 태도를 짐작하고 의심은 하였으나 갑자기 무슨 일로 그럴까 의아한 생각은 마찬가지었다.

"하여튼 올라와 불 좀 쪼이시지요."

찬구도 나로 옆으로 올라오기를 권하였으나

"곳 가야겠어요."

하고 순임이는 주저주저하면서 말하였다.

"학교로 가신다지요."

"네."

"개학이 모레니까 준비하실 것도 있겠군요."

"……"

"윤 선생 오셨나요?"

"가봐야 알겠어요."

"정 선생이 곧 오라시든가요?"

"네. 사모님이 일부러 오신 것을 보니……"

"그럼 가야겠군."

찬구는 못에 걸린 외투를 내리고 방한모를 썼다.

"결산보고서는 후일 정리하기로 합시다."

하고 명식이에게 말하였다.

찬구가 외투를 입는 사이에 순임이는 들고 온 보재기를 만지면서 망설이더니 다 입고 난 그것을 보고

"이거 내복 빤 것입니다."

하고 그 보재기를 내밀었다.

내복은 요전 현성(縣城)에 있는 누이동생 찬이(贊伊)가 가져왔다가 오빠의 고리짝을 뒤적거려 가지고간 것인데 그것을 순임이가 가져다준 것이다. 찬구에게는 좀 이상하였다.

"찬이가 보내든가요?"

"……"

순임이는 얼굴이 살짝 빨개지면서 아무 말 없이 머리를 숙이었다.

(그럼 순임이가 빨았는가. 그렇다면 미안한 걸. 더욱 그 추한 양말짝을 ……)

찬구는 순임이의 태도에서 이내 빨래한 것이 순임인 것을 짐작하고 미안한 생각과 부끄럼이 함께 일어났다.

찬구의 짐작과 같이 그것은 순임이가 빠른 것이었다.

그날 찬이는 오빠의 빨래감을 뭉쳐가지고 순임이의 하숙집에서 하루저녁 자고 갔었는데 그 다음날 아침에 순임이는 그 꾸러미를 어떻게 들고 가겠느냐고 빼앗아둔 것이었다.

봄눈은 오건만(四)

둘은 현성 진명여학교 동창생이었다. 순임이는 일 년 선배로 작년에 졸업하자 즉시 이곳학교에 취직해 왔고 찬이는 금년에 막 졸업하여 얼마 전부터 현성에 있는 여자기예전습소(女子技藝傳習所)에 취직하고 있는 것이었다.

둘은 재학시대에도 형제같이 정다운 사이었으나 졸업하고도 그 정의는 변함이 없었다. 이러한 사이인지라 그날도 찬이는 오빠를 찾아보러 왔다기보다 순임 언니를 만나러온 것이었고 순임이는 동생 찬이가 수고할 것을 생각하여 그 보따리를 빼앗아간 것이었다.

한편으로 찬이는 늘 순임이를 올케로 맞이했으면 하는 생각이 은근히 있었음으로 못이기는 척하고 두고 간 것이었다.

(어떠한 인연으로든지 오빠와 순임이가 사이가 좋아져서 결혼했으면―)

찬이는 그때 이런 생각을 하였던 것이다.

"미안합니다, 그 추한 것을―."

"……"

대답이 없이 부끄러워만 하는 것은 명식이가 있어서 그러는 것일까, 순임이는 얼굴만 빨개졌다.

"안녕히 계십시오."

찬구가 보재기를 받아 책상위에 놓은 후 밖으로 나오기가 무섭게 순임이는 명식이에게 인사를 하는 둥하고 뒤쫓아 나왔다.

밖에 나오니 눈이 추군추군히 내리고 있었다.

어깨에 내리는 눈은 이내 녹아 업어지는 것이었으나 땅위에 쌓이는 눈은 내리면서 녹고 녹으면서도 또 쌓이고 하여 논이며 밭들이며 집이며 길이 소복히 눈 속에 잠드는 듯하였다.

나다니는 사람이 없고 넓고 넓은 벌판이 백일색(白一色)으로 칠해졌을 뿐 그 흰 바탕에 움직이는 두 점은 찬구와 순임이의 검정 외투뿐이었다.

찬구는 앞에였고 순임이는 그뒤 두어 걸음 떨어졌다.

멀리서 보아도 둘은 이야기를 서로 주고받는 것 같지 않았으나 사실 둘은 아무 말도 없이 걷기만 하였다.

찬구는 외투주머니에 두 손을 찌르고 머리를 숙이듯 하였으나 가슴가운데는 목장의 장래며 학도의 병이며 여러 가지 감회가 설레이는 것이었고 그 뒤를 따라가는 순임이의 마음에는 양춘(陽春)을 앞에 맞이한 처녀의 알지 못할 설레임이 심장을 뛰게 하였다.

"그럼 다녀오십시오."

"안녕히—."

둘은 백양나무 서있는 갈림길에서 갈라졌다. 순임이는 북편을 향하여 학교 쪽으로, 찬구는 남쪽으로 꺾이어 학도의 집으로—.

학도의 방에 들어가니 학도는 자리에 누워 잠이 들은 듯 고요히 눈을 감고 있었다.

잠을 깨일까 저어하며 소리도 내지 않고 조심스럽게 섰노라니 학도는 인기척에 어느덧 깨어 눈을 떴다.

"오군 왔소?"

맥없이 말하는 선생의 이마에 선땀이 함초롬이 매쳐있는 것이 찬구의 마음을 쓰리게 하였다.

"기분 좀 어떠십니까?"

찬구의 인사에 대답할 겨를도 없이 학도는 자리에서 일어나면서 기침을 쿨룩쿨룩 하였다.

"그냥 누어계십시오. 일어나실 것 있습니까?"

찬구는 당황하여 얼른 학도의 윗몸을 안아 도로 눕히고 이불을 가슴에 덮어놓고 그 옆에 무릎을 꿇어앉았다.

봄눈은 오건만(五)

누어서도 학도의 기침은 계속되었으나 이윽고 그도 가라앉았다. 그러나 기침을 참는 노력을 옆에서 보기에도 안타까웠다.

사잇문이 열리면서 부인 윤 씨가 들어왔다.

"그 바쁘신데 오셨구먼… 아이 참 미안해서…"

언제 대하여도 한결같은 그 부드러운 얼굴과 태도였다.

"무엇 좀 잡수셨습니까?"

찬구는 윤 씨 쪽으로 돌아앉으며 말하였으나

"도무지 식미가 나 하셔야죠, 걱정이예요."

윤 씨는 근심스럽게 대답하였다.

"편히 앉으세요."

농 위 얹혀있는 방석을 갖다주며 윤 씨는 말하였으나 말에나 얼굴에 근심이 띄워있는 것이 오늘은 유난히 더한 듯하였다.

"괜찮습니다."

방석을 사양하는 찬구에게 구지 권하여 깔게한 다음 윤 씨는 구석에 놓여있는 화로를 들어다가 찬구 앞에 마주앉아 부젓가락으로 불을 돋구며,

"눈이 뿌려서 그런지 날이 어지간히 맵짜군요."

하였다.

"무얼요, 별로 춥지 않습니다."

찬구는 이렇게 말하였으나 손이 제절로 불에 갔다.

"오군, 오라해 미안하우."

학도는 잠자코 있더니 좀 웬만한 듯 말하였다.

부인은 학도 머리맡에 놓여있는 수건으로 이마와 얼굴에 매친 땀을 씻고 나서.

"아이참, 약이 다 됐겠는데."

그리고 움쩍 일어나 정주로 나갔다. 사잇문 열린 틈으로 약 다리는 냄새가 새여 들어와 코를 쿡 찔렀다.

"오군, 날 좀 일으켜 주오. 할 말이 있소."

학도가 일어나려고 하는 것을

"누워계십시오, 누워서는 말씀 못하십니까?"

"그럼 누워 이야기 하지……"

학도도 이러나려다 또 기침을 자지러게 하며 그냥 누운 대로 입을 열었다.

"오군, 오군 보기에 내 다시 일어날 것 같소?"

"그게 무슨 말씀이십니까. 일어나시지 않구요."

첫마디가 불길한 말이므로 찬구는 마음이 어두워진 것이었으나 그러한 어두움을 부정하는 듯 대뜸 뚝뚝하게 말하였다.

"군은 그렇게 말하겠지만 암만 해두 난 가망이 있는 것 같지 않구먼."

"왜 그렇게 생각이라도 잡수십니까. 요전에 모셔온 새마을 한 주부 말씀 듣지 않으셨습니까. 약 한 첩에 병 근원 떼여 드리구 약 한 제는 원기 회복할 때에 드린다 장담하지 않았습니까. 열 약 쓰신 뒤에 지어 드릴려구 보약 한 제는 제가 여기 간직해가지구 있습니다마는 그런 생각 아예 잡숫지 마십시오."

"……"

"선생님, 마음 든든히 잡수시고 아예 그런 생각 마십시오."

찬구는 안타까운 듯 거듭 말하였으나 그의 눈뚜껑은 어느새 뜨거워지는 것이었다.

얼마동안 학도도 찬구도 서로 할 말이 없이 방 안은 고요하였고 정주에서 윤 씨의 약을 자느라 딸각이는 소리만이 똑똑히 들리어왔다.

"오군, 내 그런 말 하여 속이 좀 언짢았지."

이윽고 학도는 빙긋이 입가에 웃음을 띄고 말하였다.

"괜한 소리야. 죽긴 왜 벌써 죽어?"

봄눈은 오건만(六)

"더 여부가 있는 일입니까. 앞으로 하실 일도 태산 같으신데."

찬구는 이렇게 말하였으나 이런 말 저런 말이 다 학도의 평시의 태도가
아니어서 불길한 생각은 그래도 가시지 않았다.

윤 씨가 한손에 약사발과 한손에 양치물 보시기를 들고 들어왔다.

"한 주부 약인가요."

"네."

"몇 첩이나 쓰시었습니까."

"이제 다섯 첩 째인가요."

"좀 기미가 뵈십니까."

"어쩐지 약이 가슴에 뭉쳐 내리지 않는다 하시니 원!"

"웨 그럴까?"

찬구와 윤 씨는 약에 대하여 주고받고 하는 말을 학도는 듣는 체도 않는
듯하더니

"이리 가져오오."

하고 일어나려 하였다.

학도가 일어나려는 것을 보고 윤 씨는 얼른 약사발과 물 보시기를 방바닥
에 놓고 학도의 머리맡에 가서 등을 안아 일으켰다.

또 기침이 나면 어쩌나? 찬구는 은근히 근심스러워 졌으나 윤 씨가 병자

를 다스리는 품이 어찌도 능숙한지 학도가 기침 한마디 없이 윗몸을 일으켰다. 윤 씨가 집어주는 약사발을 받아 학도는 단숨에 들이마셨는데 약사발을 입에서 떼자 그 입술이 쓴 콩을 씹는 것같이 찡그려졌다.

윤 씨는 물 보시기를 들고 대령하고 있다가 학도가 약사발을 입에서 떼기가 무섭게 물 보시기를 영감의 입에 가져다 먹여 주었다. 학도는 윤 씨가 먹여주는 물을 한 모금 입안에 넣고 왈왈왈 양치질하였는데 그러는 사이에 윤 씨는 빈 약사발을 들고 있다가 영감이 배앝은 담배 댓진 풀어놓는 물 같은 입가심한 물을 그 사발에 받았다.

윤 씨는 사발 안에 보시기를 포개어가지고 들고나가며

"오 선생, 좀 앉아계셔요. 대접할 건 없지만 만돌이네 집 잔치떡 가져온 것이 있으니 그걸 불키리다……" 하였다.

떡을 불키노라 윤 씨가 부엌에서 뚜꺽뚜꺽 하는 소리가 나는 것을 들으면서 찬구는 계집애 하나 두지도 않고 몇 달 동안 병자의 시중을 들고 있는 윤 씨의 정성이 가긍하기도 하였고 영감에게 마단 말 한마디 없이 다 늙은이까지 하루같이 이바지하고 있는 윤 씨가 거룩하게 뵈었다.

"누우십시오."

찬구는 학도가 앉아 있는 것을 괴롭게 여기는 것 같아 안아 뉘일 차비를 하였다.

"아—니, 좀 앉었겠소. 곧장 누우면 속이 트릿해서 언짠키만 하니깐."

"왜, 그렇게 내리지 않을까요?"

하고 찬구는 혼잣말같이 하였다.

"오군은 한 주부를 유명한 한의원으로 믿는 모양이지만 내 배에 헛 진맥한 모양인가 봐."

찬구가 미안해할 것 같아 학도는 잽쳐

"아니, 진맥이야 어련히 했겠소마는 내 병이 골수에 드니까 그러는 거겠지……"

하고 입가에 웃음을 띠웠다.

잠간동안 말이 끊겨 방 안이 고요하여졌다. 이윽하여,

"찬구, 이리 좀 가까이 오게."

하고 학도는 찬구를 호령으로 부르고 하게로 말하였다.

열 살 때부터 맡아 기른바나 다름없는 찬구였으므로 학도가 찬구를 '하게'로 대하는 것은 더 말할 것도 없는 일이니 찬구가 목장 일을 도맡게 되자부터는 밖에 대하는 체면을 살펴주어 '허오'를 섞어 쓰게 되었다. 그 법으로 '허오'는 사무적인 경우에 대개 쓰이게 되었고 '허게'는 그 외의 학도와 찬구의 인간적인 면에서 쓰이게 되는 것이었다.

찬구는 학도가 높게 말할 때마다 서먹서먹하는 점이 없지 않다가도 '허게'로 말할 때에는 아버지를 대하는 것 같은 평상시의 친밀을 돌이키는 것이었는데 이런 기분으로 찬구는 학도 옆에 다가앉았다.

봄눈은 오건만(七)

"목장 결산을 맞춰봤는가."

"바빠서 아직 다……"

하고 찬구는 이실직고할까 말까 망설이다가 역시 아직은 이야기 안은 편이 낫겠다 생각하고 슬쩍 이렇게 대답하였다.

"보나마나 할 것 없이 결손이겠지―"

"마춰 봐야 알겠습니다."

"기류(杞柳)는 한대도 못 살리었지."

"네."

"돈사를 다시 지었지."

"네."

"도야지 죽은 것이 몇 마리지."

"스물두 마리입니다."

"상당한 손햌거야."

"그러나 양이 새끼를 낳으니 그다지 큰 숫자는 안 될 것입니다."

"음, 학교는 지금 방학이라지."

"모레 개학합니다."

"선생들 모두 왔든가."

"윤 선생 한분만 아직 오시지 안은듯한데 오늘 세시에 직원회가 열린다니 왔는지도 모르겠습니다."

"야학두 그럼 모레 개학하는가."

"한일주일 지나서 하기로 했는가 봅니다."

"석탄은 있는가."

"네, 방학 전에 쓰던 거 남았나봅니다."

"그럼 학교는 염려 없단 말이지."

"무슨 염려 있겠습니까."

"그럴까?"

"그렇지 않구요."

"안심해두 좋을까."

"아무 걱정 말으십시오."

"그럼 내가 없어두 일 없단 말이지."

"웨 그런 말씀하십니까."

찬구는 학도의 다지고 다져 뭇는 말이 역시 심상치 않아 이렇게 말하였으
나 학도는

"아―니, 모든 것을 잊어버리고 병을 치료하려고……"

하고 찬구의 의심에 발뺌하듯 말하였다.

"찬구우."

"네."

이윽고 학도는 찬구의 주의를 다시 자신에게 모으게 하고 말하였다.

"찬구, 내가 웨 목장을 시작했는지 잊잔쿠 있지."

"잊잔쿠 말구요."

"학교는 웨 하는지두 알겠지."

"아다 뿐 이 겠습니까."

"정녕—"

"네."

"금년에 목장을 시작한 후 몇 해째인가."

"삼 년째 접어듭니다."

"그럼 금년은 무엇을 하려든 계획이였든가."

"농민도장(農民道場)을 설치하려고 한해입니다."

"옳아……. 그럼, 농민 도장은 설치할 수 있을까."

"……"

"못 된단 말이지."

"못될 것 두 없겠으나 주주(株主)선생들의 의향을 들어봐얍지요."

"돈이 없단 말인가."

"역시 목장이 예상대로 수입 없고 보니 도장을 설치한다면 달리 독지가 (篤志家)가 있어 한 목세 기금을 내놓지 않는다면 역시 주주 선생들의 거출(據 出)을 바라지 않을 수 없을 것으로 여깁니다."

"알었서. 그러나 다른 사람은 차치하구라두 박병익이가 선뜻 말을 들을 까."

"그야 맞서봐야 알겠습지요."

찬구는 궁한 대답을 하지 않을 수 없었다.

"저것 좀 집어주어."

학도가 가리키는 책상 위에서 찬구는 미농패지 여나믄 장 종이 노로 꿰맨 것을 가져왔다. 표지에 먹으로 북향도장계획서(北鄕道場計劃書)라 정자로 씌어 있은 것을 찬구는 서류째 들고 오면서 보았다.

"그걸 좀 보게."

"도장계획서입니까."

말하고 찬구는 표지를 넘기였는데 표지뿐만 아니라 안도 정자로 쓴 붓글씨였다. 붓글씨일 뿐 아니라 한 글자 한 구절을 깊이 소홀히 다루지 아니 한 것이 후려 쓴 글들과 글들 사이에 나타나있어 학도는 아프면서도 얼마나 도장의 설치에 일념했으며 도장의 설치뿐만이 그가 이 세상에서 꼭 실천하지 않아서는 안 되겠다 생각하는 마지막 일이라는 것을 알기에 넉넉하여 찬구는 그 서류에 제절로 옷깃을 여미지 못할 경건한 생각을 해보는 것이었다.

봄눈은 오건만(八)

계획서에는 강령(綱領)부터 써있었다. 그리고 명칭, 위치, 훈련생수용에 대한 구체적 방법 등이었으나 찬구는 그러한 것을 세세히 읽고 앉았을 여유가 없이 감격과 흥분이 그의 가슴을 설레이게 하는 것이었다.

"찬구."

"네."

찬구는 머리를 들어 학도를 주시하였다.

"농민도장은 왜 세울려고 하는가."

"선생님의 뜻이 북향목장과 이 마가둔에만이 아니라 만주의 각 농촌에 퍼지게 하려 하심인줄 압니다."

"음. 그럼 나의 뜻이란 한마디로 한다면 무엇일까."

"만주에다가 아름다운 고향을 건설하자는 것인 줄 압니다."

찬구는 북향목장을 설치할 때 친히 쓴 취지문(趣旨文)을 그때 문득 생각하고 부연하게 말하였다.

"……건국 전(建國前)을 선구시대(先驅時代)라 한다면 그때에는 이곳에 살림 터를 마련하려고 부조(父祖)들이 피와 땀을 흘린 시대라고 할 수 있을 것이고 오늘날은 그 피로 얻은 터전에다가 우리의 뼈를 묻고 그리고 우리의 아들과 손자와 그리고 증손자(曾孫), 고손자(高孫子)들을 위하여 영원히 아늑하고 아름다운 고향을 이룩하지 않으면 안 될 시대라고 생각하시어 그 아늑하고 아름다운 고향을 만드시자는 것이 선생의 뜻인 줄 압니다.”

학도는 찬구가 열심으로 내려 외우듯 하는 말을 머리를 끄떡이면서 듣고 나서

“다―. 부질없는 일.”

하고 고요히 눈을 감았다. 얼굴에는 한줄기 눈물이 흘럿다.

입가에는 가벼운 경련이 일어났다.

찬구는 머리를 숙이었다.

콧등을 찌르르하면서 그의 팔은 눈으로 올라갔다.

정주의 뚜걱이는 소리도 나지 않았다.

바람이 없는 날이라 눈도 창에 부딧지 않았다.

갑자기 학도는 기침집이 터졌다. 찬구는 얼른 그를 안아 눕히었다.

누워서도 학도는 어깨를 들먹이면서 기침을 하였다.

정주에서 윤 씨가 올라왔다. 등을 쓰다듬어주며 어루만져 겨우 안정을 시켰다. 그리고 헛비에 젖은 것 같은 얼굴의 땀을 수건으로 훔치었다.

이러는 사이에 찬구는 어쩔 줄을 모르고 마음만 조마조마했으나 학도가 안정하는 것을 보고야 비로소 몸을 방바닥에 부칠 수 있었다.

“찬구, 찬구 하나만 믿네.”

학도는 누워서 입을 열었다.

“목장, 학교, 그리고 도장, 모두 자네게 맡기네―”

“선생님.”

찬구의 몸은 긴장으로 화끈해졌다.

“이리 손 좀 가져오게.”

찬구는 학도에게 다가서며 그의 손에 손을 가져갔다. 학도는 찬구의 손을 꼭 잡았다.

"내 뜻을, 내가 이루지 못하는 일을, 오직 찬구가 대신해서 해주게. 믿네."

학도는 힘이 없었으나 애타는 목소리로 말을 하였다.

찬구는 학도의 말이 중한 것은 부정할 수 없다 생각했으나 이렇게 유언(遺言)같은 것을 듣는 것은 믿을 수 없는 것이었다. 하여 곧 대답이 있을 수 없었다.

"내가 죽는 것 같아 겁이 나서 말이 없는가. 아닐세, 내 만사(萬事)를 잊고 지내고 싶어서 그러는 걸세."

학도의 이 말에서 찬구는 더욱 그의 큰 인격에 부딪치여, 그를 여의어서는 안 되겠다는 생각이 솟아났다.

"선생님, 염려 마십시오. 걱정 마십시오."

찬구는 떨리는 목소리로 말하고 학도의 손에 쥐여있는 제 손에 한쪽 손을 마저 가져다가 살며시 쥐면서 흔들었다.

"안심하시고 곳 일어나시도록 조리하십시오."

봄눈은 오건만(九)

"고마우이 고마워—"

"……"

학도는 또 한 번, 감개가 북바치는 듯 찬구의 손을 쥐었다.

"또 한 가지 부탁이 잇네."

"무엇입니까."

"애라(愛羅)를 부탁하네."

"……"

"애비와 에미를 담지도 않은 딸일세."

"……"

"애비와 에미가 길들이지 못한 것을 맞기긴 미안하나, 찬구에게밖에 의탁
시킬 데가 없네."

"……"

"어디 자네 정혼한 데나 없나."

"있으면 선생님이 모르시겠습니까."

"그럼 마음 가운데 생각한 데가 있나."

"아직 그런 것을 생각해본 일이 없습니다."

"그럼."

"……"

"생각해보게."

"오 선생 너무 오래되어 시장하겠군."

이때 윤 씨는 김이 무럭무럭 나는 떡 그릇과 꿀 접시와 김치 그릇을 상에 밧쳐들고 들어왔다.

찬구는 학도의 무거운 부탁이 마음을 내려덮는 것 같아 시장 끼는 났으면서도 그 먹음직한 떡이며 꿀이 대견히 생각되지 않았다. 그러나 윤 씨의 성의를 물리칠 수 없어 상을 받지 안흘 수도 없었다.

"선생님 좀."

"내가 떡을 먹어내나. 얼른 자시게."

학도는 퍽 누그러진 기분으로 찬구에게 권하였다.

"그럼, 사모님두 좀 드시지요."

"난 이제 마른 걸 주어먹었소. 얼른 식기 전에……"

하고 윤 씨는 젓가락을 잡아 물은 찰떡을 깨어 꿀에 무친 다음 찬구의 손에 쥐어 주었다.

"그렇게 급하게 권치 마오. 떡먹기 전에 김칫국이라구, 김칫국 마실 시간은 주어야지 안우. 허허ㅡ" 학도는 허심히 웃었다.

"참, 김칫국 마시구 자시우, 마른 속에 언치리다ㅡ"

하고 윤 씨도 말하였다.

"떡줄 사람은 생각도 안는데 김칫국부터 마신다 했는데 김칫국 먼저 마시고 떡이 생기는가바 겁냈드니, 인제 떡을 한손에 받아들었으니 김칫국은 마셔도 일없겠지요."

하고 찬구도 웃으며 김치 보사기를 들어 입에다 대었다. 찬구가 학도의 집에서 나온 것은 저녁때가 다 되어서였다.

그래도 눈은 그치지 않았다. 눈 속에 걸음을 옮겨 놓으면서 찬구는 오늘

학도와의 대화가 마음에서 떠나지 않고 뱅뱅 돌았다. 목장, 학교, 농민도장, 애라—

찬구의 뇌 속에는 이러한 것이 두서없이 교차하여 번거롭게 뒤섞기였다.

더욱이 애라의 일은 그의 마음을 기껍게도 하였고 천근만근 무겁게도 하였다.

"오 선생, 어째 기운이 하나도 없으시오."

골똘한 생각은 이런 퉁명스런 소리로 깨어졌다.

"강 서방이오."

강 서방은

"웨 그리 썩은 콩 씹는 상을 하시오 봄눈은 추군추군 오겠다, 금년은 풍년 들겠다, 무엇이 인상이 일그러지오. 총각선생이 색시생각 나시는 게로군. 금년은 꼭 장가가야 됩니다. 그래 국술 먹여야 됩니다."

하고 헛헛헛 너털웃음을 웃었는데 입에서 술 냄새가 풍기었다.

"찬초롬이 거나하군요."

"허 한잔 생겼어요. 을순이와 장손이 혼사 됐는데 사주머리에 가서 오랜만에 몇 잔 쭉—했습니다. 봄눈은 오겠다, 풍년은 들겠다, 처녀 총각은 짝을 맞추겠다, 한잔 안 먹고 무엇하겠습니까……"

"허……"

찬구도 따라 웃었으나 강 서방과 갈라져 혼자되고 보니 우울한 감정이 도리어 짓게 엄습하는 것이었다.

"흥, 봄눈은 오지만 내 마음이 왜 이리도 무거울까."

도장설계(一)

정학도의 병은 일진일퇴의 형세로 며칠 동안은 생사가 염려되었으나 차츰 회복하게 되어 찬구가 눈 오는 날 방문하여서 일주일쯤 지나서부터는 자리에 일어나 앉게 되었고 한 주부의 보약 한제를 다 쓰고 나서는 한결 원기가 난다고하며 따뜻한 낮에는 뜰에도 나와 거닐게 되었다.

윤 씨가 기뻐한 것은 물론이려니와 찬구는 자신이 소생한 거나 진배 없이 입이 환하여졌다.

차츰 원기가 나자 학도는 목장일, 학교일이 어떻게 이어나가나 하고 찬구나 수석교원 최대봉(崔大鳳)을 불러다 묻기도 하였고 농민도장 설치계획에 대하여 또 열심히 찬구와 함께 의논하였다.

처음에 찬구나 최대봉이나 마찬가지로 근심될만한 이야기는 일체 학도의 귀에 들려주지 않았으나 학도의 원기가 웬만하게 되고 보니 사실을 이야기하지 않을 수 없었다. 목장이나 학교의 존폐가 걸려있는 이 경영난은 역시 학도에게 이야기하지 않을 수 없었고 그리함으로서 어떠한 타개책을 생각하지 않아서는 안 되었다.

학도는 먼저 작년도의 결손을 알았고 증자밖에는 이 난국을 헤치고나갈 길이 없는 것도 찬구에게서 듣고 알았다.

교원 윤 씨가 내내 개학날에도 오지 않고 그 후 편지로 사표를 제출하고 왕청현 공서에 취직하였다는 사실도 알았다. 양봉하는 기술자가 물러갔고 로

우승이 돈 안주면 딴 데로 가겠노라 몇 차례 말하였다는 것도 세세히 알았다.

이러한 조급한 일을 학도는 생각하였으나 결국 찬구의 의견같이 증자하는 것으로 이 난국을 타개하는 수밖에 없었다.

그리하여 학도는 현성에 있는 이기철이를 부른 것이었다.

이기철이는 학도의 연배로서는 가장 학도의 뜻을 깊이 이해하는 사람이었다.

학도가 북향촌 건설의 이상을 품고 일을 시작하려 할 때 제일 먼저 그 뜻에 찬동한 것이 그였고 북향의 이상을 실현하기 위하여 써온 기금을 조달하는 방법으로 시작한 목장에 맨 먼저 자금을 낸 것도 그였다.

찬구가 학도의 사업의 앞잡이요, 전진대(前進隊)요, 제일선 병정이라 한다면 이기철리는 총후에서 제일선의 병정에게 후고의 염이 업게 마련하는 충량한 백성이랄까. 또한 그는 학도의 사업에서 참모격도 되는 것이었다. 함으로 학도는 갖은 일에 이기철이와 더불어 의논하였고 찬구는 그가 있음으로써 일에 추진력도 생기는 것이었다.

이기철이가 학도의 부름을 받아 목장에 온 것은 자가 넘는 봄눈도 부실부실 다— 녹아버리였고, 봄기운을 다북이 담은 동풍이 건듯 불어오는 우수는 지났고 경칩이 낼모레인 날 오후였다.

남향 포근포근히 햇빛이 쪼이는 마루에 거적을 깔고 비스듬히 베개를 겨드랑이에 끼고 누워있든 학도는 이기철이의 기척에 반겨 일어났다.

"옳다. 와우 거사(臥牛居士)가 짜장 와석(臥席)이로군."

이기철이는 손을 내밀어 학도의 손을 잡고 느릿느릿 말하였다.

와우란 학도가 목장에 와 있으면서부터 스스로 부르는 호였다.

"해보(蟹步)가 오늘은 왜 이리 구본(駒步)고—."

해보란 이기철이의 걸음걸이가 왼쪽 어깨를 살구 거머쥐듯 걷는 것이 게

걸음 같다하여 친구들이 웃음꺼리로 부른 것이 그대로 호가된 것이었다.

"조상을 왔더니 아직 꼿꼿하구먼."

"에익, 그 무슨 말버릇이람, 공손히 환후 어떠하십니까루 못해―"

"그렇게두 인살 받구 싶은가. 죽었으면 내 시신 앞에서 절 덥썩 하게 했는 걸―"

"에익, 고얀 노인이군."

"핫, 핫, 핫."

"핫, 핫, 핫."

둘은 이보다 더한 농도 주고받고 하는 사이었으나 오늘은 학도가 생각한 것보다 훨씬 원기 있는 것을 보니 이기철이는 기뻤고, 이기철이가 꼭 와야 될 때의 평소의 굼뜬 걸음이 아니고 곧장 와준 것이 학도는 기뻐 두 늙은이 는 서로 손을 맞잡고 진정으로 기쁘게 웃는 것이었다.

도장설계(二)

"이 선생님, 어떻게 오시었습니까."

두 늙은이가 맞붙잡고 웃는 웃음소리를 듣고 윤 씨는 정주에서 마루로 나와 이기철이에게 인사하였다.

기철이는,

"아주머니, 마음 뇌이시겠습니다. 정 선생이 이렇게 일어나게 되었으니……"

하고 학도의 병이 쾌차한 것을 치하하였다.

"좀, 웬만하십니다만은, 모두 염려하신 덕입니다."

부인은 이렇게 말하며,

"올라오십시오."

하였다. 학도도,

"자, 올라오십시오."

하여 기철이가 거적자리에 올라오자 부인을 얼른 방에 들어가 방석을 가져다가 깔게 하였다.

둘은 마주 앉아, 학도는 병으로 고생하던 이야기로부터 한 주부가 명의라는 것까지 그의 약열 첩에 효력이 낫다는 말을 부연해가며 이야기하였고 이기철이는 그동안 자주 문병 못 온 것은, 딸의 혼처를 정하느라 바빴고, 고향의 토지를 정리할 것이 있어 조선 갔다 오느라 그랬다는 것을 변명삼아 이야기하였다.

부인이 감자 삶아 가져온 것을 집어가면서 둘은 그 외에도 세간사 이야기에 한참 꽃을 피우다가 내내 목장이야기에 화제가 돌아갔다.

이 이야기에 접어 들어서는 학도는 물론, 전과같이 농담조로 세간사를 이야기하던 때 같은 가벼운 기분도 그 말투에 없었으나 이기철 역시 신중한 태도로 듣고 말하고 하였다.

"이것이 금년 결산서요."

학도는 방에 들어가 책상위에서 서류를 들고 나와 기철이에게 보이었다.

"큰 일이 낫군."

하였다.

"인제 결손 본 것 근심해야 별수 있겠소."

"결손난 것이 큰일이라기보다 그것을 보충할 일이 걱정이란 말이요." 하였다.

"……"

학도는 잠자코 앉았을 따름이었는데 기철이는,

"또 그 사람들이 찡찡댈 터이니 무슨 재주로 타이른단 말요."

하며 근심스런 얼굴이었다.

"해보, ㅡ"

"왜 그리우."

"어쨌으면 좋겠소."

무거운 침묵이 얼마동안 지난 다음,

"낸들 어찌란 말요."

기철이는 눈을 멀리하여 파ㅡ란 하늘을 치어다보며 말하였다.

"하여튼 총회가 열릴 터인데 그때 해보가 증자에 대하여 연설 좀 해주오."

"원, 내켜할 것 같지두 안우."

기철이는 작년의 일을 생각하는 듯 눈을 껌벅이었다.

"너무도 얄팍해진 세상이니 정학도나 이기철의 말이 어디 애들 호통갑세나 갈 것 같습니까."

"으음—"

학도는 입맛만 다시었다.

두 늙은이는 이렇게 얼마동안 근심과 괴란을 섞어가면서 의논한 결과 우선 근일 내에 총회를 열 것과 거기에서 증자하여 목장을 우선 붙들어나갈 것을 논의하자는 의견의 일치를 보았다.

도장설계(三)

"그리고 또 한 가지—."

학도는 기철이 앞에 내놓았다.

"이건 무어요."

"도장 계획서요."

도장 계획서는 그 후 찬구가 학도의 원본을 묵지로 여섯 통씩을 복사한 것 중의 한벌이었다.

"이런 걸 만드노라니 앓기만 하지."

하고 기철이는 뒤적거려 보면서

"하여튼 애 쓰셨소."

하며 치하하였다.

기철이는 도장 건설에 대하여는 일찍부터 열의와 흥미를 갖고 있은 터인지라 반갑게 대하였다.

한동안 기철이는 계획서를 천천히 넘겨가며 읽더니,

"합숙제도(合宿制度)를 이렇게 한 것은. XX농민도장보다 훨씬 나은 셈이요."

하고 말하였다.

XX농민도장이란 조선의 모범도장으로 기철이와 학도가 북향 도장계획준비로 작년여름에 성공서 개척고장(開拓股長)과 함께 시찰하러 갔다 온 것이었다.

농민도장은 학도가 발안한 것이요, 이기철이 찬성한 것이었는데 성 당국 수뇌에게 지기(知己)가지고 있은 그들은 도장 건설계획을 그 사람에게 이야기한 일이 있었다. 그도 대뜸 찬의를 표한 것은 물론 성으로서도 후원할 뜻을 보였을 뿐 아니라 그 개척고장으로 하여금 함께 조선안의 몇몇 도장을 견학하게 한 것이었다.

　　XX도장의 합숙제도는 훈련생을 모두 한집안에서 생활하게 하여, 규율이나 훈련에는 통일이 되는 특징은 있었지만 한호(戶) 한호를 단위로 하는 농가의 생활양식에는 좀 맞지 않은 점이 없지 않았다. 하여 학도는 통일된 훈련도 받을 수 있으면서 또 농촌의 실정에 속하는 한호를 단위로 하는 합숙제도를 실시하기로 안을 세운 것이었다.

　　기철이는 얼마쯤 내려읽다가

　　"천천히 집에 가지고가 읽지. 여부가 있으면 한 벌 주시오."

　　하는 것을

　　"가지고는 가오 마는 모처럼 만난 것이니 여기서 하나하나 검토해나갑시다."

　　하고 학도가 말하자 기철이도,

　　"그래봅시다."

　　병자의 수고를 대접해 대답하여 둘은 계획서를 놓고 머리를 맞대나 다름없이 하고 강령(綱領)부터 검토하기 시작하였다.

　　"본 도장은 북향정신(北鄕情神)에 입각한 농민도(農民道)밑에 지행합치(知行合致) 실천적 교육을 실시하여 도장의 계발건설(啓發建設)에 솔선하여 실천궁행(實踐窮行)하는 모범인재를 양성함을 기함— 어떻소."

　　"북향정신이라는 것이 좀 뭣한데."

　　"그럼, 구체적으로 만주에 아름다운 고향을 건설하는 정신이라구 할까—"

　　"경전(經典)에 주(注) 같소."

"그럼 무어라나."

"농촌진흥(振興)이나 자흥(自興)이나, 그렇지 않으면 그 대목을 쑥 빼고 그저 농민도(農民道)에 입각으로 함이 어떻겠소."

"빼면 너무 추상적이야."

"덤덤해 좋지 뭘."

"아무래도 농민도 라는게 어데 이거다 하고 정해진 것이 있소. 농촌청년들을 데려다가 훈련시키고 지도하는 가운데에 자연이 형성되는 것이 아니겠소."

"그건 제 고향 제 본토에서 할 말이지. 고향을 떠나서 새로운 땅에다 새로 고향을 마련하고 백대천대를 전해가며 살라고, 땅에 괭이를 내려놓는 사람에게 있어서는 확호한 지도정신이 있어야 됩니다."

"지도정신이 붙은 농민도로구먼."

이렇게 두 늙은이는 서로 자설을 말하여 강령은 중동무의로 결정을 짓지 못하였다.

도장설계(四)

　다음은 명칭이요, 위치요, 도장의 기구(機構)같은 것은 그대로 읽어만 내려갔고 훈련생의 입소(入所)자격과 훈련기간에 이르러 또 논란이 벌어졌다.

　학도의 원 안에는 품행이 방정하고 뜻이 견실하고 신체가 건장하며 농사에 현재 종사하고 있는 20세 이상, 40세까지의 남자를 일 년의 단기간에 훈련시키자는 것이었는데 기철이는 소학교 졸업생으로서 상급학교에 못가는 농촌청년을 주로 입소시켜 삼개 년쯤 지식과 함께 영농기술을 가르치자는 것이었다.

　학도의 의견에는 농사를 짓고 있는 사람들을 대상으로 함으로 영농의 개선은 일 년의 기간으로 족하다는 것이요 될 수 있으면 훈련받는 사람이 속히 그리고 많이 생기여 농촌에 골고루 퍼져있으면 하는 것이 주요한 착안점이었다. 이를테면 성인교육(成人敎育)이랄 수 있었다.

　기철이의 의견은 또 일리가 있어 소학교 졸업 후의 위태한 시기에 처해있는 소년들의 선도요, 그들로 하여금 농촌중견이 되게 하자는 것이었다.

　두 의견은 서로 일리가 있다고 인정하여 더 연구하기로 좋게 낙착을 지었다.

　훈련생에게는 수업료 같은 것은 물론 안 받고 입소이래의 식량은 자작자급한다는 것도 이의가 있을 리 없었다.

　마지막으로 아무 글도 쓰지 않은 장을 넘기니 거기에는 도장경영 기금(基金)조달에 대한 것이 적혀있었다.

그것은 간단한 것이었다. 즉 목장의 축산물과 토지를 훈련생의 실습에 제공할 것이 첫째였고, 둘째는 도장건축에 들 비용과 기타 경비는 목장에서 나는 이익을 적립하였다가 여기에 쓰자는 것이었다.

이것이 학도가 목장을 설치할 때 생각한 것을 그대로 써놓은데 지나지 않았다.

그때의 학도의 계획을 더 자세히 설명하면 다음과 같은 것이었다.

그는 종래의 조선 사람들의 사업이 열성에 비하여 끝을 맺지 못하는 것은 확호한 경제기초를 세우지 않고 출발한데 그 원인이 있다고 생각하였다.

어떤 독지가(篤志家)가 있어 돈을 내겠다하면 그 사업은 착수되는 것이었으나 일시적 감격으로 내어놓는 독지가의 정재(淨財)만으로 어찌 영구한 사업을 해나갈 수 있을까. 더욱 그 독지가의 열이 식어진다든가 중도에 피치 못할 사정이 생겨 예정한 금액이 다 나오지 못할 때 사업은 좌절되고 마는 것이 통폐였다.

학도는 그런 막연한 기초로 출발치 아니하기로 하였다.

사업의 기금은 기업적으로 조달하게 하자.

그리하여 연구한 것이 목장 경영이었다.

그의 사업이 최후의 도달점은 북향도장을 설치하는데 있었다. 농민도장은 유축농업을 기초로 하는 영농방법을 전수(傳受)해야 될 것임으로 도장경영은 후일의 사업의 기반을 잡는 데가 가장 가까운 점이었다.

학도는 이것으로 목적을 정하고 그 방법의 경영 담과 서적을 참고하여 5만 전농의 전지답을 3년 되는 해에 도장을 건설할 수 있도록 계획을 세웠다.

土地 二十萬坪 萬 四千圓(一坪에 七錢)

羊 二百頭 一萬圓(一匹에 五十圓)

設備 五千圓

其他(豫備金) 一萬 三千 五百圓

計 四萬 二千 五百圓

　목축 물은 우선 양, 도야지를 대상으로 한 것이었으나 장차 벌, 닭, 토끼의 일반에 손을 펴기로 하고 토지는 농민을 입식시켜 개간하여 영농(榮農)하는 일편, 약초, 기류(杞柳)같은 것을 재배하고 감자의 대량 경작으로 그 수확만은 알맹이는 전분을 만들어 팔고 찌꺼기는 도야지 양육 사료로 하는 것이다.

도장설계(五)

이에 대하여 수입(收入)은, 양은 매년 새끼를 나아 다음해부터 갑절씩 나가게 팔게 되는데 이년 지난 뒤로 부터이므로 二년 후에 一백마리를 팔 작정하고 한 마리에 백 원씩 二만원, 二년간의 양귈(羊系―양치는 사람)의 급료 기타 경비를 五천원 예산하여 이를 제하면 순이익이 一만 五천원이 나오는 것이었다.

도야지는 일 년 지나면 새끼를 낳고 四개월이면 그 새끼를 팔수 있다. 五十두중 다섯 마리를 수놈(種豚)으로 친다면 나머지 마흔다섯 마리는 새끼를 나을 수 있어, 한 마리가 평균 다섯 마리씩 낫는대도 이백스물두 마리―한 마리에 七十원을 쳐도 一만八천五백원의 계산이 된다.

두 가지의 이익만 해도 벌써 二만五천일백원인데, 거기에다가 기류니, 벌이니, 약초니, 전분이니 하여 거둔다면 만원은 더 들어올 것이나 三만 五천여원―거기에서 학도와 찬구와 또 한사람 쓸 서기(書記)를 쓴다 해도 그 생활비가 그동안 상여금까지 쳐서 만원을 넘지 못할 것이니 이를 제하고도 二년 지난뒤에는 二만五천원의 이익은 떼 논 당상일 수 있었다.

이렇게 예산하고 보니 三년되는 해에는 흡족히 도장을 건설할 수 있었다.

삼 년 되는 해, 즉 금년을 도장설치의 해라 학도가 말한 것은 이 때문이었다.

그는 목장의 위치를 물색하였는데 와우산 기슭이 맘에 들었다.

초원도 많았고 물도 알맞은 곳에 있었고, 개간하기에도 그리 힘들지 않을 것으로 보였다.

더욱이 마가둔은 3백여 호 거주민의 촌락으로 이 근방은 개척의 역사도 오래였으며 호수(戸數)도 많아 그의 이상을 우선 목장을 최소의 단위로, 그리고는 마가둔을 향하여 침투시킬 수 있는 점이 좋왔다.

마침 와우산 기슭일대의 토지는 임자가 내놓을 뜻도 있다하여 학도는 현성에 있는 그의 집을 팔아 계약금을 쳐준 것이었다.

양과 도야지는 이기철이의 소개로 성 당국의 알선을 받아 얻게 하였다.

그리고 자금조달이었다.

이기철이는 성의와 학도의 뜻에 공명하는 유일한 사람이 됐으나 실력이 없었다. 조선에 다소 토지를 가지고 있으나 그것은 얼마 되지 않는 것이다.

그리하여 박병익이를 비롯하여 일찍 학도와 마찬가지로 교사생활을 하다가, 자리를 후진에게 맡기고 용퇴한 교원들로 실업계에 나서 활약하는 사람을 찾았다.

자유경제가 물러가고 있는 때 목장경영의 유리함을 익히 아는 그들은 문제없이 투자할 것을 승낙하였다.

五만원의 자금은 의외에도 문제없이 모여진 것이었다.

투자한 사람은 이기철이까지 합하여 十여 명이였는데 경영체는 조합제(組合制)로 하고 학도를 조합장이랄까 책임자로, 찬구는 수의(獸醫)의 면허와 목축에 기술을 가지고 있은 사람이라 그에게는 공로주(功勞株)를 약간 주어 전무로 임명하여 목장을 맡긴 것이다.

모두들 처음에는 후의들이었다.

"손해만 내지 마시오."

도 하였고,

"잘 되면 배당이나 법정대로 주고 나머지는 그대로 적립하여 정 선생 사업비로 쓰시오." 하였다.

이윤(利潤)으로도 재산이 넉넉하고 또 학도의 사업도 할 수 있는 일 모다 기쁘게 여기었다.

도장설계(六)

학도는 기뻤었다. 첫째로 여러 사람들의 후의가 고마웠고 3년만의 봄에 실현될 북향도장을 생각하니 더욱 기뻤다.

그는 기쁨에 날뛰며 마가둔에 개설하러 갔었고 와우봉 기슭에 자리 잡은 뒤로는 희망에 가슴을 뛰이면서 앞을 내다본 것이었다. 그랬으나 그것은 모두 다 그릇된 계획이었고 실제는 계획과 동이 떠 기력이 없었다.

첫째로 어긋난 것이 순이익이 예산의 二만원은커녕 되려 一만七천원의 손해로 나타난 것이었다.

다음에 동이뜬 것은 그리도 너그럽게 굴던 주주들의 태도가 돌변한 것이었다.

"남의 돈 가져다 흐지부지 쓰고."

하는 사람도 있었다.

"학교는 한사코 맡어가지고."

하는 사람도 있었다.

학교란 마가둔 국민우승 학교를 이름이니 그 학교는 전부터 맡은 것이었으나 학도가 목장을 개설할 무렵 경영난으로 폐쇄의 비운에 빠진 것을 맡은 것이었다.

그 학교를 맡은데 대하여는 물론 학도가 주장한 것은 사실이었으나 주주 총회에서 다— 승인을 얻은 것이었다.

채산이서는 목장경영이라 四, 五천원이면 맡을 수 있는 것을 교원 출신인 주주들이 마다할리 없을 것이었는데 이제 와서 학도가 독단으로나 처사한 양으로 말함을 억울한 일이었다.

또 어떤 사람은 말하였다.

"이건 피나는 돈 모아주어 학도의 낯을 내나."

학도는 이러한 말을 전문하여 들을 때마다 화가 치밀어 하늘이 낮다 펄펄 뛰었으나 잇속에 밝은 시정배(市井輩)의 한심한 태도를 스스로 비탄도 하는 것이었다.

그의 고질(痼疾)인 천식(喘息)과 신장병(腎臟病)이 재발한 것은 지난여름 도장견학차 조선서 무리한 여행을 갔다 온 뒤부터였으나 그 먼 원인을 찾는다면 이러한 목장의 꼬여있는 경영난과 주주들의 냉담한 태도에 대한 근심과 분노인 것이었다.

이기철이도 처음 도장계획서를 보고 반가운 김에 학도와 함께 내용을 검토해 내려갔으나 이 경영자금조달의 대목에 와서는 묵묵히 말이 없었다.

아무런 예산도 맞지 않은 때문이었다.

"첫째, 숙사를 짓는데 적게 잡아 二만원은 들 것이 아니겠소."

"그렇구말구요."

"다음엔 훈련생의 첫 곡식이 날 때까지의 식량, 지도자급료."

"그러기 말이요."

"줄잡아 三만원은 가지지 않으면 시작 못하는 것이겠군."

이기철이는 주먹구구로 이렇게 말하였다.

"성의 후원은."

"성경영이 아닌 이상 현금이야 주겠소. 토지나 가축을 대여한다든가 영농사업은 가축의 기술자를 지원해준다든가 하는 정도일 것입니다."

"으음—"

학도는 무겁게 입을 다물었다.

"역시 목장주주들을 설복하는 수밖에 없지요."

"……"

"왜, 다른 계책이 있을 상 부르오."

"……"

얼마동안 무거운 침묵 속에서 학도는 이마에 주름을 굴게 하고 생각에 기피 잠겨드는 것이었다.

도장설계(七)

　　이기철이는 그날 밤을 학도와 같이 자고 이튿날 아침에 떠나갔으나 그를 보내고 난 뒤의 학도의 심경은 사막의 한가운데 홀로 팽개친바 된 거와 같이 고독하고 쓸쓸하였다.

　　거기에 그의 마음을 더 번거롭게 한 것은 그날 아침에 애라한테서 온 편지었다.

　　애라는 지금 서울외삼촌의 집에 붙어있으면서 남산고등여학교에 재학 중인데 오는 삼월에는 졸업하게 되는 것이었다. 먼저는 졸업한 후 동경에 음악 공부를 가겠노라 그 방면의 학교에 지원까지 해놓았으니 허락해달라는 것이었다.

　　학도는 이 편지를 보고 우선 어안이 벙벙하였다.

　　그리고는 이내 슬픈 생각도 낫다.

　　애라는 세상에 남아있는 오직 하나인 학도의 혈육이었다.

　　학도의 혈육으로는 애라의 오빠와 애라, 둘이 있었으나 아들은 열아홉 살이 되던 해에 장질부사로 죽고 말았다. 그때 여덟 살 아래인 애라도 같은 병으로 드러 눕게 되어 서로 병을 다투다가 내내 아들이 죽고만 것이었으나, 아들을 잃은 후 학도는 애라를 아들 마찬가지로 길렀고 또 소중이 여겨왔든 것이었다.

　　어릴 때에는 응석을 받아주었고, 철 들어서도 자연 어릴 때의 응석이 미타미타하게 끌려 내려와 연약한 아버지밖에 될 수 없었다.

애라는 성악의 소질을 가지었고, 정열적이요, 환상적이요, 또 자존심이 강한 성격을 타고났었다. 거기에 고집까지 아버지의 성격을 다소 유전 받아 애라는 여학교를 졸업하는 오늘날까지 아버지 학도를 여러 가지로 애태웠다.

서울 외삼촌 집에 부치어둔 것도 애먹은 나머지의 조처였었거니와, 그는 용정숙녀학교에 재학했든 것이었다.

애라가 서울에 전학한 것은 삼학년 되던 해였다.

애라가 이학년이든 해 가을에 용정에서 성교육대회(省教育大會)가 있어 성내의 각 학교에서 장기(長技)를 가진 생도가 뽑히어 예능회(藝能會)를 해란극장(海蘭劇場)에서 열린 일이 있었다.

음악의 소질을 갖고 있고 또 그 학교에서는 가장 고운 목소리로 노래 부르는 것을 자신하고 있든 애라는 그 예능회에 대표로 뽑히지 못했든 것이었다. 자존심이 강한 애라는 곳 이것을 언짢게 생각하였고 대신으로 뽑히어 나간 아이에 대한 질시와 또는 음악선생에게 대한 비감이 걷잡을 수 없이 일어나 애라는 처음에는 그 아이에게만 못 견디게 굴었으나 차츰 공부를 잘하고 선생의 귀염을 받는 애들에게까지 꼬장꼬장 굴게 되었든 것이었다. 음악선생에게 대하여는 물론, 자신을 대견히 여겨주지 안는 선생에게까지 반감을 가지게 되어 동창생들은 말할 것도 없이 신입생사이에서도 애라는 괴상한 성격을 가진 애로서 주체하기 어려운 애라고도 하게 되었다.

담임선생이 하루 학도를 학교에 청하였다.

학도는 그 무렵 집에서도 이상하게 구는 애라를 심상히 보지 않았으나 선생의 말을 듣고 보니 한심한 일이었다. 더욱이 교육 사업에 이십여 년 종사하든 학도의 딸이 물론 이성교제 같은 점으로 품행이 나쁜 것은 아니지만 어떻든 학교에 걱정을 끼친다는 것은 떳떳한 일이 아니었다.

하여 학도는 그날 애라를 불러 단단히 꾸짖었고 매도 좀 때리었다.

했으나 애라의 비틀어진 성행은 고쳐지지 않았었고 그 후부터는 학교에 가지 않는다고 틀고 누웠다.

도장설계(八)

　학도는 처음에는 엄격하게 다루었고 나중에는 달래이기도 하였으나 내내 학교에는 안 간다 하였고 그리고 몸이 점점 쇠약하여갔다.

　애먹든 나머지에 학교 당국과 의논한 결과 학교를 바꾸어보는 것이 좋겠다 하여 마침 외삼촌이 서울에 있는 것을 인연삼아 남산고등여학교에 전학 수속을 한 것이었다.

　서울 간 뒤에는 명랑하여졌고, 건강도 회복되어 학도나 윤 씨나 외삼촌이 모다 기뻐하는 중에 졸업을 마지하게 된 것이었다.

　졸업 후 학도는 얼른 애라를 결혼시키려 하였다. 대상은 찬구였다.

　찬구는 학도의 친구의 아들이었다.

　찬구의 아버지 오준섭이와 정학도는 고향은 같지 않았으나 같은 도(道)사람으로 일찍 서울에 공부를 갔었을 때 둘은 막연한 교분을 맺었다.

　대정 오년 경 둘은 전후하여 간도에 들어온 것이었는데, 여기에서 그들의 사업은 학교를 세우자는 것이었다.

　아직 청년의 기분과 건강을 가지고 있는 그들이고 그리고 또한 손 맞는 지기(知己)인지라 둘은 맞잡고 고난을 물리치면서 명동(明東) 어느 촌에 조고만 학교 하나를 세운 것이었다.

　그랬으나 그들이 세운 학교가 2주년 기념일을 앞두고 찬구의 아버지는 가족과 학교를 학도에게 매끼고 세상을 떠났든 것이었다.

그 후, 그는 그에게 짊어진 사명이 더 커진 것을 깨닫고 곁눈도 뜨지 않고 교육에 힘을 썼다.

하여 명동지방을 출발점으로 간도 교육계에 있어 선구자의 역할을 하였던 것이었다.

그 후, 우후죽순같이 생기었으나 경영난에 처하여있는 이곳저곳 학교에 전전하면서 심한 때에는 국수 한 그릇으로 끼니를 에인 일도 있었으나 어떻든 무잡하기 잡초 무성한 들판 같은 간도의 초중등교육계가 오늘날의 질서와 지도정신에로 통일된 데에는 멀리 학도의 二十년간 흘린 피와 땀의 무형한 힘이 적지 아니한 것도 사실이었다.

건국 후 그가 교장으로 있던 중학교가 성립(省立)으로 개편(改編)되게 되자 자리를 후진에게 맡기고 용퇴했으나 그 후 수년간 활동기에 터 없이 구사했든 공을 쉬인 뒤 노년의 일생의 사업으로 시작한 것이 지금 하고 있고 하려고 하는 사업이었다.

이렇게 내려오는 사이 찬구는 동지(同志)의 유지와 함께 학도가 길러온 것이었고 찬구가 열 살 되든 해 그의 어머니까지 세상을 떠나자 그의 누이동생 찬이와 함께 둘은 학도의집에 데려다 친자식같이 거두었다.

찬구는 농업학교를, 찬이는 여학교를, 각각 졸업시켜 교육도 중등정도에까지 애라나 다름없이 시킨 것이었다.

더욱이 학도의 마음에는 찬구의 건실한 위인이 마음에 들었다. 아들을 잃은 후에는 그에게 여생을 의탁하고 싶은 생각이 간절하였다.

윤 씨도 그런 뜻이었다.

XX현 사업과에 기수로 있는 찬구를 그의 사업의 압재비로서 불러온 것도 찬구가 가진 수의(獸醫)로서나 목축 기술을 한몫 보자는 것보다도 그의 사업을 맡길 사람이 찬구이외에는 없다는 점이였고 그리고 급기야에는 사위로 맞이하려는 심사에서인 것이었다.

　찬구도 이 은인이라기에는 너무나 은혜가 크고 아버지로 모시기에는 너무도 두려운 인격자 정학도의 사업을 돕는데 있는 정성을 다할 각오는 물론이었으나 어릴 때 같이 자라노라 정이 함박이 들은 애라를 그에게 맡기려는 학도 부부의 심중을 헤아린 것도 사실이었다.

도장설계(九)

학도가 봄눈 오는 날 친구에게 사업을 매끼고 그리고 딸 애라를 부탁한 것은 그 병으로 학도나 친구에게 있어서는 의례 있을 일이었는데 그 장본인인 애라가 결혼을 꿈에도 생각 않고 상급학교로 가겠노라 편지한 것이었다.

학도가 어안이 벙벙해진 것은 이러한 때문이었고 슬픈 생각이 든 것은 애라의 천분을 펴주지 못하는 것이 아비로서의 도리가 못되는 것을 생각한 때문이었다.

"여보우."

"네."

학도는 부인을 불렀고 윤 씨는 대답하였다.

둘은 편지를 방바닥에 놓고 마주 앉은 것이었다.

"애라년이 음악학교에 지원했다우."

"음악학교두 서울에 있소."

"서울?"

"그럼."

"일본에 있다우―"

"아이구 일본에―"

윤 씨는 자기의 오빠의 집이건만 서울에 보내놓고 서로 갈라져있어 자주 못 보는 것이 마음에 쓰였는데 더 멀리 일본이라는데 우선 허락해주지 않았다.

“그래, 서울이라면 그 애 하잔 대로 하겠소.”

“……”

대답이 없는 것은 하나밖에 없는 것이니 제 하자는 대로 받들어 주었으면 하는 생각도 드는 반면 인젠 그만 공부했으면 혼인이나 시켜 사위정도 보고 옆에 두고 그립지 않게 지내고 싶은 생각도 드는 탓이리라. 더욱이 윤 씨도 찬구를 일찍부터 사위감으로 지목하고 있는 이라 요지음, 석순임이가 찬이와 좋아지내며 왔다 갔다 하는 것이 어쩐지 불안하여 얼른 데려다 혼사를 정했으면 하는 생각이 드는 것이었다.

잠깐 말들이 없다가 윤 씨는,

“두진(斗鎭)이나 살었드면—”

하고 죽은 아들을 생각하고 눈이 글썽글썽하였다.

“어려서 간 놈을. 산사람 걱정도 다 못하겠는데 죽은 자식 걱정이 다 무어요.”

하고 학도는 핀둥이였으나, 그도 역시 아들생각이 나는지 얼굴에 비감한 표정이 떠오르는 것을 감출 수 없었다.

“거, 벼루물이나 좀 떠오우.”

학도는 책상 앞에 가 앉으며 말하였다. 빼다지를 당기고 벼루머리를 집어내는 것을 보고 윤 씨는,

“그래, 어떻게 먼저 할 터이오—”

하였으나 학도는 아무대꾸도 없이 벼룻집 뚜껑을 열고 붓을 집어 끝을 앞니빨로 자근자근 씹었다.

물을 떠다 벼루에 조심히 붓고 윤 씨는,

“애 성질이 고약하니 움쩍하지 않도록 잘 달래여 편지 쓰오.”

하는 것을 학도는 먹을 갈면서,

“성질이 누가 그렇게 만들었단 말이오? 딸자식을 어미가 꼭 잡아지고 채

질하는 것이지 그저 헤헤 하는 것을 하자는 대루 맡겨두었으니 그럴밖에—"
퉁명스럽게 말하였다. 윤 씨는 맵다 쓰다 말이 없이 불쑥 일어나 정주로 나
갔다.

학도는 애라에게와 처남에게 각각 한 장씩 편지를 썼다.

애라에게는 아비가 병이 대단히 중하니 우선 내려오라는 뜻으로, 처남에
게는 상급학교는 아무리 하여도 보낼 수 없으니 잘 달래여 내려 보내라 부탁
하였다.

깨끗한 一生(一)

이기철이가 학도의 집에 왔다간 뒤, 학도는 몇 차례 찬구에게 회장(回章)을 써주어 주주들에게 총회도 모일 겸 음식도 장만했으니 목장에 와 달라 하였으나 내내 못 모이고 말았다.

마가둔은 시내에서 걸어서 한 시간, 정기 자동차[蒸氣自動車]를 타면 둘째 정류장에서 내리게 되는 것이어서, 산보삼아 올 수 있는 곳이었으나 주주들은 이 핑계 저 핑계로 학도의 부름에 응치 않았던 것이었다.

학도는 이기철이를 통해 노염지염하였고 기철이는 주주들을 한사람씩 역방하나 다름없이 하여,

"그런 법이 어디 있나요, 정 선생의 병문안도 간다면 갈 수 있겠거든 항차 총회를 모인다는데 왜 그리 뜨악하시오."

하고 말 하였으나,

"병문안이라 면야 물론 가옵지요마는, 목장 총회를 한다니 그 문제는 좀 더 생각해야 될 것이기에⋯⋯" 하며 슬슬 꽁무니들을 뺐다.

"당신들 생각에는 어떻게 할 의향인지 모르겠으나 어떻든 총회를 열어야 할 일이 아니겠소."

기철이가 떼여놓고 말하면

"글쎄. 그거야 나 한사람의 의견으로나 주장으로 될 것 두 아니나⋯⋯"

하고 서로 남에게 밀었다.

나중엔 기철이골을 내며

"에이, 사람들, 돈 두 사람이 난후에 난 것이겠지 그렇게 뚜딱하단 말이요."

하고 음성을 높이면,

"글쎄 나 두 딱 하올시다. 그만 돈은 없는 셈 하구. 그보다두 정 선생의 사업을 후원하는 의미로 개의치 말라 생각해두 공동으로 하는 일이라 제 혼자 행동은 취할 수 없으니 말입니다."

이런 조로 나왔다.

결국 그들의 생각과 기분은 꺼풀을 걷어버리고 드려다 본다면 결손나는 목장에 돈을 더 넣을 수는 없는 일, 그러나 목장을 정리하고 남은 것이 얼마이든 돈을 뽑으려고 하니, 학도 앞에서 그렇게 박하게 말할 수 없어 망설이는 것이었다.

이리하여 이기철이의 진력도 수포에 돌아가 목장의 총회는 내내 열리지 못하였고 그렇게 되다보니 목장 사람들에게 줄 돈도 제때에 줄 수 없고 금년 사업계획도 세울 수 없고 도무지 말이 아니었다.

학도는 슬펐다.

찬구는 소위 유지들의 냉혹한 처사에 의분을 느끼었다.

그러나 할 수 없는 일, 경제력이 없는 스승과 제자들은 다만 일을 중동무의하고 서로 얼굴만 치여다보고 있지 않을 수 없었다.

그러한 하루였다. 제법 봄기운이 느껴지는 경칩도 지난 며칠 만이었다. 지금까지 삼사 개월 누워있든 학도는 목장사무실에 지팡이를 짚고 나온 것이었다.

"아이, 선생님, 어떻게 나다니셔두 괜찮으십니까."

찬구는 책상에다 무엇을 쓰다가 놀라 일어나 달리다시피하여 나아가 학도를 맞아들이었다.

"괜찮어, 명식 씨는 어디 같소."

학도는 의자에 앉으며 명식이가 보이지 않음으로 말하였다.

"아까 양궐(¥系)과 함께 양을 몰구 나갔습니다."

"편안한가요."

"네, 양모는 법 배우겠다구 요즘 며칠째 쫓아다니며 아주 대 열심입니다."

명식이는 인부들이 간다 온다하는 것이 시끄럽다고 자신이 양 모는 법 도야지 다루는 법을 배워두어 여차할 때에는 메고 나서겠다고 서두는 것이었다.

깨끗한 一生(二)

"재미있는 사람이야ㅡ."

학도는 만족하게 입가에 웃음을 띄었다.

"네 농토개간(農土開墾)에는 경영과 기술을 가지고 있습죠, 거기에 몸이 건강하고 뜻이 굳건하고 무얼 해보려는 이욕과 추진력이 또 있지 않습니까, 우리 목장 우리 사업엔 없지 못할 사람인 줄 압니다."

"참 그래. 헌데 그 사람은 간다온다 염려 없을까."

"아니올시다. 그런 사람이 아닙니다."

"으흠, 그렇다면야 마음이 뇌이지마는."

한명식이는 사실 간다온다ㅡ그런 사람이 아니었다.

그의 성격이 그랬고 그의 걸어 나온 길도 미루어 그렇게 단정할 수 있는 길이었다.

ㅡ그는 다섯 살 때에 만주에 들어왔다.

"설은 쇠었다고 하나 바람이 맵짜고 날씨가 혹독하게 치운 날이었습니다. 네 살 우인 누이는 아버지의 헌 저고리를 입고 어머니 뒤에 따라서고 아버지는 나를 오줌얼룩이 간 요에 싸서 없었는데('없었는데'는 '업었는데'의 오식. 편자주) 말을 한필 꺼내어 실은 세간사리 보퉁이에 매달아놓은 바가지 쪽이 말의 걸음을 따라 달랑달랑하는 것을 아버지 등에 붙안겨 있든 나는 가끔 요 밖으로 머리를 내밀어 재미있게 보든 기억이 납니다."

명식이가 두만강을 건너올 때의 기억을 이렇게 찬구에게 이야기 한일도 있었으나 그의 가족은 선구시대의 여러 개척민들과 마찬가지로 네 식구가 남부여대하여 표연히 북간도 땅에 발을 드러놓게 된 것이었다.

물론 처음부터 그의 가정은 '지팡사리'를 하게 된 것이요, 지팡사리에 따라다니는 빗, 학대, 기한(饑寒), 억울한 사정을 여기에 일일이 적을 필요도 없는 것이지만 다만 부지런하고 건강하고 뜻이 구든 그의 아버지가 이러한 역경을 잘 이기고 꿰뚫어나가 딸은 볼모잡이나 그러한 불상사도 없이 곱게 시집을 보낼 수도 있었고 아들 명식이는 소학교를 졸업시키고 중학교에 보낼 수 있은 것은 선구시대의 개척민으로서는 꽤 성공한 편이라 이를 수 있는 것이었다.

이렇게 된 것도 다 명식이 아버지의 수전(水田)을 푸는데 특별한 기술을 가진 탓이라 생각한다면 할 수도 있는 일이니 어떻든 그의 수전개간의 기술은 그를 협지에 넣기도 몇 차례 하였고 그를 살리기도 몇 차례이고 한 것이다.

그리하여 사변(事變)직전에는 그는 수전 十여상도 소유할 수 있어 백초구(百草區)에서 얼마 멀지 아니한 조그마한 촌락에서 안온하게 여생을 즐길 수 있게 된 것이었다.

그러할 때에 사변이 터졌고 패잔병(敗殘兵)들의 북세가 명식이의 존을 번거롭게 하였다.

마침 명식이는 용정중학교에 다니던 때인지라 늙은 내외가 딸의 시집인 백초구에 피접한 것으로 인명에는 다행히 화를 입지 않았으나 집이며 가족이며 농우 같은 것이 결단난 것은 두말할 것도 없는 일이었다.

사변의 폭풍우도 지나간 뒤 정부의 농촌갱생정책으로 명식이의 가정은 전에 살든 곳에 되돌아갔으나 명식이의 아버지는 그 무렵부터 몸이 불편하여 농사 짓기에 힘이 들었고 농군을 얻자니 문의 밀수네 모란강의 사업에 다

빼앗겨버려 어린 명식이를 부르는 수밖에 없었다.

"아버지가 피땀으로 마련한 땅을 지키자."

명식이는 이러한 결의로 책과 먹을 던지었고 학모(學帽)쓰든 머리에 농립(農笠)을 올려놓았던 것이다.

깨끗한 一生(三)

명식이는 아버지의 개간에 대한 기술을 유전 받았음인지, 거기에 대하여 취미와 열의가 대단하였다.

그는 그 방법의 서적을 사다놓고 아버지의 경험을 기초로 그것을 세세히 비판하면서 실제로 자신이 망이를 메고 나선 것이었다.

하여 부근의 황무지를 실습지로 개간을 시작한 것이었으나 그 후 그는 이 방면에 한목을 차지하는 기술을 몸에 지니게 되었고 이곳저곳에 많은 수전을 푼 것이었다. 그러나 이것은 다 후의 일이었고, 그의 위인을 살피기에는 다음의 삽화(揷話)하나만으로도 넉넉한 것이다.

그가 학교를 그만두고 귀농하여서 일 년이 지난 뒤었다.

명식이의 촌에는 왕덕림(王德林)의 휘하라 자칭하는, 무기를 가진 도적의 일당이 침입해 들어온 것이었다.

당시 일만 군경(日滿軍警)의 토비행(討匪行)과 각 농촌 부락에 조직된 자위단 (自衛團)의 불철주야의 추격으로 도적의 무리는 산간 림림 중에 쫓기여 겨우 여명을 지탱해나간 것이었으나 그들도 식량이 끊겨졌을 때에는 전멸될 것을 각오하고 무리를 지어 촌락을 습격해 들어오는 것이었다.

도적의 습격이 잇든 날 명식이는 마침 현성에 볼일로 나가있었는데 자위단은 몰려드는 도적의 무리들을 막다 못하여 무념(無念)하게도 그들의 발밑에 부락을 맡기지 않을 수 없었다.

식량 뿐 아니라 우마(牛馬)와 가축들도 송두리째 뺏겼고 부락민 五十여명은 짐을 지운 배 되어 그들에게 붙잡혀 갔는데 그중에 명식이의 아버지도 그 가운데 끼었다.

이튿날, 명식이는 집으로 돌아왔으나 아버지가 잡혀간 것을 알자 그는 실성한 거나 다름없이 노하여 펄펄 뛰었다.

"그런 죽일 놈들, 그 쇠약한 노인을—"

五十여명의 납치자(拉致者) 중 삼십 여명은 그날 저녁때쯤 놓여왔고 십여명은 그 다음날 낮에 돌아왔으나 명식이의 아버지와 함께 나머지 십여 명은 이틀이 지내고 사흘이 지났건만 돌아오지 않았다.

그동안 명식이는 날마다 자위단을 데리고 도적 토벌에 나아가려 서둘렀으나 단장과 함께 노인들은

"좀 더 기다려봅시다. 지금 서둘루다가는 잡혀간 사람들의 생명이 위태할 것이니 갔든 사람들이 돌아온 다음에 하기로 합시다."

말하고 신중을 가하였다.

명식이는 처음에는 그 말을 옳게 여기여 불안과 분을 참고 있섰으나 사흘이 되어도 나머지 사람들이 돌아오지 않은 것을 보고는 더 견디여 낼 수가 없었다.

그는 또 자위단 사무소로 갔다.

곳 출동할 것을 말하였으나 다시 단장은,

"조금만 더."

하고 기다려보자는 것이었다.

명식이는 얼굴이 확 질리었으나 왈칵 올라오는 감정을 죽이며 말하였다.

"아직도 살아있다구 생각하시오, 단장은?"

"좀 더 기다려봅시다. 조금만 더—"

단장은 입을 한일자로 굳게 다물고 신중히 생각하는 것이었다.

"나는 결단 낫거나 그렇지 않으면 나머지 사람은 결딴낼 자로 돌려보내지 않는 것 두 아오."

"……"

"그렇게 생각되지 않나요."

"글쎄."

"글쎄루만 뻐칠터이오. 단장은 10여 명 부락민의 생사가 걸려있는 이 마당에 어째 그리 안연(安然)히 앉아만 있소?"

명식은 단장의 신중 신중하는 태도가 불미타하여 그를 쳐다보며 분해하였다.

깨끗한 一生(四)

"안연히 앉아 있다니 그 무슨 말이오."

"그렇지 않단 말이오."

"여보, 그건 무슨 억울한 말이오. 밤잠 못자고 뇌심초사 하는 걸 당신은 알지도 못하고―"

"무엇이 뇌심초사란 말이오. 이 마당에서 출동하지 못하는 것은 용기가 없는 걸루 나는 보오."

"무어요."

단장은 일어섰다.

이때,

"단장, 사람들이 이제 막 돌아왔습니다."

하고 단원복 입은 청년 하나가 뛰어 들어와 보고하였다.

"엣."

"엣."

단장도 명식이도 반가움과 놀라움에 잠깐 입을 열지도 못하였다.

"다― 돌아왔소?"

단장께 보고하러 온 사람에게 묻는 말소리를 등 뒤로 들으면서 명식이는 밖으로 뛰어나와 곧 집으로 갔으나 아버지는 오지 않았든 것이었다.

명식이의 가슴에서는 큰 돌이 떨어지는 듯하였다.

곧 돌아온 박첨지의 집으로 갔으나 반송장이 다— 된 그는 정주아랫목에 정신 잃은 사람처럼 멍하니 누워있었다.

"우리 아버진 어찌 되었소."

"한 영감 오지 않았소?"

"안 오셨습니다."

"동춘(同春)에게 가보오."

동춘이의 집으로 뛰어갔으나 그 역시

"차츰 오겠지요."

하고 모호한 대답이었다.

다른 데로 갔다.

"좀 더 기다려보오."

가는 곳마다 이 말이었다.

명식이는 어떤 예감에 가슴을 떨지 않을 수 없었다.

명식이가 자위단 사무소에서 뛰어나간 지 두 시간이 되었다.

단장의 경비전화로 XX경찰서와 무슨 연락을 막 마치고 책상에 돌아와 앉은 뒤였다.

명식이는 각반에 지까다비와 같은 한 차림새로 단장 앞에 나타났다.

"단장."

"왜 그러우."

"출동해주시오."

단장은 명식이의 기세가 심상치 않음을 보고 정신이 듬을 깨달았다.

"⋯⋯"

"이번엔 복수요."

명식이의 눈에서는 퍼런 불이 튀어나는 듯하였다.

"거기 좀 앉으시오."

단장은 이렇게 말하였으나 명식이는 그 말을 듣지도 않은 듯하였다.

"급하오, 출동하겠소, 못하겠소?"

"거기 앉아 내 이야기 듣소."

명식이는 똑바로 책상모리를 돌아 단장이 앉은 의자 옆으로 갔다.

단장은 행패하러 오는듯하여 얼른 일어나며 방위수단을 취하려 하였으나 명식이의 손은 단장이 찬 권총집에로 간 것이었다.

"왜 이래."

"이걸 날 주오. 이걸로 아버지 원수 갚겠소."

깨끗한 一生(五)

단장이나 단원들은 잠깐 동안 어안이 벙벙하여 아무 말도 없었으나 명식이는 다짜고짜로 권총을 무지스럽게 잡아 다니는 것이었다.

"간상, 이것 놓소. 경찰서로부터 대기하고 있으라는 전화가 왔으니 염려 말구 기다리오."

단장은 아까 경찰서와 경비전화로 연락한 사연을 이렇게 말하고 명식이를 겨우 진정시켰다.

출동명령이 내린 것은 오전 두시 경이었다. 나중에 돌아온 사람을 길 앞잡이로 경찰서에서 온 경관대와 자위단원은 어둠을 뚫고 봉약산을 향하여 전진하였다.

명식이 자위단에서 얻은 장총(長銃)에 무장을 든든히 차리고 맨 앞에 서서 걸었다.

이 전투에서 토벌대는 전과 없는 전과를 거둔 것이었으나 거기에는 명식이의 무용(武勇)이 큰 힘을 낸 것이 사실이었다.

그는 맨 앞장에 서서 비적 굴에 뛰어들어 치고 박치고 하여 그들의 간담을 서늘케 하였으니 혹은 사살(射殺)하고 혹은 포박(捕縛)하고 혹은 쫓아버려 근거지를 완전히 뒤엎은 다음 개선한 돌격대의 선두에는 아버지의 유해(遺骸)를 모신 명식이의 모양이 맨 먼저 부락사람의 눈에 뜨인 것이었다.

아버지를 안장(安葬)한 명식이는 이내 그 부락을 떠나 이리저리 다니면서 수전개간사업에 종사하다가 찬구가 관공서에 있을 때 서로 친하게 되었고 학도나 찬구의 뜻에 공명하여 북향목장에 온 것이 작년 가을의 일이었다. 경칩은 지난 지 며칠이 되었고 봄기운이 떠돈다 하여도 만주의 날씨라 아직도 쌀쌀하였다. 더우기 집안은 음침하면서 차가왔다.

학도는 휘— 방 안을 둘러보더니

"방이 차군. 난로는 벌써 떼었소."

치운 듯 말하였다.

"네. 선생님 병후에 촉한하시겠습니다."

찬구는 근심스럽게 대답 겸 미안한 뜻을 말하였으나 학도는,

"난 든든히 입었으니 아무 일 없지만."

하였다.

"우리 젊은 놈이야 메랍니까. 석탄도 경제할 겸—"

이렇게 찬구는 말하였으나 사실은 석탄경제 때문에 난로를 뗀 것이 아니라 석탄이 떨어진지가 벌써 두 달이고 겨우 장작 같은 것으로 채난(採暖)해오다가 이제 봄기운이 돌게 되니 떼어버린 것이었다.

"자동차 몇 시에 있드라."

학도는 주머니에서 시계를 꺼내보면서 말하였다.

"매시간 삼십분에 이리로 지나가지만 누가 오십니까."

애라가 오지 않나 생각하고 물은 것이었으나 학도는,

"아니, 내일 현성(縣城)에 나가려고."

하였다.

"네?"

찬구는 놀라지 않을 수 없었다.

"현성에 나가시다니요."

"내가 나가지 않구는 안되겠어. 나가서 총회도 열구 모두 마련해오지. 와 달라니 와주어야 말이지."

"그러나 선생님께서 어떻게……"

"괜찮어, 아주 근력이 좋아졌으니 아무 걱정 없어."

"그러시드래두요."

"뭐, 자동차에 편안히 앉아 갔다 오는 건데. 배겨 있었으니 바람도 쏘일 겸. 아무염려 없어."

더 말릴 수 없었다. 하여 찬구는 제가 그럼 모셔다드리겠습니다 하였으나 그런 것도 끗까지 듣지 아니하여 겨우 자동차정류장까지 배송하는 수밖에 없었다.

깨끗한 一生(六)

　현성에 도착된 학도는 이기철의 집에 묵으면서 총회를 열기 위하여 갖은 애를 썼다.

　기철이도 물론 주주들을 예방하기를 전보다 더 잦게 하여 학도의 뜻을 받들었지만 도무지 순순히 모여지지 아니하였다.

　회장(回章)을 돌리어 아무 날 몇 시에 모이자하면 병 핑계요 다른 회합에 나간다는 핑계요 또는 여행을 떠나겠으니 부득이하다는 핑계로 모여를 주지 않아 회장(會場)은 몇 차례나 유산되지 아니할 수 없었다.

　학도는 기가 찼으나 꼭 총회를 갖고야 말겠다는 결심으로 마침내 지팡이에 몸을 의지하고 자신이 주주의 집으로 찾아다니었다.

　학도를 면대하고서야 아무리 지독한 주주들 일지라도 모이지 아니할 수 없어 학도가 현성에 온지 나흘 되는 날 총회는 간신히 열리게 된 것이었다.

　장소는 이기철이의 집이었고, 시간은 오후 다섯 시 정각으로 하였다.

　약간의 음식도 준비하였고 술도 배급받은 것 한 병은 마련되었다.

　찬구는 이날 오정쯤 서류 일체를 가지고 나와 참석하였고 여행 중인 박병익이와 그 외 한사람을 제하고는 八, 九명의 주요한 주주는 거의 다 출석하였다.

　음식을 먼저 먹는 것은 순서가 바뀐 것 같지만 시간을 일부러 저녁 전으로 하였음으로 먼저 밥부터 먹기로 하였다.

늦게 온 사람도 있었고, 또 식사를 하느라하여 시간이 걸리여 총회가 시작된 것은 거의 일곱 시가 되어서였다.

"바쁘신데, 이렇게 모여주시여 감사합니다."

학도는 인사치레말로서 허두를 떼고 나서,

"오늘 총회를 모인 것은 다름이니라, 작년도의 결산보고 겸 그에 대한 감사(監査)도 맡을 겸 북향목장의 금후 경영문제에 대하여 긴히 여러분과 협의하지 않어서는 안될 일도 있고 또 여러분의 힘과 후원을 받지 않어서는 안될 일도 있어 총회를 열게 된 것입니다. 목장의 여러 가지 문제에 대하여는 후에 이 선생으로부터 이야기가 있겠지만은 먼저 작년도의 결산보고부터 하기로 하겠습니다."

말을 마친 다음 찬구에게

"보고서 한부씩 드리시오."

하였다.

찬구는 미리 등사하여 가지고 온 보고서를 한부씩 쭉 둘러앉아있는 주주들에게 나누어주었다.

심각한 표정을 짓는 사람, 썩은 콩 씹은 것 같은 얼굴을 하는 사람, 머리를 가로 젓는 사람, 주주들은 못 마땅하다는 듯 가지가지로 표정 지으며 보고서를 보고 있었는데 방 안은 납덩이같이 무거운 기분으로 꽉 찼다.

보고서의 손익계산(損益計算)중에서 이익과 손해난 부분만 초(草)하면 다음과 같다.

利益

羊 八千五百圓(百圓式 八十五頭)

農産物(二千三百五十圓七十錢)

鷄(一萬二百七圓九十錢也)

損 害

蜜蜂 六千四百圓 八十圓式 八十個箱

流 失

豚 一千五百四十圓(七十圓式 二十二頭 溺死)

杞柳藥草 二千三百六十圓七十錢

建築費 (豚舍, 人夫, 家屋改修費)二千三百六十圓三十錢

榮譽費(人件, 其他) 八千八百七十八圓二十一錢

計 一萬一千五百四十七圓三十一錢也

差引 損害金額 一萬一千三百三圓四十一錢也

깨끗한 一生(七)

학도는

"나누어드린 보고서로서 짐작이 가시겠지만 작년도는 여름부터 가을 잡아들기까지의 홍수로 말미암아 벌통을 잃는다, 도야지 굴과 인부숙사를 허무러 진다, 약초와 기류가 결단난다, 또 유행병으로 도야지가 절단난다 하여 손해가 낫는데 양이 새끼를 낳어 어미 양을 판 것으로 좀 봉창을 했으나 역시 손해가 커서 一만여 원의 숫자에 달한 것입니다."

학도는 나직이 말하였고 좌중은 물을 끼얹은 듯 고요하였다.

학도는 쿡 기침이 치밀어 올라와 한번 거뜬히 한 다음 말을 이었다.

"이것은 물론 천재지변이라 할 수 없는 일인 것은 사실이겠지만 그래도 여러분의 귀중한 돈을 도맡어 가지고 이익은 못 끼쳐드리고 손해를 엄청나게 낸데 대하여 책임자인 저는 여러분들에게 무어라 사죄했으면 좋을지 도무지 알 길이 없습니다. 더욱이 작년은 저 자신이 병으로 시름시름하여 목장 경영에 십이분 힘을 쓰지 못한 점도 있어 이런 점 저런 점 모두 여러분을 대하기 부끄럽기만 합니다……"

학도는 말을 하였으나 갑자기 어험어험 기침을 하더니 주머니에서 손수건을 내어 이마에 가져가는 것이었다.

이마에는 구슬땀이 함초롬이 맺혀있었다. 땀을 닦고 나서 학도는 말을 계속하여,

"그러나 손해가 이것으로 머문 것은 현장에서 짐승들과 침식을 함께 하는거나 다름없이 분투한 오전무(吳專務)나 현장사람들의 덕인 것을 잊어서는 안돼……"

하다가 그는 쿨룩쿨룩 연달아 기침이 북바치어 수건을 입에 대이고 웃몸을 수그리고 한참동안 고생하였다.

"선생님—"

하고 찬구는 이내 학도의 등을 문지르면서 기침을 멈추어주느라 애를 썼으나 문이 열린 기침 집은 이내 가라앉지 않았다. 기철이를 비롯해 주주들은 혹은 놀라는 기색으로 혹은 안 되었다 하는 근심으로 혹은 귀찮다는 표정으로 혹은 무표정으로 학도의 기침하는 광경을 바라보았다.

이윽고 기침은 겨우 머리를 숙이고 학도는 몸을 바로 하였으나 얼굴은 금시에 핼쑥하여져서 중병 앓은 사람같이 확 변하였다.

찬구는 수건을 내어 얼굴의 땀을 씻어주려 하였으나 학도는 사양하고 자신이 쥐고 있던 수건으로 씻었다. 그리고,

"미안하게 되었습니다."

하고 말을 계속하려는 것을 이기철이가,

"아래 방에 가서 누우시지요."

하였고 찬구도,

"좀 쉬시는 것이 어떻겠습니까."

하였으나

"아—니, 아무렇지두 않어."

하던 말을 계속하였다.

"오전무로 말한다면 홍수 났을 때 도야지 굴을 허무러 뜨리지 않겠다고, 자칫했으면 생명까지 버릴뻔 하였구 한명식이를 비롯해서 굳이 무너지는

바람에 사람을 다치엇고 그 외 양치는 사람이며 도야지치는 사람들의 노력이란 형언할 수 없는 것이었습니다."

학도는 잠깐 말을 멈추었으나 얼굴에는 괴로운 빛이 짙게 나타났다.

"만약 그 사람들의 노력이 없었더면 목장을 종수로 결단 났을 것이니 일만 여원의 손해는 손해라고 볼 것이 아니라 몇 만원의 이익으로 보아야 될 것입니다."

깨끗한 一生(八)

모두 고요히 듣고만 있더니 노정호(盧貞鎬)란 주주는,

"말씀 듣지 않아두 그야 짐작 못하겠습니까. 결국은 손해난 것은 길게 이야기할 것 두 없는 것이니 속히 진행해나가는 것이 좋을 줄 압니다."

하여 다른 사람들도,

"그렇지요."

동의를 표하였다.

"참, 이야기는 길어졌습니다만 그럼 결산보고는 끝마치고 증빙서류 모두를 첨부해가지고 왔으니 감사는 회의가 끝난 뒤 하시기로 할까요."

"아무튼, 속히 진행합시다."

그리하여 현안인 증자건을 이기철이가 끄집어낸 것이었다.

"증자문제는 작년총회 때에도 난 것이었습니다만 지금 목장의 경영은 아시다시피 증자를 절대로 필요로 하는 것은 더 말할 것도 없습니다."

이기철이는 꽉 못을 박아 말하였다.

모두 얼굴들만 치어다 볼 뿐 가타부타 말이 없었다.

"그대로 팽개쳐두다니 송두리째 손해 볼 것이요, 증자하니 2년 내리 밑져만 가는 사업에 또 돈을 넣어, 하는 것이 여러분의 생각일 것입니다."

하고 이기철이는 주주들의 심중을 여지없이 꼬집어낸 후, 말 못하게 하려고 하는데 구석에 앉아있든 송을극(宋乙極)이란 사람이,

"송두리 채 손해 보긴 왜 손해 봐요. 막 두드려 팔아버리는데두."

하고 이기철의 말을 가로채었다.

학도도 기철이도 찬구도 송을극의 말에 바늘이나 찔린 듯 움찔했는데 이어 남철욱(南哲旭)이란 사람은 송을극이의 말에 기운이나 얻은 듯,

"증자는 좀 생각해봐야겠어요. 이 선생도 했지만 쪼개놓고 말한다면 손해 안 나는 사업도 할 라면 이루 헤아릴 수 없이 많은데 자꾸 밑지는 일에 돈 또 넣으라고 하겠어요."

하였고 유명희(柳明熙)란 사람은,

"금년에 넣으라면 넣을 수도 있지만 작년일로 부도나듯 계산 같애서야 일 년 내에 한 목 할 수 있었지만 홍수나, 병이다, 뜻하지 않은 일이 생겨 이 지경이니, 금년에 증자를 하더라도 또 무슨 변괴가 있을지 누가 안답니까."

하였고 한사람은,

"이 선생 내 주를 맡아줄 수 없을까요."

하였다.

이러한 여럿의 말에 학도는 눈을 감고 잠자코 듯이 앉아있었고 찬구는 한 사람 한 사람이 말할 때마다 울컥울컥 골이 치밀어 배겨낼 수 없었다.

보통 학도와 마찬가지고 교육 사업에 종사하던 사람들이었다.

건국 전에 들어와 농민들이 호미와 방망이로 하는 일을 분필(粉笔)과 입으로 하겠노라 하였고 그렇게 해왔던 그들이 이제 실업계로 나온 지 몇 해되니 앉아서 벌써 저렇게 이해타산에만 발근 장사치로 변했을까, 학도의 사업을 돕겠다는 동기를 잊어버린 지는 벌써 작년부터의 일이었지만 오늘에는 입 밖에 빈말조차 비치는 사람이 없는 것이 찬구를 더욱 분격케 하였다.

"그렇게 중구난방으로만 말씀하실 게 아니라 통일된 의견을 말씀해주십시오."

이기철이는 말하였으나 또 모두 말들이 없어,

"송 선생 의견 어떠십니까."

하고 송을극에게 쏘는 듯 시선을 던졌다.

송은 아까 한 말이 지나치다 생각했었든지 풀이 꺾이어,

"중의에 쫓읍지요."

할뿐이었다.

깨끗한 一生(九)

"그럼 남 선생은?"

"아까 의견 그대로입니다. 좀 생각해봐야겠어요. 박병익씨도 안 오고했으니⋯⋯이 문제는 보류해두는 것이 좋을 줄로 압니다."

박병익이를 쳐든 것은 그의 주가 반수 이상을 차지한 것이니 투표로 결정한대도 역시 그가 결정권을 가지고 있다는 것을 뜻함이겠으나 박병익은 또 증자에는 반대인지라 역시 그가 참석하지 않고는 속히 결정이 나지 않을 것을 아는 때문이었다.

"보류하는 것이 좋겠습니다."

모두 그 의견에 찬성이었다.

당장 꺼꾸러지는 목장을 보고 증자문제를 보류하다니— 찬구는 더 앉아 배길 수 없어 씨익씨 숨소리가 거친 것을 자신도 깨달았다.

이때 눈을 감고 있던 학도는 일어서 밖으로 나갔다. 변소로 가는 것이었다.

학도가 나간 다음도 증자문제에 대하여 설왕설래하느라 오 분 시간이 지났건만 변소 갔던 학도가 이내 돌아오지 않는데 대하여 찬구 혼자 의아한 생각을 풀지 않고 있는데 밖에서,

"아이구, 정 선생, 이게 웬일입니까요."

하는 이기철의 부인 안 씨의 질겁하는 소리가 들려왔다.

"안에서 얼른 나오시오. 정 선생이 여기 쓰러져 계십니다."

맨 먼저 문을 박차고 나간 것은 젊은 찬구였고 그 뒤로 기철이, 그리고 모두 황급히 뛰어나갔을 때에는 학도는 뒷간어구에 쓰러진 채 있었고 마당한 가운데서 안 씨가 넋 나간 사람처럼 떨고 있은 중이었다.

찬구는 곧 학도를 안아 일으켜 옷을 바로잡고서는 등에 없었고 기철이는 안방아랫목에 자리 깔고 학도를 그 자리에 눕히었다.

찬구는 가까운 병원으로 뛰어갔다.

요행히 의사는 외출하지 않고 있어서 즉시 뛰어왔으나 청진기를 대어볼 여지도 없이 벌써 학도는 저 세상 사람이 되어버린 것이었다.

이리하여 66세의 일생을 오로지 이역(異域)에서 후진을 위하여 교육과 교화사업에 바친 뜻이 원대하였으나 항상 그 뜻이 세상에 다 이해되었달 수 없었고 만년에 필생의 사업인 그의 이번 사업마저 위기에 처하고 있는 채 처자는 물론 사랑하는 제자의 손목도 못 잡아보고 이처럼 불우하게 정학도는 임종한 것이었다. 그러나 생각하면 깨끗한 일생이었다. 학도다운 최후이기도 하였다.

총회장이 초상집으로 변한 것은 더 말할 나위가 없었으나 모인 사람들은 우선 학도의 장례를 어떻게 하겠느냐 이론이 분분하였다.

객사는 객사이지만 집이 멀지 않은 곳에 있으므로 곧 시체를 집에 운구하여 초상을 치르자는 것은 찬구의 주장이였고 기왕 여기 안치(安置)해놓은 것이니 여기서 고별식까지 지낸 다음에 마가둔에 가져다가 매장만 하자는 것은 주인인 기철이의 의견이었다. 그랬으나 결국은 지금은 밤중이니 밝는 날에 옳게 집으로 모셔다가 거기서 초상례를 치르자는 것으로 의견이 일치되었다.

결정을 짓는 한편 윤 씨에게 알리기 위하여 곧 사람을 마가둔에 보내고 찬구는 전보국(電報局)에 뛰어가서 애라에게 전보를 쳤다.

전보를 치고 나니 정말 학도가 죽은 것 같아 울컥 울음이 치밀었다. 밖에 나오니 외등은 멀리에 비치었으나 전보국 앞거리는 캄캄하였다. 마음이 캄캄하니 더욱 더 캄캄한 듯 찬구는 몇 번이나 돌에 채이고 웅덩이에 발을 헛디디었다.

자정이 가까운 밤거리에는 사람의 내왕이라곤 없었다. 나머지 추위는 옷속에 쏟아들었다.

찬구는 슬펐다. 괴로웠다. 허무하였다. 애석하였다.

밤중의 인기척에 멍멍 짖는 개소리를 귓전에 날리면서 찬구는 마음껏 눈물을 흘리었고 비탄에 잠기여 걸었다.

깨끗한 一生(十)

　시가지 입구에 있는 법륜사(法輪寺)에 들리어 내일 아침 영구차(靈柩車) 쓸 것을 약속하고 화담법사(樺潭法師)를 모시고 온 것은 자정이 훨씬 지난 뒤였다.

　시체 모신 방에는 어느 사이에 병풍을 가져다가 시체를 막아놓았고 조그만 상우에다 향도 피어놓았고 화담법사는 평소에도 학도와는 친분이 두터웠던 사이라 가사 착용을 하고 꿇어앉아 경을 외우는 것이었으나 그 목소리가 엄숙하면서도 슬펐다.

　찬구도 향을 올린 다음 법사 옆에 무릎을 꿇고 앉아 눈을 감았으나 학도와의 여러 가지일이 새록새록 회상되어 목소리를 감추어 울기도 하였고 학도의 영전에 맹세도하였다.

　첫째로 생각나는 것은 얼마 전 눈 오는 날의 일이었다.

　그날 사업과 애라를 부탁한 것이 그러면 유언이 되고 말았는가 하면 눈물이 저절로 나왔다. 그는 영전에 맹세하였다. 또한 유언은 목숨 걸고 실행하겠노라고 다짐하였다.

　그리고는 어릴 때의 일이 생각키웠다.

　조실부모로 남매를 맡아 기르는데 조금도 남의 자식같이 여기지 않은 여러 가지 사랑이 뼈저리도록 회상되었다.

　다음에는 철 들어서 교훈(敎訓)이었다.

　"이것이 나의 뜻만이 아니라 너의 아버지 뜻이니라."

하고 타이르던 일. 한번을 수석교원을 배척하느라 동맹휴학을 하여 정학을 맞고 돌아왔을 때.

"이놈, 네 애비가 땅속에서 우는 것을 모르느냐."

하며 호령을 내리던 때도 있던 기억이 찬구의 머릿속에 똑똑히 떠오르는 것이었다.

옆방의 시계가 세시를 치는 소리가 들리었다. 찬구는 기철이가 보자고 청하여 잠시 학도의 시체 옆을 떠났다.

윗방에 올라가니 저녁때 왔던 사람들은 하나도 돌아가지 않고 있었는데, 저쪽에서는 마장 판이 벌어졌고 이쪽에서는 화투로 양쪽에 '모이죠'판이 벌어지었다.

찬구는 그들이 학도의 죽음을 조상하여 돌아가지 않고 있는 것이 고마웠으나 마장과 '모이죠'는 격에 맞지 않는다고 생각하였다. 그러나 다시 생각할 때 밤을 밝히려면 무릎을 꿇고 앉았을 수는 없을 것이니 시간을 보내기 위하여 하는 것이리라 그렇게 고집을 부릴 것은 없겠다 했었다.

그렇다 치더라도 어느 사이에 마장이나 화투를 가져왔나, 이기철이에게는 그런 장난감이 없을 것을 아는 찬구는 못내 감탄하면서 이기철이 있는 곳으로 갔다.

기철이는 마장과 화투꾼에게 밀리어 한편 구석에 소반을 책상삼아 그 위에 종이를 펴놓고 무얼 쓰고 앉았었다.

"우선 부고를 박아야 할 터인데 이렇게 원고를 만들었소."

하고 내어주는 원고를 보니 호상(護喪)에 이기철로 되어있었고 유족에는 미망인 윤 씨, 장녀 애라 둘뿐이라, 부고의 문면(文面)으로도 초라하기가 짝이 없었다.

"모두 나를 호상으로 하라니 그렇게 한 거요."

기철이는 호상된 까닭을 말하였다.

"으레 그러셔얍죠."

장례일과 장지는 씌여지지 않았는데 그것은 윤 씨가 오면 큰 활자로 하고 우선 정해놓자는 것이었다.

"애라가 모래 아침에올 것이니 역시 五일장으로 할밖에 없지요."

"그렇지."

"장지는 와우봉 기슭이니까 와우봉 전록(前麓)이라 할까요, 그렇지 않으면 마가둔이라 막연히 쓸까요."

"와우봉 전록도 조치."

깨끗한 일생(十一)

이때,

"이게 어찌된 일이오."

하는 윤 씨의 목소리가 들리어 찬구와 기철이는 부인이 온 것을 알고 함께 시체 있는 방으로 내려갔다.

윤 씨는 실성한 사람처럼 학도의 시체를 보고 있더니 울음집이 터뜨렸으나 남의 집에서 곡성을 낭자히 낼 것이 아니라고 생각했음인지 이내 소리를 죽이는 것이었다.

"불의의 일이라 무어랬으면 좋을지 모르겠습니다."

하고 기철이는 인사하였고 찬구는,

"사모님."

하고 더 말이 없었다.

다시 화담법사는 경을 외이였고 윤 씨는 법사와 맞추어 나직이 나무아미타불을 불렀다.

장일과 장지는 역시 아까 정한대로 결정을 지었고 기철이와 찬구는 이번에는 부고 돌릴 데와 장례의 여러 가지 구체적 준비를 하기로 하였다.

하여 찬구는 웃방에 올라가 소반 상에 종이를 가지고 내려왔는데 내려오며 보니 '모이쬬' 쪽에서는 십 원짜리, 백 원짜리와 소절수(小切手)까지 왔다 갔다 하였고 마장판은 얼마짜리인지는 몰라도 얼르고 앉았는 품이 소소한

판은 아님이 짐작되었다.

"이렇게 되면 짜장 도박이 아닌가."

찬구는 생각하였고,

"철야가 목적인지 도박이 목적인지 분간하기 어려우나 이것도 정 선생께 대한 성의라고 할꼬."

이렇게도 생각하였다.

영구차는 일찍이 가져다 시체를 모시어 해뜨기 전에 마가둔을 향하여 떠났다.

부고의 인쇄 같은 것도 이들에게 맡겨놓고 기철이도 찬구와 함께 영구차 옆에 가서 걸어갔다. 영구차는 말이 끄는 것이었다.

다른 사람들은 장례 날에 가겠노라하고 모두 헤어졌다.

영구차는 아침 공기를 헤치며 움직였다. 호상꾼들은 엄숙한 표정으로 영구차의 뒤를 따라 묵묵히 걸었다.

새벽 공기는 찼고 촌길은 단조롭게 쓸쓸했다.

↘표를 네모에 그려놓았을 뿐 외 아무장식도 없을 꼬, 영구차도, 끄는 만주 말도 빈약하고 서글펐다.

목장은 물론 마가둔에서도 모두 학도의 죽음을 애석히 여기었다.

학교 어린이들도 풀에 꺾긴 듯 애수에 잠기었다.

애라는 예상대로 사흘 되는 날 오정쯤 들어섰다.

딸이 들어서자 맞붙잡고 애통히 우는 윤 씨 모녀의 정경은 보는 사람의 눈을 뜨겁게 하였다.

장례는 예정대로 5일이 되는 날에 맞추었다.

고별식장은 학교마당이었다. 현관(玄关)쪽에 단을 무어놓고 거기에 흰 보가 덮인 관(棺)을 모셨다. 관에 기대어 검정상장(喪章)으로 테두른 학도의 사진이 놓여있었다.

사진 앞에 테—블을 놓았고 그 위에 향로(香爐)와 향갑(香匣)이 있었다. 오른쪽에는 상주 애라와 윤 씨가 베 상복을 입고 구부리고 섰고 왼쪽에는 이기철이를 비롯하여 찬구며 수석교원 최 선생이며 쯔루하라 둔장(鶴原里長)이며 그 외에 외지에서 조상 온 학도의 친우며 문생들이 혼의 소건(小巾)을 쓰고 검정 상장을 팔에 두르고 서있고 시체 정면에는 학생 애들이 쭉 정열하고 있다.

깨끗한 一生(十二)

고별식은 열시에 시작되었다.

먼저 화담법사의 독경으로 시작하여 최 선생의 고인의 약력 보고가 있은 다음 조사(弔辭)에 들어가 이기철의 구구절절이 가슴을 찌르는, 진정에서 나오는 조사가 마지막에는 울음을 섞어 낭독되어 유족 뿐 아니라 찬구를 비롯해 문하생들을 울리여 장내는 잠깐 동안 흐느끼는 소리로 잠기었다.

다음에는 문하생을 대표하여 마준영(馬駿泳)이란 사람이 조사를 올리었고, 학교 대표로 소년 하나가 나와 낭독하였고, 둔을 대표하여 둔장이 그리고, 맨 나중에 목장을 대표하여 찬구가 조심스러운 걸음으로 시체 앞에 나아갔다.

합장하고 경례한 다음 정성스럽게 소향(燒香)을 하고나서 그는 협화복의 포켓단추를 끄르고 그 속주머니에 간직하였던 조사 쓴 것을 꺼내어 펼치었다.

"정 선생님."

하고 읽으려고 하니 찬구는 왈칵 울음부터 나왔다. 겨우 참기는 하였으나 목소리가 떨리고 손마저 떨리어 도무지 앞을 계속할 수 없었다.

"왜 벌써 가시였습니까……"

그리고 겨우 내려읽은 것이었으나, 찬구의 조사는 목장을 대표한 것이라기보다 찬구 개인의 고인의 서거에 대한 애도와 비탄을 나타내는 것이었고 그리고 그의 남기고 간 유업, 유지를 받들어 꼭 그 뜻, 그 사업을 이룩하여놓고야 말겠다는 결심을 고인의 영령 앞에 맹세하는 뜻으로 된 것이었다.

찬구가 조사를 읽은 다음 소향, 이어서, 애라, 윤 씨의 순서로 향을 사루고 기철, 찬구로부터 연달아 십여 명의 회장자가 학도의 영구 앞에 나아가 향을 올리었다.

이기철이의 인사로 식은 끝났으나 고별식은 간소하면서도 엄숙한 기분으로 시종하여 고인의 평생에 알맞는 것이었다.

곧 발인하게 되어 이번에는 마가둔 향도(鄕徒)에서 자진하여 메고나온 상여며 영구를 옮긴 다음 장지인 와우봉 기슭에 영정을 선두로 학도의 나머지 몸은 말없이 영원히 머무를 곳으로 올라갔다.

장지는 한눈에 목장은 물론, 마가둔도 내려다볼 수 있는 위치였다.

이윽고 봉분은 이룩하여 졌고 고 와우거사 정학도묘지(故臥牛居士鄭學道之墓)라는 새 묘표만이 만들어 정학도의 분묘로서 이른 봄 하늘밑에 세워져있을 뿐 이었다.

그 묘표 앞에 우선 상주는 절함으로써 최후의 인사를 하였고 회장자들은 열을 지어 머리를 나직이 숙이어 하직을 고하였다.

학교에서는 교원 전부와 생도대표로 육학년생만이 장지에까지 올라왔으니 일반 회장자의 하직이 끝난 다음 역시 나란히 서서 경례를 하였다.

그리고 모두 이제 세시밖에는 안되었을 했볕을 받으며 산에서 내려오게 되었다.

다 내려간 다음 남아있던 이는 애라와 윤 씨와 이기철이와 찬구의 남매였다.

그들은 한 시간이라도 학도의 산소 옆을 떠나기가 실었다.

남아있었으나 그러나 그들은 별로 서로 할 말들이 없었다.

다만 윤 씨가 이기철이와 찬구에게 수고하였다는 치하를 말하였을 뿐 찬구와 애라는 더욱 말이 없었다.

입을 봉한 채 학도의 산소 앞에 엎드려 몸부림치고 싶은 심정들이었다. 다만 이러한 감정뿐 찬구도, 애라도 아무 딴 생각이 없었다.

석순임이(一)

초상을 치르는 동안의 피로와 학도를 여의었다는 마음의 타격으로 였었을까. 찬구는 장례가 끝난 지 사흘 되는 날부터 몸살이 들어 눕게 되었다.

온몸은 어깨와 뻐근한 것이 뼈마디마디가 쑤시고 저리는 것으로 시초가 되었으나 자리에 눕자 옴짝 수족을 옮길 수 없었고 이어 열이 나기 시작하여 이틀 동안은 헛소리까지 치며 되게 앓은 품이 보통 몸살 같지 않았다.

그때 마가둔에는 장질부사가 유행하였다. 한명식이는 겁이 나서 곧장 새 마을로 한 주부를 데리러 갔었는데 돌아올 때 찬이한테 들려 오빠 앓는 것을 전달하였다.

마침 그날은 일요일 이였고, 월요일은 경절이라 소식 듣고 놀란 찬이는 한 주부 옆에 같이 마가둔에 들어와 이틀 동안 묵어가며 오빠의 병시중을 들었다.

원체 평소에 잔병이라고 없던 사람이 앓아 눕게 되면 골골하던 사람과는 달리 그 앓는 정도가 심한 법이다. 그것은 병에 대한 저항력이 없기 때문에 웬만한 고통에도 견디지 못하는 까닭이겠으나, "아이구 나 죽는다, 사람 살려라." 하고 소리를 고래고래 질러 옆 사람의 마음을 조바심 나게 하였다. 평소 건강하던 사람의 억척인 것이다.

그러나 찬구는 그런 억척도 아니요, 정신을 잃은 채 헛소리를 지르는 것이었고 그 헛소리도 죽은 사람의 이름을 부른다든가, 그런 사람의 방구석에서 튀여 나온다든가 하는 따위었으나 찬이는 무서워서 오빠 옆에 앉아있을 수가 없었다. 저녁때가 되면서 찬구는 뜸했다. 하여 문병 겸 찬이를 만나려 온 석순임이를 한사코 이 자리에 붙들어 앉친 것이었으나 순임이에게도 노는 날이 이틀씩 계속되는 것이 이와 마찬가지여서 '언니'는 '동생'의 오빠 시중드는 동무가 되어주기로 하였다.

(찬이의 동무가 되어준다.) ―물론 순임이는 처음에는 이런 생각이었다.

그랬으나 자세하고 친절한 생각을 가진 순임이는 또한 남이 하는 일을 가많이 보고 앉아있을 수 없는 성미이기도 하였다.

거기에 이불을 바로 덮어주는 한 가지 일에도 말 부기가 짝이 없는 찬이의 시중이 순임이는 방관자로서 가많이 앉아있지 못하였다.

순임이는 걷어붙이고 병시중에 나섰다.

찬이의 서투른 간호에 버럭버럭 짜증을 내던 찬구도 순임이의, 심리를 잘 맞추어하는 시중에는 솔직히 아무소리도 없었다.

병은 한 주부의 진맥으로 몸살임에 틀림없으나 자칫 시간을 놓혔으면 오래 들어 눕는 병으로 변할 뻔 하였다는 것을 알았다.

한 주부는 약세 첩을 지어먹이라 처방을 써놓고 갔다.

한 첩은 곧장 다려먹이되 땀을 내야 된다는 것이었고 둘째 첩은 내일 아침, 셋째 첩은 둘째 첩으로 몸이 거뿐할 터이니 안심하지 말고 저녁에 다려 먹이라는 것이었다.

처방은 세 가지가 각각 다른 것이었다.

곧장 마가둔 약방에 가서 지어온 약을 직접 다리여 먹이었다.

방은 짤짤 끓게 불을 때었다.

병자의 몸에서는 땀이 물 껴 얹은 것같이 흘렀다. 땀 냄새 한약 냄새로 방안은 성한 사람은 앉아 배길 수 없는 정도로 숨이 막히었다.

그러한 가운데서 순임이와 찬이는 콧등에 땀을 솟구어가면서 찬구의 간호에 열중이었다.

번열하는 병자의 차 던지는 이불을 꽃바람을 맞을세라 덮어놓는다. 수건으로 매만지며 흐르는 땀을 닦는다. 땀에 함빡 젖은 옷을 바꾸어 깔아준다. 순임이는 어찌도 그렇게 익숙한지 홀딱 감복하는 것이었다.

석순임이(二)

한 주부의 말같이 둘째 첩은 이튿날 아침에 쓰고 나서 찬구는 몸소 자리에서 일어날 수 있었고 낮에는 열도 내리었다.

열이 내린 찬구는 눈이 움푹이 들어갔고 볼이 푹 패이여 볼품이 없었으나 정신은 명석하였고 국수 같은 시원한 것이 먹고 싶다고 먹을 것을 찾았다.

"찬 것이 괜찮을까요?"

순임이가 조심스럽게 말하는 것을,

"뭘요, 몸살인데……"

찬구는 대답하고 말을 이어

"좀처럼 앓지 않으나 아프면 이 지경으로 굴고 낫다가도 열이 내리면 첫째 국수가 생각나는 것이 또 버릇입니다."

하였다.

"그래두."

순임이는 더욱 장국 같은 것을 생각하면서 망설이었으나,

"오빠, 정말 국수 생각나우, 국수 맛있게 잡수면 그만 털구 일어나시긴 해."

찬구의 이런 습관은 어머니가 살아계신 어릴 때부터의 일이었다.

한번은 몹시 알아 도무지 가망이 없다 생각했을 때 국수 먹고 싶다는 찬구에게 어머니는, 죽을 자식 먹고 싶은 거나 먹여본다고 찬 국수를 먹이였더니 얼마 안지나 일어난 일이 있었다.

그 후부터는 몸져 앓다가도 국수 먹고 싶다는 말이 있으면 어머니는 "어─ 이제는 나았구나." 하며 어디 가서든지 찬 것으로 구해다 먹이고 했는데 역시 낫고 낫고 하였다. 앓고 난 뒤에 국수 먹고 싶은 것은 찬구에게 있어서는 또한 병을 놓았다는 표시도 되어 그 자신도 국수 생각 나고 안 나는 것으로 병의 쾌유를 점쳤던 것이다.

"그러나 여기 어디 국수집 있나요, 언니, 알지?"

찬이는 순임이에게 물었다.

"없어."

순임이는 그렇다면 달리 방법이 없을까 생각하며 찬이의 말에 대답하였는데.

"국수집 없으면 그만두세요."

하고 찬구도 단념한 듯하였다.

"난 이래서 촌이 싫드라."

찬이는 비단 국수일 뿐 아니라 농촌은 원체 실어하는 성미여서 이런 일에도 불쑥 평소의 먹은 뜻이 말에 나타나는 것이었다.

"국수집 없다구 촌이 나쁠 리야 있겠소. 찬이, 농촌공격에 배겨낼 수 없겠드라……"

순임이는 웃으면서 일어나 정주로 나아갔다.

이윽고 순임이는 소반에다 사발에 담은 음식을 들고 들어왔는데 그것은 김치국에다 밥을 비빈 것이었다.

"시원하기로는 국수만 못하지 않겠지만……"

순임이는 찬구 옆에 상을 놓으며 말을 하였다.

"언닌, 국밥도 참 좋아요, 어느새 그걸 만들 생각했어요……"

찬이는 한 사발 안에 있는 발갛게 먹음직스런 비빔밥을 넘겨다보며 순임이의 펑펑 잘 도는 뇌에 감탄하였다.

"괜찮은데도요."

순임이는 찬이에게 눈짓으로 찬구의 등에 무엇을 가리어주라고 하였으나 그런데 주의가 미치지 못한 찬이는 잠자코 있었다. 순임이는 참다못해 움씬 일어나 못에 걸려있는 외투를 벗기여 찬구의 등에 가려주었다.

찬구는 앓아 누운 지 이틀 동안 한모금도 먹지 못해 몸에서 열이 내리자 첫째 시장해 견딜 수 없었다. 시장한 그의 창자에 맵달싸하고 시원하고 참기름과 설탕을 적당하게 버무렸기 때문에 고소하고 달콤한 김칫국 비빔밥이 진미 이상으로 맛있게 여겨졌다.

"살 것 같군."

찬구는 옆의 사람은 보이지도 않은 듯 한 사발 비빔밥을 게 눈 감추듯 하였다.

석순임이(三)

다 먹고 나서 찬구는 얼얼한 입안을 냉수로 양치질하여 국으친 다음 상을 밀어놓았다.

입에 맞는 음식으로 적당히 배를 불린 찬구는 갑자기 원기가 도는 것을 느끼었다. 기분이 경쾌해지는 것이 확실하였다.

"석 선생, 참, 여러 가지로 고맙습니다."

상을 들려는 순임이에게 찬구는 병간호 인사 겸 이렇게 말하였다.

"원, 천만에요. 서투른 솜씨로……"

순임이는 부끄러운 듯 말끝을 흐리었는데 찬이가,

"오빠, 이제 옆의 사람이 똑바로 뵈는구려."

하고

"인사말로써는 안 될 거예요. 언니껜 오빠 절을 넙죽이 해두 이번 진 신세 절반 인사는 되나 마나예요."

하면서 순임이가 든 상을 받아 제가 들고 나가려하였다.

"찬이두."

순임이는 찬이의 말에 너무 무안하여 자리를 피하고 싶은 생각이 나서 상을 찬이에게 주지 않고 그대로 들고 정지에 나갔다.

들어오니 찬구는 담배를 피워 물었는데 그렇게 보아 그런지 얼굴이 훨씬 생기가 있어 보였다.

"그랬서요가 무어예요. 오빠두 참, 그래 까마아득 모르실 땐 가란 말예요."

순임이가 들어오기 전까지 하던 회의 계속인 듯 찬이는 오빠에게 말을 건네었다.

"결국 석 선생에게만 수고 끼치는구먼요. 미안합니다."

찬구는 순임이가 들어서는 것을 보자 정색을 하고 미안한 뜻을 표하였다. 순임이는 이 남매가 자기 나간 사이에 또 무슨 이야기를 주고받았기에 일어나 시중들 때에는 생각도 안했던 일 남자의 몸에 손을 대고 이불을 바로 덮어준다, 온몸의 땀을 씻어준다, 한일이 부끄러워 견딜 수 없었다.

하여 순임이는 찬구가 쳐다보는 것이 낯 간지러워 외면하다시피하며 찬이 옆에 가서 치마폭을 무릎에 푹 싸고 살며시 앉았다.

"오빠는 병도 호들갑스럽게두 앓아요. 앓는 사람이 다 그래서야 누가 간호해 먹겠어요."

찬이는 또 응석의 말이었다.

"누이가 간호 못 해냈는 걸 석 선생은 어떻게 하셨겠니. 고맙다고 인사나 드렸니?"

"인사? 그런 외면치레 우리사이엔 없어요."

찬이는 순임이를 보고 실죽 그렇지, 하는 듯 웃고 나서,

"언닌, 언니니까 그만 수고야……"

하고 호호호 재미나게 웃는 것이었다.

찬구는 순임이도 "언니니까……" 하는 말에 그만 바늘에 찔린 듯 움찔하지 않을 수 없었다.

"언니니까……" 찬구는 생각하였다. 이 애가 순임이를 올케로 지레 작정하고 좋아하는 것이 아닐까. 빨래사건하며 이번 병간호 하며……모두가 수상한 일이었다.

한편 순임이는 또 순임이대로 그 말을 듣는 순간 워낙 부끄러운 생각이 치밀었다.

이번 병간호한 것을 찬구가 무슨 야심이나 있어 한일로 여기지나 않을까 하는 생각에서였다.

찬구에 대하여 물론 호의는 있다. 호의 이상의 애정도 느낀다. 그러나 그렇다고 체면 불구하고 서로 흔치않은 남자의 뒤를 따라다닐 추근추근한 순임이는 아니었다.

뜻이 통하면 그것으로 행복한 것이고, 그럴 사정이 못되면 스스로 몸을 물리쳐 멀리서 사모하는 사람의 행복을 빌 그런 부류에 속하는 처녀였다.

이러한 순임이기 때문에 혹 누이를 미끼삼아 그 오빠한테 가까이 하려는 것으로 찬구에게 알려졌다 하면 어쩔까 그의 순결한 처녀심은 이렇게 생각하는 것이었다.

석순임이(四)

"언닌 왜 그리 시무룩해 앉았어요. 오빠도 왜?"

찬이는 둘을 번갈아보며

"꼭 싸움한 것 같네요."

무심히 던진 한마디가 두 사람의 마음속에 파문을 일으킨 것을 짐작하고 일부러 너스레를 떨어 그이상한 분위기를 흐려버리려는 것인지 그렇지 않으면 까마득히 모르고 앉아 혼자 좋아하는 것인지 찬이는 호호호 명랑히 웃는 것이었다.

"오빠 난 오빠 돌아갈까 겁났어."

"잔소리 안 듣고 좋지 뭘. 돌아갔으면두 했어."

"그럼, 이렇게 털고 일어난 게 원수 같겠구나."

"아냐, 혹 말야, 만에 일로 돌아간다면 말야, 그러구 난 생각했어. 뭘 생각했을까?"

"초상 치를 걱정했겠지."

찬구는 웃으며 대답했고 순임이는 잠자코 말이 없었다.

"오빤 못써, 너무 실제적이야. 오빠 뇌는 모래알 주물리는 것같이 싸각싸각할꺼야."

"그럼 네 뇌 속은 두부주머니처럼 물렁물렁하겠구나?"

"오빤 아이데(상대)가 안 돼. 언니, 언닌 내가 뭘 생각했겠다고 생각해요?"

순임이는 역시 아무 말도 없었으나 아까와는 달리 입가에 빙긋이 웃음을 띠었다.

"그래, 무얼 생각했나. 갑갑해 견디겠니……"

찬구는 순임이의 미소에 따라 껄껄껄 웃으며 말하였다.

"난 세상에 부모도 없고 형제도 없고 친척도 없고 꼭 나 하나뿐이라는 걸 생각했어."

"큰 걸 생각했구나."

찬구는 대수롭지 않게 대꾸하였으나 평소 부모와 친척이 없는 외롬과 슬픔이 찬이로 하여금 자기의 처지를 극단으로 불행한 속으로 몰아넣으려는 자학성(自虐性)을 띠게 한 것이라 생각하였다. 이 자학성이 성격으로 고질이 되어간다면 찬이는 일생 불행한 사람이 되고 말 것을 또한 생각하고 몸서리를 치는 것이었으나 이러한 면으로 보더라도 그는 어린 찬이에게 오빠로서는 물론 어머니며 아버지로서의 애정까지 베풀지 않아서는 안 되겠다 생각하였다.

이러한 생각은 일찍부터 품어왔고 그것을 실행하느라고는 애써 왔으나 역시 성격이 대범한 찬구는 어머니를 닮아 신경질이며 감수성이 예민한 찬이에게 엄한 오빠는 될 수 있을지 몰라도 자애로운 어머니, 푸근한 아버지는 될 수 있었다.

겨우 찬이의 수다스러운 말수작을 그렇게 탓하지 않고 받아주는 것이 고작이어서 이날도 수다끝에 오빠가 죽는다면―하는 말까지 나올 지경으로 오빠 앞에는 거리낌 없이 말하는 것이었다.

"그러구 또 생각했지―"

찬이는 말을 이었다.

"그렇게 되면 난 이 세상에서 꼭 마음에 드는 사람을 찾아내여 어머니한

분, 아버지 한분, 오빠, 언니, 동생 한분씩 정하려구 했지.”

“어떤 사람이 위선 오빠가 될구? 아마 나하고는 정반대되는 사람일꺼야. 그렇지.”

“아아니. 고런 것두 아냐.”

하고 찬이는 고개를 살래살래 흔들고 나서,

“역시 오빠 같은 사람이야, 오빠 같은 사람이야.”

하고 거듭 오빠 같은 사람을 뇌이었다.

“그래 난 눈 감구 내가 아는 사람 내가 본 사람을 생각나는 대로 하나씩이면 어떻구, 저이면 어떻구, 이모저모로 뜯어보아서 했는데 한 사람밖에 맘에 들구 모두 진짜만 못했지. 진짜에 대면 어림두 없었어.”

“그 한사람이란 누굴꼬—”

찬구는 혹 찬이에게 이성의 동무나 생기지 않았나 생각하며 대뜸 물었다.

석순임이(五)

"언니!"

찬이는 순임이의 무릎을 손으로 탁치며,

"언니야, 언니 한분 뿐 이였어."

하고 찬구를 보았다.

"찬인 언니가 본래 없지 않아. 그러니 날 생각한거지. 친언니가 있어봐, 그래두 혈육이지 뭐."

지금까지 찬이의 재기발랄한 이야기를 홀린 듯이 듣고 있던 순임이는 오랜만에 입을 열었다.

"아냐, 친언니 있었대두 순임 언니만 못할 거야. 난 잘 알아…… 그래 난 어머니, 아버지 다 맘에 맞는 사람이 없어두 좋으니 언니 하나면 그만이라 생각하구 기뻐했어. 그랬는데 그 생각두 잘못인 걸 이내 알아내였어."

"너는 말 재주뿐이로구나. 사뭇 삼단논법(三段論法)인데……"

찬구가 양념치는 것에는 귀도 기울이지 않고 찬이는 줄줄 내려갔다.

"언닌 시집갈 거 아니야. 시집가면 남편 받들어야 돼. 어린애 낳구는 애를 키워야 될거 아니야. 그럼 언제 찬일 생각해. 서로 멀리나 떨어져 있어보지, 그건 죽은 사람 맘속에 그리는 것보다 내 옆에 가까이 두고 일생 언니로서, 어머니처럼 사랑받구 싶은 생각날 건 정한 리치가 아니겠어……그래 내 맘에 꼭 작정한 거 있어. 그럴 알아맞혀 보아. 오빠, 언니?"

하고 오빠를 먼저 보고 또 순임이를 보았다.

앗차, 이 애가 내내 그 말을 끄집어내는구나 생각한 것은 찬구만이 아니었다.

순임이는 역시 찬이가 올케로 맞았으면 하는 눈치를 채지 않은바 아니였으므로 얼른 둘을 그리로 이끌려 함을 알았다.

그러나 그런 말이 불쑥 찬이 입에서 튀어나오면 난처하기를 이른다면 찬구구 순임이나 또한 매일반이었다.

물론 찬구는 순임이와 결혼할 수 없는 처지고 보매, 그런 사정을 털어놓고 이야기하는 편이 좋을는지도 알 수 없으나 그렇게 된다면 찬이에게 주는 실망보다도 처녀 순임이를 면대하고 멸시하는 것이 되겠으므로 이 자리는 그런 장소가 아니라 생각하였다.

순임이는 처녀라, 찬구의 허락여부는 관계없이 가타부타 찬이를 매파로 대답할 수없는 것이었다.

이러한 두 사람에게 다행한 일은 문이 열리면서 윤 씨가 들어선 것이었다.

"사모님, 어서 오십시오."

"좀 어떠시오 장례를 치르느라 밤낮 그렇게 욕봤으니 무쇤들 견디어내겠수."

"오늘은 아주 풀렸습니다."

"찬이는 어느 결에 왔수. 석 선생은 수고 대단하십니다. 벌써 와본다는 것이 영감 있을 때에는 병시중 드느라 내가 맥이 풀려서는 안 되겠다 해서 그랬는지 그럭저럭 눕지도 않고 지냈는데 영감이 가구나니 어째 병시중들 사람이 없어서 그런지 폴짝 맥이 빠져 밤이면 눕기가 무섭게 뼈마디가 쑤시고 해서 꼼짝 수족을 옮겨놓기가 싫어 괜히 알면서도 이제야 와보니 이게 인사가 되었수."

"아이구, 천만의 말씀입니다. 젊은 놈이야 일이 있습니까. 하루쯤 굶고 나면 이렇게 또 툭툭 털고 일어나지 않습니까."

"거기 앉으오."

구석에 송구스럽게 서있는 순임이를 윤 씨는 앉으라 말하고,

"찬이 보는 일 재미있겠지."

하였다.

"애란 있어요?"

"서울 학교에다가 전보 칠 일이 있다구 아침 차에 현성(縣城)으로 들어갔는데 아직 안 왔구나."

모녀(一)

서울로 전보 치러 현성에 갔던 애라는 하루밤 현성에서 자고 이튿날도 다
—저녁때가 되어서야 돌아왔다.

자고 왔대야 이기철이의 집에서 잔 것이겠으나 어머니 윤 씨는 처녀가 오
겠다는 시간을 어기고 함부로 남의 집에서 자고 다니는 것이 마음에 마땅치
않았다.

더욱이 어제 찬구한테 갔다가 순임이와 찬구남매가 정답게 이야기하고 앉
았는 것을 보고 와서는 이상한 불안이 윤 씨의 마음을 내리덮었던 것이었다.

이 궁리 저 생각에 지난밤은 뜬눈으로 밝히나 다름없었으나 도무지 알 수
없는 것은 애라의 소갈머리였다.

윤 씨의 생각은 전이나 이제나 찬구를 사위로 맞이하여 여생을 애라 부처
에게 의탁하자는 것에 변함이 없었다.

그렇게 하기 위하여는 하루바삐 정식으로 약혼을 하고, 그리고 곧 혼례를
이루어야 된다는 생각이었다.

그러나 애라의 생각은 무엇인지 도무지 어머니의 이 심정은 헤아리는 것
같지도 않았다.

초상 치른 지 첫 칠일도 못되어 시집가라 말아라—그런 이야기를 하기 싫
어 윤 씨는 은근히 애라의 거동만을 살필 뿐이었고 슬쩍 찬구에게 대한 속을
떠봄에 지나지 않았다.

마침, 찬구의 병이 나은 기회에 윤 씨는 애라에게 문병할 것을 누차 말하였으나 애라는 전혀 뜨막하게 여기었다.

내내 윤 씨는 화까지 내며,

"왜, 내외를 하는 거냐, 어미 말이 말 같지 않아 그러느냐." 하고 좋지 않게까지 말하였으나 애라는,

"가보고 말구요. 이따 가볼게─" 하고는 무얼 생각하고 배포하는지 책상에부터 앉아 썼다가는 지우고 쓰다가 종이를 부비여버리고 말더니 현성으로 나간다 하였다.

"현성에는 무슨 일로 갑자기─"

윤 씨는 모를밖에 없었으나,

"전보 쳐야겠어요."

하고 애라는 얼굴에 크림을 바르면서 대답하였다.

"전보는 무슨 전본데 어디 친단 말이냐."

"서울에요."

"서울 어디?"

"학교에요."

"학교엔 어째?"

"졸업시험 치다 말고 왔는데 어찌 되었나 알아보려구."

윤 씨는 애라가 아직 졸업하지 않았다는 것을 새삼스럽게 깨달았다.

"그럼 통지 받군 올라가야 되누."

"암요. 기껏 공부하다 졸업장 못 받으면 되나요."

하고 말하다가 윤 씨는 무슨 생각이 번듯 머릿속에 번득이면서 불안한 빛이 얼굴에 떠올랐다.

"애라야."

“네.”

“너 어밀 버리구 어디가진 않겠지.”

“그게 무슨 말씀예요, 엄마두. 엄마 버리긴 웨 버려요.”했으나 애라는 어머니의 말이 더 길게 계속될까 저어하는 듯 옷을 바쁘게 주어입고 나선 것이었다.

(이 애가 일본인지 건너가겠다는 생각을 그저 먹고 있는 것은 아닐까.) 윤 씨는 요 며칠 동안 애라가 하던 행동을 생각하고 전보 친다하며 서두르는 일이 모두 불안하여 견딜 수 없어 애라가 간 다음에 혼자 이 궁리 저 생각에 골똘히 잠기였던 것이었다.

찬구한테 가는 일이 늦어진 것도 애라 일의 걱정 때문이었고 또 그한테 간 것도 애라 일을 의논하고자 함이었다.

그랬는데 찬구 옆에는 뜻밖에 석순임이 대령하고 앉았었고 언뜻 보아도 순임이는 찬구의 병간호까지 한 눈치였으니 의논커녕 쫓겨 온 거나 다름없이 된 것이지만 윤 씨의 마음이 더 불안해진 것은 또한 이 때문이었다.

모녀(二)

"퍽 기다렸죠."

하고 애라가 들어서면서 말하는데 윤 씨는 반가운 듯 원망스러운 듯

"기다려줄까 알았으니 맘 뇌인다."

하고 벌 쏘이게 말하였다.

"전보 회답 기다리느라고 있다가 막차에는 꼭 오려구 했는데 그때까지도 회전이 없었고 그래서 회전 오면 인편에 전해 달라 부탁하고 떠나쟀더니 그 집 형님이며 사모짐이 놓아주어야죠. 못잘 집이냐고 나중엔 노염지염 말하면서. 그만 주저앉고 말았어요."

"오늘은 또 그럼 전보 기다리느라 늦었니?"

"회전도 회전이지만 여학교선생 찾어뵙느라 그랬어요."

"여학교 선생이라니, 어느 선생말이냐."

"음악선생이요. 작년에 덕화전문(德華專門) 졸업하고 온 분인데 서울에서 부터 알든 이에요."

불쑥 말이 나갔으나 애라는 아차하고 비밀의 단서를 무심히 털어놓은 것을 뉘우치는 듯 움찔하였다.

(음악선생?) 하고 윤 씨는 애라가 졸업하고는 음악공부 가겠던 일이 얼핏 생각나서 (이 애가 기어이 무슨 짓을 꾸미는 것이구나) 여기였는데,

"어머니, 우리 서울루 이사 갑시다."

애라는 불쑥 이렇게 말하는 것이었다.

"이 애가 어둔 밤중에 홍두깨도 분수가 있지, 서울 이사가 무어냐?"

애라는 음악선생에 대한 말을 하여 비밀의 단서를 잡힌 것으로 여기였는데 이러고 보니 홀딱 털어놓고 제 계획을 이야기하니만 같지 못하다 생각하고 말한 것이었으나 어머니의 첫마디가 벌써 제 의견에 가담키는 애당초 틀린 것임을 눈치 채었다. 하여,

"어머니 어제 엄마 옆을 떠나지 말라 하시구서는?"

하고 응석조로 윤 씨를 쳐다보았다.

"그랬는데?"

"난 아무래도 서울 가야 되지 않아요."

어머니가 말하는 품이 도무지 허한 구석이 없어 애라는 완곡히 어머니에게 제 뜻을 전하려는 생각을 고쳐먹지 않을 수 없었다.

어떻게 할까, 망설이고 있는데,

"그래 전보는 무어라고 회답이 왔니."

어머니의 물음이었다.

"졸업식이 월요일이라고요."

"오늘이 무슨 요일인가."

생각하고 윤 씨는 벽에 걸린 달력을 보았는데 달력에는 학도 죽던 전날의 날짜 "16"이란 숫자가 커—다랗게 눈에 띄이었다.

"그동안 어찌두 경황이 없었던지 달력장두 제대로 못 떼였구나."

하면서 윤 씨는 달력 걸린 벽으로 가서 두 번에 여나문 장 뜯어버리었다.

"아버지 돌아가신지 겨우 열흘밖에 안되었는데 일 년두 넘은 것 같구나."

맥없는 말에 애라는 슬픔이 북받쳐 올라왔다.

"그럼 언제 가려느냐?"

"오늘이 화요일이니까 늦어도 금요일에는 떠나야 될 거 아니에요."

"가야 될 길이지만 놓아보내기 어째 섭섭하구나."

윤 씨는 호젓한 빛이 말과 얼굴에 나타나는 것이었다.

"어이구, 어머니두, 자식이 졸업장 타러가는데 그렇게 맥없어 하시면 어쩌나요."

애라는 어머니를 격려하느라 호호호 선웃음을 치면서 말을 하였으나 어머니의 진정을 생각하는 마음이 또한 쓰리고 아프지 않을 수 없었다.

모녀(三)

　물론 어머니를 속이려는 것은 아니었고 자세한 이야기를 하여 어머니의 양해와 허락을 받으려고 어머니의 기분을 슬쩍 엿본 데 지나지 않았으나 하려는 이야기의 허두도 끄집어내기 전에 그만 어머니로 하여금 비감한 생각을 일으키게 하였고 자신마저 가슴이 쓰린 결과를 벌려놓고 말았으니 애라는 더 무어라 말할 수 없었다.

　하여 애라는 달리 화제는 없을까 생각하였으나 갑자기,

　"아이참 깜박 잊었네, 이 선생이 찬구오빠께 편지 갔다 전하라든걸—"

　하고 일어섰다.

　"이 선생이?"

　하고 윤 씨는,

　"얼른 갔다 전하고 오너라."

　대견히 말하였다.

　"좀 어떠신가."

　"웬만한 것 같드라." 하였으나,

　"그럼 다녀오겠습니다."

　하고 나가려는 애라를 불러

　"애야—"

　"네—"

딸이 문고리를 쥐고 머리를 돌리는 것을 보고,

"너 가서 찬구를 오빠라구 그렇게 깍듯이 부를 거는 업다." 하였다.

"별 말씀 다하시네. 아이구, 그럼 뭐라구 불러요."

애라는 어머니의 하는 말이 새삼스러워 우스웠던지 호호호 웃으며,

"오빠를 오빠라고 안 부르고 뭐라 불러요, 갑자기 호호호"

호호호 소리가 천진스럽게 연발되었다.

"쟤가 웃기만 하는구나. 내 시키는 대로 오 선생이라고 불러……"

윤 씨는 애라의 웃음과는 딴 판으로 사뭇 찬구의 호칭(呼稱)이 긴한 일이나 되는 듯 정색하고 말하였다.

"오 선생? 오빠 오빠라 하던 사람을 어떻게 갑자기 선생이라 불러요, 어머니두. 입이 어디 그렇게 말 듣는 줄 아세요." 하고 애라는,

"오빠고, 선생이고 하니 생각나는 일이 있구먼요. 우리 반 영숙이란 애 오빠가 수학선생이에요. 이앤 오빠를 아주 따르는 앤데 그러겠는 것이 아버지가 일찍 돌아가시고 어머니 밑에서 꼭 남매가 자랐다나요. 오빠 조 선생은 벌써 三十이 훨씬 넘은 분이지만 원체 자상하고 해사해 여자 같은 이라 누이를 극진히 사랑해주고 누이는 오라버니한테 무른 떡 대하듯 응석을 부리는 터인데 우리 학교에 들어앉았겠어요. 했는데 집에서는 오빠 오빠하고 늘 부르고 응석하던 애가 갑자기 학교에 와 오빨 선생이라 늘 부르자니 어디 혀가 바로 돌아가야지요. 그래 내내 선생이라 부를 경우가 생겨도 이때는 입을 다물고 말을 못하고 있었는데 하루는 三학년에서 四학년에 올라와선 다음 수학선생이 갈리어 지금까지 가르치던 조 선생이 1학년을 가르치고 새로 오신 선생이 우리 반을 맡게 되었어요. 영숙이가 기하(幾何)문제를 칠판에 나가 풀고 들어왔는데 새 선생이 한참 칠판에 씌여있는 것을 보시더니 영숙이더러 하는 말씀이 아마 당신이 가르치는 방법과는 다른 구석이 있었던지 전 학년

수학선생이 누구냐고 물으시겠지요. 오빱니다— 영숙이가 서슴치 않고 대답하자 애들은 왈칵 웃음을 터치였고, 영숙이는 얼굴이 빨개 책상에 푹 엎디였구……선생은 영문을 모르시고 왜들 웃느냐고 소리소리 지르시고……지금 생각해도 우스워 죽겠어요……” 하고 허리를 굽히며 몹시도 우스운 듯 깔깔깔 웃는 것이었다.

“그렇게 너스레를 부리다가 언제 가겠느냐.”

윤 씨도 웃으며 말하였으나 애라가 문을 밀치는 것을 보고,

“애라—”

하고 다시 불러,

“정말 오빠라구는 하지 말어, 선생이라고 못 부르겠으면 차라리 찬이 오라버니라고 해라.”

하고 당부하였다.

모녀(四)

"어머닌 별나게도 구신다."

생각하였을 뿐 별로 찬구의 호칭에 대하여는 개의치도 않고 허허실수로 찬구의 하숙집에 갔었는데 애라는 마침 문을 열고나서는 찬이와 마주쳤다.

"찬이."

"애라."

"언제 왔어."

"그저께."

"어떠시어."

"덕분에."

"병문안 온다면서."

"놀러 간다면서."

둘은 방 안에 들어갔다.

찬구는 조끼 없는 솜바지 저고리를 대님을 안 묶고 앉았다가 일어나 애라를 맞이하였는데 코앞과 턱 아래 수염이 꺼칠했고 깎을 시기가 지난 하이칼라 머리가 귀뿌리까지 덮힐 듯 무잡해 아무리 앓고 난 사람이지만 초췌하기 짝이 없었다.

"얼마나 고생하셨어요."

찬이가 주는 방석은 깔지 않고 접어 그대로 옆에 놓은 채 앉아서 애라는 공손히 인사하였다.

"한 이틀 몸살이었지요. 애라씬 곤치 않았나요?"

찬구의 애라 씨란 말이 아까 오 선생이라고 부르라는 어머니의 말을 연상케 하여 애라는 (이게 어떻게 된 판국이냐) 하고 의심쩍게 여기었지만 또한 듣기가 대단히 거북하였다.

찬이와 동갑인 애라를 찬구는 지금까지 찬이와 마찬가지로 애라 애라야—로 불렀던 것이었는데 갑자기 애라 씨라 깍듯이 씨를 부치니 서먹서먹한 생각이 들었다.

나를 어른으로 대접하는 것으로 친다면 갑자기 점잔을 빼고도 싶지만 구태여 찬구에게서 어른 대접을 받고 싶은 맘은 나지 않았다.

애라는 이렇게 돌아간 아버지나 어머니의 속마음은 까마득하게 모르는 것이었다.

"뭐, 저야 별로 곤할 게 있어요—."

"학교는 어떻게 되었소."

"마침 시험을 치다 전보 받고 내려왔는데 중요한 학과는 거의 다 쳤지만 안친 것도 있어 전에도 편지했었지만 어저께 전보 쳐보았지요. 그랬더니 치지 안은 시험은 미꼬미점수(見達點數)로 했으니 졸업장은 준다는 것이었어요."

"거 잘되었군요."

"이기철 선생이 이걸요."

하고 애라는 이윽고 편지를 찬구 앞에 내놓았다.

찬구는 얼른 편지를 집어 봉투를 떼어 편지지 석 장이나 되는 알맹이를 끄집어내여 읽기에 골똘하였다.

"찬이 취직 재미 어때."

"재미가 중의양식이지."

"찬인 나보다 낫구먼. 난 아직 학생인데 찬인 당당한 사회인이니……"

"그야 물론―"

찬이와 애라는 같은 학년으로 함께 졸업 맞게 되는 터인데 만주는 十二月에 졸업식이요 조선은 이듬해 三月에 졸업식이었다.

"十二月로써 학년도(學年度)를 잡는 만주 교육제는 좋기는 하지만 역시 봄날 꽃이 필 때 교문을 나서는 것이 더 정서적이야. 첫째, 교문을 나서는 사람의 희망을 담뿍이 안게 하니까."

"애라 말도 옳아. 그렇지만 그것도 상급학교 갈 수 있는 사람 소원이구 무슨 희망이구 가질 수 있는 사람의 이야기지 우리 같은 것에게는 미음을 들뜨게 하는 봄날보다 맵짠 겨울에 졸업장 들고 나서는 것이 더 긴장되고 좋아― 이제부터 엄동설한 같은 인생행로에 뛰어들어간다는 용감한 생각, 그런 준비를 단단히 차리게 되니까."

찬이의 말이었다.

모녀(五)

찬이는 어릴 때부터 애라하고는 싸우기만 하였다.

둘 다 비슷이 뾰족하고 남한테 지지 않으려는 성격을 가진 그들은 철모를 때에는 철 모르는 대로 서로 제고집을 부리여 양보하지 않았고 철 나서는 너는 더부살이를 하면서, 하는 생각이 있어 애라는 찬이를 깔보기 첩경이었고 "흥, 나를 깔보고" 하는 생각은 자연히 찬이에게 있어 혹은 내어놓고 혹은 뒤로 서로 싸움과 반목이 적지 않았다. 하여 이런 한 점으로도 애라는 학도 부부의 마음을 상하게 한 것이었으나 이제 와서 제철이 다 들어 지난 어린 시절의 싸움질한 일을 너그럽게 양해할 수 있을법한 이때에도 어쩐 일인지 둘은 서로 마음으로 화합하는 사이는 못되었다.

찬이가 애라의 말을 반박한 것도 밑바닥을 캐어본다면 이런데서 나왔다고 볼 수 있은 일이었다.

찬이의 말이 "너는 들떠서 덤비는 애다." 하는 것 같이 들리어 애라는 불쑥 무슨 말이 두 입술 사이로 튀어나오는 것을 용하게 참고 찬구를 보았는데 찬구는 편지는 벌써 다보고 이마에 잔뜩 주름을 찌푸려가지고 심각한 표정으로 눈을 감고 무엇을 곰곰이 생각하고 있었다.

"난 가겠어요."

"왜 오다말고 가시오. 더 놀다가지요."

찬구는 감았던 눈을 퍼뜩 뜨고 말하고 찬이 또한

"무슨 급한 일이 있다고 더 앉아 놀아요." 하고 만류하였다.

"올라갈 준비도 있고."

애라는 일어서지는 않았으나 곧 일어설 것처럼 잡도리를 하였다.

"언제, 그럼 올라가겠서요."

찬이의 말이었다.

"오는 월요일이 졸업식이니까요."

"……"

찬구는 아무 말이 없었다.

"너 시간이 어떻게 되었니?"

이윽고 찬구의 말에 찬이는 까만 끈이 잘룩히 토실한 팔목에 감겨있는 시계를 보고

"아직 멀었에요." 하였다.

시간은 버스시간이었다.

찬구는 찬이를 어제 막차로 보내려 하였다. 병간호가 필요도 없었으나 고요히 무얼 생각하는 데에는 찬이가 귀치도 않았다.

그랬으나 찬이는 오빠가 일어나 다니는 것을 보고야 간다고 앙탈이었다.

오빠의 병간호도 물론 아직 하여주어야겠지만 취직자리가 맘에 들지 않은 것이 더 큰 원인이었다. 어떻든 핑계를 잡아 하루라도 그리로 가지말지 그런 생각이었다.

그러나 오늘까지 안 간다면 오빠의 노여움을 살 것도 같아 막차에 가겠노라 약속한 것이었다.

"그래도 일찍부터 준비해야지."

"오늘은 어김없이 갈 것이니 염려마세요."

찬이는 볼메인 소리를 하였다.

벌떡 애라는 일어났다. 그때 문이 열리면서 나타난 사람, 책보를 가슴에 안은 석순임이었다.

"찬이 아직 안 갔구먼."

순임이는 말하였으나 서있는 애라와 눈이 마주치자 멈칫 말을 끊고 애라에게 가볍게 허리를 굽혀 인사하였다.

"그럼 조리 잘하십시오."

애라는 찬구에게 인사하고 나갔다.

"내내 더 놀지 않구 가네."

찬이는 애라를 바래다주러 뒤따라 나가며 말하였다.

"마치 순임이 언니 피해가는 것 같네요."

모녀(六)

집에 돌아오면서 생각하니 찬이의 말수작이며 찬구의 초췌한 몸이며 순임이의 눈치하며가 모두 애라의 비위에 거슬렸다.

더욱이 찬이의 들가부는 태도가 저밖에는 사람이 없는 것같이 여겨져서 어줍지 않았고 순임이를 언니 언니하고 대감 모시듯 받드는 것이 슬그머니 역증을 자아내었다. 순임이의 태도가 또 새침하여 얌전한체하는 것으로 보일밖에 없어 (아이구, 고린내야―) 하고 애라는 순임에게도 밉살스레 생각을 품지 않을 수 없었다.

잠자던 그의 남달리 강한 자존심이 눈뜬 것이라고 할까.

(뭐, 순임 언니 피해가는 것 같네요. 제법 저로선 재치 있게 지껄인 걸로 생각할거야. 그러나 암만 그래보라지, 날고뛴대도 평생 시골떼긴 못 면할걸……)

애라의 배 속에서는 저도 모르게 부글부글 무엇이 끓어올랐다.

(질투나 하여 이내 나은 것같이 생각한다면 내가 되려 억울하지만 그 애― 순임이―가 오자 나올 것은 또 무엇였었서.)

자신을 꾸짖기도 하였다.

(고찬구의 꼴, 언제 봐도 고 모양이니 아이구. 코리타분해…)

그는 까닭 없이 찬구, 찬이, 순임이에게 증오의 감정을 품었고 공연히 노하였고 흥분하였다.

(옳—아, 어머니께서 선생이라 부르라하시고 찬구가 애라 씨의 씨자를 부쳐…… 옳지, 알았다. 나를 찬구와 결혼시키자는 홀림판이구나……)

애라는 정신상태가 흥분하고 무엇에 분노를 느끼면 심정이 날카로워지고 따라 뇌의 활동이 대단히 영민하게 되는 터이라 아까까지 무심히 웃어넘기었고 대범하게 지나쳤던 찬구의 호칭(呼稱)도 지금은 흥분하고 분노한 그의 뇌에는 그 감춘 뜻을 직감(直感)할 수 있었다.

(어림없지.)

애라는 더욱 노하였고 구역질이 났다.

(그래, 애라가 찬구 따위와 결혼해. 그의 아내가 돼. 망칙한 일두 다 잇네.)

그는 머리를 살래살래 흔들었다.

(그 농군과 다름없는 찬구와 결혼해. 그리고 이 촌에 무쳐 일생을 보내여. 안될 말, 어림도 없는 일.)

애라는 이렇게 생각만하여도 앞날의 꿈이 여지없이 깨어지는 것 같았다.

(공연히 우물우물하다간 아무 것도 안 되겠다. 선손을 써서 어머니께 다 살외자.)

애라는 총총걸음으로 문을 열고 들어섰다.

이러한 애라인 것을 아지도 못하고 윤 씨는,

"벌써 오니, 더 놀지 않고."

하고는 이내 온 것을 나무라듯 말하였다.

"벌써 오지 않고 게서 밤을 밝히겠어요?"

퉁명스런 대답에 윤 씨는,

"왜, 찬이하고 싸우지나 않았니?"

하였으나,

"어머닌 애랄 어린앤 줄만 여기시는가봐."

하고 뾰루퉁하여 핸드백을 책상위에 동댕이치듯 던지었다.

"가지 않을걸."

헌 것과 바꾸어 입노라 저고리를 벗으면서 중얼거리는 것을 듣고 윤 씨는,

"무슨 일로 이렇게 야단이니. 찬구는 그래 좀 어떻구, 찬이는 언제 나간다 드냐?"

하였다.

"예, 오 선생님두 기체 안녕하시구, 누이두 평안하시구, 순임 언니두 태평무고 합디다."

"뭐 순임이가 아직 있어."

(그러면 이 애가 골을 내는 것은 순임이가 찬구 옆에 있는 것을 본 까닭이구나.)

윤 씨는 빙긋이 웃고,

(내가 샘이 낫는데 당자가 샘 안 날 까닭이 있을라고. 이러나저러나, 그런 골은 백번 내어도 좋다.)

애라의 골내는 것을 찬구에게 뜻이 있어 그러는 표시인 줄로만 여기고 내심으로 좋아하였을 뿐 아래의 배속이며 "오 선생님 기체운운"이란 말이 어머니를 비꼬는 뜻인 것은 까마득히 몰랐다.

모녀(七)

그래 윤 씨는 애라가 옷을 갈아입고 나서

"어머니 난 졸업하고 전문학교(專門學校)가기로 했어요."

하는 말을 듣고 놀라지 않을 수 없었다.

"그게 무슨 말이냐?"

"어머니 속인 걸 용서해주세요. 사실은 내려오기 전에 벌써 입학시험 치렀어요."

"그래, 기어코 일본으로 가겠다는 말이냐?"

윤 씨는 맥이 탁 풀려가지고 말하였다.

"아―니, 일본이 아이예요. 서울 덕화전문학교음악과(音樂科)예요."

"서울."

애라가 일본이 아니라는데에 안심하듯 재차 되뇌었으나 윤 씨의 실망은 역시 가시지 않았다.

"어제 전보 친 건 사실은 어제가 발표하는 날예요. 그래, 어떻게 됐나 동무에게 물은 것이었어요."

"감쪽같이 속이였구나."

윤 씨는 생각하면서 다만 합격하였는지 여부나 알려고,

"그래, 붙었다고 회답 왔니?" 하였다.

"네, 붙었대요."

어머니가 맥이 풀려 앉았는 것을 보고는 아직 되었다는 기별을 그대로 받어내기가 미안하여 남의 일같이 말하였다.

"붙었드래요가 무어냐, 남의 일같이."

"……"

어머니와 몇 마디 말을 하는 사이에 애라는 집에 오는 동안의 흥분은 가라앉아버렸고 흥분이 가라앉으니 어머니의 외로운 정경이 또 마음에 쓰여 말이 없이 고개를 숙이었다.

어머니도 딸도 말이 없었다.

애라는 치마폭 밑으로 삐쭉 나온 오른쪽 엄지발가락을 가볍게 움직이면서 머리를 숙인 채 그것을 내려다보았고 윤 씨는 딸의 말없이 앉아있는 양을 말없이 보면서 고요히 몇 분간이나 그대로 지내갔다.

"애라야."

"네."

이윽고 어머니는 부르고, 딸은 머리를 돌려 입속으로 대답하였다.

"너, 정말 공부 더하고 싶으냐?"

"……"

딸은 또 머리를 숙이었다.

"공부하고 싶겠지, 더 말이 있겠느냐?"

윤 씨는 나직이 말하였다.

"어머니."

애라는 머리를 들었다.

"어머니, 용서해주십시오. 사실은 동경에 공부가고 싶었어요. 한번 성악가로서 이름을 떨쳐보고 싶어서요. 학교에서 모두 그 길로 나가기 빌구 장래를 촉망하였구, 나도 그 길로 나가면 꼭 성공할 것 같았어요. 그래 그 뜻을 아버지께 편지 했더니 꼭 오시라는 것이 아니었어요. 그 편지 받구 난 죽으려고 했어요. 며칠을 밥 안 먹고 울었어요. 외삼촌께서 처음에는 아버지 명령대로 졸업하고 내려가라 강경히 말씀하셨으나 내가 죽기로 한사하고 틀고 있은 것이 암만해도 안 되겠다 생각하시었는지 나중에는 아버지 허락은 뒤에 맡아줄 터이니 덕화전문학교에 시험을 쳐보라는 말씀이 내렸어요. 음악은 동경이래야 본바닥이지만 아버지 성미를 아는 터이라 절대 반대하시면서 막무가낼 터이니 첫째 학비가 문제 아녜요. 그래 서울이면 외삼촌 댁에 그냥 또 몇 해 신세질 셈 잡고 시험을."

하고 자초지종을 쭉 이야기하였다.

모녀(八)

윤 씨는 애라의 이야기를 잠자코 듣고 나서 한숨을 후ー 쉬고,

"내 생각만 했어. 내 욕심만 채렸어ー."

혼자말같이 하고는 말을 이었다.

"너의 아버지 돌아가시기 얼마 전의 일이었다. 약은 써도 도무지 차도가 없이 병이 골수로 만들어가던 어느 날, 아버지는 갑자기 찬구를 불러달라는 것이었구나. 그래 하라시는 대로 찬구를 불러오지 않았겠니. 했더니 찬구를 반가히 마지시고, 내가 부엌에 나가있는 사이에 무슨 긴한 이야기를 하시는 것 같더구나. 그러는가보다 생각하고만 있었는데 찬구가 돌아간 다음에 부르시기에 들어가지 않았겠니. 들어가 보니 당신 얼굴에는 기쁜 빛이 가득하시여 웃음까지 웃으시며 하시는 말씀이 난 이제 죽어도 눈을 바로 감겠소, 하시겠지. 그게 무슨 말씀이십니까 할밖에 없었는데 그 말을 들으신 체도 안 하시고, 당신 찬구를 어떻게 보시오하고 물으시는구나. 찬구야 열 살 때부터 내 손처럼 키운 사람이라 그 순직하고 참한 품이 예사 사람이 아닌 줄을 나처럼 알 사람이 또 어디 있겠니. 그래 그런 말을 였주었더니 그럼 됐소, 더욱 맘 놓겠소, 하시며 하시는 말씀이 오늘 내 애라를 찬구에게 맡겼소, 하시지 않겠니. 애라를 찬구에게 맡기시다니요, 애라가 물건인가요 하고 웃으면서 말하였더니 당신도 따라 웃으시고 내 사업과 함께 애라도 맡겨버렸소, 거듭 말씀하시더구나, 딸 가진 어미라는게 딸의 나이 어느 만큼 되면 젊은 사람

을 눈여겨 살펴보게 되는 것인데, 그것은 사위를 고른다기보다 귀한 딸이 몹
쓸 청년들께 잘못 걸려들지 않나하는 염려에서 나온 것이다. 좀처럼 마음에
드는 사람이 없고 눈에 띄우는 것이 반 불량자들뿐이니 이런 말도 나오는 게
아니겠니. 어미도 사실 젊은 사람 많이 봤지만 미장가 전으로 찬구만한 사람
은 약 쓰재두 없더구나. 그래 사실인즉 맘 가운데 늘 씌우고 있던 중에 아버
지말씀이라 첫마디에 반갑더구나. 그러나 애라를 시집보낸다 하는 생각이
들자 어째 또 서운하더구나. 그래 그저 아무 말도 없이 앉았노라니 애라에게
는 그 애가 졸업하고 내려오면 내가 잘 이르신다고 당신도 그쯤 알고 잘 타
이르라 하신지 보름 지나서 갑자기 돌아가시었으니 너한테 아버지는 직접
못 일렀지만 그 말씀이 그대로 유언이 되어버린 것이구나."

윤 씨는 영감을 여읜 뒤 애라와 찬구를 초례를 이루어 눌러 이 집에 있게
하여 찬구를 아들 맏잡이로 데리고 있자던 계획을 세세하게 이야기하였으
나 순임이가 찬구에게 드나드는 것에 대한 말은 공연히 남의 속을 함부로 지
레짐작하고 까밝힐 필요가 없어 덮어두었다.

"……그러니 어미는 공연한 생각을 하였구 내 욕심만 차린 것이 아니었겠
니. 아까까지도 네가 공부 더하겠다고 할까 봐, 일본에 가겠다 할까 겁이 낫
지만 다시 생각하니 그게 다 내 욕심이고 내 잘못 생각이라는 자탄이 나는구
나. 나는 염려 말고 네 좋아하는 공부 마음대로 해라. 네 전문학교 졸업할 때
까지 내 못참겠니?……"

말하는 어머니도 듣는 딸도 함께 눈물이 흘러내렸다.

"어머니."

"애라야."

"어머니 용서해주십시오."

애라는 목 메임 속에서 겨우 이 말만 하였다.

운명의 날(一)

결손나는 목장에 증자를 하느냐 안하느냐 의론하는 자리에서 정학도가 그렇게 죽었고 보매 주주들은 그 후 목장의 일이라면 생각만 하여도 진저리가 낫고 입에 올리기만 하여도 이 사이에 신물이 돌 지경이었다.

하여 자연히 아무도 이렇다 저렇다 말을 꺼내는 사람이 없었으나, 박병익이가 돌아와 서둘게 됨으로부터 잊었던 일을 되생각해낸 듯 주주들 사이에 목장이 겨우 화제에 오르게 되었다.

박병익이는 돌아오자 정학도가 죽은 것을 알았지만은 마가둔에 유족을 찾아 의논할 겨를도 없이 맨 처음 밝힌 것이 목장이었다.

첫째 그는 결산 보고서를 기초로 경영 상태를 검토한 후에 주주들을 찾거나 전화를 걸어 목장을 어쨌으면 좋으냐, 의견을 타진하였다.

학도가 살아있을 때에도 그렇게 뜨아하였던 주주들이라, 학도 죽은 오늘날, 결손만 나는 사업을 더 붙들고 나가려는 열의들이 있을 리 없었다.

하여 병익이가 묻는 데는

"정 선생 재세 시에는 선생의 사업을 돕는 의미도 있어 붙들어 온 것이지만 돌아간 오늘에야 어떻게 합니까, 증자할 수는 없고 하니…"

하는 사람도 있었고

"에, 그 시끄러운 목장, 박병익이 서둘러서 어떻게, 적당히 처분해주시오. 입에 올리기만 해도 신물이 돕니다."

이런 사람도 있었다.

말을 둥글게 하는 사람 박절하게 하는 사람의 차는 있었으나 모두 의견이 얼른 정리했으면 하는 데에 일치하였다.

그리하여 박병익이의 주재로 주주 유지회(有志會)라 명목을 부치어 주주들은 목장처분에 대한 회의를 열기로 한 것이었다.

애라가 전한 편지에는 이러한 사실이 자세히 기록되어 있었다.

"…회의는 오는 금요일 오후 한시부터 연변탄광공사(沿邊炭礦公司)에서 열기루 되었는데, 이 회의에서 목장은 없어지느냐, 존속하느냐가 결정되겠지만, 당일 오전 전에 나와서 이 사람을 만나기 바라오…"

오늘은 그 운명의 금요일이었다.

그리고 또 애라가 서울로 올라가는 날이기도 하였다.

애라는 내내 이기었다. 어머니의 사랑이 자신의 고적과 비애를 희생하면서 딸에게 베푸는 것임을 아는 애라이기는 했지만 돌이켜 어머니를 위하여 자신이 희생하려하는 애라는 아니었다. 그러기에는 애라가 아직 어리였었다. 성격이 자기본위였고 그리고 지금까지 자라온 경로로 보아도 남을 위하여 제가 생각한 바를 양보하거나 굽혀본 적이 없는 애라였다.

그러나 딸은 딸이었다. 어머니를 서울로 모시고가 살자는 것으로 어머니의 고적을 위로하려 하였으나 어머니는 그것을 단마디에 거절하였다.

영감의 대상(大祥)도 치르기 전에 그리고 사업이 어떤 것인지는 몰라도 응당 영감이 하자든 일이니 거룩한 것임에 틀림이 없을 그 사업이 발을 붙이는 것을 보지도 못하고 이 고장을 떠난다는 것은 오히려 애라를 멀리 보내고 그러는 정보다 더 뼈아픈 일이었다. 더욱이 윤 씨가 서울로 이사하게 되면 찬구와의 인연은 끊어지기 쉬운 것이니 그것은 또한 학도의 유언을 어기는 일이 되는 것이었다.

하여 윤 씨는 그대로 주저앉기로 작정하였고 애라는 제 뜻 제 계획대로 오늘 서울로 향하여 희망의 길을 떠나게 된 것이었다.

운명의 날(二)

강 서방이 지게로 질머진 고리상자에 매달아놓은 꼬리표가 팔랑팔랑 바람에 나부꼈다.

바람잡이같이 춤추는 꼬리표를 보면서 암담한 목장의 전도며 학도의 유업(遺業)이며 애라에 대한 유언이며, 윤 씨의 신상이며— 모든 일에 애가 씨여 찬구의 마음은 흐린 날의 구름같이 무거웠다.

무거운 마음에 다리조차 무거운 걸음으로 강 서방의 뒤를 따라가노라니, 병후의 쇠약한 몸에서는 진땀이 빼지듯 솟았다.

"좀 천천히 걸읍시다. 시간은 넉넉하니까요."

찬구는 내내 말하지 않을 수 없었다.

"그렇게 바쁘셔유."

강 서방은 머리를 돌리어

"난 그래두 걸음을 설치느라 했는데두요."

하였다.

"짐을 지구 설치는 걸음이 그쯤이면 빈 몸에 맘 먹구 걷는다면 황청왕등을 찜 쪄 먹겠구려."

익살꾼인 강 서방이 무슨 익살맞은 말을 끄집어낼까 생각하면서 찬구는 앞질러 말한 것이었는데 아니나 다를까

"왕둥인지 망둥인지 어떤 친군진 몰라도 이 몸이 긴걸 보니 여석 설렁탕

깜은 퍼그나, 길겠수."

하였다.

"설렁탕 깜이라니 건 또 무어요."

"다리 말씀이올시다."

시치미를 딱 떼는 것이 더 우스워서 찬구는 푸시 하고 웃었다.

"오 선생."

"웨 그러시우."

걸음을 정말 늦추 걸으면서 강 서방은 말하고 찬구는 대답하였다.

"동쪽으루 가시오."

"동쪽이라니요."

"동방 말씀입니다."

"동방?"

"동방 뒤쪽이 무엇인가요."

"서방이겠지요."

"서방 가시란 말입니다."

"오— 장가가란 말이군요."

찬구는 이번에는 허허 소리를 내여 웃었다. 웃다말고

"서방가라는 말을 동쪽으루 가라고 말하는 것으루 친다면 날 장가가라는 말은 강 서방 장가 들여달라는 말 같구먼요."

강 서방이 작년여름에 상처하고 아직 홀아비로 있음을 생각하고 찬구는 말하였다.

"그렇게 들으신대두 무가냅니다만은 이왕 그렇게 들으신다면 선심 쓰는 셈 치구 얌전한 과부댁이나 하나 얻어주십시오."

"그래 진작 그렇게 말 할거지."

찬구는 강 서방과 이런 수작을 하는 것이 유쾌하였다.

척척 말을 꾸며대는 것이 간휼한 것 같으면서 간휼한 점이 조금도 없는 강 서방은 목장사람들의 길흉사(吉凶事)에 없지 못할 사람으로서 사랑을 받는 존재였다.

찬구도 강 서방만 보면, 먼저 웃음이 나오는 터이지마는 오늘은 더욱 마음이 무거웁고 보매 그와 수작하는 것으로 잠간이라도 모든 근심을 잊고 싶었다.

요지음의 뻐스는 만원이 곧잘 되어 중간에서 타기가 여간 어려운 일이 아닌데 고리짝 같은 짐을 가지고 타려면 더욱 안 되었다.

하여 강 서방에게 수고를 끼쳐 애라의 고리짝을 현성 정거장에까지 가서나 타려고 한 것이었고, 찬구는 짐을 부칠 겸, 이기철이를 일찍 만나려고 둘이 애라보다 일찍 도보로 현성으로 가는 중이었다.

운명의 날(三)

"강 서방 장기 잘 두시오?"

"장귀? 장이야 군이야 하구 팔을 걷어붙이구 소릴 고래고래 지르구 덤비는 것 말이요."

"몰라 물으시오."

"그런 거라면 난 아주 질색이니까요."

"강 서방 둘 줄 모르는 게로군요."

"둘 줄 몰라두 망신될 건 없어요."

"망신 될 거야 물론 없지만―"

"되려 난 수치라구 생각해요."

"수치?"

"그래 사내자식이 전쟁을 할양이면 총칼을 쥐구 쌈터에 나가 버젓이 싸울 게지 도마만한 널판대기에다 나무쪽을 놓구 앉아서 팔을 걷어붙이고 고함지르며 그게 시러베아들 놈이나 할 짓이지 뭐……"

"강 서방 배포는 크나 장가는 애당초 틀렸소."

"장귀 모르는데 장가 틀릴 건 뭔가요."

"황청왕둥이는 걸음두 잘 걸었지만 장기두 잘 두어 덕에 장가 들었다우."

"망둥인지 뱀장언지 재주가 가지가지네―"

얼마동안 말이 동강이 졌으나 강 서방은 이윽고 또 말을 꺼냈다.

"오 선생 금년 단오놀이 굉장히 차비하셔야 됩니다."

단오놀이, 찬구는 가슴이 바늘로 찔리운 듯 섬뜩하였다.

재작년 단오에는 개장(開場)을 자축하는 의미로 학도자신이 돈을 내여 큰 소 한 마리를 상으로 걸고 목장사람은 물론 마가둔 백성을 모아놓고 농장자체의 씨름대회를 연일이 있었고 작년은 마가둔 사무소의 후원을 얻어가지고 규모를 크게 하여 씨름에다 추천과 축구까지 겹쳐한 큰 단오놀이를 했었다. 씨름과 추천에는 이웃 촌에서도 사람들이 모여들었지만 축구에는 윗 지구 조양천 농지에서도 참가단체가 있어 촌 경기회로서는 제법 성대한 것이었다. 단오놀이는 운동경기 뿐 아니라 밤에는 횃불을 짚이고 사자놀이와 무등놀이 같은 것도 하여 향토색이 짙은 하루를 밤낮으로 보내었다. 뿐 아니라 목장사람들한테는 음식도 많이 장만해 먹이기까지 하였다.

함으로 북향목장의 단오놀이는 자연히 인근(隣近)에 널리 알려진바 되어 어느 누구도 모르는 이가 없이 되었고 그것을 생각하는 것이 강 서방만이 아니었다.

그러나 그 단오놀이가 열릴 수 있을까 찬구는 갑자기 마음가운데 검은 구름이 내려덮이는 것이었으나 강 서방에게 목장의 손해에 대한 사정을 들려줄 수 없는 일이기도 하려니와 그런 내색을 하여 그로 하여금 실망을 느끼게 할 필요가 또한 없었다. 하여 언뜻 태연스럽게

"청명(淸明)도 안됐는데 단오얘긴 급하지 안으우."

하는 수밖에 없었다.

"정 선생 돌아가시어 어떨가 해 미리 다지는거지요."

"……"

"금년 굉장히 치려야 됩니다."

"어떻게 하면 굉장할까요."

"씨름 상으루 황소를 걸어야 됩니다."

"강 서방이 꼭 타겠다면 걸지요."

"그야 어김없지요."

"금년은 춘삼이한테 안될걸."

"춘삼이―"

하고 강 서방은 팔을 걷어 부치며 허공에 내저었다.

찬구는 언뜻 재작년, 강 서방이 소를 타든 단오놀이가 아름다운 추억으로 회상되었다. 그때 강 서방은 비교에 올라 이길 때마다 잠뱅이 바람으로 춤을 덩실덩실 추기도 하였고 손가락을 입에 넣고 후이후이 휘파람을 불기도 하였고 가끔 땅재주를 넘기도 하였고 나중에 상을 탔을 때는 소잔등에 뻣뻣이 올라서서 춤을 추다가 소가 "얍"소리와 놀라 움쩍 뛰는 서슬에 보기 좋게 땅바닥에 나딩굴든 일이 불현 듯 함께 떠올랐다.

운명의 날(四)

"금년에는 꼭 소를 타서 장가 미천 삼겠어요."

"허허 그래 지금부터 다지는 것이로군요."

찬구는 허허 웃기만 하였으나 마음은 점점 불안해갔다.

"그리구 한 가지 굉장한 거 보여드릴 작정이우."

"뭐 굉장한 일이 또 있소?"

"금년은 무등이나 사자놀이 따위가 아니라 박첨지노름 꾸밀 테유."

"박첨지노름?"

"우리고향서 놀던 건데 이번 단오놀이에는 한번 버젓이 놀아볼 작정이유."

"구경해봅시다."

"헌데, 훌륭한 홍동지 할 자가 없어 걱정이거든…"

"박첨지는 있소?"

"박첨지야 내가 하겠지만 두고 보시우다만은 잘 합니다."

"잘 할 거요. 원체가 익살이니까."

"홍동지두 잘하지만 혼자서 홍동지, 박첨지노릇을 다할 순 없고…"

"춘삼인 어떻소?"

"그 녀석 꽁 만하고 어디 노래 한마디 할 줄 안답디까."

"내가 해볼까요."

"오 선생이 해낼까요."

아무리 태연하게 꾸민다 하여도 마음속의 검은 구름을 억제해내기가 힘든 일이었다.

이 소박한 사람들의 아름다운 맘과 행복한 광경이 아물거리다가 이 눈앞에서 여지없이 깨어지고 짓밟히게 되어지는 것을 어찌 볼 수 있을까 찬구는 강 서방의 어께를 덥석 안고 소리쳐 울고 싶었다.

가슴을 쥐어뜯으며 소리 내어 울고 싶었다.

그러나 그는 참는 수밖에 없었다.

이런 찬구의 마음속을 까마아득히 이해하지 못하는 강 서방은 오늘이야말로 무엇이 그리도 기쁜지 명랑한 기분으로 자꾸 짓거리는 것이었다.

"오 선생 만주에는 살만 해유."

"언제는 살만하지 않습딨까?"

"첨 들어와서는 맘이 붙지 않드군이유."

"정 드리면 다 고향이지요."

"그래유 이제는 조선 나가 살라면 못살 것 같은데유. 작년에 조선에 나갔다 왔지만…"

"어째서요?"

"어째 갑갑하구 답답한 것 같애서유."

"강 서방 이젠 아주 만주사람 다 됐군요, 몇 해든가요."

"오년이유."

그리고 강 서방은 말을 이었다.

"근데 이상해유. 여편네 있을 때는 몰랐었는데 여편네 송장 파묻고 나니, 착 마음이 가라앉으면서, 만주 떠나고 싶은 생각이 안나니, 그게 이상하지 안어요."

"난 아버지 어머니다 여기 묻었소."

"그럼 오 선생은 난생 만주사람이군유."

잠깐 말이 끊겼다가,

"오 선생, 또 재미있는게 있어유."

하고 강 서방이 말하자

"재미있는 일이 많기두하오."

하고 찬구는 대답하였다.

"만인(滿人)말이유, 우리 조선서는 어쩌니 어쩌니 하구 아주 말들이 많드 니만, 여기 와서 서로 같이 살아보니, 그에서 더 좋은 사람들이 없구, 정드는 사람 없어유."

"강 서방, 반(潘) 서방과 친하다지요."

"어느 사이에 그렇게 됐는지 친형제는 몰라두 촌수를 따진다면 육촌 맏 잡이로는 ―"

이러는 사이에 둘은 어느덧 현성어구에 들어섰다.

운명의 날(五)

정거장에 가서 짐을 부치고 나니 열두시가 되었다.

어디 들릴 데 있다는 강 서방에게 점심을 사먹으라고 점심 값을 주어 보낸 뒤에 찬구는 곧장 이기철이의 집으로 간 것이었다.

기철이는 밖에 나가지 않고 있었는데 찬구를 대견히 맞이하였다.

"편치 않다드니 웬만하시우."

"한 이틀 누웠었습니다만은… 걱정 끼쳐 미안합니다."

찬구는 절을 하고나서 말하였다.

"댁은 다 무고하십니까."

그리고 이윽하여 오늘 총회의 이야기가 화제에 오르게 되었다.

"선생님 편지로서 대강 짐작은 하였습니다만은 어떻게 되는 일입니까?"

찬구는 조심스런 어조로 물었다.

"와우 살았을 때에두 처분했으면 하든 사람들이니까 아마 처분되는 것으루 중론이 일치되겠지요."

기철이는 천정을 치이다보며 맥없이 말하는 것이었다.

"선생님."

찬구의 목소리는 애가 타는듯 들리었다.

"……"

기철이는 묵묵히 대답이 없었다.

"전공이 가석입니다."

찬구의 말소리는 약간 떨리었다.

"여부가 있는 말이요."

기철이의 주름진 얼굴에는 비감한 빛이 서리었다.

잠간동안 무거운 침묵이 계속되었다.

이윽하여

"정 선생이 거룩한 뜻이 이렇게 무시 당하구 박해 받어도 괜찮단 말씀입니까."

찬구의 말은 거의 부르짖음이였고 울음 섞긴 음성이었다. 그리고 사실 그는 두 팔로 머리를 감싸 안고 제 무릎에 푹 엎디어 느껴 울었다.

방 안은 찬구의 느끼는 소리뿐 고요했다. 엄숙한 침묵이었다. 비통한 정경이었다.

"찬구 씨 비감해 마시오. 무슨 도리가 있겠지요."

이윽고 이기철이는 나직이 말하였다. 찬구는 머리를 절반은 들고는 호주머니에서 휴지를 찾아내어 콧물을 풀었다. 그리고 기철이에게

"선생님 앞에서 이런 꼴을 뵈여 죄송합니다."

라고

"잠깐 실례하겠습니다."

일어서서 가볍게 허리 굽히고 밖으로 나갔다.

찬구가 변소에 나간사이에 기철이는 찬구가 정학도를 추모하는 점이 지극한 것과 그의 열의가 또 대단한 것에 감복하여 (와우는 훌륭한 제자를 남겼어 그리고 보니 그 사업은 이루어지구야 말 것이다) 하고 죽은 학도를 부럽게 생각하고 그 남긴 제자를 기특히 여기었다.

들어온 찬구는 아까와 같은 긴박한 기분은 없어지고 완화된 태도로

"선생님 좋은 방책이 없을까요."

하고 같은 말이라도 서글서글 물었다.

"목장이 여의하게 되지 않는다구 해서 와우의 사업이 그날부터 무너지는 것은 아니겠지요. 목장은 그 사업을 이루기 위한 한 가지 수단으로 취한 것에 지나지 않은 것이니까 물론 그대로 존속하나마 길지는 못하지만 여의치 못하다 해서 그리 비감히 생각할 것은 없다고 생각하오.

와우의 이상과 선택이 그대로 실현되기만 되면 그만일 것이니 그것은 찬구 씨가 그 뜻을 꼭 가슴에 새긴 채 농촌을 떠나지 않고 일한다면 점차로 실현될 수 있는 일이 아닐까 생각되오."

기철이의 말을 찬구는 사실이다, 사실이다—하고 감격하여 듣는 것이었다.

운명의 날(六)

그러는 동안에 한시가 가까이 되어 이기철이는 회의에 나갈 차비를 차리었다.

"저는 어쩔까요."

찬구는 응당 전무라는 직책으로서 참석해야 될 것이었으나 지금까지 정식으로 아무 통지도 없어 이렇게 물은 것이었다.

"글쎄―"

기철이는 잠깐 주저하드니

"그만두시오."

하고 끊어 말을 하였다.

"주주회의에 명색이 전무되는 사람을 청하지 않는 법이 어디 있습니까."

"내가 찬구 씨의 역할을 대신 할 터이니 찬구 씬 모르는 척 하시오."

오늘의 회의는 정식총회는 아니었고 명목을 "주주 유지회"라고 거북하게 붙인 거와 같이 학도의 영향 하에 있는 사람을 제한 주주들끼리만 모여 기탄없이 의견을 교환하자는 것이었음으로 이기철이한테도 정식으로 알린 것은 아니었다. 한 것을 기철이는 어디서 얻어듣고 박병익이에게 전화를 걸어 그런 법이 어디 있느냐하고 노염을 내었고 병익이는 심부름꾼을 시켰는데 통지 안 갔드냐고 어물거리어 결국 출석하기로 한 것이었다.

기철이가 출석한다고 하여 할 의논을 못할 위인들은 아니지만 그래도 그가 앉아있는 것과 없는 것이 다른 것임으로 부득부득 출석하자고한 것이거니와 이제 불청객인 찬구가 불쑥 참석한다는 것은 멋쩍기도 하려니와 무엇보다 젊은 찬구가 격하여 도리어 수습할 수없는 실수를 버르집어 놓지나 않을까가 걱정 된 것이었다.

하여 기철이는 찬구더러 그만두라고 말한 것이었지만 찬구는 자신을 따돌린데 대한 괘씸한 생각보다도 목장을 마셔먹으려고 의논하는 얼굴들을 구경하고 싶었다.

그때 애라가 왔다고 부인아씨가 사이 문을 열고 연락하였다.

기철이가 정주에 내려가려 하는데 애라가 먼저 들어와서 기철이는 내려가는 것을 멈추고 두루마기 소매에 팔을 끼여

"애라 오늘 서울 올라간다지."

하고 말하였다.

애라는

"네……"

나직이 대답하고 찬구에게 목례(目禮)를 하며 문턱 옆에 송구스럽게 앉았다.

"이리 와서 편히 앉아."

기철이는 두루마기를 입고 고름을 매면서 말하였는데

"시간이 바뻐서 나가야겠세요."

하고 애라는 일어서려 하였다.

"짐은 부쳤습니다."

찬구는 입은 옷 오른편 옷 주머니 단추를 끄르고 그 안에서 기차표와 화물표를 내여 애라를 주었다.

시계가 땡—하고 한시를 쳤다.

기철이는 흘끔 소리나는 쪽에 머리를 돌려 시계가 한시를 가리킨 것을 보

고 밖으로 나갔다.

　애라는 정주에 찬구는 기철이를 따라 마루에 나왔다가 양말바람으로 섬돌 우에까지 내려서

　"그럼 안녕히 다녀오십시오."

　하고 마당중간에 나간 기철이 뒤에 허리를 굽히어 인사를 하였다.

운명의 날(七)

　　정거장에는 이기철이의 며느리와 찬구와 찬이 셋이 나왔다. 찬이는 찬구가 전화를 걸어 애라가 가는 것을 알릴 겸 사이 있으면 전송하러 나오는 것이 좋겠다고 일러 맨 나중 시간이 거의 되었을 때에 달음박질하디시피 뛰어나온 것이었다.

　　"난 벌써 시간지난줄 알고 줄곧 달음박질했어—"

　　찬이는 가쁜 숨으로 말하자

　　"시간은 차가 십 분가량 연착이 된다 해서 일없지만 바쁜데 미안하구나."

　　애라는 인사로 말하였고 찬구는

　　"시간을 좀 똑똑히 보고 다녀라." 하고 책망 비슷이 말하였다.

　　이 □□□ 이 정거장에서 경성□□□□이 바뀌는 것이었는데 □□□는 것은 애라가 열차□□□□행은 제시간에 돌아왔음으로 개정(改正)한 것은 거기에 사람들뿐이었다.

　　애라는 줄에 서서 개찰구까지 갔다가 "좀 기다리라는데두" 하고 역부가 불친절하게 밀어냄으로 뾰루퉁하여 도로 대합실에 밀려들어왔고 입장권을 산 기철이 며느리와 찬이도 따라 들어왔지만 찬구는 먼저 나가 자리를 잡아주자는 생각으로 찬이가 든 짐을 달라하여 들고 홈으로 혼자 들어갔다.

　　찬구가 홈에 올라서자 우루루— 찬구의 몸까지 흔들리면서 신경행 차가 들어오는 것이었다.

찬구는 속력을 줄이며 들어오는 무지그러우나 또 가장 멋쟁이로 생긴 기관차를 흘끔 쳐다보고 얼른 경성행이 다을 곳으로 짐을 놓고 섰는데

"오찬구 씨 아니요."

하고 어깨를 툭치는 사람이 있었다.

휙 얼굴을 돌리고

"이거 누구요. 얼마만이요."

찬구도 반겨하고 이내 그 사람의 손을 잡어쥐고 흔들었는데 그 사람은 전에 현 공서에서 같이 일을 보든 사도미마끼히도(甲見牧人)라는 사람이었다.

모리오까 고농(盛岡高農)을 졸업한 사람으로 찬구가 현공서에 취직하든 해에 함께 들어와 두 번인가 기술관시험을 쳤으나 여의치 못하였었는데 쭉 여기에서 근무했었든 것은 알았지만 마가둔에 온 뒤에는 전연 소식을 모르고 지내던 터이었다.

"보꾸죠노 슈미도—데스까?(목장의 취미 어떤가요.) 사도미상꼬소이까이까가데스까. (사도미상은 어떴어요.)"

"보꾸가겡끼나요. 곤도 쇼—니잰낑니 나리마시다. (나는 무고하오. 이번 성으로 전근되었소.)"

하고 명함을 꺼내 주었는데 보니 XX성공서 기좌(技佐)사도미마끼히도 라는 것이었다.

(내내 합격되었구나—)

생각하면서

"오메데도—(축하합니다)"

찬구는 가볍게 허리를 굽혔다.

"오늘 여기 출장 온 것은 현공서에 공무도 있지만 찬구 씨를 만나 긴히 할 이야기를 하려고한 것이 있는데 바루 만났소." 사도미는 이렇게 말하고

"미안하지만, 오늘저녁 송월여관(松月女館)에서 쉴 터인데 저녁이나 함께 하면서 이야기합시다. 여섯시쯤 와주실 수 없을까요."

하였다.

"가지요."

사도미가 나간 후에도 얼마 있다가 경성행 손님들이 홈에 왔고 애라가 나온 지도 얼마를 지나 기차가 들어왔다.

운명의 날(八)

　정학도의 유언도 있었고 어렸을 때부터 아는 듯 모르는 듯 정이 찬구로 하여금 애라는 제 사람이다 하는 생각을 품게 하게 했으니 그러나 그 감정은 이성에게 느끼는 그런 종류의 강열한 것은 아니었다.

　더욱이 애라의 위인을 잘 아는 찬구였음으로 사실로 결혼에까지 이른다 하더라도 애라는 농촌에 못 박혀 흙으로 벗을 삼고 일생을 평범한 가정부인 으로서 마칠 수 있을 것 같지 않았다.

　사실 학도가 유언으로 말하였을 때에도 찬구는 이것을 생각한 것이었다. 그리하여 애라까지 맡아달라는 말에는 명확한 대답을 못했던 것이었으나 확답을 했든 안했든 애라를 맡아 그를 인도하지 않아서는 안 될 최후의 책임 은 그에게 있는 것이었다.

　그러나 지금의 애라는 찬이와 함께 철이 없었다. 본 성품이 괴팍한데다가 더구나 철이 나지 않았다.

　찬구는 그에게 그의 성품에 맞는 교양을 주고 싶었다. 속히 철이 나게 하 고 싶었다. 그리하여 아버지의 뜻이 얼마나 위대한 것이었든가 어머니는 얼 마나 거룩한 이인가 교양의 힘으로 깨닫게 하고 싶었다.

　찬구의 백 마디가 오히려 애라에게는 사설로 들릴 것이었고 어머니의 말 씀을 잔소리로밖에 듣지 않을 것임을 잘 아는 그였으매 이 부모를 담지 않은 애라를 곧은길로 인도하는 데는 먼저 그에게 맞는 교양을 베푸는 외에 없다고 생각하였다.

음악— 물론 찬구는 음치(音痴)는 아니었으나 모든 것을 농촌과 관련하여 생각하는 버릇이 있는 그는 서양적인 음악의 충분한 이해자는 못되었다.

그러한 그가 애라의 성악공부에 찬의를 표하여 윤 씨가 그 의논을 가져왔을 때 대뜸 그리 하시오— 한 것은 음악의 순수한 세계를 이해할 수 있고 그 경지에 도달할 수 있다면 그것은 바로 선(善)의 세계 진(眞)의 세계에까지 도달할 수 있는 것이라 생각한 때문이었다.

그러함으로 찬구는 다만 애라의 음악지원이 무대(舞臺)의 황홀함에 취하는 것이 되지 말고 그 순수한 음악미(音樂美)에의 도취 황홀한 교양의 길이 되어지이다 빌 따름이었다.

떠나는 기차에 애라를 보내며 찬구는 그의 가슴속에 걷잡을 수없는 생각이 거래하는 것이었다.

찬이와 기철이 며느리 출구로 나오면서 역에 매달아논 시계가 두시 二十五분을 가르키고 있는 것을 보니 찬구의 마음은 무거워졌다.

(지금쯤 목장 마사 먹을 의논이 한참이겠다.)

"오빠두 애라 가는 게 왜 그리 섭섭해 시무룩해요."

하고 오빠를 비꼬듯 말하였다.

아무대꾸도 없는 것이 찬이의 비위에 거슬렸는지 그는 말을 이어 "난 애라 소갈머리를 모르겠어. 아버지 돌아가신지 며칠두 안돼서 어머니 혼자 두고 그런데 저 혼자 좋다구 음악학교니 전문학교니 하구 떠들구 떠나니 무슨 경사나 난 것 같네."

하는 것을

"쓸데없는 소리를 말어—."

찬구는 말씨 적게 책망하였다. 시무룩한 찬이는 이윽고

"오늘 들어가시겠어요."

하고 묻는데 찬구는

"아마 갈 것 같다."

대답하였다.

"강습소에 안들이겠어요."

"오늘은 들릴 거 같지 않다만은 내일 들러보지."

찬구는 역전광장에서 찬이와 기철이 며느리와 갈라져 마준영의 집으로 갔다.

친구의 집에서(一)

마준영의 집은 역저에 있었다.

직업이 직업이라 늘 싸다니는 이 친구가 집에 들어앉아 있을 리라고는 생각지 않았으나 과문불입을 할 수도 없어 ○○신문지사(支社)란 간판이 붙은 사무실 유리문을 드르릉 열었다.

아니나 다를까 준영이는 눈에 띄지 않았고 지저분히 널려있는 사무 상위에서 배달애들이 신문을 접고 있는 것이었다.

"지사장 안계신가."

"안 계세요."

"아즈머님은 계시겠지."

나올까하다가 부인을 찾아 볼 생각이 나서 물은 것이었다.

"네 계십니다."

하고 키 작은 애가 안을 향하여

"손님 오셨습니다."

쉿된 소리를 질렀다.

"손님 오셨어 마 선생 안 계신다구 였주어라."

안에서 나오는 부인의 목소리였다.

"아—니 아즈머니 보시재요."

"나를—"

하고 중영이의 부인 경(璥)이 어머니가 나왔다.

"아―이 뉘시라구. 오 선생 아니십니까. 그간 안녕하셨에요. 웨 그리두 꼼짝 안하십니까. 좋은 일이 담뿍 있는가 보군요. 어서 이리 앉으세요. 방이 누추해서요. 애들 방을 말끔히 치라치라 아귀가 아프게 싸워두 어디 들어야죠."

하고 일편 의자를 권하고 일편 준영이가 쓰다가 팽개친 원고용지상우에 널려있는 것을 주어모아 놓는다.

찬구는 경이 어머니의 수선 떠는 것을 어안이 벙벙해 보고 섰다가 말이 다 끝나는 것을 기다려

"그동안 몸살루 한 이틀 앓느라구 벌써 한번 나온다는 것이 이렇게 됐습니다. 댁은 무고하시구 경인 잘 자라나요."

하였다.

"아이구, 아르시었구먼요. 그런 줄은 전연 몰랐군요. 그래 그렇게 파리하신걸, 신색이 아주 좋지 못하세요. 뭐 보약이라두 좀 쓰셔야지, 어떡합니까."

찬구는 의장에 앉아

"준영 씬 어디 갔어요?"

담배를 끄집어내며 물었다.

"아이 아버지 말씀이시죠? 말씀 마십시오, 요즘 난데없이 마장에 미처 집이라구 한시나 붙어있다구요. 성냥 여기 있어요. 이걸루 켜지 않구요. 참 어디가 또 붙은 모양예요. 그러나저러나 잘 왔습니다. 내가 달래 듯나, 악을 썼듯나…그러지 않아두 오 선생께 말씀 여쭈어 충고해 주십사 하려든 참이었지요. 잠깐 앉아 기다리세요. 좀 가서 데리구 올 테니 톡톡히 말해주세요."

하고 슬리퍼를 끌고 나가려는 것이었다.

"아니, 꼭 만 날일은 아닙니다."

찬구의 말은 들은 체도 않구 부리나케 나가는 것이었다.

준영이가 마─장에 미치다니 이것이 사실이라면 세상은 변하고도 볼일이다. 찬구는 경이 어머니의 수다보다도 이 사실에 더욱이 기가 막혔다.

원체가 걸걸한 친구요, 술이라면 말술을 먹는 사람에다 바둑 장기는 물론 화투 마─장 같은 것은 갑갑해 오 분도 쥐고 앉아있지 못할 위인이다. 거기에 무슨 일에든 비분강개하기를 잘 하는 성격을 가진 그인지라 숙녀도박단(淑女賭博團)을 들추어내며 붓끝으로 여지없이 규탄한 일이 있든 그가, 마─장패를 붙들고 앉아 안전패(安全牌)를 따노라 씩씩하며 머리를 기우뚱거리는 것을 생각하니 한편으로 웃음이 저절로 나왔다.

찬구의 집에서(二)

이윽고 경이 어머니가 혼자 돌아왔다.

"잠간만 기다리십시오. 곧 옵니다."

"재미있게 노는 것을 괜히 그러지 않습니까."

"아ㅡ니예요."

하고 부인은

"부대 톡톡히 말해주세요. 첫째 몸이 견디어내겠어요."

근심스럽게 말하였다.

원체가 비대한 사람이 술을 즐기는 터이라 아직 그럴 년배는 아니지만은 뇌익혈(腦溢血)같은 것을 일으키지 않을까 하는 여자다운 걱정에서 나온 것으로 짐작하여 찬구는 수다에 비겨서는 끔찍이도 남편을 생각하는 부인이라 감복하는 것이었다. 감복하면서 찬구는 자신의 고독에 생각이 미치는 것이었으나 길게 그런 감상(感傷)에 젖고 싶지 않아 생각을 다른 데로 돌리려하였다.

하여

"뭐 그렇게야 되었슬라구요."

하고

"저 선생님 저렇게 말씀하신다니요."

경이 어머니가 말하는데 "에헴" 뒤에서 거센 기침소리가 나면서 준영이가 문을 열고 들어왔다.

"퍽 기다렸지."

"잘 있었나."

둘은 손을 쥐었다. 그리도 날뛰든 경이 어머니는 남편이 들어오자 슬그머니 안으로 들어가버렸다.

학도의 장례날 잠간 만났었지만 그때에는 마음의 여유가 없어 예사로 지나치고 말았는데 오늘 보니 이글이글 타는 것 같은 얼굴이 좀 핼쑥해진 것 같았다.

"요즈음 이뻐졌구면."

"술 못 얻어먹어 그러네."

준영이는 볼을 만지며 말하였다.

"술은 못 얻어먹는 편이 낫지 안나."

"그 대신 마장을 하네."

"글쎄 이제 아즈머니께 이야기 들었네만은."

"그래 또 미쳤네, 빠졌네하고 수다 떠렸겠지."

"그야 뭘 그러시겠는가 마는 퍽 걱정하시데."

"그러기에 계집이란 반편밖에 안 되는 게야. 일껏 술을 끈을 수 있구나했으나 마작 노는 것을 감지덕지해야 할 터인데두 그 모양이니 딱하지 안나."

"도박꾼이 될까봐 그러시겠지"

"아따 이사람 내가 도박으루 마작 놀겠는가."

"그럼 그렇겠지."

"자네누 그렇게 생각한 보양이군 그래."

"그럴 건 아니지만."

"에 이사람, 마준영이가 그리 쉽게 변하겠니."

"그랬으면야 좋지만 마장이라는 게 어디 헛내기야 재미있나. 처음엔 국수

내기 그것이 따분해 훠궈즈(火鍋子) 내기, 그것이 성에 안차 첨에 五十전으로 부터 시작해 一원 三원 五원으루 올라가는 거구. 잃으면 봉창한다구 덤빌 밖에 없어 내내 진짜 도박이 되는 거지 별수가 있나."

"자넨 마장 하는 것 같지두 않으면서 어쩌면 그 속을 그렇게 잘 아나."

"다 아네."

"하긴 자네 말이 옳아. 허나간 쌍쯔하는 모재미와 짱만 판씀 잴겨놓을 때의 통쾌미, 거기에 기미나 하게 되면 돈 잃는 여부가 문제가 아니야."

"그러면서도 미치지 안 했다구."

"허허."

"허허."

"헌데 철야도박(徹夜賭博)은 여전히들 있는가."

"철야도박이라니?"

"초상난 집에서 철야하면서 노는 놀음 말일세—"

찬구는 마장이야기로서 정학도 초상 때 철야하면서 소절수가 왔다 갔다 하는 것을 생각하고 물은 것이었다.

친구의 집에서(三)

"하— 그거 말인가. 사실은 나두 철야 때문에 마작 밴 셈일세. 직업상 아는 사람이 많으니 자연 그런 일두 자주 당하게 되는데 전같이 술이나 많을 때 같으면 모르지만 긴 밤을 어떻게 무릎을 안구 밝혀내는가. 그래 남들이 버려놓은 일을 옆에서 구경하다가 진짜루 밴 것일세."

"그래 자네두 일류 명사와— 말이 잘못 나갔네. 지사장 나으리면 일류 명사루 보통 일류 명사겠는가만은 그래 일류 명사들께 휩쓸려 소절수를 내 걸구 대전(對戰)하는가."

찬이는 지금 한창 회의 중일 그 일류명사들에게 향하는 물음을 준영이에게 대이고 저도 모르는 사이에 터뜨리는 것이었다.

"에이 사람 소절수는 무어구 어째 그리 흥분해 야단인가."

"그 가짜 명사들이 아니꼬워 그러네. 자네는 제발 일류 명사 되지 말게."

공연히 흥분하여 날뛰는 찬구의 꼴이 우스웠는지 준영이는 허허허 너털웃음을 치고 나서

"이건 종로에서 뺨 맞구 한강에 가서 눈 흘기는 셈 아닌가…"

하고 준영이는 네 속을 다—안 다는 듯이 말하였다.

속일 필요는 물론 없어

"목장을 마셔 먹자구들 금시 회의를 한다네."

하였다.

"박병익이 일파가 말이지……"

준영이는 그것은 예사려니 생각하는 듯

"그래 자넨 그 씨들 믿구 말하려구 생각하구 있는가." 비웃는 것도 항의하는 것도 아닌 어조로 말하였다.

"믿는 것은 아니지만……"

"그러면 무엇인가 난 학도 선생이 그들과 손을 잡았다는 것부터 잘못이라 생각했네. 돌아가신 어른의 이야기를 하는 것은 안 되었네. 만은 역시 선생은 도인(道人)이구 지사(志士)구 교육자였지 실제가(實際家)는 아니었네. 실제가가 못 된다는 말은 결코 선생에게 욕되는 일두 아니요 인격에 흠이 되는 것두 아니구 도리어 선생의 생각이 선생의 뜻이 선생이 실제가란 말을 써서 이해하기 어렵다면 세속(世俗)을 모른다 세속에 물들지 않았다는 것으로 바꾸어 놓으면 쉬울 것일세—"

준영이는 담배만 피여 무노라 잠깐 말을 끊었다가 다시 이었다.

"……세속을 모르시기 때문에 세상 사람이 모두 당신만하다구만 생각하신 거네. 더욱 당신이 교육자였었으니 일찍 교육자였든 사람은 모두 당신같이 마음이 깨끗하구 변치 않았으리라 보신 것이었네 그것이 잘못이였었다는 것일세.

박병익이 남진욱이 등등의 일찍 교육가였든 사람들은 그때에는 당신같이 지사였구 마음이 깨끗했구 재만 동포를 위해 무얻은 잘 해야 된다는 불같은 맘들이 있었구 이상(理想)이 있었네. 그들은 진보적이었고 거룩했네. 그러나 그들의 시대는 이미 지나같네. 눈부신 속력으루 무대는 바뀌었네.

새 시대의 배우가 되기에는 그들은 벌써 늙지 않았겠나하여 그들은 돈까지 주무르니 범에 날개라 생각하시고 기뻐 손 잡았을 것일세. 그 결과가 어떤가 자네 보는 대로 일세."

따르릉 전화가 울리어 전화 받노라 준영이의 말은 그만 그치었다.

친구의 집에서(四)

"자넨 여전히 이론적이구, 분석적이니, 자네야 말루 실제가가 아니네."

찬구는 준영이가 "여기는 당신 찾는 곳이 아닙니다." 하고 수화기를 놓는 것을 보고 말하였다.

"그러기에, 밤낮 신문장이 노릇하지 않나."

하고 허허허 웃는다.

"신문기잘 몹시두 판다."

찬구도 따라 웃었다.

"헌데 오군."

하고 준영이는

"안사람 사촌오빠 되는 사람이 소설가(小說家)인데 자네 혹 그 사람 소설 못 읽었나, 아직 신참이라서 이름은 없지만 현암(玄岩)이라구 그「동트는 대지(大地)」라는 소설 쓴 사람 말일세. 그 사람이 느낀 바가 있다나, 농촌에 들어가 농촌살림과 생활을 같이하면서 대작(大作)을 써보겠다구 적당한 곳을 소개해달라는 편지가 왔는데 그 사람 소원이 간도성 내(間島省內)로서 내한테서 가까운 곳을 구해서 자네목장을 생각했는데 어떻겠는가."

"글쎄 우리목장에 뭐 재료 될 만한 게 있겠다구."

"재료보다도 좀 데려다 부려먹으란 말이야. 집두 부자야. 이삼 만원쯤은 그 사람 자유로움일 수 있겠다. 법대예과(法政大學豫科) 다니다가 몸이 아파 휴학하구 그만 둔 사람이라 학교 교원 같은 것 식히면 한목 단단히 볼 걸세."

"글쎄."

찬구는 글쎄로서 오겠으면 오라는 뜻을 보이었다.

"쉬 온다구 했으니 오면 내 데리구 감세마는 저 사람과는 달리 아주 침착하구 믿음직한 청년이야."

"또 내 흉이시군."

경이 어머니가 나오다가 남편의 말을 듣고 문 옆에서 시무룩해 서있다.

"언제 온다 했드라?"

"철수 이야기예요?"

"그래."

철수는 현암의 본명이다.

"편지 회답 받구 곳 온다했지만 선생 공연히 폐만 끼치지 않을까요. 소설인지 잔소리인지 그게 무슨 밥 나오는 노릇이라구 밤낮 업디여 쓰구 앉았으니 가뜩이나 약한 몸이 견뎌내겠습니까. 요전 봉천(奉天) 갔을 때에두 첫째 작은 어머니 걱정이 어찌두 심하신지. 어디 촌에 보내여 좋은 공기두 마시구 푹 쉬게 하라구 권했드니 이리 오겠다는 모양이지만 오 선생 어떻게 소설 쓰지 말게 해 주세요 그게 부탁입니다."

"또 수다로구나……"

준영이는 나무랬구

"뭐 먹을 거나 업소."

하였다.

"아이참 깜박 잊었네요. 변변치 못하니 만두 찐 것 있어요. 자 어서 들어오십시오."

둘은 만두 찐 것을 먹으면서 미진한 이야기를 주고 받았다.

"만두가 맛있기는 하나 목에 바루 넘어가지 안네."

"그는 어째?"

"아까 아즈머니 부탁 받은 거 있는데 자네 마장 못하게 충고하라신 것 여태 못 하구 만두 대접만 받으니 말일세."

"그건 염려 말게. 생각한바 있어 마장은 그만두기로 했네."

"그렇게 쉽게 깨달아서야 어디 충고할 맛이 있는가."

"아니 첫째루 거기 미쳐 다니다가는 사람이 좀스러워지겠데. 노는 사람의 성격이 그대루 나타나는데 그것두 좀처럼 남에게 보이지 않으려구 맨 밑바닥에 보재기루 싸구 써서 간수했든 야비한 본성이 들어난단 말이야— 예를 들면 뜻대로 모—가 안 된다구 쫄음짱을 팽개친다든가 호릿짜를 내던져 맞으면 낯을 붉히고 볼꼴사납게 언짢어 한다든가 나 같은 서투른 사람이 있어 삼푸로나 식히면 눈코 못 뜨게끔 구박 준다든가 나중 후하게 할 때 몇십 전에 언성을 높혀 다툰다든가 군자의 할일은 못돼—."

"무슨 마—장 강연하세요."

경이 어머니가 부엌 미닫이를 열고 술이 든 것을 들고 들어왔다.

"아즈머니 걱정하세요. 인젠 마장 끊는다구 했으니까요."

친구의 집에서(五)

"밤낮 끊는다지만 다 소용 있는 소린가요. 이제래두 군이 모자란 다구 사람이 와보지요 또 게지지 끌려가지요 무어—"

경이 어머니는 그런 말 곧이 안 듣는다는 듯이 말하였다.

이 말에

"잠자쿠 있어. 남의 속두 모르구 짓거리면 다— 말인가—."

준영이가 핀잔주어 경이 어머니는 그 이상 입을 열지 않고 술 안접시 상에 놓고나갔다.

(이 호인이 반드시 끊지는 못하리라…)

생각하면서 찬구는 만두를 한개 베어 먹었다.

"헌데, 이번에는 내 충골 들어주어야겠네."

"충고에 복수란 말은 못 들었네만 자네야 대뜸 복술세그려. 헛헛—"

"충고라는 게 어폐가 있다면 자네뱃장을 알구 싶다구 해둘까. 하여튼 자네는 언제까지 총각 홀아비루 지낼 작정인가."

"건 또 무슨 밤중에 홍두깨인가."

"농촌생활일수록 가정취미를 만끽(滿契)하게(찬구는 일부러 만끽이라 말했다)."

하는데 "아빠—" 하고 경이 아장아장 걸어 들어와 아버지 무릎에 앉았다. "아빠 코 있나, 아저씨 코 있나. 코 흘리는 사람이 누군가?"

준영이는 경이가 코 흘린 것을 보고 말하였다.

"닦아주어."

경이는 턱을 추켜들고 아버지 쪽에 얼굴을 돌리었다.

준영이는 주머니를 뒤졌으나 휴지가 없어 찬구가 내주는 '지리가미'를 받아 아들의 코를 닦아주었다.

"그놈 튼튼한데."

찬구는 경이의 토실토실한 손목도 쥐여보고 축 처진 볼도 만져보면서 말하였다.

"아저씨께 경례하였나?"

경이는 일어나 기착하고 거수의 례를 부치었다.

"어이 장하군. 훌륭한 병정이로구면."

경이가 정주에 나간 다음 준영이와

"자네는 삼분지 일밖에 못돼. 장갈 가서 비로소 삼분지 일 아이 아버지가 돼서야 완전한 사람값에 가는 거야. 옛날 같으면 자네 같은 총각이 감히 우리어른 앞에 평좌루 앉을 법이나 있나."

하는 말에 찬구는

"고, 노닥거리는 꼴 눈꼴시다."

하고 술안주를 집어 간장을 찍어 입에 가져갔다.

"허허 그건 다 농이구 헌데 자네는 그렇게 고집부리지 말구 얼른 결정해버리게. 석순임, 거 직업이 훌륭한 여자일세."

"………"

"요즘 세상의 계집애들하구는 계통(系統)이 다르다니까. 여학교 사 년 농안 우리 집에서 하숙을 하여서 잘 아지만 난 그런 애는 첨 보았서."

"………"

찬구가 아무 대꾸도 없는 것을 준영이는 찬구가 의향을 두어 그러는 것인가 지레짐작하고 신이 나서 말을 이었다.

"건실하구 순박하구 질소하구 심성이 부드럽구 부엌일 잘하구 찬찬하구 명랑하구 어른 고일 줄 알구 아래를 거느릴 줄 알구 건강하구 겸손하구 해사하구 아다마가 좋구 인물두 투실— 복성스럽게 생겨 평생 밥덩이를 굶을 염려는 업구 의지가 견고하구 너그럽구……"

"앗다 이 사람 그만하게. 형용사의 구사(驅使)가 능란하지마는 그러다가는 자전(字典) 한 책 다 들여대두 모자라겠네."

친구의 집에서(六)

　준영이는 친구를 만나면 언제나 농이 앞서는 것이었고 지금도 농을 주고
받는 끝이어서 순임이의 미점(美點)을 주장하는데 '형용사'의 나렬(羅列)을 지
나치게 한 것이었으나 친구가 씨까스르는 말을 듣고 나니 과시 거지가 장타
령 하는 푼수쯤 되어 순임이의 미점을 하나 또렷이 들어낸 것 같지도 안으려
니와 도리어 순임이를 헗는 것같이도 되었다.

　자연히 멋쩍게 되어 준영이는 허허 웃는 수밖에 없었는데 친구도 다시는
말이 없이 묵묵할 다름이었다.

　그러나 친구와의 사이는 중간을 든다하더라도 점잖게 도사리고 앉아 헛
기침을 쳐가며 하는 것이 도리어 어색하게쯤 되고 보았으니 익살에 섞어 순
임이를 소개하는 것도 괜찮은 일이라 준영이는 다시 생각하였다.

　"이 사람 자네는 도시 태평이니 어쩔 셈인가. 순임이 승낙은 걱정말구. 자
네 태도를 얼른 결정하게."

　하였다.

　역시 아무 대꾸가 없이 친구는 얼굴에 약간 고민하는 빛을 띠었는데

　"순임이 이야기니까 오 선생하구야 천생배필입죠. 그러지 않어두 일부러
오 선생 찾어가서 이야기 여쭐려구 벼르든 참이 였었어요……"

　하고 경이 어머니가 김이 무럭무럭 나는 새 만두를 담은 접시를 들고 들
어오며 방 안 이야기에 참견하였다.

"우리 주인과 앉으면 순임이와 오 선생 어떻게 하면 성례를 이루어드릴까, 늘 이야기했어요. 신부를 딴 사람에게 놓치기도 아깝구 신랑을 다른 신부에게 뺏기기도 아깝구. 어떻게 두분이 혼례를 일궈 우리 옆에서 왔다 갔다 하며 살았으면 난 그 생각뿐이여요—"

경이 어머니는 맨 먼저 드려온 만두그릇을 그 우에 만두 두어 개 남아있는대로 새 그릇과 바꿔놓고 무릎을 꿇고 앉았다. 준영이는 말하였다.

"페일언하구 오늘자네 승낙하게."

"그러시구 단오 전에 초례를 치르면 얼마나 좋겠어요."

"단오 전이래야 아직 두 달이니 넉넉하구먼."

"그렇구말구요. 별루 번다스럽게 차리겠나요. 옷 몇 가지하구 그리구 식은 교회에서 하셔야 돼요."

"요즘 너울두 참 좋게 왔습니다."

"별안간 너울은 또 무어야."

"아이구 난 너울 못 써본 게 한이예요."

"크게두 한 되겠다 그렇게 너울 쓰기 싶으면 지금이라도 서양 놈에게 시집을 가지 양코백이 원숭이 채 되다 못 된 교회결혼식이 좋을 께 뭐야."

"말두 여지없이두 하시우."

경이 어머니는 앵돌아졌다.

"허허 저 사람이 구식(舊式)으루 결혼식 한 걸 두구두구 못마땅하게 여기니 자네 여편네게 바가지 글키지 않겠거든 식(式)만은 신부의 의사를 존중히 여기어야 되네."

준영이는 찬구를 보며 웃었다.

찬구는 준영이 부부가 부르고 쓰고 하는 수작을 잠자코 듣고만 있다가 빙긋이 웃으면서 말하였다.

“동부인해서 중신하시니 그쯤 되면 중매루서는 가위 최고라 하겠습니다.”

사실 준영이 부부의 말같이 순임이는 나무랄 데 없는 처녀였다.

더욱이 그의 사업에 그같이 목매고 나설 수 있는 점이 그랬다.

거기에 그의 호의도 느끼지 않는바 아니었다. 또 그에게 애정이 가지 않는 것도 아니었다.

생각한다면 어느 모로 보든지 순임이는 구하기 얻기 어려운 찬구의 배필이었다.

그것을 찬구는 모르는바 아니었다.

그러나 맘 놓고 뛰어들 수 없는 심경— 찬구는 그것이 고민이었다.

그것은 애라 때문이었다.

지금 기차를 타고 희망에 가슴이 뛰면서 서울을 향하여 가는 애라와 수일 전 친절하게 병간호해주는 순임이의 모습을 번가라 그려보며 자연 말이 무겁지 않을 수 없었다.

“뜻은 고맙습니다만 지금은 결혼 같은 것을 생각할 여지가 없습니다.”

유혹(一)

회의는 정각 한시를 훨씬 지나 두시 십분 부터 열리었다.

박병익이가 자연히 좌장(座長)이 되어 회의는 진행되었는데 다른 주주들은 이기철이가 끼여 그랬는지 정학도의 급사(急死)의 기억이 새로워 그랬는지 말도 수도 적었을 뿐 아니라 말을 한 대야 별로 과격한 말투는 아니었다.

그러나 박병익이는 펄펄 뛰며 손해를 만여 원 냈으니 죽어 넘어졌으니 망하는 것은 누구겠느냐느니 학도의 공격으로 시작해 말이 듣기에 야박스러웠으나 나중에는 친구에게 공격의 화살이 떨어졌다.

"그래 찬군가 무언지는 그게 무슨 기술자야. 농업학교는 거꾸루 졸업했구현 기수는 모우루 댕겨먹었다. 양마리 바루 다룰 줄 모르는 위인이 남의 목장 도마타가지구 피나는 돈 그렇게 밀어 넣었으니 그놈 그래 가만두어. 그놈 이제 돈을 넣으면 그렇게 등한하게는 안 했을거라."

이기철이는 듣다 못하여

"박 선생 그걸 말이라구 하시오. 허물이 있다손 치드라도 다 늙은 사람이 젊은 사람의 잘못을 용서하구 순순히 타이른다면 이커니와 뒷욕을 그렇게 말하는 법이 어디 있소. 돈은 돈이구 사람은 사람이겠지. 돈 두 사람이 난다음의 것이 아니겠소."

점잔께 핀잔주었다.

"뭐요 아—니 나를 석가여래루 아시우 공자루 아시우. 또 목장경영일 무슨 의숙(義塾)이요 도 닦는 마당이요. 피나는 돈 모아주었으면 돈 낸 사람의 정성두 받들어 일심전력하여 이익을 내주어야 할 것이 도리가 아니겠소. 설사 이익은 못본다 치드래도 손핸 내주지 말어야 될게 아니겠소."

이기철이는 그 자리에 섭슬려 앉았을 수가 없었다.

(지독한 사람이군.)

불끈 분노가 치밀었으나 나먹은 체면에 병익이와 낯을 붉히고 싸울 수도 없어 이 자리를 피하려고 하였다.

하여

"나는 먼저 가겠소이다."

하고 일어섰으나 남정욱이가

"웨 이러나십니까."

하고 말리였고 그는 병익이더러

"박 선생님, 손해난 걸 이제 누구 죄냐구, 공죄를 가릴 것이 있소. 이제는 도리어 실제문제로 들어가는 것이 좋을 듯합니다."

말하였다.

그리하여 오늘의 현안인 목장처분문제에 비로소 부닥치게 되었는데 의논은 백출하였으나 결국 처분해버리자는 것으로 결정이 되었고 처분하는 방법에 긴 시간을 허비하였다.

토지며 목축물이며를 각각 뜯어 팔아 속히 규정을 내자는 안건을 낸 것은 송을극이요, 기왕 이렇게 된 바이니, 임자를 찾아 한몫에 넘겨버리자는 의견을 낸 것은 로성호요, 큰 쇠사에 합동해버리자는 의견을 낸 깃은 유명희었다.

속히 처분하는 데는 송을극의 의견이 타당했으나, 헐가가 될 것이었고, 로정호 유명희의 의견은 권리금(權利金)까지 바들 수 있어 손해가 적지만은, 좀 막연한 일이었다.

하여 뻔한 문제를 가지고 이랬으면 어떨까, 저랬으면 어떨까하고 뱅뱅 돌고 있을 때에 박병익이가

"여러분."

하고 여러 사람의 주의를 자신에게 모은 다음에 말하였다.

"여러분의 주(株)를 내게 넘기시오."

유혹(二)

박병익이의 말을 듣고 귀를 의심한 것은 이기철이만이 아니었다.

서로들 얼굴을 쳐다보았다.

이러한 여러 사람의 기분은 아랑곳없다는 듯이 병익이는

"돈은 즉석에서 치르어도 좋습니다. 그러나, 여러분의 형편이 한 달쯤 말미를 허락할 수 있다면, 그렇게 해주시는 것이 이 사람 돈 융통하는데 편의는 하겠습니다만은."

하고 모두가 문제없이 주를 매길 것, 돈을 한 달 후에 받아도 좋다고 할 것이라 스스로 단정하고 말하였다.

박병익이의 의표(意表)에 벗어난 제언(提言)에

(저 사람 어쩌자고 하는 것을 보니, 앞에 뵈는 구석이 있는 것은 아닐까.)

혹은

(좀 참어볼 걸, 공연히 서둘은 것은 아닐까.)

하고 생각하는 사람도 있었으나

(엽집 처녀 밑구 장가 안 가겠나.)

(나중 천냥이 생긴대두, 시끄러워 견디어내나.)

하고들 마음이 돌아 내내

"맡으시려면 맡으시오."로 결말을 지었다.

문제는 다만 주(株)의 평가였었는데 이에 대하여도 별로 주판알을 튀길 것이 없이, 재산목록(財産目錄)을 기초로, 대체 쌍방이 억울하지 않게 정하기로 이야기되어, 병익이는 쉬 목장을 돌아보러 가겠다고 말하였다.

　―이기철이는 찬구에게 병익과 학도의 친구를 나무랐고 박정스럽게 말하든 대목만 빼고 비교적 자세히 회의의 경과를 이야기하였다.

　"무슨 배포일까요?"

　찬구는 묵묵히 듣고 앉았다가 기철이에게 물었다.

　"글쎄."

　기철이는 이에 대하여 긴말을 하고 싶어 하지 않는 눈치였다.

　"생판모르는 사람의 손으루 넘어간다든가, 짐승과 땅을 뜯어 팔아 목장을 송두리째 없애는 것보다 낫지 안을까요."

　찬구는 희망을 부쳐 말하였으나

　"암, 그러기야 하지만은…."

　할 다름 역시 긴말이 없었다.

　학도와 찬구를 나무라고 박하게 말하는 것으로 미루어 병익이가 목장을 도맡는다 하드라도 학도사업에 별로 신통한 끝이 뵐 것 같지 않아 기철이는 그렇게 시원스럽잖게 말한 것이었으나 기철이한테서서 병익이가 펄펄 뛰든 이야기만은 듣지 못한 찬구는 적지 아니 희망을 가진 것이었다.

　(박병익이가 맡으려하는 것은 물론 이해를 따지어 한 것임이 틀림이 없을 것이다. 그러나 병익이는 학도에게 재생(再生)의 은혜를 진 사람 오늘의 실업계에서 성공을 하게 된길을 트여준 은혜를 진 사람이 아니냐. 마준영이의 말같이 그는 물론 한 시대 뒤떨어진 사람임에는 틀림이 없다. 그러나 사람을 삼각정규(三角定規)로 줄을 그어 규정 짓거나 처리한 것은 또한 아닌 것이 아닐까. 인간성 즉 의리(義理)를 느끼는 감정이라든가, 목표를 위하는 생각이라든가 이런 것은 한사람의 력사적인 시간적 역할을 넘어서 영원한 것이 아닐까…그러면 병익이

에게는 영원적인 인간성은 없을까…)

찬구는 병익이의 얼굴을 눈앞에 그리고 그것을 응시하면서 생각하였다.

유혹(三)

약속한 시간에 十분밖에 늦지 않았건만 사도미는 찬구가 들어서자

"못 오는 줄 알엇구만은 어서 오세요."

하고 대견히 마젓다.

"이리 앉으세요."

방석을 내놓고

"아까 말한대루ㅡ."

하고 찬구를 안내해온 쥬더러 말하는 것이었다.

"네."

죳ㅡ쥬가 나간 다음 응접상에 마주 대하고 앉아 담배를 태워가며 이야기에 꽃이 피었으나 화제가 현에서 같이 일보든 사람들의 소식을 묻고 대답하고 하는 것에서 벗어나지 아니하였다.

이윽고 아까의 죳쥬ㅡ가 파와 배추와 소고기 썬 것을 담은 소반만 한 접시를 들고 들어왔고 그 뒤에 다른 죳쥬ㅡ가 전기 곤로를 가지고 와서 벽에 붙어있는 돈짝만한 딱지를 열고 곤로 전기줄을 그 구멍에 박아놓았다.

스끼야끼[①]가 먼저 우에서 지글지글 익기 시작하였을 때 벌써 따끈한 술은 두어 잔씩 오고가고 하여 술에 서투른 찬구는 얼굴은 발개졌고 기분은 거ㅡ나해 갔다.

"고기가 연한데 자 이걸 좀 집으시오."

사도미는 친절히 권하여 찬구는 고기도 집으면서 기분이 좋아질 수밖에 없었다.

"도시도시 못데고이(자꾸 가져와)"

사도미가 술을 더 청하여 술 붓던 쇼좃쥬―가 빈병을 들고 일어서는 것을 보고 찬구는

"야모―다메. (더 못하겠소)"

하고 두 팔을 뒤로 집고 비스듬히 몸을 제기였으나

"손나니요와이노. 보꾸가 노무까라 도니까꾸못데고이. (그렇게 술 못하는가요. 내가 마실 테니 하여튼 가져와요)"

사도미가 말하여 좃쥬―는 그대로 나가지 않을 수 없었다.

좃쥬―가 나간 다음에 사도미는

"찬구 씨 긴한 청이 하나 있는데 들어주실 수 없겠소."

하고 찬구를 만나자든 본건을 그제야 꺼내는 것이었다.

사도미의 긴한 청이란 것은 다른 것이 아니라 다시 관청(官廳)에 들어와 같이 일을 해보자는 것이었다.

사도미는 이번 기좌가 되고 성(省)으로 전근되면서 성내의 목축 장려와 그 진흥조성에 대한 일을 맡아보게 되었다는 것을 이야기하고 이 농민국 만주국이 그 진면목을 나타내려면 목축을 겸한 농업 즉 유축농업(有畜農業)이여야 된다는 전체론으로 말을 일으키여, 간도지방의 실정에까지 내려왔는데

"대체로 간도지방은 일찍부터 개척이 되어 공지(空地)는 개간할 수 있는 곳은 거이 개간되었다 볼 수 있소. 그러나 농촌의 가축사육의 현상을 살펴볼 때 유축농업과는 거리가 아주 먼 것이 어김없는 사실인데, 농우(農牛)이외에는 이렇다 할 가축이 없고 보니, 농촌의 경제력도 자연히 저하될 것이 아니겠소. 원인은 물론 여러 가지가 있겠으나 대체로 선계농민들에게 가축사육

의 사상이 막연한 것은 아닐까 생각되는 것이오. 이런 그들에게 목축의 사상을 함양시키고 적극적으로 지도하여 현재의 자력에만 맡기는 농업을 유축농업에로 개편(改編)하자는 것이 정부의 방침이요, 또 이것을 담당한 사람의 포부요. 헌데….”

하고 사도미는 그가 말하는 사이에 좃쥬―가 갔다 놓고 나간 도꾸리를 집어 찬구의 잔에 술을 붓고 또 제 잔에도 부었다.

“자!”

하고 잔을 들어 권하는 바람에 찬구는 마지못해 들었는데 찬구가 잔 드는 것을 보고 사도미는 쪽 들이마셨다.

유혹(四)

사도미가 술을 마시고 잔을 상우에 놓고 접시를 들고 거기에 남아있는 스끼야끼 재료를 팬 철에 쏟아 넣는 것을 보면서 찬구는

"정부의 시책이며 사도미상의 포부며 모다 적절하다고 생각합니다. 목축에 몸을 적시고 있는 나로서는 이에서 더 반갑고 들뜬 일이 없습니다."

위선 사도미의 말에 찬의를 표하고 말을 이었다.

"그런데 전체 농가에 가축이 적은 것이 사실인데 이것은 나도 통탄이 여기는 바이지만 웨 가축의 사양(飼養)이 적으냐 그것을 뭇는다면 역시 농가의 경제에 여유가 없는데 있다고 생각합니다. 가축을 기르지 아니하여 경제의 여유가 없는 것이라고 본다면 알이 먼저냐 닭이 먼저냐가 되지마는 우리 마가둔만 해도 당장 경작에 필요한 농우(農牛)조차 없어 남의 것을 세 내여 부리는 집이 있고 보니 목축의 이용은 알면서도 그 씨(種蓄)를 살 여력이 없음을 짐작할 수 있는 일이 아니겠소."

그리고 계속하려는 것을

"잠깐만—"

하고 사도미는 찬구의 말을 멈추게 한 다음에 말하였다.

"바루 그 점이외다."

"나두 그 점을 생각하여 가축을 농가에 논아주어 길르게 하자 했으나 역시 증식(增殖)하는 것이 첫째 안목이어야겠으니 영 경험이 없는 농가에는 안

심하고 매낄 수 없는 것이 사실이 아니겠소. 하여 위선은 적당한 목장에나 그렇지 않으면 목축에 독실한 사람에게 가축을 주고 보조비도 지급해서 그 사람으로 하여금 축산에 전력하게 하여 양으로 음으로 부근 농민에게 목축 사상과 함께 사양법을 펴도록 하자는 생각이오.”

“날 양이나 도야질 좀 주세요.”

찬구는 귀가 번쩍 띄어 말하였다.

“달라면 야 못 드릴 것 두 없지만은 찬구 씰 한곳에 빗그러 매놓구 십진 않다니요. 그것은 손해니까.”

“손해? 웨요?”

“이번일 에는 목축에 목적을 가지고 있는 성실(誠實)한사람일선에 앉아서 연구를 해가며 지도해야겠는데 그런 사람이 찬구 씨 이외에는 없으니까 말 이예요.”

“원 별말씀을.”

“아니오. 통계표를 주판이 없이 만드는 사무가는 수두룩하고, 별난 즘승 에 접을 하는 수의는 적지 않아도, 짐승을 제자식 같이 사랑하고, 농민을 제 형제 같이 생각하는 사람을 찾기가 어려우니까 말이외다……”

(무던한 말이군.)

찬구는 생각하면서 지글지글타는 팬 속에서 고기 한 점을 집어내여 입에 가져갓는데 사도미는 말을 그대로 계속하였다.

“농민을 부모나 형제같이 생각하지 안는다 말했지만 참 당신네들 선계의 젊은이들은 큰일이 낫습되다. 내 휘하에도 몇 사람 있지만은, 그들이 농민을 대하는 태도는 너무 무식합되다. 불 친절이라 할 것이 아니라 이건 머슴을 구박하는 태도로 농민을 대하니 두만강을 넘어와서그 게 그럴 법이 어디 있 겠소. ……”

찬구는 똑바로 조선청년의 결점을 사도미한테 지적당하고보니 얼골이 확근하였다.

유혹(五)

"더욱이 선계가 만주국에서 나라에 이바지하는 일은 오직 수전개간과 수전 경작에 의한 식량기여에 잇다 해도 과언이 아닌데, 선계가 떳떳이 국민으로서 대접을 밧고 그 존재를 주장할 수 있는 점은 이 농민들의 수고 때문이라 생각해도 무방할 줄 알어요. 그러할진대, 농민에게 그 은혜를 백배 사례해두 모자란다 생각하는데 되려 멸시를 하다니 당신네들 생각은 알 수없는 일이요…"

사도미는 술이 거나해 심기가 조앗는지 찬구를 밋는 까닭에 그랬든지 그가 평소에 선계(鮮系)에 대하여 품고 있는 생각을 털어놓았다.

(아편밀수, 야미도리히끼, 부동성, 몰의리, 무신용, 불건실, 무책임…)

찬구는 조선 사람의 결점이라고 일반적으로 정평이 되어있는 단어들을 입속에 되뇌이면서 사도미도 마침내는 이런 말들을 끄집어낼 것이라 생각하고 묵묵히 그의 하는 이야기를 듣고 있섯는데, 사도미는 찬구가 잠잠히 앉아있는 것이 그의 말이 아니꼬와서 그리는 것인 줄 짐작했슴인지

"아핫핫, 내가 이렇게 함부로 지껄이다가는 고상한테 뺨 맞겟네."

하고 너스레를 떨었다.

"원 별말씀 우리선계의 결점은 비단 그뿐이겠습니까. 책선은 봉우지도랫다구 책선해주시는 그 뜻만 해두 달게 바더야 할 터인데……."

찬구는 슬쩍 이렇게 말하였다.

"앗다 고상 흉측두하시우. 책선이라구 점잔은 명사를 부치니…, 뺨때리는 것보다 더하구려…."

"건, 또, 무슨…."

하는데

"자, 자, 술이나 듭시다. 공연히 흥이 깨지는구려…."

하고 사도미는 번적 잔을 들고 찬구더러도 들라고 눈짓손짓을 하였다.

찬구는 사도미와 함께 술을 들었으나, 눈에 피가 지도를 읽엇고 귀에 못이 백이도록 들은 선계의 단점이 허두 만떼올이다가 중동무이된 것이 일편으로 다행하기도하였다.

그 후 술이 몇 잔 거늬인 다음 사도미는

"아까 말씀하든 것 승낙하시오."

하고 이날 밤의 용건으로 화제를 돌렸다.

"글쎄요. 말은 감사하오 마는…"

찬구의 망설이는 말투가 긴치 않았든지 사도미는대뜸

"무어 그리 망서릴 것이 있소. 자 결정을 지으시오."

하고 오금 박듯 술상모으로 앉았든 자리를 찬구 옆에 가서 닥어앉았다.

찬구는 눈을 천정으로 가져가 먼데를 보면서 난처한 표정을 짓지 않을 수 없었다.

"지금하고 있는 일이 긴치 않다는 것은 아니외다. 그러나, 좀더 일은 효과적으로 하기 위하여 고상은 역시 성으로 들으와 주셔야겠습니다."

"글쎄요."

"글쎄요론 귀정이나나요."

"좀 생각할 여유를 주세요."

"생각여부가 있는 일인가요."

"그야 물론 하시려면 당장 땡겨 할 수있을 터이니, 뜻은 정반대사오만 결정했으면 비밀리에 내리는 것은 아닐 것이아니이요."

찬구는 눈을 감고 또 아무 말 없이 생각하더니

"하여튼 며칠 후에 서면으로 통지하기로 하지요."

하고 움짓 일어섯다.

사도미도 일어섯으나 찬구가 랑하(廊下)에나가 변소로 가는 것을 알자 도루 제자리에 와 앉았다. 상 밑에 다리를 쭉 페고 두 손을 머리 뒤에 가져다가 베개를 삼고 베여 누었다.

유혹(六)

봄을 재촉하는 가는 비가 초저녁의 거리를 함초롬이 적시었다.

사도미와 갈라진 찬구는 술이 취하여 여관에서 빌린 지우산에 가는비 줄기줄기로 부다쳐 구으는 소리를 머리 우에 들으면서 외등이 환히 밝은 번화한 거리로 이기철이집을 바라보고 비틀거리는 걸음을 옮기었다.

야간연예방송인지, 쇼윈도—에 빨간색을 입혀 논 허리 잘룩한 불란서 인형이 있는 양품점확성기에서 가요극 한 가닥이 흘러나왔다. 노래는 달콤하고 애수에 저즌 데다가 스피카의 기계가 조앗든지 잡음이라곤 왼통 석기지 않아 자욱한 봄비 오리오리 사이사이에 노래소리 스며백이어 비의 줄기줄기 그대로가 노래인 듯하였다.

우산에와서튀는 빗소리에 지친 찬구는 가요곡의 빗소리가 그의 마음속에도 젖어드는 것을 깨달았다.

아메요 후레 후레

나야미오 낭아스마데. …

관청에 다닐 때, 연회 끝에 동료들이 부르든 노래가 제절로 찬구의 입속에서 소리 없이 불려졌다.

(그다음은 뭐더라……)

(역시 나야미오 낭아스마—데이—)

찬구는 이 "아메요후레후레"로부터 "나야미오 낭아스마데—"까지 서너번

되풀이하였으나, 나중에는

(사께와 나미이까 다마이끼끼─)

하면서 딴 길로 삐어졌다.

이렇게 입속으로 되이면서도 확성기의가요곡은 듣는 것이었으나, 문득
(애라는 음악가지?)

하는 생각이 번적 어리면서

(오, 바로 애라로구나.)

하고 노래하는 여자가 애라라고 단정해버리었다.

(그러기에 오늘밤, 저 노래가 이렇게 내 마음에 스며들지─)

하고 찬구는 이렇게 제 심리를 설명까지 하였다.

(아니야, 이 정신 봐, 애란 오늘 서울 떠나지 않았어.)

(그래, 그래, 이런 제─길할 것 취했군.)

그러자 그의 머릿속에는 지금 콧등에 매친 땀방울을 손수건으로 씻으면서 사람들 틈에 끼어 외롭게 앉아있을 밤차안의 애라의 모양이 나타났다.

정신을 차려야겠군. 찬구는 정신을 가다듬느라 애를 썼는데 그리고 나니 그의 뇌를 한 번에 번거롭히는 것은 목장, 박병익, 사도미, 관리 이러한 인물과 관념의 뒤범벅이었다.

(병익이가 목장을 맡겠다.)

(사도미가 내게 관리 한 자리 주겠다.)

(난생 술도 대취했겠다. 흥 오늘에야 진짜 내생진이군.)

"왕바당─" 거센 목소리와 함께 쩔렁쩔렁 방울소리 성급하게 나면서 마차가 하마트면 찬구를 치일 번하게 그 옆을 지나쳤다.

"엑키."

찬구는 등골에 땀을 솟치면서 반사적으로 물러났으나 그 서슬에 놓여버

린 비지우산이 씨워놓은 마차의 '호로'(幌)에 걸었다 뿌리 워 길바닥에 거꾸로 동댕이쳐 낮은 데로 팽그르르 구을렀다.

찬구는 왈칵 술이 깨었다. 그러나 그는 우산을 집을 생각도 없이 어둠에 사라지는 마차의 뒤를 물끄러미 보고 그 자리에서 있었다.

이슬비라 생각했든 '가요곡의 비'는 소나기 임직하게 찬구를 모로 후려갈겼다. 삽시간에 찬구는 물속에 든 쥐가 되었다.

"허허 몹시 취했었군."

찬구는 쓰게 웃으면서 두어간 앞길바닥에 자빠져있는 우산을 집으러 갔다. 우산은 '삼바이가사'(三倍傘)로 조희 세벌을 부친 것이었고 살도 튼튼한 대었건만 두 군데가 미여지고 살이 여러 개 붙어졌었다.

병익이란 사람(一)

목장의 주권을 제 명의로 바꾸어 놓느라고 며칠 동안 박병익이는 주주 집에 찾아다닌다 대서인을 불러온다 부산스럽게 서두르드니 현장을 둘러보겠다든 것도 실행하지 않은 채 현성에서 자취를 감추었다.

원체 병익이의 근래 삼사년간 거취동정은 모호한 구석이 적지 아니하여 현성에 붙어 있는 날이라고는 불과 얼마 되지 않고 일 년 내 줄곧 예나 다름없이 여행만하고 있었다. 그 여행이라는 것도 가까운 곳이 아니라 멀리 북지(北支) 몽고(蒙古) 동경(東京) 상해(上海) 남경(南京) 하여 무슨 볼일인지 남에 번쩍 북에 번쩍하는 것이 구름장에 떠다니는 것 맞잡이였다.

돌아다니는 지역(地域)이 대륙(大陸)을 사타구니가 좁다고 여기느니만치 그 배포하는 일도 좀스러운 것이 아니리라 헤아려도 지지만 도무지 그 정체를 알 수 없어 세상 사람은 그의 남지북지(南之北之)하는 잦은 여행에 대하여 제멋대로 뒷공론을 하는 것이었다.

"이 바쁜 세상에 유람으로 대니진 안겠지."

"암."

"무슨 일일까."

"아무럼, 그 사람 좀스러운 걸 꾸밀라구."

"그야 원체 배포가 큰사람이니까."

"두고 보우. 우린 꿈두 못 꿀 일을 꾸며가지고 오지 안나."

"난사람이야."

"난사람이다 뿐이겠소. 간 데마다 정부고관 일류명사와 무릎을 맞대구 교제한다면 그만이지 뭐."

"참말 요전엔요(남경정부요인)의 친필을 얻어 가지구 왔다지."

"그뿐이요 원사충이 가족과 함께 사진을 찍은 것은 어떻구."

이것은 병익이를 영웅으로 역이는 사람들의 말이요.

"남지북지 놈 귀창이 아직두 성한가."

"박병익이 대포에 찢어지지 안했느냐 말이지."

"대포래두 어지간해야 말이지 이건 요즘 서부전선(西部戰線)에서 위력을 떨치는 독일 장거리포(長距離砲)를 앞질러 쉬이지 않으니 말이지."

"지나 사람의 전쟁은 마지노선(線)보다는 튼튼한가보데."

"그래 아직두 미진해 대포 놓으러 대니지 안나."

이것은 박병익이를 허풍쟁이로 짐작하는 패의 말이요,

"밝구두 어둔 것이 세상이야."

"박병익이가 활개 펴구 협잡해먹는걸 보구두 물어."

"그래 또 무슨 일을 저질렀나."

"또 어디로 간 것 알구 그러나 몰라 그러나."

"협잡하러 갔단 말이지."

"그럼 웨 갔을까."

"그러다간 큰 코 다치지."

"그치만 큰코 다쳤으면야 좋겠지만 남산골 생원일에 걱정이야."

"은행지배인 말이지."

"알고도 묻는 건 히야까신가."

이것은 박병익이를 흉악한 협잡군으로 평해 말하는 패들의 이야기였다.

박병익이의 인물논평은 이같이 구구하여 그 보는 각도에 따라 각각 왕창 뜨게 동이 나는 것이었으나 대체로 논한다면 이런 세 가지로 분별할 수 있을까. 어느 것이 그러면 진짜 병익이냐 박병익이의 소경력을 살피기로 하자.

병익이란 사람(二)~(三)

　박병익이는 충청도 태생이라 하지만은 그리고 그이 말대로 충청도에서 나기는 하였으나 충청도에서 어머니 배 속에서 나왔다는 것뿐이요 자라고 철이 들기는 충청도가 아닌 곳에 있었다.

　그의 아버지는 그가 어머니 배 속에 있는 것도 알지 못하는 때에 어디로 인지 가버렸는데 간도(間島)방면에 가 잇다 또는 시베리아에서 뒹군다 하는 뜬소문이 있었던 것뿐이다.

　병익이가 태어나 철 들어 장성할 때까지 돌아오지도 않았고 한 번도 있은 곳을 알려오지도 아니하였다. 병익이는 아버지의 행장(行狀)을 방랑벽이라고 그가 철이 든 뒤에 말한 일이 있지마는 아버지의 얼굴도 보지 못한 그는 어머니 따라 영남(嶺南)지방을 비롯하여 전라도에서 자란 것이었다.

　어머니의 노력으로 중등교육은 받을 수 있었던 병익이는 아버지의 방랑벽을 닮았다고 할까 어디고 떠다니고 싶은 생각이 듬뿍 있었는데 그때에는 간도지방이 마음에 끌리었다. 간도보다도 시베리아같이 넓고도 넓은 곳에 훨훨 거칠 것 없이 떠돌아다니고 싶었다. 그곳에는 무엇이 기다리고 있은 것도 아니었다. 간도, 간도하고 청년 병익이는 잠꼬대에도 뇌일 만큼 이 지방을 동경하였는데 하루는 그는 결연히 그의 숙제를 실행에 옮기어 동경하는 간도로 원주(遠走)해 온 것이었다. 그가 기대와 포부를 안고 왔던 간도는 그의 기대가 컸던 만큼 적지 않은 실망을 주었다. 만사가 순조롭게 되어 나가지 않은데 뜻을 잃은 그는 용정지방에 뒹굴면서 무위(無爲)의 날을 보내었으나 문득 아버지의 일이 생각났다.

"아버지도 큰 포부를 품고 왔겠으나 실의한 나머지 처자와 고향에 대할 면목이 없어 어딘가 박혀 있은 것은 아닐까."

병익이는 시베리아로 가려고 하였다. 그 뜻을 그는 간도에 와서 여러 가지로 지도를 받았던 정학도에게 말하였다. 그러나 그때는 바로 러시아혁명 후이라 이주해 살던 사람들도 그곳이 살기 어렵다고 도로 나오는 터였음으로 병익이의 시베리아 행은 무모에 가까운 일이라고 학도는 재삼 만류하였다.

그리고 그의 의도는 그가 교장으로 있는 육영학교에서 교편을 잡아달라고 간곡히 부탁하였다. 병익이는 처음에는 망설이었으나 내내 허락하였다.

처음에는 대단히 열심이었다.

"농민이 호미와 괭이로 하는 일을 우리는 분필과 붓으로 하자."

교육에 대한 결의도 학도 못지않게 대단했다. 그러나 일 년이 길다고 분필을 내동댕이치고 말았다. 그리고는 시베리아로 간다고 떠났다.

그런지 5년은 소식이 묘연하더니 하루는 여름비가 죽죽 내리는 저녁에 병익이가 병든 몸을 겨우 이끌고 비 맞은 초라한 행색으로 학도의 집에 나타났다. 학도도 부인 윤 씨도 그가 누군지 알아볼 수 없는데

"내가 박병익입니다."

하는 그의 말에 비로소 사람 꼴이 아닌 이 사람이 병익인 줄 알고 놀랐다.

"박 선생. 이게 웬일이오."

병익이는 학도 부부가 자신을 알아보는 줄 알고는 안심이 되었는지 정신을 잃고 그 자리에서 쓰러지고 말았다. 자리를 펴고 뉘었으나 병익이는 벌써 골수에 든 병인지라 몸이 쩔쩔 끓고 정신을 차리지 못하여 학도 부부는 의원을 부른다, 찬물 찜을 한다, 밤을 새워가며 온갖 시중을 다 들었다. 그러나

병익이의 병은 차도가 없어 며칠 동안은 위험한 고비에 몇 번 닥쳤는데 그때마다 주머니를 털어 학도는 자기 집을 잘 곳으로 믿고 찾아온 옛날의 동료를 위하여 정성껏 약을 사들이고 치료를 정성껏 하여주었다.

학도의 친절 탓이었든지 병은 겨우 위험한 고비를 넘겼으나 여증(餘症)을 길게 끌어 그가 손수 변소 출입을 하게 될 때까지 며칠 동안 윤 씨가 더러운 것의 시중까지 들어주지 않으면 안 되었다.

하루는 병도 차도 있은 어느 날 밤 학도는 병익에게

"그동안 어찌된 일이요."

하고 오년동안 지내온 일이 궁금하여 물었는데 병익이는 그동안 지낸 일을 다음과 같이 이야기 하였다.

병익이란 사람(四)

"내 얼굴이 아버지를 닮었는지 그는 내가 아버지를 대하지 못하였으니 모르지만은 방랑성(放浪性)이 있는 것은 아마 뵙지 못한 아버지를 그대로 닮은가 보아요. 어릴 때 나는 몹시도 어디루 떠다니기를 좋아하여 집에라 곤붙어있지 않았는데 촌에 살 때에는 고을에 씨름판 같은 것이 있게 되면 그걸 구경하러 몰래 읍으로 가서는 씨름이 끝날 때까지 삼사일을 북색이다가 소를 탄 동리사람들의 뒤를 따라 그 씨름꾼 집까지 가서 보구야 맘 놓고 온 일이 한두 번이 아니었으니 어머님은 무던히도 애가 났습지요. 간도로 온 동기로 말하더래도 내가 타고난 이 방랑성에 기인된 것이지 별 것이겠습니까. 북간도요 해삼위요 하여 흡족한 지역이었지만 걱정되는 것은 어머님이 허락하실 것 같지 않은 편이었습니다. 하여 아버지를 찾으러 가겠노라 허두를 내였드니 어머님은 단마디에 싫다 어미를 죽이고 가거라. 그는 정 못한다 하시고 기절까지 할 지경이었습니다. 남편 그리는 아기자기한 정이 벌써 가시고 사람의 희망을 아들인 나 하나에게만 기우리든 어머니로서는 한신들 나를 옆에서 떼여놓고 견디겠어요. 더구나 생사두 모르고 소식조차 없는 아버지를 찾아간다는 것은 모래밭에 떨어진 잔 구슬을 찾으러 덤비는 것과 같은 것이니 아들마저 아버지처럼 될 것이라고 생각하시였을 것은 짐작이 가는 일이 안입니까. 그러나 불효한 나는 울며불며하는 어머니도 몰래 밤에 뛰쳤습니다. 아버지를 팔고 어머니를 속이고 들어온 간도가 어떤 곳이라는 것은 말치 않겠습니다만은 정 선생 덕분에 나는 겨우 옳은 길에 들어설 법 하다가 생래의 방랑벽이 또 발로하여 학교를 뛰쳐나고 말았습니다. 나는 해삼위를 목표로 떠났습니다. 묘하게 넘어갈 수 있다는 남의 말만 곧이 듣고 나는 국 경까지 갔습니다만 그리고 국경을 넘었습니다만 그야말로 구사일생 모험이 었습니다. 그 모험 그 고초를 다—이야기하자면 이가 시리지요. …”

병익이는 국경선을 넘노라 죽을 고비를 몇 차례 당했다가도 용하게 살든 이야기, 배고파서 쓸어졌든 이야기, 겨우 조선 사람의 부락을 찾아 극진한 보호를 받든 이야기, 해삼위로 가든 이야기…그야말로 이야기책에 나오는 이야기 같은 이야기를 쪽 하고나서.

“그러면서도 행여나 아버지소식이나 알 수 있을까 했으나 그것은 아버지 가 아직 살아계시고 이런 곳에서 우연히 만나리라는 천행을 바란 것이 아니 라 아버지 찾으려간다고 속이고 나온 어머님에게 대한 미안한 가슴이 찢어 지게 생각나서 그런 것이었는데 이렇게 생각함으로써 어머님께 대한 불효 한 마음을 죽이려는 것이었지요. 그러나 벌써 죽었으면 살이 내려 흙이 다 되었겠다는 남들의 비웃음만 샀을 뿐이었는데 이것저것 그만 둘까하다가 동경하든 서백리아가 막상 땅을 밟아보니 별것 아니라는 따분한 생각이 났 습니다. 거기에 관청에서 귀치않게 굴어, 나는 반년도 못 있고 몰래 도망해 만주로 되려 넘어 왔습니다.”

이렇게 말하고, 병익이는 북만주를 무대로 五년간 여러 가지 사업도 해보 고, 실패도 해보고, 세상맛도 알았고, 병도 얻었다고, 사업의 내용은 웨 그러 는지 세세히 말 않고 떼어놓고 말하였다.

“병이 들고 보니 모든 일이 수포로 돌아가고, 주야로 그려지는 것이 고향 이요, 어머님이라, 나는 죽어도 고향에 가서 죽는다고 병든 몸을 무릅쓰고 남쪽을 향하여 걸음을 옮겼습니다. 그때에 사업은 완전히 손해 보아 나중에

는 몇 푼 돈이 남지 않았는데 부끄러운 이야기지만 걸식이나 다름없이 간도
까지 왔지만, 갑자기 병이 더치어 고향까지 가기 전에 죽을 것이 뻔하였는데
생각나는 것이 정 선생이였습니다."

하고 정학도를 찾아온 내력을 이야기하였다.

병익이란 사람(五)

병익이의 처음 말 같아서는 병이 나으면 곳 어머니 계신 곳으로 떠나갈 것 같더니, 병이 완전히 나은 뒤에도 그는 학도의 집에서 엉덩이를 떼지 않고 머무적거리었는데 그것이 오륙 삭을 지내었다. 그동안 병익이는 마당 한번 쓸려고 하지 않은 것은 물론 제가 자고난 이부자리도 개키지 않고 곱게 놀고 먹었는데, 그것도 다소곳이 주는 끼니나 고맙다고 받아먹는 것이 아니라

"아이구 궁거워라 찬장 속에 털이 날 지경이네."

하고 반찬투정을 일수로 하였다. 처음에는 중병 앓고 난 사람이 식성을 탐하는 것이라고 윤 씨는 갈비네, 양주머리네, 양이네, 곱창이네 하여 잘 사드려 공궤하였지만 병후의 회복이 완전히 된 뒤 살이 피둥피둥 지고 나서도 병익이는 상을 대하고 투정질이 그치지 않았다.

"그놈 걸찍하니 살두 잘 쪘다. 통째루 삶어 먹었으면."

"조거 뉘 집 닭인지, 고놈 다리를 꽉 쥐구 깨물어 먹었으면 속 시원하겠다."

마당에 도야지 새끼나 닭의 새끼가 얼씬만 해도 군침질하였다.

그러나 그보다 기가 찬 것은 직업을 얻어달라고, 의례히 학도가 그를 위해 직업을 얻어줄 의무가 있는 듯 말하는 것이었다. 물론 그자신은 어디가 구해보려고 념도 안하고

"단 교원은 제외하고—"

그것도 이런 조건이 붙었다.

학도는 어처구니가 있을 리 없었으나, 직업주선을 게을리 하지 않아, 교원을 제외한 회사원이나 관리같은 자리를 뚫어내어 주는데도 그는 아이구 코리타분해서 어떻게 그 노릇을 해 먹어요 하고 튀기고 튀기고 하였다.

"그렇게 순진하든 사람이…"

하고 학도 부부는 병익이가, 오년 전 교원으로 있을 때의 그의 심정과 비교해 너무도 동이 나는 것을 보고 말하곤 하였다.

"서백리아와 북만주에서 무슨 노릇을 하였는지 사람을 버렸군."

그러나 그의 언동을 믿지 않게 보면 믿지는 않아, 학도 부부는 그대로 부쳐둔 것이었다.

이러하다가 급기야 직업이라고 탐탁히 달려든 것이 금광덕대(金鑛德大)였다.

금광에 대하여는 예비지식이라고는 전연 없음으로 광주는 마다하였으나, 원체가 심장이세인 병익인지라 이것이야말로 원하든 바라고 대견히 대들었고, 그렇다면 한 번씩 보라고 학도가 금광인 친구에게 간절히 청을 넣어 빼두거우 금광(八道溝金鑛) 일을 보게 된 것이 그가 성공하게 된 첫출발이었다.

덕대가 된 병익이는 각반에 지까다비요 손에는 "피케"의 차림새로 척척 광부들을 잘 거느렸는데 재주 있는 사람인데다 완력도 세여 불과 몇 달 안에 금광 판에서 박덕대의 명성은 자자하게 쯤 되었다.

이러기를 二三년. 그는 남이 파보다도 광녹만 치다 팽개친 광산을 얻어 출원하였는데 허가도 쉽게 내려 채광을 한 것이 노다지가 쏟아져 나왔고 그 땅을 동경 모 재벌에 팔아 넘기여 박병익이는 사오년 사이에 모두들 五十만원이라고들 하지만은 二十만원은 틀림없는 졸부가 된 것이었다.

"횡재도 아니요, 운이 틔운 것도 아니요, 다만 내 이 배포가 큰 까닭이외다. 에—"

병익이가 불룩이 기름이 진배를 어루만지며 껄껄껄 웃는 양을 본 사람이 있다면

"호걸의 기개가 있어." 하고 감탄했을 것이다. 했을 것이 아니라 사실 그때 사람들 중에는 이 평지돌출의 졸부 금광 왕을 경탄과 흠앙의 눈으로 보는 사람도 있었고 어떻게 그에게 가까이 하여 푼돈이나 얻어 쓰려고 아첨하는 군도 적지 않았으나 이렇지 않은 사람들에게도 이야기하기에 흥미 있는 화제꺼리는 충분히 제공하였다.

병익이란 사람(六)

병익이는 졸부가 된 것 뿐 아니라 사회적 지위도 함께 얻을 수 있었다. 그는 명예욕도 만족시킬 수 있었다. 덕대 때 입든 옷을 벗어 팽개친 그는 양식 문화주택을 버젓이 지어놓았는데, 지금까지 곁눈으로도 떠보지 않던 사람들이 그의 어마어마한 양옥으로 자주 드나들게 되었다.

실업계에서는 무슨 회사를 조직하겠으니 투자를 해주십시사— 하였고, 교육계에서는 과거의 인연도 있고 하니 장학회에다 기부를 해줍소 하였고, 신문사에서는 소개판(紹介版)이요, 년하 광고요, 심지어는 운동선수들도 어디로 원정(遠征)가겠으니 경비를 보조해줍시오 하고 대여 들었다. 그럴 때마다 응, 응, 허허 그래야지 하고 응기처변으로 대답을 하고 하였으니

"활달한 사람."

"돈 쓸 줄 아는 사람."

이런 평이 차차로 돌게 되었다. 모임이 있으면 으레 회장(回章)이 그에게 빠지지 않았고, 연회가 있으면 전화로 쫓아가며 들추어내었다. 그는 부지런히 이런데 나다니기를, 마치 그것이 직업이나 되는 듯이 하였다.

연회의 이차회를 선뜻 부담하는 경우도 자주 있었다.

돈쓴 대가(代價)가 찾아왔다.

"걸걸한 유지."

이런 평판이 어느 사이에 돌게 되었다.

그 다음에 오는 것이 명예직이었다. 그것도 하나뿐이 아니라 세네 개로 많은 때는 六, 七개에 올라갔다.

급기야 에는 현성의 일등유지로 성을 대표할 뿐만 아니라, 성내에서도 다섯 손가락에 꼽히게 되고, 나아가서는 전만에 그 이름을 날릴 번하다가 아차, 그만 실패를 보았다. 이 실패는 순풍에 돛을 달 듯이 피어 나가든 병익이 일과 출세에 뜻 않았든 풍랑으로 돛대가 꺾어진 푼수쯤 되었으나, 이것은 또한 병익이가 그를 더 큰 야망을 품게 된 자극이 되었고 추진력이 되었다는 점으로 그의 일생에서 놓칠 수 없는 획기적인 사건이기도 하였다.

사건은 별 것이 아니라 신경서 재만 조선인의 어떤 부채로 전만에서 모인 대표들이 고려분회(高麗分會)에선가 어디선가 회의를 하던 때의 일이었다. 그 회의에서 병익이는 다른 대표들은 신중을 요하느라 그랬든지 언변이 병익이보다 못해서 그랬든지 말도 수도 적고 어느 편이냐 하면 무엇을 기이는 것도 같은 태도들을 취하였는데 그는 그 모든 선배(先輩)들을 제쳐놓고 혼자 짓거렸고 그럴싸한 의견을 열렬히 피력하여 회의는 흡사 병익이의 연설회나 진배없이 되었었다. 이번 이 전만 조선인대표자회의에 처음으로 출석하였든 병익이는 조선인들은 별 것도 없구나 하는 생각이 들어 의제가 갈릴 때마다 선참에 의장을 찾고 제 의견을 아주 논리적으로 이야기하였는데 결국 결의(決議)된 것을 본다면 제 의견을 중심으로 논의한 것에 지나지 않아 그의 기가 더욱더욱 높아졌다.

이것까지는 틔우는 그 운과 순풍에 돛단 그의 출세의 배가 순탄히 앞으로 나아가는 쯤 되었으나 여기에 자신을 얻은 병익이는 만주에서도 일등 가는 유지요 모략가요(謀略家)요 일꾼이여 수완가라는 자만심(自滿心)이 그 회의석상에서 일어나게 되었다. 회의는 거의 끝맺게 되어 만주를 대표하여 조선당국에 진정(□□)할 대표 다섯 사람을 뽑는 데까지 이르게 되었는데 잔뜩 내가 제일이노라 코를 높이고 앉았든 병익이는 응당 대표의 한사람이 그중에서도 선참으로 제가 뽑힐 것이라 생각할 수밖에 없었다.

하여 그는 전형위원(銓衡委員)이 딴방에 나가 대표를 선정하는 四五분동안 다른 사람들은 담배를 붙인다 오줌을 누러간다 혹은 진행회의 이야기를 뿔뿔히 모여서서 이야기하는 동안 앉은 자리를 뜨지 않고 씩씩 가쁜 숨을 쉬어가며 전형의 결과를 기다리는 五분을 五十분맛잡이로 길게 생각하였다.

병익이란 사람(六)

　병익이에게는 五十분인 그 五분이 채 못 지나 전형위원들은 우루루 쪽지를 쥐고 들어왔다. 의장은 쪽지를 받아 대표의 씨명을 똑똑히 읽었다. 두 번이나…… 박병익이의 이름은 없었다.

　병익이는 귀를 의심하였다기보다도 불쑥 온몸의 힘이 한꺼번에 빠지는 느낌을 느꼈다. 다음순간에는 그 빠졌든 기운이 확 일시에 머리우로 몰려옴을 깨달았다.

　"의의가 없……"

　의장의 말이 채 끝나기도 전에 병익이는 저도 모르게 일어났다.

　"다시 한 번 더 읽어주시오."

　그 소리는 꼬챙이라기보다도 의장을 겨냥하고 쏘는 탄환이었다.

　장내는 갑자기 긴장해졌다.

　그러나 잠깐 동안 의장은 병익이를 건너다보고 섰드니 입가에 웃음을 먹으며

　"그럼……"

　하고 쪽지를 보지도 않고 이름을 뇌이려고 하는데

　"다시 외이나 마나하지 뻔한 일 아니오."

　재만선계의 대표 더욱 이번 사건의 진정대표는 의례히 전형위원이 선정한(실상은 미리 선정해둔) 다섯 사람일 것은 뻔한 것이 아니냐는 듯이 누가 구석

에서 말하였다.

"뭐—시 어째."

병익이는 휙 말소리 나는 편에 돌아서며 외쳤는데 입가는 물론 얼굴이 실룩실룩 비틀어졌다.

"뭐—시 어째라니 당신이 나와 싸울 작정이요."

그 사람도 어이가 없어 한마디 하였는데 병익이는 교의를 박차고 그 사람에게 달려들어 손찌검하려 하였다. 옆에서 제지했으나 병익이의 꼴이 어찌되었을까.

완전히 덕대근성을 들어낸 병익이는 그만 유지고 명예고 그 시간부터 하늘로 날려가 버리고 말아 현성에 돌아오기도 남 같으면 부끄러울 것이겠으나 그는 뻔뻔스럽게도 그 양옥주택에 역까지 마중 나온 자가용 자동차를 타고 요란스럽게 돌아왔다.

그는 곧 명예적 임명장(任命狀)을 각각 발급한 처소에 돌려보냈는데 이 소식을 안 짓궂은 친구 하나가 그를 만나 호들갑스럽게 임명장은 웨 돌리시우 하고 아닌 보살인체 물었는데

"뭐 이제부터 나는 높이 교제하고 다른데 일을 펴야지 만주조선인사회는 제가 가히 더불어 이야기할 곳이 못되어—"

하고 병익이는 말하였다.

"그러면 만주조선인대표는 폐업이 구료."

그 친구가 눈을 지그시 감고 말했더니

"그렇지 말 잘했어 폐업이야."

하고 허허허 웃는 것이 비꼬아하는 말인지 어떻게 하는 말인지를 도무지 모르는 눈치였다.

그 후 그는 사실로 높이 그리고 넓은 곳에 발을 펴려고 가진 애를 썼다.

"너희들이 나한테 와서 굴복할 날이 있을 거다. 기다려라 그때를."

하고 병익이는 높이 그리고 넓은 곳에 교제하려고 그의 재산을 물 쓰듯 하였다.

그는 금광을 파노라 친분이 생기게 된 동경의 모 재벌의 앞잡이요 선만대의사(代議士)며 실업계요인들과 친밀하게 되었고 그들의 소개로 남지북지 신경 동경의 정부고관들을 더러 방문하는 일도 있을 수 잇게 되었다.

"정부고관 일류명사와 무릎을 맞대이고 교제한다면 그야 뭐."

하고 입에 침이 마르도록 병익이를 칭송하는 사람들은 병익이의

"더러 방문하는 일도 있을 수 있는" 고관명사의 방문도 속도 모르고 이르는 말이요 이렇게 되고 보니 관 명사는 병익이의 청탁하는데 대답하여 그를 귀엽게 여기어 친필(親筆)도 써줄 수 있는 일이요 함께 사진도 박아줄 수도 있는 일이 아닌가.

병익이란 사람(七)

어쨌든 이렇게 하노라니 병익이는 四, 五년사이에 탐탁한 생산이라고는 없이 벌은 돈을 얌얌 그것도 비행기를 타고 다닌다 제일 호텔 급의 일류 호텔에 몇 달씩 북색인다 했으니 그 비용이야 얌얌 팔아먹는다는 표현으로 나타내기에는 엄청나게 큰 지출이 아닐 수 없었다. 그러나 그는 하루아침 그가 횡재이드나 다름없는 廿만원의 돈이 불과 四, 五만원밖에 남아있지 않은 것을 알고 놀랐다.

지금까지의 남지북지(南支北支)를 그가 어머니 배에서 타고난 방랑성에 기인한 것이라 좋게 해석하려면 그 자신도 남아의 할일이다 하고 허허 웃겠지만 방랑성이니 보헤미안이니 하는 그런 젖비린내 나는 꿈도 살아져버릴 나이가 되어버린 병익이는 갑자기 이거 무슨 짓을 했나하고 잠에서 깬 듯 지나간 근 십년동안의 일을 뉘우치게 되었다.

그래 그는 부리나케 무얼 손에 일을 걸머쥐며 더는 몰라도 廿만원 본전은 재워놓아야 된다고 늦게 야심이 들은 것이었다. 나이가 벌써 마흔여섯 그는 이리저리 투자도 해보려고 무얼 직영해보려고도 하였다.

그러나 눈에 차는 일이 없는 것은 둘째요 산을 헤쳐서 쇠를 캐내는 일밖에는 경험이 없는 그는 철경탄광에 구미가 동하지 않을 수 없었다. 했으나 금광은 벌써 통제가 있어 특수회사이외의 경영은 될 수 없었다.

그리하여 달라붙은 것이 같은 산에서 캐내는 것이지만은 누런 것이 아닌 검정석탄(石炭)이었다.

그는 금광시절에 앞을 쓰든 사람들이 무너뜨리는 여러 가지 재료를 종합하여 탄광 하나를 샀다. 그리고 현성 제일 번화한 거리 모퉁이에 사무실을 세내여 연변탄광공사(延邊炭礦公司)라 간판을 달았다.

학도의 목장에 투자하고 탄광을 사노라 남아있든 현금은 모자란다. 자가용자동차를 처분한다 집을 재 판다하여 탄광의 채광을 시작하였으나 늘 옹색한 것이 채광에 드는 유통자금이었다.

병익이가 처음 목장에 투자한 것부터가 정확도나 이기철이나 오찬구가 생각하는바와 같이 북향(北鄉)의 이상을 실현하기 위하여 옛 은인의 사업을 돕자는 데 있었다기보다도 이익이 좋다는 목축업에 투자한데 지나지 않은 것이었으나 그 목장이 결손이 났을 때 돈을 뽑자고 한 것은 탄광유통자금에 옹색한 박병익이로서는 당연한 일이었다.

그의 탄광은 □□은 □□□은 아니었고 탄량(炭量)도 여간 □□ 것이 아니어서 대단히 유망한 것이었으나 사무실과는 먼 곳에서 있어 가까운 정거장까지의 운반비에 엄청난 비용이 들었다. 거기에 인부삯전이 자꾸 올라가 이 비용 저 비용 합친다면 통제외탄(統制外炭)으로서의 공정가격으로서는 세율이 안 맞았다.

셈이 맞지 않는 탄광자금과 노다지에 별반 수고 없이 장자가 되었든 병익이는 도무지 갑갑해 배길 수 없었다.

그리하여 그는 어떻게 하든 탄광을 금광 때와 같이 어느 재벌에게 넘겨볼까고 맘을 먹었다. 그는 이런 목적을 가지고 동경으로 건너갔다. 탄광 <견취도(見取圖)>와 석탄견본을 약간 지니고서….

병익이란 사람(八)

석탄견본과 탄광견취도를 지니고 동경으로 건너간 박병익이는 이전 금광양도(讓渡)할 때 친밀해졌든 '쁘로―커―'를 대뜸 찾아가 어디 큼직한 곳에 듬뿍이 받고 넘겨주기를 부탁하였다. 그 '쁘로―커―'는 견취도를 들여다보고 또 견본을 만지작거리더니 음 탄광을 긴히 여길까―하고 머리를 좀 개웃하여 긴치 않게 여기는 듯 표정이 명랑치 않았는데 병익이는 그 사람의 표정이 쾌치 못한 것에 더욱 조바심을 내어 십상이지 내 망하구 흥하는 게 이번 흥정에 달렸다고 절하지 않으리만큼 제의 딱한 사정을 이야기하였다. 겨우 그럼 S재벌에 소개는 해보겠소만은 어디……하고 내내 끝을 맺어 잘라 말치 안는 쁘로―커 요시다를 이런 경우에는 진탕이 되도록 먹이고 경우에 의하여는 재워주어야 된다고 박병익이는 그를 끌고 요릿집으로 장밤을 돌아다니다가 어느 적당한 집에 자게 하였다.

그리하여 겨우 S재벌에 다리를 놓게 되었는데 그 물산회사에서도 요시다가 머리를 개우뚱 하듯이 그리 탄광을 대견히 맞아주지 않았다. 그런 것을 병익이는 요시다의 훈수를 받아가며 처음에는 그 가까리(係)로부터 계단을 밟아 올라가면서 혹은 향응(響應)이요 혹은 선사요하여 교제에 교제를 거듭하노라 갖은 애를 쓴 결과가 겨우 과장(課長)에게 그 서류가 가게 되었고 과장은 하여튼 전무(專務)와 상의해보마―하는 데까지 옮기게 되었다. 그는 물론 줄곧 제국호텔에 투숙하여 있었으나 비용이 턱없이 들었을 까닭이 없었다.

군자금이 없이 어찌 싸움에 이기랴— 병익이는 겨우 일이 그럴싸하게 전개되어 나가는 판에 비용이 덜렁 떨어지고 말았으니 이제 전무요 중역이요 아직 앞이 멀었는데 조바심이 날밖에 없었다.

그는 자금조달을 목적하고 현성으로 돌아왔다.

그러나 박병익이가 거의 '거덜이'나게 되었고 대포를 놓고 협작을 펴려 남지북지 싸다닌다는 소문이 정평이나 다름없이 유포되고 있는 터이라 병익이를 익히 아는 사람은 그의 말에 귀도 기울이지 아니하였다.

이럴 때에 좋다 내가 뒤를 대이마 염려 말아라 하고 대뜸 빨락빨락한 지전뭉치를 내놓은 사람이 있었다.

아직 매매계약이 다 되었을 때도 아니요 지금 교제도중에 있어서 결과가 어찌될지 모르는 탄광매매에 교제비용으로 돈만원이나 거리낌 없이 대이는 위인이라면 어수룩하기 짝이 없어 세상물정이라고는 쇄배 모르는 바보인 것이라 생각하기 첩경이겠지만 이 박병익이의 출몰군은 바보도 어린애도 아니었다.

물세를 너무도 잘 알고 계산에 지나치게 밝은 턱없이 영리한 사람이었다. 그러겠는 것이 그는 경제계의 동향을 남보다 가장 정확하게 제일 먼저 알고 있고 또 안다고 자처하는 XX은행 ○○현성지점 지배인이니 그럴밖에 없다.

그 지배인은 돈냥 모은 것이 동산 부동산 합해 이만 원가량은 착실히 되었다. 은행지점장이요 이만 원쯤 쥐었으면 세상에 부러울 것이 없을 터이로 되 홍 지배인은 지점장은 괜찮으나 이만 원쯤은 맘에 차지 않았다. 백만 원은 몰라도 十만원은 가져야지 그래도 남부끄럽지 않게 하고 욕심나는 것이 지위보다도 돈이었다. 그는 어떻게 쉽게 돈을 더 모아볼 수 있을까. 그것도 지배인이란 지위는 그대로 부리면서였다. 현성의 한가한 은행이라 그는 은행사무보다도 제돈 불릴 궁리에 출근해서 퇴근할 때까지 대부분의 시간을 할애(割愛)하였다. 그러면서 연구한 것이 경제계의 동향이었는데 통제가 새로 출발할 무렵이라 더욱 동경을 중심으로 한 내지대재벌들의 투자경향(投資傾向)이었다.

병익이란 사람(九)

동경 경제계의 동향을 살피기에 뇌를 씌이든 홍 지배인은 마침내 다음과 같은 결론을 얻었다. 즉 재벌들은 지하자원발굴에 전에 없이 주력하게 되는 것인데, 금광은 이미 통제가 되어버리고 했으니, 그 외의 광업 특히 석탄채 굴에 용의(用意)하는 것을 발견하였다. 외지, 내지 할 것 없이, 이미 파논 땅을 매수함은 물론 조사원을 파견하여 새 땅을 빌리게 하여 가지고는 대규모로 채굴을 하는 등 이는 홍 지배인이 아니더라도 알 수 있는 일이었다.

그는 곳 이 바람이 만주, 아니 이 간도지방에도 들어오리라 생각하고는 十만치부(十萬致富)하기에는 탄광을 소유했다가 재벌에게 넘겨 파는 것 이상 가는 것이 없다고 확신하였다.

그러나, 제 재산 二만원을 모두 턴다고 했자, 인수한 회사에서 구미를 당길 땅은 살수도 없거니와 탄광 가진 사람이 모다 홍 지배인 같은 생각인지 좀체로 내어놓으려 들지 아니하였다.

하여 홍 지배인은 R탄광이 삼정(三井)에 팔렸다, B탄광에 삼능(三菱)과 합자 했다, 이런 보도를 듣고 보고할 때마다 쓴 침만 삼키고 할 따름이었다.

이러할 때에 병익이가 연변탄광의 이야기를 가지고 왔다.

"그러면 그렇겠지."

홍 지배인은 기뻐 뛰고 싶은 것을 겨우 참고 차곡차곡 병익이에게 물었다. 원체가 대포 잘 놓는 병익인지라, 교섭이 입구에만 갔어도 다 되었다고

풍을 치는 판인데 과장을 지나 전무에게까지 서류가간 것이고 보니, 더할 나위 가없었다.

"교섭은 끝나 곧 현장을 보러오게 되는데, 위선 채광하는 흉내라도 내야겠고, 또 그 사람들은 내가 가서 안동해와야겠으니 그 비용 저 비용 해서, 위선 만원이면 바쁜 대목은 넘기게 되겠소."

처음에 병익이는 집문서를 가지고 은행에 찾아와서 집을 저당하고 一만원을 은행에게 돌려달라는 것을 지배인은 그의 자세한 이야기를 물은 다음, 오늘 저녁 자택으로 찾아달라고 하여, 집에 찾아온 그에게 은행돈이 아니라 사채 一만원을 돌려줄 뜻을 보이었다.

병익이는 건성으로라도 고맙다고 치하하였으나, 그가 인사하고 일어서려는데, 홍 지배인은

"박 선생님—"

하고 병익이를 불렀다.

"네—"

하고 병익이가 고개를 돌리는 것을 보고 빙긋이 웃으며

"바쁜 일이 있어요. 좀 천천히 앉아바둑이나 둡시다."

하고 바둑판을 끌어 다니었다.

"바둑 오랜만에 한 치 두어볼까."

병익이는 모자를 지배인보다 석 점은 약하였으나 지배인은 세 키에 두 키는 비겨주고 한 키 겨우 두어 집 이겨주었다.

"이젠 그만둘까요."

하고 지배인은 물러나려 하였으나 조금만 정신을 차리면 이길 수 있다고 마음에 안달이 난 병익이는

"한키만 더 둡시다."

하고 말하여 바둑은 넷 째 키가 벌어지게 되었다.

이번 키에는 지배인이 슬쩍 져주었다.

바둑판을 밀어놓은 지배인은 담배를 태워 물고

"박 선생 거 우리 그 돈 빌리어 내가 박 선생한테서 이자를 따져받는다구 해서 웃으운 거구 하니 내 좀 더 댈 터이니까 그냥 탄광을 동사해버립시다. 허허허"

쓸데도 없는 허허허를 연발한 것은 자신의 속을 병익이가 꿰뚫어보는 듯하여 게면 적어 그런 것이었는데 병익이는 불감청이언정 고소원이라는 듯이 단마디에

"아 그야 지점장영감 생각이 그러시다면 나는 상관없습니다."

하고 허락할 뜻을 보이었다.

병익이란 사람(十)

이렇게 박병익이와 홍 지배인은 연변탄광사업을 조업으로 하게 되었는데 탄광은 네 몫으로 내여 병익이가 세목 지배인이 일만 원을 더 내여 도합 이만 원을 증자하여 가지고 나머지 한몫을 차지하기로 된 것은 그 후 둘이 몇 차례 만난 후에 결정된 일이었다.

그리하여 박병익이는 홍 지배인의 동산 부동산 한데 두루 이만 원 현금을 만들어주는 것을 받아가지고 만원 남짓 한 돈은 바쁜 대목 빚 갚는 데와 채광의 유동금에 충당하고 나머지 돈을 묶어 쥐고 보름 만에 동경으로 다시 건너갔다.

그랬는데 동경에 건너갔던 병익이에게서는 일이 되었다 글렀다 깜깜 무소식인 채 근 달포 지내여 날마다 귀뿌리만 만지고 앉았든 홍 지배인의 애를 태일대로 다 태이다가 마침내 소식이라고 왔다는 것이 S재벌과의 교섭은 글러지고 지금 P재벌과 거의 계약이 되는데 돈 만원 착실히 있어야겠으니 어떻게 하든 보내여 달라는 것이었다.

"이게 무슨 소리냐."고 홍 지배인은 깜짝 놀라 전보 질을 한다 법석을 하여 알아보았으나 별 수가 없었다. 하여 그는 동경으로 병익이를 만나러 건너가서 사실 P재벌과의 교섭이 막 익어가려는 것을 눈으로 본 다음에 돈 만원을 내놓게 되었다. 그 만원이 문제를 버르집을 장본이 될 것을 영리한 지배인 홍 씨도 몰랐다. 하기에 감쪽같이 하노라고 병익이의 주택을 담보하고,

대부하는 형식을 취하였으나 양옥은 양옥이지만 촌 시세(時勢)라 주택의 감정을 아무리 과대하게 친대도 만원이 될 수는 없는 것이었다. 이리하여 홍지배인은 부정대부로부터 공금(公金)에 손을 대이게 된 것이 일이 비꼬여나 가느라고 P재벌도 분석한 결과 탄질이 맘에 안 든다 어쩐다 해가지고 퇴각을 하게 되어 병익이는 동경에 머물고 있으면서 여러 군데 접촉해보았고, 그 비용을 대이노라 지배인은 쫄랑쫄랑 공금에서 돌려쓴 것이 수삼만원 착실히 되었다.

하루아침 지배인은 깜짝 놀라 미몽(迷夢)에서 깨어났으나, 이미 저질러 논 일을 어찌하는 수가 없었다.

병익이에게 전보로 곧 돌아올 것을, 성화같이 재촉하여 그로 하여금 수일내에 돌아오게 한 것은 이 동티를 어찌 메울 수 없을까하고 상의하자는 것이었다.

정학도가 죽은 지 며칠 안되어 병익이가 현성에 돌아온 것은 바로 이러한 내력에서였다.

돌아는 왔으나, 별수는 없었다 했는데 본점에서는 눈치를 채였는지, 지배인을 대하는 태도가 평소 같지 않았다.

둘이 쑥덕공론을 한 결과 병익이에게 담보로 대부한 형식을 취해야겠으니 어쨌으면 좋겠느냐였고 북향목장을 병익이의 명의로 하여 그것을 밀어넣자고 의논한 것은 또한 지배인의 영리한 뇌에서 나온 계략이었다. (그때 탄광은 벌써 다른 은행에 저당하여 돈을 쓰고 있었다.)

박병익이가 목장을 도맡겠다고 하여 주주들을 놀라게 한 것은 이런 까닭이 있어 한 일이었다.

이렇게 되어 목장은 병익이의 명의로 넘어가고 병익이의 목장은 XX은행에 저당케 되어 홍 지배인의 공금횡령의 동티가 겨우 메꾸어 질 수 있어 지배인과 박병익이는 후유— 큰 숨을 내어쉬게 되었다.

그랬는데 두 사람에게 기쁜 소식이 동경 요시다한테서 날려왔다. 그것은 다른 것이 아니라 A재벌에서 금번 만주에 진출하여 광업에 주력하게 되는데 크고 작고 벽지고 교통이 편리하고 새로 탄광을 막 걷어 들이라는 것을 그 회사간부한테서 들었노라고 곧 들어오라는 것이었다.

병익이는 좋아라 뛰어갔다.

이제야 바로 원하는 금송아지를 붙잡을 수 있다고 의기양양해졌다.

그가 목장현장을 밟아보기도 전에 현성에서 갑자기 사라진 것은 이 때문이었다.

먼 길로 가는 동행(一)

박병익이가 동경으로 금송아지를 모시러 갔는지, 야광주를 주으러 갔는지, 전혀 모르는 오찬구는 이제나 저제나 하고, 병익이가 목장에 답사하러 오기를 목이 마르게 기다리고 있었다.

병익이를 놓고 본다면, 정학도는 그의 생명의 은인이요, 성공과 출세의 길을 틔여 준 사람임을 잘 알고 있는 친구인지라, 친구는 병익이에게 부닥쳐 그의 잠든 의리를 어떻게 하든 깨쳐 주리라 마음을 먹었다. 병익이를 만나면 진정과 정성을 다하여 정학도의 고심을 이야기하고, 유언을 남기든 날의 정경을 저하고 급서(急逝)하든 날의 비참한 최후를 세세히 알려 그런 거룩하고 비장하고, 아름다운 뜻과 사실이 사사로 하나의 이름 지을 수없는 분위기를 이루어 박병익이의 마음속에 조수와 같이 스며들게 하려 하였다.

친구는 병익이를 현성에 있는 그의 집으로 찾아가 볼가도 생각하였다. 그러나, 호화롭게 꾸며놓은 응접실은 학도의 숨결과 핏방울이 오히려 약동하고 있는 목장현장에 비겨 그런 이야기를 하기에는 지나치게 메마른 곳이다.

친구는 병익이가 답사오기를 이런 뜻으로 기다리었다.

그러나, 병익이는 마침내 목장에는 나타나지 않고 동경으로 가버리었다. 친구는 이 소식을 얻어듣고 적지 아니 실망하였다.

거기에 벌써부터 목장이 바뀌어가는 것을 눈치 채고 슬금슬금 꽁무니를 빼려들든 목장사람들이 이제 와서는 아든 정 보든 정 없이 짐을 꾸리었고 어떤 사람은 찬구한테 달려들어 욕지거리를 하고 행패까지 하려 들었다.

"이건 무엇으루 목장을 해나가려나."

"벌써 몇 달이냐."

"사람을 소도야지루 아는가 베."

"소도야지는 먹지 않구 산다든가."

삭전을 제때에 못 받은 사람들은 뒷말들을 하였으나 이런 종류는 오히려 온건한패요.

"내 돈 안 주구는 어디가 편히 죽지 못하리다."

"내 처자 엄동설한에 그렇게 고생시켰으니 제 처잔들 편치 못하리라."

이것은 누구를 지목하지 않고 떼여놓고 하는 악담이요.

"꼬박꼬박 세음해 두어서 목장 하직하는 날엔 그 돈만큼 양이니 돼―지를 끌구 가면 그만이지 뭘."

"오 선생인지 오생원인지 웨 그리 쑥이야 정신이 번쩍 나게 귀쌈이라두 후려줘야겠어."

이는 목장과 오찬구한테 해를 입히고 행패하자는 패였다.

찬구는 이런 말 저런 욕이 귀에 안 들릴 리 없었으나 생각하면 이런 말하는 목장사람들이 그른 점은 하나도 없는 것이었다. 찬구는 그저 마음이 아플 다름이었다.

한명식이는 이런 말을 들을 때마다 네 하나 꽁무니를 빼는 것을 발견할 때마다 찬구를 대신하여 처음에는 사리가 맞게 정학도의 고상하고 원대한 사업을 이야기하고 학도 죽은 뒤의 목장의 꿰어가는 사정을 말하여 그들에게 양해를 구하였다. 명식이의 말 듣고 깊이 목장의 위기(危機)를 동정하면서 정녕 처자 살릴 방도를 위하여 다른 벌이를 구하지 않아서는 안 될 사람은 뒷날을 약속하고 다소곳이 물러갔으나 그래도 양해라고는 없이

"사업이야 뭐야. 그런 거 내가 안다우. 다른데 가겠으니 세음이나 해주오." 하는 패한테는 명식이는 그의 왈칵한 성벽을 부리여 싸우기도 하였다.

"에잇, 아무리 소도야지 궁둥이 두드려 먹구 사는 인간들이기루서니 그렇게두 무지막지하단 말이야."

하고 명식이가 눈을 부라리고 우람한 팔을 걷어붙이면

"누가 무지막지해. 일 시켜먹구, 삯전 안 주는 게 무지인가 삯전 줍소—하는 사람이 무지한가."

"이치가 사람을 칠 차비를 한다. 옛다 때려라."

하고 저편도 만만치 않게 대여 들어 마침내 손찌검까지 일어난 일이 한번만이 아니었다. 이럴 때에는 찬구가 나서서 말리였지만은 명식이는

"가거라 너 같은 것은 가두 좋다. 그까짓 도야지 기르구 양 모는 일 내가 다 할련다."

하고 역시 무지스럽게 말하여 온건하게 해결지을 수 있는 일도 도리어 동티를 버르잡아 놓았다.

먼 길로 가는 동행(二)

찬구는 한명식이의 열(熱)과 성의는 물론 뼈아프게 고맙게 여기였지만은 그 열과 성의가 지나쳐서 목장을 하직하는 사람들에게 목장에 원한을 남기고 가게 하는 것이 슬펐다.

그래 찬구는 이런 일이 있은 뒤에는 명식이더러 조용한 자리에서

"명식 씨 나는 목장사람들의 말이 절절히 옳다구 생각이 드는 구면. 명식인 어떻게 생각하시우."

하고 말하면

"그저 내 성질이라니 고놈 성질이 가만히 백여 있지 못하구 불쑥 튀여나와서는 고지경일을 탁방 만드니 허허…"

명식이는 머리를 긁적긁적하고 안타까운 듯 말하였다.

"성질이 비 오는 날 진흙처럼 죽 누그려 지다가두 빤한 일을 영 모르는 때에는 울컥 하구 일어나니 그땐 물불 누가 헤아리나요."

명식이는 지나간 생애의 여러 가지 풍파며 아버지사건 때의 영웅행동이며가 모다이 '욱하면 물불 헤아리지 않는' 성격의 소치라 잠깐 생각하였다.

이렇게 하여 물러간 사람이 로송(老宋)을 비롯하여 우봉식이 진인수 노경심이 등등 六, 七인에 이르렀다. 이들은 혹은 양돈(養豚) 혹은 양계(養鷄) 혹 양봉(養蜂) 혹은 토끼치는 경험자와 기술자들이였고 그들과 갈라지는 것이 더욱이 좋은 감정을 품지 않고 갈라지는 것은 유쾌한 일은 아니었으나 그 대신 한명식이 춘삼이 강 서방 같은 몇 사람이 목장을 위하여 찬구와 행동을 함께

할 것을 더욱더욱 굳게 맹세한 것은 마음이 든든한 일이었다.

명식이는 이 모든 법을 일찍부터 익히 알고 있었으나 이제는 채찍을 쥐고 다브다즈를 어깨에 걸치고 양떼 뒤를 따라다니는 양이 제법 서툴러 보이지 않았고 강 서방은 서투른 솜씨로 벌통을 다루다가 해로물의 벌에게 눈등이 퉁퉁 붓도록 쏘인 일까지 있었다. 그의 익살은 찬구의 기분과 목장의 분위기가 무거워지면 무거워질수록 더 빛을 발하였고 짝패 춘삼이가 묵중해지면 질수록 더 수다스러웠다.

찬구는 이들 지긋하고 뜻이 굳세고 몸마저 건장하고 그리고 기술과 경험을 다 한 가지씩 가지고 있는 세 사람을 얻은 것을 학도의 령 앞에 감사히 생각했다— 이것은 학도가 그의 유업을 이룩하기 위하여 찬구한테 준 사람이라 생각하였다. "속히 리해(理解)되는 일은 얼른 잊어버린다."

학도는 이런 말을 하였었다.

"먼 길에 가는 동행(同行)은 많지 못하니라."

이런 말도 들었다.

찬구는 마음이 외롭고 허전할 때마다 고요히 단좌(端坐)하여 학도의 유훈(遺訓)을 생각함으로써 설레이는 또한 약하여졌든 마음을 바로잡고 채질하는 것이었으나 어느 날 한명식이 강 서방 춘삼이 셋이 뿔뿔이 물러만 가는 목장 사람의 거취(去就)에 속이 상하여 들어누어 있는 찬구를 위로하고 격려하기 위하여 술을 받아가지고 찾아왔을 때 그리고 그들이 굳은 뜻을 보이였을 때 찬구는 눈 두껍이 뜨거워지면서 문득 학도의 이런 유훈을 생각하였다.

"먼 길을 가는 많지 못한 동행!" 찬구는 이 세 사람의 동행을 진정으로 대견히 여기였다. 찬구의 숨 막힐 듯 한 심기도 이것으로 트이었고 용기가 한 치 더해져서 그 이튿날부터 털고 일어나 병든 짐승한테 주사를 준다 약을 먹인다 부지런히 하는 것이 예사 때와 다름없었다.

먼 길로 가는 동행(三)

이러한 명랑해진 찬구에게 더 힘을 보태어준 것은 마준영이가 소개해준 소설가 현암(玄岩)이 목장에 들어온 일이었다.

찬구가 마준영이의 집을 찾았든 날 며칠 후이면 온다든 현암은 그 후 달 포가 지낸 뒤에야 나타난 것이었으나 소설나부랭이를 끄적이는 위인이라면 어째 연약해보이고 마음이 갈대같어, 이리 흔들 저리 흔들 달을 쳐다보고 한 숨짓고, 흐르는 냇물소리를 듣고, 눈물을 찔끔 짜는, 그리 허잘 것 없는 청년 일 것이라 지레짐작하였든 찬구는 현암의 묵중하고 자리차 보이는 인품에 접하고는 첫눈에 호감을 가지지 않을 수 없었다.

현암은 마준영이의 안내로 목장에 온 것이거니와, 찬구를 대하자 손을 내밀어 찬구의 손을 덥석 잡고, 일면여구하게,

"얼마나 애쓰십니까……."

하는 한마디의 말이며, 행동이, 이것만으로도 정이 푹푹 쏟아졌다.

"이 누추한 데를―."

찬구도 이 한마디뿐, 달리 말하지 안하였으나, 이렇게 말하는 찬구를 단정한 이마와 우뚝 솟은 콧날사이에 자리를 차지하고 있는 도(度)가 깊은 안경 속의 가느다란 눈을 깜박이면서, 현암은 건너다보았다.

그날 밤, 마준영이는 돌아가지 않고 찬구의 집에서 현암과 셋이 한자리에 누워, 이야기로서 밤을 새였는데, 준영이의 걸걸한 말수작은, 탁배기를 방구

리에서 보시기로 저으며 퍼 마시는 텁텁한 맛이 있었고, 가끔이지만 재치 있는 재담을 쏟아놓는 현암의 말은 따끈한 정종(正宗)의 감칠맛이 있었고, 준영이의 게사자 늘어만 놓는 이야기에 콕콕 쐐기를 지르는 찬구의 말은 八十도 호주(胡酒)의 가슴을 어이는 매운 맛이 있었다.

이튿날, 더치면 한숨도 자지 못하는 현암이 새벽에도 눈을 붙이지 못하고 꾸무럭거리는 중, 일찍 깨이는 습관이 있든 찬구가 털고 일어나는 서슬에 함께 일어나, 그의 안내로 목장을 골고루 구경하고 학교도 살피고난 다음 돌아왔는데도 준영이는 이불을 사타구니에 막감아 껴안고 누어 용마루가 들썩하도록 코를 골고 있었다.

"이 사람, 이게 무슨 잠인가."

찬구는 이불을 확 벗기고, 준영이의 몸을 흔들었는데 준영이는 이불을 벗기우자 코고는 것은 그쳤으나

"에임 에임 쩍쩍—"

군말과 입맛을 다시며 돌아눕더니 두 손을 모아 사타구니에 찌르고 새우꼬부려진 것처럼 하였다. 그러드니 조금 있다가 또 코를 곤다.

"이 궁상을—"

찬구는 준영이의 엉덩이를 되게 발길루 차니 준영이는 엉덩이에 손을 가져다가 슬슬 만지며 부스스 눈을 떴다.

"애 좀 자자꾸나."

하는 것을

"하루저녁 자지 못해 가지구 저 지경이니 '도꾸다네'는 다 뺐기겠다."

하고 찬구가 말하자

'도꾸다네' 뭐? '도구다네'야 'XX지사장 마준영 손'으루서 전보 칠 감이 생겼단 말인가."

준영이는 호들갑스럽게 일어났다.

찬구도 현암도 웃었고 준영이 자신도 껄껄 웃었다.

'발'(發)이라고 할 것을 '손'이라고 한 것이라든지 "도꾸다네, 도꾸다네" 하고 호들갑을 떨면서 일어나는 것이라든지 모두다 불우한 촌 신문기자인 자신을 찬구 앞에 스스로 비웃는 것임을 찬구도 예민한 현암도 잘 알고 있다. 그럼으로 그들 셋의 웃음은 소리는 높았으나 내용에는 서글픔이 깃들어있었다.

먼 길로 가는 동행(四)

현암은 이 목장에 들어와서 수삼일 동안 전연 백지이지만 찬구가 안내하는 대로 찬구가 설명하는 대로 목장이며 학교며 마가둔 부락이며를 견학하였을 뿐이었다. 돌보는 사이에 물론 목장이며 학교가 활기가 있어 보이지 않았고 소문과는 달리 소조한 기운이 있는 것을 현암은 느낀 것이었으나 찬구가 새 손님한테 들어오는 것같이 목장의 비운을 이야기하고 싶지 않아 그런 사정은 말치 않았음으로 현암은 그 세세한 내용을 알 까닭이 없었다.

그러든 어느 날 밤이었다.

그날 낮에 현암은 찬구의 안내로 와우산 학도의 묘에 참배하러 갔다 왔다. 봄날이면 혹독한 바람이 오후에 들어서 미칠 듯 불었는데 그 바람을 거슬러 내려왔음으로 몸이 여간만 피로한 것이 아니었다.

하여 찬구의 옆방에서 현암은 저녁 숫가락을 놓자 무섭게 옷도 채 벗지 않은 채 드러누워 한잠 착실히 자다가 잠결에 옆 찬구의 방에서 들려오는 말소리에 깨었다.

"내 죄를 용서해주시오."

하는 것은 떨리는 목소리였으나 들은 법한 음색(音色)이면서도 이내 누구의 것인지 깨달을 수 없었다.

"그게 무슨 말씀입니까."

찬구의 말은 의외라는 듯 놀라는 기색이 역력하였다.

"나를 맘껏 책해주시오."

먼저 목소리는 이런 말을 전하였다.

"⋯⋯"

찬구의 말이 없이 잠잠하드니 잽쳐

"의리부동한 놈이라구 침이라도 뱉으십시오."

하고 찬구의 것이 아닌 목소리가 말하였다.

무겁게 침묵이 벽을 사이에 둔 저쪽 방에 끼어있는 것을 현암도 느낄 수 있었다.

이윽고 찬구는

"최 선생을 나쁘달 사람이 이 세상에 누가 있겠습니까. 최 선생 같이 깨끗한 사람이 몇 사람 되겠습니까. 최 선생같이 의리가 굳은 이가 또 어디 있겠습니까. 뒷일은 염려 마시구 어서 노모(老母)님을 위하여 또 자제분의 성공을 위하여 길림으루 가십시오."

하였는데 그 목소리에 상대편의 딱한 사정을 동정하는 나머지 울 듯 울 듯한 감정을 깨무는 노력이 섞이어 있었다.

"옳지 수석교원 최대봉이로구나."

현암은 수일 전 이사하였을 때 움푹이 들어간 눈과 푹 패인 몸에 양복마저 가난의 때가 꾀죄죄— 스며백인 최대봉씨를 생각하였다.

"간들 어떻게 발이 떨어지겠습니까. 경험이 있는 윤 선생이 그만둔 뒤 석 선생과 리 선생이 주야를 무릅쓰구 열심히 해주셔서 겨우 지탱해나간 것이었는데 내가 빠져나가면 학교를 어찌합니까. 석 선생은 여 선생, 리 선생은 아직 어려서 애—들을 어찌합니까.

밤마다 열심히 모여드는 야학생은 또 어찌합니까."

"무슨 방도가 나서겠지요. 설마 문이야 닫히겠습니까."

"아니올시다. 그것은 다 나를 위로하느라 하시는 말씀입니다. 차마 못 떠나겠습니다. 이대로 떠난다면 지하의 정 선생께서 무어라 하시겠습니까.

아들놈이 졸업을 못 해두 무가내하고 어머님이 그대루 돌아가신대두 무가내할 일밖에 없으니 길림에는 못 가겠노라 전보 치겠습니다."

"그러실 것이 무엇입니까. 길림에 가서 하실 일도 우리들을 교도(敎導)하는 일, 그것은 아동교육보다 범위가 넓고 그리고 현하의 정세로 보아서는 아동교육에 못지 않으시구 어딜 가시든 보람 있는 일만 하신다면 지하의 정 선생께서도 기뻐하시리라 생각합니다."

먼 길로 가는 동행(五)

찬구는 최대봉이를 위로하고 그의 마음을 누기어 겨우 집으로 돌려보내었으나, 최대봉의 말같이 그가 빠져나가는 날이면 학교가 결단 나는 것은 불을 봄과 같이 뻔한 일이었다.

그러나 최대봉이를 붙잡어 둘 수 없는 일이었다. 둘 수 없는 것이 아니라, 그가 여기에 백여 있을 수 없는 일이었다. 물론 목장의 위기에 따르는 학교의 경영난 그것도 교원의 생활비를 제때에 지불할 수 없는 까닭으로였다.

학교는 정학도가 목장을 설치하기 전부터 있는 것을, 그가 인수한 것이거니와, 학도가 인수하자 교사부터 위선 정비하였고, 교원도 비교적 고급으로 초빙해왔었다.

그 외에 지도(地圖)며 괘도(掛圖)같은 것, 거기에 약간의 표본(標本)과 간략한 이화학 실험기구(理化學實驗器具)도 장만하여 촌 학교로서는 제법 탐탁한 설비를 갖추어 三백명의 학동이 오붓이 공부할 수 있는 학교로 만들었다.

학도는 생전에 이 학교의 경영을 북향도장에 앞서는, 그의 사업기관으로서 끔찍이 힘을 들였다. 노인인 그는, 교편 쥐는 일에 전력을 할 수 없었으나, 기회 있는 대로 아동을 모아놓고 훈화(訓話)를 하여

"만주를 사랑하라."

"만주의 우리 고향 아름답게 만들라."

하는 그의 북향정신을 쉬운 말로써 이야기하고 하였다.

밤이면 야학을 열었다. 부녀반, 어른반을 설치하고 누구나 언제든지 와서 배울 수 있게 문을 환히 열어놓았다.

마가둔 주민들은 학교를 중심으로 자연히 모이게 되었고 모여서는 글을 배우는 한편 학도의 북향정신을 귀담아 들을 기회를 자주 가질 수 있었다.

학도는 학교주위에 보기 좋게 수목을 심기도 하고 옮기기도 하였다. 꽃나무도 적당하게 배치해 심었다. 화단을 가꾸었고, 수석(水石)도 적당한 모퉁이에 이룩하는 등, 자연을 이용하여 할 수 있는 풍치를 돋우기에 힘을 썼다.

학교가 마가둔의 공원이라는 것은 더 말할 것도 없으나, 학도의 뜻은 북향정신이라는 것이 별 것이 아니라, 농촌을 학교의 공원과 같은 아름다운 풍치를 가진 촌락으로 만들자는 것이요, 그런 좋은 풍경 속에서 생활의 뿌리를 깊이 박고 멀리를 생각하면서 아늑하게 선량하게 살자는 것이라는 점을 학교의 경치를 표본으로 보여주자는 것이었다.

사실 마가둔 백성들도 학도의 뜻이 과시 옳다고 생각하였다. 전에 마가국 민학교가 경영난으로 문이 깨어지고 벽이 퇴락하고 주위에는 나무도 없어 마치 흉가나 다름없을 때에 애―들은 물론 어른들도 학교 옆에는 가기도 싫더니 이제 와서 교사가 깨끗해지고 그 주위가 아름다운 공원으로 되고 보니 마음이 자연히 학교에 끌리는 것으로 미루어본다면 우리가 살고 있는 농촌도 아름답고 깨끗해지면 마음이 붙고 정이 붙어 살맛도 있겠다고 생각하였다.

학교는 공원이 되는 것뿐이 아니라 집회장도 되었다. 마가둔의 큰일 적은 일에 학교는 공회당으로 쓰이기도 하였다.

여름에는 나무그늘을 임간집회장(林間集會場)으로 썼고 겨울에는 교실에서 난로에다가 장작을 지피여 놓고 도중공론을 하였다. 더욱이 많이 쓰인 것은 결혼식으로서였다. 한지에 차일을 쳐놓고 하든 초례가 학교 서편 강당에서 열리었다.

교육으로 공원으로 집회소로 학교가 마가둔에 끼치는 유형무형한 공덕은 이렇게 큰 것이었다.

먼 길로 가는 동행(六)

그러든 학교가 이제 목장의위기에 영향을 받아, 다시 경영난에 빠지게 디였고 수석교원 최대봉이가 물러가려고 하는 것이었다.

최대봉이도 역시 일찍 정학도의 훈도를 받은 사람이었다.

그가 학도의 부탁을 받아 이 학교에 온 것은 학도가 학교를 마치자 마자였다.

길림에서 역시 교편을 잡고 있든 그는 스승의 사업에 견마지역(犬馬之役)을 다할 각오로 이곳에 온 것이었는데, 이년 남직한 사이 그는 처음의 각오 그대로 기우러져가는 학교를 재건하여 오늘의 훌륭한 것에까지 이끌어 왔다.

그러는 사이에 그의 노력이 얼마나 컸겠느냐는 더 말할 것도 없으나 기와 한 장~과 수목 한그루~에 그의 땀이 배였든 그 학교를 그는 제자 교육이나 다름없이 생각하는 애끓는 정이든 것이었다. 그런 학교를 그는 하직하지 않아서는 안 되게 되었다.

그에게는 길림에 남기고 온 늙은 어머니와 두 아들이 있었다. 맏아들은 사도대학에 둘째는 중학교에 재학중이였다.

칠순에 가까운 어머니는 두 손자의 학교바라지에 몸도 편히 쉬이지 못하였으나 학도가 후하게 주는 급료를 매달, 거의 전부, 보내드리는 것으로 늙은 어머님의 수고를 덜어온 것이 최대봉이의 얼마 전까지의 사생활의 일단이었다.

그러나 목장이 꾀어가는 사정은, 벌써 넉 달이나, 꼬박꼬박 보내든 돈을 끊지 않을 수 없게 되었다. 한 푼의 저축도 없는 그의 경제인 데다가, 때가 겨울이라 길림의 가족은 기한에 떨게 되었다. 더욱 로모는 독감으로 누었다는 소식이 있드니― 감기는 나은 모양이나, 기력이 쾌치 못하여, 추운 방에서, 더운 장국 한 모금 맘대로 못 마시고 신음한다는 소식이 뒤를 이어 날아왔다.

아들애들은 학비의 독촉이 성화같이 하였다.

최대봉은 이 난관을 어떻게 헤쳐 나갈까 정신을 채려 생각했으나 경제적으로 무력한 그에게는 별 방도가 나서지 않았다. 애―들을 학교에서 떼고 가족 전부를 이리로 데려올까도 생각하였다. 애들의 학교 바라지는― 최대봉이는 삼년 전에 여읜 아내를 안타깝게 생각하면서 머리를 흔들었다.

급기야 길림에 있는 어떤 친구한테 딱한 사정을 편지했드니 결국은 어머니와 애―들이 있는 집으로 오는 것밖에 수가 없는데 마침 협화회 청구분회(協和會靑丘分會)에 자리가 하나 있으니 곧 옮겨보는 것이 좋겠다는 뜻의 회답이 왔다. 그 친구는 친절하게도 분회의 그 자리는 벌써 빈지가 오래되었으나 지금까지 적재(適材)를 물색중이였는데 최 형은 적재중의 적재임으로 분회장도 기뻐하여 꼭 부탁한다고 되려 나한테 형을 모셔올 것을 청탁하고 있으니 곧 오는 여부를 회답해 달라 하였고 그러고 보니 급도 상당한 것이라고 액수까지 적어 보내었다.

이 편지는 아침에 받은 것이었는데 설레이는 가슴을 냉정한 머리로서 가라안치고 몇 번이고 몹시 고민한 뒤 교실에 들어가 한 시간 치르고 오니 책상 우에 전보 한 장이 기다리고 있었다.

이 전보에는 "ネスアヤマイ キトワスコイ(조모 병 위급 급래.)" 길림 아들이 친 것이었다.

그날 밤 기차로 최대봉이는 길림에 갔는데 마가둔에서 상상하든 몇 배상으로 길림 가족의 생활은 비참하였다. 겨우 어머니의 생명은 건지었으나 돌아오자니 차마 발이 떨어지지 않았다. 거기에 앞서 편지내왕에 있든 찬구는 분회에 들어갈 것을 간곡히 권하고 전부터 서로 잘 알고 있는 분회장은 친히 대봉이 집에 그를 찾아와서 가림이 없이 당신이 분회 일을 보아주시오 하고 말하였다.

이리하여 미타미타한 가운데 반승낙을 한 모양이였을까. 대봉이 자신도 그는 딱히 기억이 없었는데 돌아와 열흘이 채 못되어 전보환으로 부임여비가 왔다는 전보를 받았다.

먼 길로 가는 동행(七)

전보환과 전보를 바든 최대봉이는 돈이나 전보를 친 사람을 고약하게 여기는 것보다 먼저 자신의 우유부단한 성격과 나약한 의지를 슬프게 생각하였다.

마침 토요일이라 학교에서 일찍 돌아온 그는 책상에 마주 앉아 자신을 곰곰히 돌이켜보았다.

생각하며 생각할수록 자신은 더럽게만 보이었다.

(나는 그러면 몇 푼돈에 의리도 사업도 내아느냐고 팔려 다녀야 되는 사람일까.)

이렇게 내성(內省)도 하였고

(나 같은 것은 이상도 사업도 가져서는 안 되는 법인가.)

슬프게도 여기였고

(처자란 무엇인가, 가족권속이란 무엇인가.)

무상(無常)한 생각도 낫고

(에라 사업이고 뭐고 제 권속 변변히 거느리지 못하는 주제에 그런 것이 당한 소린가.)

자포(自暴)의 생각도 들었다.

그러다가는 문득 정학도의 엄숙한 모습을 생각하고 주춤하기도 하였다.

이렇게 반나절 고민하든 끝에 최대봉이는 그날 밤 찬구를 찾아온 것이었다.

최대봉이와 찬구와의 대화를 벽을 사이에 두고 듣는 것 같지도 않게 엿들은 현암은 최대봉이의 숭고하고도 엄숙한 태도에 감격하지 않을 수 없었다.

그래 그는 최대봉이가 간 다음 사잇문을 열고 찬구의 방으로 넘어가

"오 형 무례한 행동이었으나 형과 최 선생이 이야기를 엿들었습니다. 그리고 나는 혼자 감격했습니다."말하고 잠간 사이를 두었다가

"오 형 나를 무엇에든지 써주십시오. 힘에 닿는 일이면 무엇이든지 할 각오입니다."

목소리가 떨려나왔다.

무얼 골똘히 생각하고 있던 찬구는 현암의 말에 꿈에서나 깬 듯 얼굴에 금시 활기가 돌면서 현암을 마주 보드니 북바치는 감정을 가라앉힌 다음 가만한 목소리로

"현형 고맙습니다."

하고 그의 손을 더듬어 쥐었다.

손을 마주 쥔 채 둘은 오 분은 착실히 아무 말도 없었는데 말이 없는 가운데에 둘은 무한한 이야기를 하였다.

그날 밤 그 뒤에 늦도록 찬구는 현암에게 정학도의 일들로부터 끄집어내어 그의 경력을 세세히 이야기하고 그의 이상인 북향정신의 윤곽을 설명하고 그 이상을 실현하기 위하여 북향목장과 학교를 경영하게 된 경로를 말한 다음 주주들의 배반으로 목장이 위기에 처하여있고 따라서 학교도 경 영난에 빠졌으며 도장의 건설은 그만 좌절되고 말았다는 것을 차곡차곡 이야기하였다.

현암은 비로소 모든 사정을 알았으며 학교의 현상과 최대봉이의 가정형편도 속속들이 알 수 있었다.

둘의 이야기는 자연히 위기를 어떻게 타개하겠느냐는 문제에까지 약간

미치었으나 아직 목장의 분위기를 완전히 호흡하지 못한 현암은 아무런 조언(助言)도 가지지 못하였다.

마침내 최대봉이는 길림으로 옮기도록 권하고 학교 일은 현암이 책임지고 맡아보기로 이야기된 것이 고작이었다.

.

학교(一)

　문을 열자, 복도 어구에 들어섰을 때부터 왁자지껄 떠들든 소리가 뚝 그 치었다. 방 안은 물을 끼얹은 듯 잠잠했으나, 보―얀 몬지는 훅 역한 냄새와 함께 발을 들여놓기 무섭게 현암의 코를 찔렀다.

　"또 장난이었구나."

　생각하면서 현암은 급장(級長)이 웨치는 소리에 따르는 '경례'를 받았으나, 무지스럽게 장난을 하다가도 현 선생을 보자 무섭게 딴전을 피고 금시에 얌 전해지는 애―들의 행동거지가 속으로 우습기도 하였고 사랑스럽기도 하였 다.

　"피―, 이 먼지를."

　현암은 교단(敎壇)에서 내려, 창가로 걸어가 드르륵 창을 우으로 들어 올리 었다.

　"창을 올려요."

　선생의 말이 떨어지기 무섭게 창가에 앉아있든 애들은 신기한 일이나 되 는 듯 제가끔, 드르릭 삐―꺽 소리를 내이면서 창을 올리기에 잠간동안 부산 하였다.

　"선생님이 보신다구 얌전을 빼구, 장난을 안 치구, 선생님이 안 보신다구, 떠들구, 장난을 하구, 그러는 사람 착한 사람일까."

　교단에 올라와 교탁(敎卓)을 집고 현암은 엄격한 표정을 지어가지고 말하였다. 애들은 숨도 크게 못 쉬고 앉았는 것이 고양이 앞에 안친 쥐 갔다고 할까.

"박창덕."

"네—."

대답을 하였을 뿐 박창덕이라는 아이는 선뜻 일어나지 아니하였다.

"선뜻 일어나요."

"예"

했으나, 옆을 보고 뒤를 돌아보고 하면서 역시 우물우물하는 것이 한눈에 벌써 명랑치 못한 아이임이 짐작되었다.

"박창덕."

하고 다시 선생의 음성이 높아지자 그제야 부시시— 일어섰다. 일어는 섰으나, 몸을 곧게 가지지 못하고, 머리를 똑바로 들지 못하고 푹 숙이었다.

"그래, 박창덕이는 그런 사람 착한 사람으로 아나."

"……"

소년의 머리는 더 숙으러 졌다.

딱. 현암은 교편(敎鞭)으로 교탁을 딱 때리었다. 요란한 소리에 애들은 움찔 놀랬다. 그랬으나 그제도 박 소년은 머리를 쳐들지 아니하고 자세히 살피니 소년은 부들부들 떨고 섰는 것이었다.

"앉아요."

현암은 박 소년을 앉게 하였다. 앉아서도 그는 머리를 들지 아니하였다. 박창덕이는 현암이 흥미롭게 여기는 소년이었다. 그는 우락부락하게 생겼거나 불량한 구석이 분명하게 눈에 띈다거나 또는 되바라지거나 할 것 같지는 않은데 학동 중에서 "장난에는 갑돌이요 공부에는 배돌이"라 불리워진 장난꾼이었다.

박창덕은 다른 선생보다는 현암 선생 앞에서는 더욱이 명랑치 못하고 분명치 못하였다. 제가 잘못한 일에 대하여 선생이 책한다든가 하는 경우 주눅을 낀다든가 우물쭈물 미분명한 것은 용혹무괴이겠으나 박 소년은 제가 잘했든 못했든 떳떳한 일이든 글는 일이든 그것은 제쳐놓고 선생 앞에서는 영 오금을 쓰지 못하였다.

이런 경우가 있다구하자. 애들이 도거리로 장난을 하여 선생님께 책망을 듣는다고 하자. 그러한 경우에 애들은 그 주모자를 박창덕이니라고 선생님께 알린다. 선생은

"네가 웨 대장이 되어가고 그런 무지스러운 장난을 하느냐."고 호되게 책망하고 벌까지 세운다고하면 창덕이는 그 장난에 주모는커녕 왼통 끼이지를 않았어도 그렇다는 자기 주장을 못하고 고스란히 그 책망에 벌을 당하는 것이었다. 그럼으로 "장난에 갑돌이 공부에 배돌이"란 별명을 듣게 되는 것도 그가 반드시 장난을 몹시 해서가 아니고 글을 읽기 싫어해서 그러는 것이 아니라 그의 뻣뻣이 자기를 주장하지 못하는 성격에서 나오는 이를테면 누명에 지나지 않는 것이었다.

현암은 전 담임선생이든 석순임한테 박창덕 이야기를 듣고 한 개의 괴상한 성격으로서 연구의 대상을 삼고 있는 것이었는데 이날도 박 소년의 태도가 어떤가 시험하여보느라 그렇게 한 것이었다.

학교(二)

"유수동."

"넷 나쁜 사람으로 역입니다."

"그렇지."

"전길남."

"넷 나쁜 사람입니다."

"나쁜 줄 아는 사람은 손을 들어요."

모다 일제히 손을 치켜들었다.

현암은 치켜든 손과 손 사이를 더듬어 박창덕이를 살피었다.

그는 아까 앉은 채 그대로 손도 들지 않은 것은 물론이려니와 머리도 숙인대로였다.

"이제 그만 손 내려요."

한떼의 바람을 일으키면서 손이 한꺼번에 내려졌다.

"그럼 이 먼지는 웨 생겼는가."

"……"

"급장."

"넷. 애―들이 그러지 말라는데두 듣지 않구 장난을 했습니다."

"누구누구 장난했는가."

"……"

"박창덕이가 했겠지."

현암은 일부러 박창덕이라는데 힘을 주어 말하고 박 소년을 보지 않는체 하면서 그를 살피었다.

급장은 이내 대답이 없었는데 박 소년은 움찔 놀라드니 언뜻 머리를 급장 쪽에 돌렸다가 아까부터 숙인 제자리에 도루 가져오더니 머리를 숙인 그대로 눈을 치떠 이마너머로 선생을 흘끔 치어다보았다.

"누구누구야."

급장은 이름을 대이기는 딱했든지 우물쭈물하고 섰는 것을

"앉아요."

하고 급장은 앉히었다.

"선생님이 들어오시기 전에 장난해서 먼지가 보얗게 나게 한 것, 잘한 일루 아는 사람, 손 들어요."

"한 사람도 없지. 그럼 잘못했다구 생각하는 사람 손 들어봐요."

또 일제히 기폭이나 휘두르는 듯 손이 올라갔다.

"내려요. 그건 아주 좋지 못한 일이요. 그럼 어떻게 해야 될꼬."

"……"

벌이나 세울까 생각했든지 모다 잠잠하였다.

"잘못한 줄 알면, 먼저 고쳐야 된다구, 요전 수신시간에 말씀했지."

애—들은 그제야 벌을 안 세울 줄 알고

"네에—"

대답소리가 명랑하게 나왔다.

"그럼, 다시는, 그런 일 없겠지."

"네—"

네—의 혼성합창(混聲合唱)이 교실을 흔들었다.

"다음 시간에 볼 테야. 또 장난하면 그때엔 어떨까."

"벌 세우십시오."

"때려 주십시오."

"되게 책망해주십시오."

제각기 한마디씩 주어 대답하였다.

"조용히―"

현암은 딱하고 교탁을 때렸다. 애들은 금시에 조용해졌다.

현암은 박 소년을 보았다. 그제야 그는 머리를 들고 있다.

학교(三)

"자 이 시간은 작문시간인 걸 알지."

"네에—."

"전에도 작문 지었겠지."

"네에 지었습니다."

"대개 어떤 제목으로 지었든가."

애들은 웅얼웅얼 할뿐 선뜻 대답이 없었다.

"급장."

"넷."

지명을 받고 급장은 이번에는 더 원기 있게 일어나서 대답하였다.

"봄 농부 우리학교 겨울 난로……. 이런 것이었습니다."

급장은 앉았다.

"그럼 오늘두 그전하든 대루 선생님이 제목을 내어줄 터이니 지어보아요."

현암의 말에 애들은 호기심과 기대에 타는 눈동자를 반작거렸다.

하여 교실은 한동안 숨죽은 듯 고요하였다.

현암은 칠판을 향하여 백묵을 움직였다.

애—들의 시선은 선생의 손끝으로 끌리었다.

칠판에는 "우리 집"이라는 석자가 커다랗게 나타났다.

현암은 백묵을 놓고 돌아섰다.

"우리 집" "우리 집" 애들은 웅얼거리기 시작하였다.

무엇에 실망한 뒤의 소음(騷音)인 것이 확실하였다.

사실 애들은 실망하였다.

"우리 집"이란 제목은 그들의 기대에 너무 어그러진 것이기 때문이었다. 그들은 무슨 굉장한 제목을 기대했든 것이다.

애들은 현암을 소설가요, 글 잘 짓는 선생으로 소개받았다. 그랬음으로 현암이 내거는 작문제목은 전의 예사 선생들이 내거는 제목과는 달라야 할 것이었고, 지금까지 대하지 못했든 중뿔난 것이어야 마땅하다 생각하였다.

했는데 "우리 집"이란 "우리 학교"나 "농부"나 다를 것이 없으니 그같이 실망한 것이었다.

웅얼웅얼하는 소음은 잠깐 그대로 계속되었다.

"웨 이리 웅얼거릴까."

현암은 목소리를 높이 하여 일편 웅얼대는 소리를 누르고

"자, 이것—"

하고 애—들의 주위를 자신에게 모두게 하였다.

"글이란 거짓말을 써서는 안 되는 거야."

"네에—"

공연스레 애—들은 대답부터 하였다.

"대답은 안 해두 좋으니, 잠자코 말을 들어."

"네에."

대답은 말라는데도 또 대답이었다.

울적 짜증이 치밀었으나 이것도 "교원견습생"(教員見習生)의 서투른 솜씨라 그 순간 자신을 눌렀다.

"글을 쓸 때 말이야, 가령, 우리 집이란 제목이 아니야, 그럼 그 우리 집 이

야기를 보는 대루, 느끼는 대루, 생각하는 대루, 조금두 거짓말이 없이 쓰면 그게 작문 짓는 게야……"

생각은 뻔하건만 어쩐지 혀가 잘 돌지 않았다.

"공연히 힘든 말, 아름다운 말, 그리구 문자를 쓰노라 애쓰지 말구, 우리가 보통으루 날마다 쓰는 말루서 쉽게 누구든지 알어볼 수 있두룩……"

이렇게 말을 하다가, 백란천(白樂天)이가, 시를 지어가지고, 농부에게 몇 번 보이여, 그 농부가, 해득할 때까지, 자꾸 고치었다는 고사(故事)도 생각났고 플로베르의 일사일어론(一事一語論)도 생각났고 졷이스의 구부렁~한 문제, 조선 모모작가의 요설(饒舌)로서 꾸려나가는 독특한 문장도 뒤섞여 생각나서, 작문 짓는 법 설명이 도무지 분명하지 못하였다.

학교(四)

"결국 알기 쉽게, 거짓말 없이…"

하고 현암은,

"알었지 글 짓는 법을."

자신의 설명이 모호하지만은 강력히 애들에게 인식시켜야 된다는 초조스런 마음으로 말하였다.

"네엣"

애들은 정말 현암의 설명으로 알아듣고 그러는지 몰라도 그저 예에— 해야 되느니라 해서 그러는지 대답소리만은 믿음직하였다.

"그럼, 연필과 종이 내놓아요."

달그락, 뚝딱, 부스럭, 부산하드니 그것도 조금 후에는 잠잠해졌다.

"조용히들 쓰란 말야."

"네에—"

애들은 종이에 빨리듯 일제히 온몸을 숙이었다.

연필이 종이 우에 글키는 소리뿐 방 안은 고요했다.

햇볕이 환히 들이비치는 교실이었다.

갓 칠해 논 칠판에 "우리 집"이란 글자가 한층 또렷하다.

다른 교실에서 독본(讀本)받아 읽는 소리가 들려온다.

운동장에는 어느 사이엔지 여 선생이 치는 풍금을 한가운데에 두고, 여학도들이 원(圓)을 치고 나서 손을 머리 우에 얹었다, 하늘을 향해 치들었다, 하며 율동 유희를 하고 있다.

유리창너머로 유희하는 광경이 영화의 장면같이 내다보인다.

머리속이 찡 울리는 것 같은 정적이었다.

현암은 애들의 책상사이를 거닐면서 이 정적에는 마음이 지긋해지는 것이었다.

그의 뒷벽에 등을 기대고 섰다.

그의 눈앞에는 갖은 정념(情念)을 짜내노라 이리 꺄웃 저리 꺄웃 하는 애들의 새까만 머리들이 오글오글 가냘핀 목덜미와 함께 뒤으로 보이었다. 사랑스러웠다.

현암은 그러한 사랑스러운 머리들을 내다보면서 애들을 가르키는 일은 미술품을 창작하는 것과 마찬가지 과정일 것이라 생각하였다. 소재(素材)를 다루어 거기에 작자의 사상이나 정감(情感)을 뛰놓게 표현하는 것이 예술창작이라면 백지의 아동을 한 개의 완성인간으로, 적어도 완성되어 가는 길에서 인도해나가는 교육의 과정, 그것은 그대로 예술창작의 과정이 아닐까.

(좋은 창작을 하자.)

(좋은 교육을 베풀자.)

현암은 갑자기 아동교육에 향하는 열의가 창작욕과 함께 마음속으로부터 용솟음쳐 올라옴을 깨달았다. 그것은 창작의 동기가 되는 령감(靈感)이 찾아올 때, 가슴에 확 불이 일어나고, 심장이 고동하는 것과 마찬가지의 현상이었다.

현암은 기뻤다. 첫째로 기쁜 것은 벌써 오래전부터 곰팡이가 쓸었다고 생각하였든 창작욕이 갑자기 맹렬한 기세로 재연(再燃)함이었고, 내가 남을 가르키는 데 흥미와 열의를 가질 수 있을까, 생각하였든 의아(疑訝)가 완전히 달아나고만 것이 둘째로 기쁜 것이었다.

현암은 문단(文壇)에서 일러 가르되, 개척민작가(開拓民作家)라고 하였다. 또 만주의 농민작가(農民作家)라고도 일컬었다. 그가 주로 취재하여온 것이 선구 개척민(先驅開拓民)의 고난사(苦難史)였었음으로 그리고 개척민의 이야기를 써 왔음으로써 농촌이 배경이 되고 농민의 생활을 그리지 않을 수 없었다. 함으로 이러한 칭호를 받은 것이었겠으나 사실 그는 삼십이 가까운 오늘까지 보릿단 쥐어보지 못하고 볏모 하나 바로 꽂아보지 못한 사람이었다. 문학적인 높은 교양과 세련된 지성(知性)과 섬세한 정서(情緖)와 훈련을 쌓은 그는 어느 면이냐 하면 문장(文章)에 극히 신경질(神經質)이요 표현에 심한 세련을 고집하는 이를터이면 순예술파에 속하는 작가의 소질을 가졌다. 그리고 그가 건강이 여의하여 동경에 눌러있었던들 또는 서울에서 지탱할 수 있었던들 그는 그러한 작가로서 혹 그러한 작품을 썼을지도 모르는 일이었다. 그리고 어떤 작가의 아류(亞流)가 되었을는지 모르는 일이었다.

학교(五)

그러나 현암은 부조(父祖)가 이룩하여 놓은 이 땅 만주의 어버이의 집에 돌아와서 몸을 휴양하고 있는 동안에 고로(古老)들에게서 귀로 듣고 문헌으로 상고하고 그리고 어릴 때(그는 열세 살에 만주에 들어와 소년시절을 지냈다)에 그 자신이 경험한 바를 증언하며 얻은 상념(想念) 즉 부조 개척민의 고투사(苦鬪史)를 쓰기로 하자 그들의 고난을 후배인 우리가 회고추상(回頭追想)하여 글자로 남겨둔다는 것은 첫째로 그들의 고난에 대한 후진으로서 응당 있어야 할 감사의 표시도 되는 것이요 이 곳에 살고 있고 또 뿌리를 파고 발전하려는 동포에게 선진자의 고난을 알리는 역할도 되는 것이라 생각하고 현암이 처음으로 붓을 든 것이 「동트는 대지(大地)」였다. 이러한 동기였고 담겨있는 이야기가 생생한 것이어서 붓끝에 지질구레한 기교와 재주를 희롱할 여지가 없이 문장은 소박하고 진실치 않을 수 없어 이 작품은 독자에게 적지 않은 감명을 주었었다.

첫 작품에 성공한 현암은 그 후에도 수삼편의 그런 종류의 작품을 써서 문단적으로도 기대를 받는 작가가 되었으나 문단의 기대보다는 그의 어깨를 무겁게 한 것은 (부조가 괭이와 호미로 한일을 붓과 원고로서 해야 된다)는 생각이었다. 이것이 문학인의 만주개척에 다하는 이바지라 생각하였다.

그는 다시금 만주에 있는 조선 사람의 생활을 속속들이 알려고 하였다. 그리고 어떠한 문학이 가장 재만 동포의 정신의 양식이랄 수 있을가 생각하였다. 개척민과 농민의 생활을 그리고 개척자와 농촌의 문제를 살피는 문학이 바로 그것이라 그는 문제없이 결론을 지었다. 그 방면에 손을 대어오든 그로서는 아전인수(我田引水)인 것이 아니라 오히려 당연한 결론이 아닐 수 없었다.

그는 문화개척민(文化開拓民)이라는 자각을 가지고 일을 하고 또 일을 하려는 몇몇 친구의 힘 있는 격려와 편달을 받아가며 개척지의 연구와 실지답사를 게을리 하지 아니하였다. 기회 있는 대로 전만에서 이름난 농촌 개척지 농장, 목장을 찾아다니었다. 수첩에 적어두기도 하고 참고문헌도 적지 아니 수집하였다. 그러나 농촌생활의 경험이 없는 현암인지라 수첩이며 문헌을 암만 뒤저긴댔자 그것은 탁상의 죽은 글자에 지나지 아니하였다. 그것으로는 생생한 농촌소설이 씌여지지 아니하였다.

(작가가 되기 전에 농촌 인이 되자.)

현암은 생각할밖에 없었으나 지금까지 뼈에 배어 들었든 도시생활을 화끈히 버린다는 것은 생각하기는 쉬운 일이나 좀체로 실행에 옮기기 힘든 일이었다.

그럼으로 매부 마준영의 소개로 찬구의 목장에 오게 된 것은 누나가 가까운 곳에 살고 있다는 것이 쉽게 움직일 수 있은 동기는 되었으나 현암의 작가적 정열이 남달리 높다는 까닭도 있는 것이었다.

작가적 정열이 불타는 품으로 한다면 학교에서 교편을 잡은 것도 그것이다. 남에게서 배움을 받어 본인은 배웠으나 교편을 쥔 어린이 앞이지만 일찍서 본 일이 없는 그가 최 교원의 사정을 엿듣고 선뜻 대신으로 나서겠노라 하였고 그 후 실제로 교단에 올라선 것이 학교의 딱한 사정에 일을 다 한다는 의협심보다도 농촌사정을 알기 위하여는 아동과 접촉해야 된다는 작가 공부를 위함이었다. 더욱이 박청덕 소년의 이상 성격(異常性格)을 연구하기 위하여 작문숙제를 일부러 "우리 집"이라 내걸고 박 소년의 가정상태를 알 겸 그의 두뇌의 활동도 살피려고 하였고 나아가서 중언부언 말한 것도 작문의 요체(要諦)가 그것이라야 마땅해서 그런 것 이외에 어떻게 하는 꾸밈이 없는 가정상태를 끄집어내어 볼까 하는 생각에서였다.

학교(六)

"선생님."

"왜."

교실 안 정적은 한 아희의 선생을 부르는 소리로 깨어지고 말았다.

"잘 되지 않습니다."

"그래?"

선생의 말이 붙들어 왔음으로 애들은 긴장이 풀려 제가끔 말을 하였다.

"힘듭니다."

"우리 집에는 쓸 것이 없습니다."

"어떻게 쓰면 잘됩니까."

애들이 중구난방으로 떠드는 소리를 들으면서 현암은 무슨 예문(例文)이나 있었으면 하고 생각하였으나 서투른 교원인 그는 그런 준비를 하지 못하였다.

그래 얼른

"자 떠들지 말구."

하여 애들을 제지해놓고

"만약 말이야, 우리 집에서 개가 새끼를 낳았으면 그 새끼 난 이야기를 그대로 쓰고 할머니가 돌아가셨으면 그 돌아가시든 날의 이야기를 그대로 쓰되 장례지내든 일 할머니가 돌아가셔서 슬펐든 이야기를 본 그대로 있은 그대로 느낌 그대로 쓰면 되는 거야."

하고 나서

"가령 개가 새끼 난 날 이야기라면 이런 글로 쓰면 되지 않을까."

그리고 눈을 감고서 입으로 내리 외이었다.

"어제 아침의 일이었다. 이불속에서 함께 장난하든 동생과 나는 '검둥이가 새끼를 나앗다.' 하시는 어머님의 말씀을 듣고 뛰어 일어났다. 옷을 주어 입기 무섭게 뛰어나갔으니 외양 옆 개자리 앞에는 어느 사이에 아버지께서도 나와 계시었다. 검둥이는 지긋이 누어있었고 홀쭉해진 배에 강아지들이 오글오글 젓을 찾느라 서성대인다. 몇 마린가 하시는 아버지의 말씀에 우리는 헤어보았다. '하나, 둘, 셋, 넷, ……. 모두 여덟 마리입니다.' 어 여덟 마리에 동생도 나도 여덟 마리나 되는 것을 알고 놀랐다. '여덟 마리야 하시고 아버지께서 입가에 웃음을 띄우셨다.' 그때 깨앙소리가 나면서 이마에 흰점이 백인 놈이 어미 등 너머에서 발발기여 넘어온다. '야아—또 한 마리'하고 동생과 나는 소리를 질렀다. 모두 새까만 검둥이가운데서 흰점 백이는 유난히도 사랑스러웠다.

흰점 백이는 내거야, 나는 먼저 말하였다. 그랬는데 동생은 그건 내거야, 하고 언니는 다른 걸 가져, 하였다. 나는 고놈이 좋기는 하였으나 동생을 주기로 하고 다른 것을 집었다. 어미검둥이가 혀로 핥아주는 새까만 것 또 복슬복슬 귀여웠다. '조게 그럼 내거다.' 했는데 동생은 또 '고것두 내거야,'하고 욕심을 부리었다. 그럼 흰점 백일 날 주어. 그것두 내거야. 그럼 강아지가 모두 네 거냐. 그래 모두 내거야. 나는 왈칵 골이 낫다. 욕심쟁이— 누가 욕심쟁이야. 네가 하고 동생의 볼통을 쥐어박았다. 동생은 으앙하고 울음을 터뜨렸다. 어머니께서 '또 쌈질이야 식전부터'하시고 부지깽이를 들고 부엌에서 나오셨다. 나는 부지깽이에 얻어맞지 않으려고 살짝 문밖으로 도망질하였다." 애—들은 입을 하 벌리고 재미있게 듣고 있었다.

현암은 손수건으로 입을 닦았으나 문득 애들 앞에서 이렇게 원고도 없이 줄줄 내려 외는 것이 교육상 경솔한 것이 아닐까 더욱이 지금 외인 "우리 집"은 현암의 뇌 속에서 소설적으로 구성한 관념의 "우리 집"이 아닐까 생각하였다.

"어, 재미난다."

하는 소리가 구석에서 낫다.

"흰점 백이는 내거야."

하는 아희가 있었다. 이 소리에 따라 몇 아이는 킥킥 웃었다. 현암도 웃었다. 선생이 웃는 바람에 애들도 마음을 놓고 웃는 것이었다.

"선생님."

그 웃음판에서 아희 하나가 선뜻 일어낫다. 애들의 시선은 그리로 몰리었다.

"왜."

"우리 집에는 소가 새끼를 낳습니다."

애들은 또 웃었다.

"선생님, 우리 집에는 돼지가 새끼를 낳습니다."

"우리 집에는 어머니가 애기를 낳습니다."

연방, 이런 말들이 이 구석 저 구석에서 일어낫다.

잠깐사이에 교실은 명랑함을 되찾었다.

학교(七)

하학종소리를 듣고 다 지은 아희의 작문원고는 모여가지고 채 끗을 못 마친 애들은 집에가 지어오라 이르고 현암은 사무실로 나왔다.

사무실에는 찬구도 리명곤이도 석순임이도 벌써 나와 있었다.

찬구는 최 교원이 길림에 간 후 현암이 학교일에 익을 때까지 교무를 도아주지 않을 수 없어 교수까지 약간 도와주는 것이었다.

"작문이었습니까. 어디 의사나 표시할 줄 아는지요."

찬구는 현암이 책상 우에 갖다 놓은 것이 작문원고인줄 알고 말하였다.

"네, 애들의 글이란 오히려 재미있어요. 우리 집이라구 제목을 냈는데 작문을 통해서 위선 애들의 가정과 접촉해 보려구요."

찬구는 작문 한 가지를 가지고 소설공부도 될 수 있고 애들의 글 짓는 공부도 될 수 있다면 이에서 더 조흔 일은 없겠다 생각하였으나 어느 모로든 현암이 아희들을 가르치는데 흥미와 열의를 가지는 것이 기쁘기 짝이 없었다.

현암은 교의를 끌어 제 책상에 마주 앉더니 이내 작문원고를 집어 들고 읽기에 열중하였으나 이러한 현암은 그의 오른편 두어 책상 지난 석순임이 옆에서 흘금흘금 곁눈질 해보는 여성이 있었다.

그 여성은 현암이 들어오기를 훨씬 전부터 석순임이와 마주 앉아 웃고 떠들고 자못 명랑하게 이야기를 하고 있었는데 현암이 들어오자부터 도무지 옆 사람에게 조심이라고는 없는 전까지의 태도를 확 변하고 몹시도 얌전해졌다. 얌전은 해졌으나 그것은 마음이 착 가라앉아서 그런 것이 아니라 도리여 마음의 파동이 심하여져서 그 파동을 억누르려는 처사인 것이 그의 안절부절 못하는 몸가짐으로 역력히 알 수 있었다.

그는 찬구와 현암의 대화(對話)를 듣지 안는다하면서 다 들었고 안경 우에 내리덮이는 머리카락을 치켜 올리면서 입가에 방긋이 웃음을 띠고 원고를 읽고 앉았는 현암에게 시선을 보내지 않겠다고 애를 쓰면서도 급기야 무엇에 끌리듯 그리로 머리를 돌리고 머리를 돌렸다가는 아차하고 곁눈질 하다가 들킨 사람모양으로 당황해하고 하였다.

그 여성은 오찬이었다.

찬이는 견습소 용무로 목장에 볼일이 있어서 오늘 온 것이었다.

찬이는 여학교에 다닐 때부터 이것저것 소설을 많이 읽어 동무들 사이에도 문학소녀로 지목을 받았었는데 직접 작가를 면견해본 일은 없을 밖에 없었다.

이런 찬이었음으로, 그가 열중이 읽은 「동트는 대지」의 작가, 현암을 눈앞에서 보게 되었을 때, 첫째 이상한 압박감(壓迫感)을 느꼈어야 마땅할 일인데 찬이의 눈에 비친 현암은 부드러웠고, 상냥하였고, 나긋나긋하였고, 그리고 어려보이기는 하였으나, 친밀해질 수 있는 남성이었다. ─이렇게 그때의 찬이의 감정을 그럴 듯이 설명하는 것은 어떤 행동의 뒤에 가리여있는 심리를 그럴싸하게 단정하지 않고는 안심이 안 되는 이야기꾼의 얄궂은 습관으로 말미암음이지만은, 그때의 찬이의 심리가, 우에 지적한 따위가 결코 아니고, 그저 가슴이 두근거리었고, 까닭 없이 부끄러웠고 했든 것인지도 모른다.

하여튼 찬이의 행동이 모호했든 것은 사실이었고, 가슴이 설레이는 것은 사실이었는데 이런 찬이의 가슴속은 헤아리지도 못하고 순임이는 농까지 섞어 말하는 것이었다.

"이, 농촌 배격자, 요즘은 갑갑증이 좀 덜렸소?"

학교(八)

석순임이는 말을 이어

"이번에는 무슨 재료(材料)를 가지구 왔소."

하고 웃었다.

재료란 농촌배격의 재료를 이름이다. 찬이의 농촌배격은 철저하여 여자 기예 전습소에서 일을 보게 된지 불과 두어 달되나 마나하였는데 석순임이를 찾아올 때마다 전습인 농촌처녀들의 흉을 이야기하곤 하였다.

어떤 때에는 "촌 계집애들이 순진하다구? 의뭉하기 루는 속에 노친이 두어 개씩 들어앉았지 않구" 하였고 "거짓말 잘 하구 음해질 잘 하구 도적질 잘 하구" 하며 요전번에는 기숙생사이에 돈 잃어버린 사건이 생기여 애먹든 이야기를 펄펄 뛰며 말하였다. 올 때마다 새로운 사실을 가지고와서 "이래두 농촌사람이 순진해요? 순박해요?" 하고 순임이가 마치 농촌처녀의 대변자나 되는지 대들다시피 하였었다.

그랬다고 하여 찬이의 흥분이 무슨 근거가 있어 그러는 것이거나 깊은 관찰의 결과로서 나온 것이 아니고 아직 여학생 티가 채 못 벗어진 철없는 찬이의 일시적 괴벽의 소치임을 잘 아는 순임이는 찬이가 그런 말을 할 때마다 방긋이 웃음을 띠고 듣기만 하였다.

(언제 철이 드나.)

생각하면서

그리고는 찬이가 말을 끄집어내기 전에 미리

"이번에는 무슨 재료요."

하고 했었는데 이번에도 예사 때와 마찬가지로 말한 것이었다.

했는데 예사 때 찬이었으면 "언니 별일두 다 있지 않겠수" 하고 웬만한 사내 볼통 쥐어지를 형세로 무슨 이야기든 늘어놓았을 것이로되 이때의 찬이는

"뭐."

들리는 둥 만 둥 입속으로 말하는 품이 갑자기 지각이든 것 같았다.

"오호 찬이두 얌전해질 때가 다 있구나."

순임이는 속으로 생각했으나 찬이가 얌전해진 까닭이 현암에게 있는 줄을 생각하려고도 하지 않았다.

"석 선생 미안합니다만 사이 있는 대로 이걸 세 통만 복사해주시겠습니까."

찬구는 순임이의 옆에 와서 붉은 선을 그은 양면 괘지에 철필로 쓴 것을 순임이에게 준다.

순임이는 공손히 그것을 받았다.

찬이는 얼른 머리를 돌리었다.

"그리고 이력선 쓰셨습니다."

찬구의 말에

"쓰긴 썼습니다마는 글씨가 말이 아니 여서요."

하고 순임이는 책보를 헤치 드니 책갈피에서 이력서 쓴 것을 내어들고 수줍은 듯, 애교를 머금은 듯 얼굴이 살짝 발개진다.

찬구는 그러나 엄연하게 받아가지고, 제자리에 돌아가려고 몸을 돌리려다가

"아, 참 찬이 너 현 선생께 인사 안 되렸지."

말하고 현암더러,

"현 선생, 내 동생이외다."

하고 찬이를 소개해주었다.

작은 원고를 읽든 현암은 불쑥 일어나,

"저 현암이올시다."

하고 허리를 굽실, 무뚝뚝하다면, 그러할 수 있을 초면 인사를 하였다. 찬이가 말이 없이, 아주 공손히 경례를 하노라고 하였다.

"쟤—가 아주 문학소녀입니다. 현 선생 작품에 독자인걸요, 허허." 찬구는 제자리에 가서 앉으면서 말하였다.

"부끄러운 일입니다."

인사를 굽실, 마치자 이내 원고를 읽노라, 별로 찬이의 얼굴도 뜸뜸이 살피지 않았든 현암은 찬구의 말에 이렇게 감사의 뜻을 표하면서 머리를 들어 찬이를 다시 한 번 보았다.

그때 찬이도 흘끔 오빠가 말하는 쪽을 보았는데, 그의 시선이 현암의 시선과 서로 마주쳤다.

이때, 사무실 널판자 밑 창문이 드르릉 열리드니, 그쪽에 머리를 돌린 찬구의 눈에 띈 것은 쓰루하라 둔장의 빼빼마른 몸이었다.

"오 선생, 여기 계시군요. 경찰서에서 손님이 오셨습니다."

둔장은 없으면 어쩔까 걱정해온 찬구가, 바로 여기에 있는 것이 다행한 듯, 얼굴이 금시에 유해지드니, 찬구가 일어나려니 하려는 행동에는 주의도 않고 훌쩍 복도 편에 몸을 돌려

"계십니다. 어서 들오십시오."

하고 안내해 온 사람에게 말하였다. 그리고 사무실에 들어왔는데, 그의 뒤에 따라들어 온 사람은 정복은 하지 않고 협화복을 입었었다.

새 구상(構想)(一)

동경에 건너간 박병익이는 A재벌의 사원(社員)과 교제하게 되었는데, 그 방법과 경로가, 이전 다른 회사 때와 대동소이하였으나 한 가지 다른 것은 그가 일찍 '패업하였다'든 '재만 조선인대표'를 조금 수정(修正)하여 '선계지사(鮮系志士)'로 자처하고 대어든 점이었다.

스스로 일러가되 나는 만주에다 이상 농촌을 건설하려는 위대한 포부를 지고 있는 사람이다 하였고 그 사업의 제一보로 목장(牧場)과 학교와 농민도장을 경영하고 있노라 하였다.

"나의 이상은 일언이폐지하면 북향정신 즉 북변(北邊)에 다시 말하며 만주에 고향을 이룩하자는 것이외다."

하고 정학도의 이상과 사업이 제 것인 것같이 설명하였다.

그리고는 현재 경영난으로 학교도장, 목장이 존폐의 위기에 처해 있다는 것을 눈물겨웁게 이야기하였고 다른 사람들은 수수방관만하고 있어 협력하려는 사람이 하나도 없는 것은 고사하고 도리어 일을 훼방하고, 망클어 놓으려는 사람이 수두룩하니 이런 나쁜 사람들이 어디 있느냐고 재만 조선 사람들은 이기적(利己的)이요 그 돈 아느니 그 돈이라는 것도 정업으로 벌려는 것이 아니라 일확천금의 부정한 업으로 얻으려 느니 하고 조선 사람의 폐담을 펄펄 뛰면서 하였다.

그리고는 탄광을 양도하자는 것도 북향촌 건설사업비를 얻자는 고육책

(苦肉策)이라 비상한 표정을 지어가며 결론을 맺는 것이었다.

병익이로서는 물론 위신은 위신대로 돋구어가면서 상대편의 동정을 사서, 얼른 그리고 순조롭게 탄광을 넘겨버리자는 것이 계획이겠으나 그러나 대 동경이 그렇게 어수룩한 곳이여 서야 될 말이 아니다.

학도의 이상(理想)에 애당초 가담은커녕 그 이상에 반기(叛旗)를 든 가장 유력한 병익인지라 북향정신을 이해할리 만무했으니 아무리 그럴싸하게 꾸며 이야기한다하여도 신념과 인격에서 나오는 학도의 이상을 그대로 상대편에 이해시킬 수는 없는 일이다.

하여 그가 그의 이야기를 그럴 듯이 듣는 젊은 사원에게 신이야 넋이야 하고 북향촌의 이상을 늘어놓는 말 가운데 듣기에 온당치 못한 생각을 품었다고 지목받아도 할 수 없을 모호한 점이 있은 것이었다. 이것이 어떻게 되어 경찰당국에 알려졌고 당국에서는 일찍부터 병익이의 신분을 철저히 알아보려든 참이었음으로 이내 병익이의 본적지와 현주지 경찰에 신분조사를 의뢰하는 동시에 북향농촌에 대하여도 그 내용을 알려달라고 한 것이었다.

쯔루하라 둔장이 안내하여 온 경찰서원은 이런 경로로 병익이의 신분조사 겸 목장의 내용조사차 찬구를 찾은 것이었다.

마침 상학종이 울리어 교원들은 이내 교실로 들어갔고 찬이는 학도의 부인 윤 씨에게 가겠노라 나가서 사무실에는 주객 세 사람만이 남아있게 되었다. 찬구와 서원과의 명함을 교환한 인사는 벌써 끝났지만 둔장한테서 대강 목장의 내력과 찬구의 위인을 소개받았음인지 서원의 태도는 이외에 나긋나긋하였다.

서원은 목장을 세운 동기 목장의 연혁(沿革)이라고 할까 지금까지 지내온 일 경영체 이제 건설하려는 도장 학교와 목장의 관계 등등을 비교적 자세히 물어 찬구가 대답하는 대로 수첩에 기록한 다음 박병익이와 목장과의 관계를 고치고치 캐어 물었다.

"그럼 박병익이가 목장이나 학교를 건설하고 경영하는 것은 아니란 말이지요."

"병익씨는 처음부터 주주로서 돈을 투자했을 뿐이지 경영이나 더욱이 정신적 지도에야 관계없는 사람이요."

찬구는 박병익이가 정학도에게 은혜를 진 이야기로부터 최근에 와서 은혜와 의리를 저버리고 배반한 행동까지를 쭉 이야기하려 하였으나 옆에 제삼자인 둔장이 있어 둥글게 말하였다.

"그러면 북향정신이란 것도 박병익이가 제창한 것은 아니겠군요."

"여부가 있습니까. 정 선생의 만주교육사업 二十여년간에 얻은 신념과 인격에서 나온 위대한 정신이지요."

"흠흠 잘 알았습니다."

새 구상(構想)(二)

서원은 수첩을 접어 책상 우에 놓으며 머리를 끄덕끄덕하였다.

"그러면 북향정신이란?"

하고 그는 호주머니에 손을 가져가는데 이것이 담배 갑을 꺼내려는 행동임을 얼른 눈치 차린 둔장은 "여기 있습니다." 하고 그의 앞에 놓여있는 <협화>갑을 집어 한 대를 빼어 서원에게 주었다.

이때 석순임이 그 뒤를 이어 명곤 두 교원이 시간을 끝마치고 들어왔고 그 뒤에 애들 몇이 우루루 따라 들어와 사무실이 갑자기 부산해졌다.

"북향정신이란 별 것이 아니지요."

찬구는 말하려고 서두를 끄집어내는데 <협화>에 불을 붙이던 서원은

"좋습니다."

하고 찬구의 말을 제지시키고

"미안하지만 내일아침 열시쯤 서에 나와 주실 수 없을까요."

말하였다.

"목장과 도장에 대한 참고서류를 가지고 오시오."

이윽고 서원은 돌아갔는데 갈 때에 또 이렇게 말하였다.

이튿날 아침 찬구는 목장건설 취지서, 도장건설 계획서, 결산 보고서 등등 목장에 관한 관계 참고서류를 가지고 현성에 나아가 경찰서에 출두하였다.

어저께 학교에 찾아왔든 서원은 찬구를 사무상 옆에 동그란 의자를 가져다 가까이 앉으라 한 다음 한참 심각한 표정으로 찬구가 내어준 참고서류를 뒤적거려 보드니 잊었든 것이 생각난 듯

"북향정신을 자세히 말해보오." 하고 어제 미진했든 이야기를 끄집어내었다.

찬구는 비교적 자세히 또 구체적으로 설명하였고 서원은 혹은 머리를 끄덕이고 혹은 기우뚱해가며 찬구의 말을 빼지 않고 듣고 있었는데 가끔 왕청같은 말을 들어 북향정신이란 불온한 생각이 아니냐 하는 것을 밝히려는 태도도 있었다.

그랬으나 급기야 서원도 학도의 이상을 십분 이해하였다. 즉 부동성이 많은 조선농민으로 하여금 한 농촌에 정착케 하여 농업 만주에 기여케 함은 건국정신에 즉한 것이요 제 사는 고장에 애착을 부침으로서 일로 증산에 매진하여 곁눈을 뜨지 않게 하는 것은 농촌사람의 생각을 온건히 하고 똑바른 길로 인도하는 일이고.

학도의 정신에 대하여 석연(釋然)히 이해를 가진 서원은 그제서야

"바쁘실 터인데 오시라 했고 시간이 너무 걸려 미안하지만은 박병익이는 대체 그 정체가 무어요."

하고 어제 오늘 수고 끼친 것은 병익이가 동경에서 수상한 언동을 한 탓으로 조회가 온 까닭이었다는 것을 말하였다.

서원은 다시 병익이의 수상한 언동이란 것을 단편적으로 들려주어 찬구는 그제서야 그 사이의 일을 알 수 있었다.

(정 선생의 은혜와 의리를 배반하고 도리어 정 선생 행세를 하고 다녀.)

찬구는 어처구니가 없었으나 왈칵 의분이 일는 것을 억제할 수 없었다. 그는 병익이와 학도와의 관계 목장은 허물어 먹으려는 최근의 일을 아는 대

로 다 이야기하였다.

"나쁜 사람이군."

서원은 찬구의 말이 아니라도 병익이를 옳게는 알지 아니하였으나 더욱 그를 나쁘게 생각하여 그의 뒤를 좀 더 파보고 싶어졌다.

그날 이후 경찰서에서는 이기철이를 비롯하여 목장의 중요한 주주들에게 묻기도 하였고 다른 방면으로도 탐지하여 이내 병익이가 목장을 은행에 저당한 사실을 알았고 목장을 저당한 경로에 수상쩍은 점이 있어 더 추궁한 결과 홍 지배인이 박병익이와의 탄광양도 건으로 은행공금에 손을 대인 동티를 메우려고 부정대부를 한 사실이 탄로되었다.

홍 지배인은 이내 검거되었다.

지배인이 검거되든 날 거의 동시에 지사연하며 기염을 토하고 있든 병익이는 탄광양도 교제석상인 어떤 요정에서 신원조회에 대한 회답 겸 구금해 달라는 현성 경찰서로부터의 의뢰전보를 받은 외사과원(外事課員)의 손에 검속되었다.

홍 지배인이 은행에서 축낸 돈은 五만원 남짓하였다.

은행에서는 이내 이 돈의 정리에 착수하였는데 부정대부의 장본인 목장이 처분되게 된 것은 더 말할 것이 없다.

이리하여 정학도가 죽은 후 장근 넉 달 동안이나 이 발끝에 못 질리우고 저 발밑에 짓 밟히우든 북향목장은 이제 마침내 험한 고비에 다닥친 것이었다.

새 구상(構想)(三)

이번 고비로서 영영 남의 손에 넘어갈 수도 있고 그렇게 된다면 학도의 유업이 눈앞에서 여지없이 허물어지게 되는 이 목장의 최후인 난국을 어떻게 개척해나갈까— 찬구는 밤잠을 자지 못하고 목장을 건지기 위한 새로운 구상(構想)에 몰두하였다.

그러나 모두가 경제문제로 귀착되었다. 돈 문제로 귀착되었다. 열성도 희생도 진정도 이런 정신적 이바지가 용허한 까닭이 없는 물질이 문제 해결 의 안 하나인 열쇠였다.

둘러보아야 경제적으로는 미약하기 짝이 없는 주위, 찬구는 슬펐다.

(그러면 선생의 유업은 이것으로 마감이 되나.)

찬구는 울기도 하였다.

(황천의 선생이시여! 굽어 살피소서.)

학도의 묘 앞에 몸을 내던지고 울부짖기도 하였다.

(이것이 선생의 교훈이시든 시련이리까요. 그리고 시련이라고 달게 받사오리까. 그러나 너무도 심한 시련이요, 혹한 시련입니다.)

이러든 어느 날 찬구는 마준영이를 그의 집에 찾아 가슴속에 부글부글 괴여있는 비탄과 울분을 털어놓았다.

포근포근한 날 석양 유리창 밖 멀리 돌담 너머로 빨갛게 만발하여있는 살구꽃을 내다보면서 마준영이는 평소의 경쾌한 태도를 버리고 신중하게 찬구의 애타는 호소를 듣고 있는 것이었다.

"이 선생 찾아뵈었는가? 이 문제로."

묵묵히 찬구의 이야기를 듣고만 있던 준영이는 찬구의 말이 동강이 나는 틈을 타서 이렇게 물었다.

"찾어뵙구 말구가 있겠는가. 그러나 이 선생인들 어쩐단 말인가. 선생이 민망하시는 양 뵙구는 자주 찾아 마음을 아프게 해드리는 것이 되려 죄스러워 인제 이 문제로 찾아뵈옵지 않기로 했네."

"으음."

팔을 깍지로 걸어 양편 겨드랑이에 끼고 의장에 몸을 기대듯이 앉아있든 준영이는 입을 한일자로 닫아 물고 지그시 눈을 감고 심각하게 무엇을 생각하였다.

이윽고 준영이는 잠에서 깬 듯 움찔 몸을 가누더니

"목장이 아직 처분된 것은 아니겠지."

찬구더러 물었다.

"아직 누구에게 넘어간 것은 아닌 모양일세."

"물론 경매로서 처분하겠지."

"그렇게 되겠지."

"목장을 얼마 정도로 처분하면 홍 지배인 쓴 돈 메우게 되는지 알아보지 못하는가."

"뜬소문에는 五만원이 비는데 병익이와 지배인의 재산 남은 것 정리해 三만원은 갚을 수 있다니 목장을 처분한다면 二만원 정도일 것."

"二만원. 二만원……."

준영이는 二만원을 뇌이면서 다시 눈을 감고 입을 꾹 다물었다.

"二만원 있으면 목장은 살릴 수 있겠다."

준영이는 눈을 감은 채 혼잣말 같이 중얼거리더니 또 잠이 든 것같이 잠잠해졌다.

찬구도 말이 없을 밖에 없이 담배만 연거푸 세대나 피이고 앉았었는데 그 사이에 준영이는 착실히 오 분 동안은 처음 자세대로 얼굴과 몸을 심각히 가지고 있다가 찬구가 마지막 담배를 재떨이에 비비여 끄려고 할 때부터 입가의 표정을 누그리기 시작하드니 담배를 다 끄고 났을 때에는 눈도 떴고 팔도 풀고 입가에는 웃음도 띄었는데 얼굴이나 몸에 희망이 넘쳐흐르는 것이 확실하였다. 이러한 얼굴로 준영이는 홀제

"오군."

하고 찬구를 부르고

"웨."

하고 찬구의 대답에

"이번 일엔 내가 나서보세."

하며 힘 있는 어조로 말하였다.

새 구상(構想)(四)

마준영이는 은행에도 절충하고 목장이 옳지 않은 사람들의 이용물이 되어 허물어져가는 것을 아깝게 여기는 성당국(省當局) 더욱이 사도미(里見)씨 등의 알선에 의하여 목장은 은행에서 경매를 부르지 않기로 하고 二만원만 아귀를 채워 돌려놓으면 다른 사람의 손에는 넘기지 않기로 교섭을 한 것이다.

준영이는 한걸음 더 나아가 二만원중 현금 一만 五천원만 은행에 물고 五천원은 목장을 담보로 대부받아 二만원의 아귀를 채우기로 또 은행하고 접촉한 것이었다.

이것으로 위선 목장이 남의 손에 넘어갈 염려는 없어진 찬구의 수미(愁眉)는 좀 피었으나 현금 一만 五천원을 각출해낼 것이 닥쳐오는 난제중의 난제였다.

준영이는 정학도의 문하생에게 부르짖어 그 돈을 모으자는 계획이었으나 이런 주주들한테 데일대로 데인 찬구는 준영이의 계획에 처음에는 내켜 가담키 어려웠다.

그러나 달리 좋은 방법이 생각나지 않는 찬구는 준영이의 계획을 반대할 까닭은 없었다. 이기철이도 역시 그랬었다.

"나는 아—무 기력도 업소. 젊은 분들의 행동으로 어떻든 와우의 사업을 붙들어 보시오."

이 일 때문에 찾아간 준영이와 찬구한테 기철이는 이러한 말을 한숨을 섞어하였다.

"된다니까 그래."

"내가 다 마련해 놓지 않으리."

기철이와 찬구가 기운이 없어 하는 것이 못마땅한 듯 준영이는 더욱더욱 기세를 돋구어 확신이 있는 것같이 서둘렀다.

"목단강의 유종석(劉宗錫)군은 五만원은 된다니까 五천원은 떼 낼 작정하구 치치하루(치치할시, 齐齐哈尔市)의 심중섭(沈重燮)군 二十만원으로 지목한다니 그쯤 떼 내구 그러니 벌써 만원 아니야. 나머지는 연길에 안영철(安永哲) 용정에 김명도(金明道)··· 명월구에 아무개 하여 돈 천원쯤은 낼 것이요 우리문하생들이 정 선생 유업을 지키기 위하여 일어나자 한번 이 뜻이 전해만 져 보라구 방방곡곡에서 위채요 현금이요 막 쏟아져 들어올 터인데두 그래. 위선 내 기사에 굉장히 쓰지 않으리."

그리고는 그는 거금(巨金)취지문을 만들기에 그의 온 문장력을 기우렸다.

위선 신문기사부터 굉장히 났다. 준영이의 신문뿐이 아니라 다른 신문에도 감격적인 제목을 부치여 준영이의 계획은 널리 퍼지게 되었다.

동시에 거금취지문도 동창생 명부를 참고로 각지에 발송되었다.

준영이의 예상에 어긋나지 않은 반영이 있었다.

그런 생각과 같이 이체를 동봉한 감격적인 편지가 거금취급 사무소인 준영이의 신문지사에 날러 들어왔다.

"정 선생의 유업은 살려야 됩니다. 문하생의 손으로 이어나가야 됩니다."

"돌을 깨물어도 좋습니다. 흙을 먹고 견딜 수 있다면 그도 마다않겠습니다. 정 선생 사업 정 선생 뜻을 널리 펴고 영구히 전하는 위대한 사업을 우리는 살려야 할 의무가 있습니다."

"이것은 내 첫 봉급에서 반값을 제하고 송두리째 보내는 것입니다. 만원

맏잡이로 써주십시오."

찾아오는 사람도 수두룩하였다. 와서는 의로운 이번 처사에 대하여 준영
이며 찬구를 격려도 하였고 돈도 내놓았다.

처음에 뜨아히 여기였든 찬구도 동창생의 이리 넘치는 열의와 협력과 학
도의 사업을 사수(死守)해야 된다는 굳건한 뜻에 감격하여 못내 눈물을 흘리
며 기뻐도 하였고

"정 선생의 뜻은 다른 곳에 머물러 있다는 것이 아니라 문하생의 가슴속
에 깊이 박혀 널리 영구히 살아계시다."

하고 나약해진 마음에 다시금 신념의 미더운 채찍을 더하기도 하였다.

새 구상(構想)(五)

편지로 또는 직접으로 문하생들의 후원과 협력은 이렇듯 미더운 바가 있었으나 그동안 모여진 돈은 푼돈에 지나지 아니하였다.

五원으로부터 모금된 돈이 취지서에 적어 넣은 탓만이 아니라 원체 실력들이 미약한 동창생들인 까닭으로 불같은 열의와 바위 같은 뜻에 비겨 그들의 내놓는 돈은 十원전후의 一만 五천원을 목표로 하여 볼 때 푼돈에 지나지 않는 것이었다. 十시 一반이라 했으나 六월말의 기한까지 불과 二十여일사이에 아귀를 채워야 할 대금이고 보매 十원二十원의 돈으로는 도무지 턱이 닿지 아니하였다.

준영이는 초조하였다.

그리하여 그는 목단강의 유종석이를 비롯하여 처음에 한목에 크게 떼 내려든 여러 사람을 찾아보기로 하고 나선 것이었다. 목단강의 유종석이는 준영이를 대견히 맞아주었고 신문은 보지 못했든 모양 준영이의 입을 통하여 비로소 이번의 일을 알았노라 하였다.

그리고 두말도 없이

"이걸 보태 쓰시오."

하고 소절수를 떼어 주었다.

"요즘 상업상 좀 여의치 못한 일이 생겨서……"

유종석이는 돈이 적은 것을 변명하듯 말하였다.

(오천 원 예산이 이천 원밖에 안 되는 구나.)

준영이는 생각하면서 이천 원 소절수를 대견히 받아 넣었을 뿐 너무도 선뜻 내놓고 보니 더 내시오 이것으로는 안 되겠소 하는 말이 나오지 아니하였다.

"치치하루 심 군 소식 아시오."

"참 심 군도 이 소식 알면 가만히 있지 않으리다. 하지만 요즈음 집에 없을걸요. 수일 전 서울에 볼일이 있어 가든 길에 여기 들렸었는데 아직 돌아올 것 같지 않아요."

심을 만날 기회가 있으면 미리 이야기를 잘해두라고 유종석에게 부탁을 해놓고 준영이는 예정을 고치어 왕청 도문 연길 명월구 용정 등지를 들러 열흘 만에 돌아왔다.

열흘 동안 여러 곳에서 그는 가진 애를 썼으나 계산을 하고보니 경비일체를 제하고 남은 것이 사무실에 들어온 돈까지 합하여 四천원에 차지 못하였다. 열(熱)이란 왈칵 올랐다가 이내 식는 것인지 처음 그렇게도 답지해 오든 감격의 서류 우편도찾아오는 사람도 찾은 도수가 떠지더니 요즈음에는 거의 하루에 한건 있을락 말락 한 정도였다.

문하생으로부터의 거출도 이 상태로 나가면 희망이 없다. 준영이는 처음의 기세가 꺾이지 않을 수 없었는데 찬구와 함께 준영이의 마음을 빠직빠직 태우는 것은 기일이 하루하루 다가오는 것이었다.

새 구상(構想)(六)

이기철이는 지난밤에 갑자기 열이 올라 약 두 첩을 쓴 결과 열은 내렸으나 아직 몸이 거뜬하지 못하다고 자리에 누어있었다.

자리에 누웠든 기철이는 찬구와 준영이를 일어앉으면서 대견스럽게 맞었다.

누어계시라고 젊은이들은 권하였으나 괜찮다구 굳이 듣지 않고 기철이는 자리 우에 앉았었는데 하룻밤의 열로서 그렇게 초췌해졌으리라고는 생각할 수 없도록 얼굴이 말이 아니었다.

몸이 무거운 것보다도 마음가운데의 고민이 더 무거운 것은 아닐까. 찬구는 이내 그렇게 생각한 것이었음으로 신신치 못한 거금운동의 경과를 알리기가 어쩐지 내키지 아니하였다.

그래 우물쭈물하고 있을밖에 없었는데 도리어 기철이편에서 말을 끄집어내여

"돈은 많이 모여들었소."

하고 묻는 것이었다.

"신문에 보니 아주 굉장한 열들인 모양인데 대체 어떻게 되었소."

"뭐— 그저 그렇습지요."

찬구는 잠자라고 있었으나 일찍 기철이 앞에서 그러듯 호언장담했든 마준영이는 머리를 긁적긁적하는 것으로 결과가 신신치 못하다는 표지를 나타내었다.

"기한이 일주일밖에 남지 않았는데 머리만 극적여서야 될 일이요."

두 젊은이가 방에 들어설 때부터 그 태도와 표정이 환하지 못한 것을 본 기철이는 벌써 일이 좋게 되어나가는 것은 아니구나 하고 눈치 챈 것이었으니 이런 근심스런 어조로 말하였다.

젊은이들은 잠깐 말들이 없이 앉았더니 마준영이가 들고 왔든 오리가방을 열고 저금통장과 서류를 꺼내어 기철에게 주면서

"푼돈들이 돼서 기껏 모았다는 것이 이 정도밖에 안됩니다."

하였다.

기철이는 저금통장을 펼쳐보드니 그 입금에 즉각으로 검은 구름이 짙어가는 것이었다.

"이것으로야 어디 턱이나 닿겠소."

이윽고 무겁게 한마디 말한 기철이는 「거금방명록(巨金芳名錄)」이라 표지에 씌어있는 책을 들추어 보기 시작하였다.

"큰 구멍으로 지목했든 유종석 군이 二천원밖에 안되었고 그 외에도 예정의 三분지 一 혹은 十분지 一밖에 되지 않았으니 그 돈밖에 안 되었구 이제 크게 목표 삼구 있는 것으루 치치하루 심중섭 군이 있습죠."

준영이는 거금의 경과를 대강 이렇게 이야기하였는데 기철이는 방명록에는 그다지 흥미가 없는 듯 준영이의 말을 듣고 있더니

"심중섭이한테서 얼마나 예산하오."

하고 물었다.

"五천원은 어찌하든 떼 낼 작정입니다."

준영이의 대답에

"그 사람 그렇게 실력이 있는가."

기철이는 말하였다.

"실력이 있구 말구요. 二十만원으로 모두들 말을 합디다."

"그래 그러나 선뜻 五천원돈 내놓을까."

"학생 때부터두 원체 오물쪼물하지 않았구 정 선생 총아(寵兒)로서 극진히 사랑받는 사람이 아닌가요. 정 선생 장례 때에두 날자가 늦어 고별식에는 참례치 못했지만은 그 이튿날에 당도하여 애통해한 것도 심 군 하나뿐이었었으니까 그는 염려 없으리라 생각합니다."

"심 군이 와우의 총아이기는 했어."

"서울 갔었는데 돌아왔다는 통지가 목단강 유군한테서 오늘 왔으니 내일은 치치하루로 떠나가기로 하겠습니다."

기철이는 무엇을 골똘히 생각하듯 오랫동안 아무 말이 없이 얼굴의 표정이 심각한 채루 있더니

"심 군이 천원, 모인 돈이 四천원 천원은 이래저래 어떻게 아귀를 채울 수가 있을 게구 그러면 五천원이 문제로구먼." 띄엄띄엄 말하였다.

"그런가 봅니다."

오랫동안 말이라곤 없었든 찬구는 비로소 이렇게 대답하였고 준영이는

"네 五천원이 문제입니다."

똑똑히 말하였다.

기철이는 입을 다물고 눈을 감고 있더니 훌쩍 눈을 떠, 두 젊은이를 보며 말하였다.

"그 五천원은 내가 담당하겠소."

새 구상(構想)(七)

五천원을 담당하겠다는 이기철이의 말에 귀를 의심한 것은 찬구만이 아니었다.

준영이는 바늘에나 찔린 듯 움찔, 뜻하지도 않고 찬구 쪽에 머리를 돌렸는데, 찬구도 이 순간 준영이 편에 머리를 돌려, 둘은 서로 얼굴을 마주 보았다.

"선생님."

"선생님께서."

둘은 또한 뜻하지 않고 이런 말들이 함께 입에서 나왔다.

"그렇게 놀랄 게야 있소."

기철이는 완화된 얼굴로 두 젊은이 놀라는 태도를 보고 말하였다.

"내가 와우의 유업을 살리는데, 힘을 보태어 몹쓸 사람인가요."

하고, 기철이는 허허허 웃음까지 웃었다.

"그럴 리야 있겠습니까만은…"

찬구가 더 말하자는 것을 기철이는 가로막고,

"경제적으루 실력이 없다는 말이지요."

하고,

"그 점은 걱정들 마시오."

그리고

"이 집을 팔기로 했소."

말하였다.

"집을요."

"집을."

두 젊은이는 거듭 놀라지 않을 수 없었다. 거듭 감격치 않을 수 없었다.

젊은이들이 감격에 잠겨 아무 말이 없는 사이에 기철이는 다음같이 정학도와의 친분으로부터 시작하여 집을 팔기로 결심하기까지의 이야기를 차곡차곡 말하였다.

"와우와의 친분은 이제 새삼스럽게 말할 것 두 없는 일이거니와 와우는 친구라기보다 암모하는 선배요, 더 가깝게 말한다면 형이라구 할 수 있는 나에게는 의젓한 이였지요. 생전에 와우는 날더러 동지라 하였고, 가지가지 일에 하나도 나와 의논하지 않은 것이 없었지만 내가 어디 와우의 동지 값이나 갈 것이오. 하기야 목장을 건설하고 학교를 도맡고 도장을 세우려는 모든 일에 힘을 애낀 적은 한 번도 없었지만, 본다면 모두가 다— 와우를 괴롭히고, 그 사업을 훼방 놓은 결과 밖에 되지 않았으니 이게 무엇이 동지겠소. 더욱이 그 인격과 신념에 있어, 어찌 그 옆에나, 가 설 수 있겠소. …… 그러고 보니 와우가 그런 비장한 최후를 보이고 저승으루 간 뒤, 찬구 씨나 그 문하생들이 와우의 유업과 유지를 이룩할려고 가진 애를 쓰면서 이 일에 나를 고문격으루, 의논하러 오는 때 마다, 나는 여러 분을 대하기가 부끄러웠소. 더욱이 목장을 오늘의 비운에까지 이끌게 한 주주들을 모집한 것이 바로 나였으니 내가 철면핀들 찬구나 준영 씨를 뻔뻔스럽게 대할 수가 있었겠소. 나는 지하의 와우에게 무언(無言)으루 모든 것을 사죄하면서 내 덕이 멀리 와우에게 미치지 못함을 한탄한 것뿐이었소. 나는 모든 일이 귀찮어, 집안에 백여 있으면서 지난 일생을 반성하는 것으로 일삼은 것뿐이었소. 그랬는데 나의 소침하였든 의기라구 할까 모든 것에 뜨아하였든 마음에 점점 새 기운이 돌기 시작했으니 그것은 와우의 문하생들의 열화 같은 옛 스승의 유업을 붙들 겠다는 열의와 뜻에 감격한 까닭이었소. 첫째로 찬구 씨의 굳건한 뜻과 의지 에 그리고 모금운동에 감격하였고 방방곡곡 흩어져있는 여러 문하생의 열 성에 거듭 감동하였소. 돈이 예정의 아귀에 차지 못한 것이 아직 경제의 기 반들이 서지 못한 문하생들이니까 어쩔 수 없는 일이지만 한번 운동이 일어 나자 빗발치듯 몰려드는 격려의 편지와 격려의 말들 이 얼마나 와우의 사업 을 위하여 그들을 위하여 미더움이요. 정학도는 죽었어도 정학도는 영구히 살아있다 생각했지만 이 문하생들의 열성이 나를 또한 부끄럽게 만들었소. 이런 문하생들이 그렇게든 함께 손을 잡고 일하든 지각이 있다는 이기철이 는—하고 생각함에 어지 부끄럽지 않았겠소. 나는 이럴 동안 어떻게 하면 와 우의 유업을 모두 이어나가는데 문하생만 못지 않는 조력을 할 수 있을까 이 궁리 저 궁리에 밤잠도 바로 못 잤소. 그래 얻은 결론이 집을 팔자는 것이었 소.”

새 구상(構想)(八)

나즉나즉한 가운데에 열의가 있었으며, 열의 있는 뒤에 비장한 각오가 깃들어있는 이기철이의 이야기를 젊은이들은 숨을 죽여 가며 들었다. 더욱이 찬구는 콧등이 찌르르해지면서 눈뚜껑이 또한 뜨거워지는 것을 깨달았다.

말이 일단 그치자, 방 안에는 거룩하고, 높고, 그리고 숨소리를 크게 내기에도 죄송스러울, 이상한 분위기가 내려덮이었다. 이러한 침묵의 분위기는 얼마동안 계속되었다.

이윽고 찬구는

"죄송스럽습니다."

겨우 한마디를 하였고

"그러시더라도 댁을 팔으시구 노령에 거처를 어떻게 하시렵니까."

준영이는 이렇게 말하였다.

"허허, 응당 그걸 걱정하겠지."

기철이는 고조된 분위기를 누그리려는 듯 자신부터 풀려가지구 말을 하였다.

"이 집은 내게는 과분해요. 안채가 있구, 사랑방이 있구, 네 귀에 풍경은 안 달았지만 고래 등 같은 기와집, 내가 무슨 후 부자라구 이런 집에 살 까닭이 있나요. 선비에게 초가삼간이 꼭 알맞습니다."

그리고는

"집주인에게 말한 것은 며칠 안 되지만은, 마침 임자가 있어 七천원 가량으로 흥정될 모양인데, 二천원 안 주어도 저 강변에 조고만 초가 하나를 살 수 있다니까, 아들 식구에게 아랫방을 맡기고 우리 영감노친은 윗방에 있을 작정이오. 윤식(아들의 이름)이가 이젠 제 벌이를 하니까, 살림은 애—들에게 맞기고 모든 것을 있고 낚싯대나 둘러메고, 한 일월 보낼 생각이요."

기철이는 집을 판 뒤의 새 구상을 이렇게 말하였다.

찬구는 이제 새삼스레, 이기철이의 五천원을 기금 하겠다는 뜻을 굽히게 할 수 없고 보매, 다소곳이 그 뜻을 받는 것만 같지 못하다 생각하고, 별말을 하지 않았다. 다만

"고맙습니다. 선생님의 뜻을 그대로 받겠습니다."

하였을 뿐이었으나, 그가 평소에 생각하고 있었지만, 목장의 귀결이 어찌 될 것을 몰라, 피력하지 아니하였든 생각을 이 자리에서 이기철이에게 사뢰기로 작정하였다.

"선생님, 선생님을 저는 목장에 모시자고 합니다."

찬구의 말은 정중하였다.

"나를 목장에?"

기철이는 찬구의 뜻이 무엇임을 대뜸 알아차리고 놀라는 듯 말하였다.

"정 선생께서 돌아가신 뒤 이 선생님을 모시자하는 생각을 늘 가지고 있으면서도 목장이 너무도 비꼬여만 가니 곳 모셨대야 선생님께 걱정만 끼칠 것 같구 해서 목장문제가 단락을 짓기를 기다린 것이었습니다. 아직 목장이 완전히 귀결난 것은 아니오나 八九분은 서광이 있는 것이요, 더욱이 오늘 선생님께서 집을 정리하시고 한가한 곳으로 옮기겠다 말씀하는 것을 듣고 보니 제가 작정했든 바를 사뢸 때가 바로 이때라 생각되어 이렇게 말씀드리는 것입니다."

"………"

기철이는 중대한 문제라 친구의 말을 듣기만 하고 이내 대답을 하지 않았다.

"학교는 그가 난중에서도 그래도 정비되어 있습니다만은 교장선생의 자리가 빈지가 벌써 넉 달이 아닙니까. 교장선생이 안 계신 학교 애들이 불쌍치 않습니까. 이 선생님을 기다리는 것은 목장사람들만이 아닙니다."

"글세, 그러나 내가 어찌 와우의 대역(代役)을 맡을 수 있을까."

이기철이가 자꾸 뒤를 끄는 것을 친구와 준영이가 혹은 순리로 말을 사뢰고 혹은 청년의 기분인 억지의 말로도 말하여 기철이가 목장에 들어가기로 그날 그 자리에서 반승낙은 받은 것이었다.

거듭하는 감격(感激)(一)

그날 밤 학도의 생일 제사에 법륜사에 모인 사람은 찬이와 마준영이를 빼고는 목장식구들 뿐이었다.

이기철이는 열은 내렸지만 놈이 아직 완전치 못하여 일껏 열린 이번 회에 참석치 못하게 된 것을 자신보다도 찬구나 준영이가 더 유감으로 생각하였다.

불교 신자인 윤 씨는 부처님 앞에서 선향의 냄새를 맡아가며 중의 구성진 염불 소리와 목탁 소리를 듣는 것이 유일의 위안이요, 그러한 시간이 가장 아름다운 시간이었는데 그러므로 영감이 죽은 뒤에도 옳게 법도를 갖춘 불공이나 施食을한 것은 아니었지만 그래도 첫 7일에는 형식만이라도 부처님 앞에서 법회를 연 것이었다. 그랬으나 그때에는 딸애라도 없었고 재라면 으레이 인근의 대중들이 적지 아니 모여들어 금실로 수를 노는 대가사를 어깨에 둘러메고 바라를 치면서 밤을 밝히며 손님을 대접해야 본색인 것으로 생각하는 윤 씨는 쓸쓸하기 짝이 없는 영감의 49일을 늘 유감으로 여기었다. 마치 영감의 재를 벅짜하게 올리지 못하여 지옥에나 떨어진 것같이 마음속이 께름칙하였다.

하여 이번 생일제사가 딸애라도 위하고 부처님 앞에서 염불을 올릴 수 있은 모처럼의 기회였고 그리하여 윤 씨는 그의 유감을 풀 수 있은 기회라고도 생각하였다.

그밖에 목장 식구를 한 자리에 모아놓고 오랜만에 음식을 대접한다는 기뺨이 또한 윤 씨로 하여금 한사코 생일제사를 차리게 한 동기의 하나이기도 하였다.

　윤 씨는 목장식구들을 아들딸이나 며느리 손자로 생각하여 자신이 혈육 같이 생각하는 것을 결코 외면치레로 하지 아니하였다. 누가 자식을 낳았다면 자신이 손자를 본 것같이 기뻐하였다. 누가 상처를 했다면 며느리를 잃은 것같이 슬퍼하였다. 좋은 일이 있으면 누구보다도 먼저 그 집에 가서 기뻐해 주었고 언짢은 일이 있으면 진정으로 걱정하였다. 애라 밖에 친 혈육이라고 없는 윤 씨는 목장식구들을 혈육으로 생각하는 것으로 고달픈 자신을 自慰하는 것이라고 할까. 하여튼 윤 씨의 목장 식구에게 대하는 사랑은 극진한 것이었었다. 모든 일에 목장사람으로 하여금 기쁘게 하는 것이 소원이었지만 목장식구들을 한자리에 모아놓고 자신이 지휘하여 만든 음식을 배불리 먹이는 것을 특히 기쁨으로 여겨왔다. 학도는 생전에 윤 씨의 이 아름다운 마음을 받들어 명절이나 목장식구들이 생일을 한몫에 쇠는 목장 특유의 모임이 있을 때마다 학도의 집에서 음식을 차리게 하여 식구들을 청한 것이었지만 그러한 음식대접도 학도가 죽은 뒤에는 제법 이렇다 하게 있어보지 못하였다.

　윤 씨는 이것이 또한 유감이었다.

　오늘의 생일제사는 이런 여러 가지가 정작 윤 씨의 아름다운 마음에서 풀리게 된 것이었다.

　윤 씨는 불공미도 많이 가져왔다. 돈도 적잖이 내어 제사 후에 공양할 밥과 쌀을 만이 만들게 하였다. 그리고 자신이 아침부터 거리를 돌아다니면서 눈에 띄는 대로 실과도 사들었다.

　떡을 치고 지지미를 지지는 일도 결코 고양주에게만 맡겨놓지 아니하였다.

　목장식구들은 이 윤 씨의 진정을 뼈아프게 느끼면서 일찍 목장을 떠나서 법륜사로 모이게 되었다.

거듭하는 감격(感激)(二)

시식은 여섯 시 반쯤 화담법사의 염불소리로 시작되었다.

불전(佛前)에는 촛불을 밝혀놓았고 향은 우아한 곡선을 그리면서 천정으로 올라갔다.

모두들 부처님 앞에 무릎을 꿇고 앉았다.

화담법사의 가라앉은 염불소리, 똑, 똑, 똑, 적당한 간격을 두고 울리는 목탁소리, 이 소리 외에 법당은 숨죽은 듯 고요하였다. 시외의 절간, 때가 이미 저녁, 밖에서도 아무런 소리가 없었다. 개 짖는 소리도 들리지 아니하였다. 나무 사이를 빠져나가는 바람소리도 없었다. 깃을 찾아드는 새소리도 이미 그치었다. 밖이고 안이고 다만 고요할 뿐 그 고요한 정적(靜寂)속을 오직 한가닥 격조(格調) 고른 염불과 목탁소리가 파동 쳐 나아갔다. 그것은 마치 우주의 본원에 도달하려는 인간의 애타는 갈망의 소리인 것도 같이 위대한 섭리(攝理)의 조화된 음향인 것도 같이, 찬구는 이런 분위기속에서 갑자기 기가 찡하고 숨이 막힘을 깨달았다. 다음 순간 그의 몸에서는 힘이 한꺼번에 빠지는 것을 느꼈다. 육신의 힘뿐이 아니라 마음이 왼통 비는 것을 깨달았다.

그는 저도 모르게 몸을 내던져 부처님 앞에 엎드렸다. 철저한 謙虛, 자기희생의 사욕을 떠난 성스러운 순간이었다. 찬구는 일찍 이런 안온하고 평화롭고 향기로운 순간을 맛본 일이 없었다. 그는 그대로 몇 시간이고 있고 싶었다. 그러나 그는 저도 모르게 몸을 일으켰다. 머리를 들어 부처님을 쳐다보았다. 그러나 그의 눈에 띈 부처님은 육갑을 하고 섰는 부처님이 아니었다. 그것은 웃음을 머금고 찬구를 내려다보는 정학도였다.

"정 선생님"

찬구는 부르짖었다. 물론 마음속으로, 그러나 다음 순간 정학도는 육갑하는 부처님으로 변하였다.

찬구의 마음은 갑자기 기쁨으로 찼다. 모르는 힘이 어디서인지 솟아올랐다.

"선생님, 선생님의 加護가 항상 우리 우에 있음을 아옵니다."

"또 그 가호가 항상 선생님의 사업 우에, 남기신 뜻 우에 있어지이다. 뵈옵니다."

"목장은 이제 八분의 서광이 있습니다. 문하생의 열성은 선생님은 익히 아실 것이외다."

"기철선생이 목장에 오시기로 했습니다. 학교도 굳건합니다. 짐승도 그 후 한 마리의 손해가 없습니다. 선생님이 남기신 먼 길가는 동행들도 오늘 이 자리에 건강한 얼굴로 대령하고 있습니다. 애라도 오늘 이 자리에 와있습니다."

찬구는 부처님을 향하여 이런 가지가지를 정학도에게 보고하듯 입속으로 뇌이었다.

부처님 앞에 올리는 마지가 끝나고 이어서 학도의 위패를 모셔놓고 지내는 제사로 옮기었다.

제사도 끝까지 침묵한 속에서 엄숙히 집행되어 유감이 없이 끝난 것이 일곱 시 반이다 되어서였다.

윤 씨는 너무 늦어 식구들이 시장하겠다고 얼른 서둘러 상을 차리었는데 상을 차리는 사이에 여럿은 중의 사첫방에 모여앉아 학도 생전의 여러 가지 추억담을 이야기하든 끝에 생일을 함께 쇠는 呱聲會의 이야기에 화제가 돌아갔다.

거듭하는 감격(感激)(三)

　생일을 함께 쇠는 모임을 고성회라 이름 한 것은 누구의 발언인지는 몰라도 呱呱의 聲이란 의미를 띤 것일까. 하여튼 매달 초하루날밤에 이 모임은 열리는 것이었는데 그 다음에 난 사람이면 남녀노유를 가리지 않고 초하루가 생일이든 그믐날에 낳든 이 초하루 날 한자리에 모여 한몫에 생일을 쇠는 것이었다.

　학도가 제창하여 실행한 것임은 두말할 것도 없으니 이 모임은 학도가 생각해낸 농촌생활개선의 하나였다.

　농촌에는 살아가는데 고쳐야 될 일이 적지 아니하였다.

　다른 것은 덮어둔다 하더라도 우선 많은 상제의 대사에 있어서는 적지 않은 점을 고쳐야 될 것이었다.

　혼례와 장사의 예식절차도 그러려니와 손님 대하는 일에 들어는 재삼 고려하지 않아서는 안 될 점이 많았다.

　기쁜 일, 슬픈 일이 생겼을 때 친척과 향당이 모여들어 함께 즐기고 슬픔을 나누는 것은 미풍이고 양속임에 틀림없다.

　이 점에 한하여서는 크게 이를 권장해야 될 일이지만 농촌의 현상은 자칫하면 슬픔이니 기쁨을 나누자는 것이 본의인지 손님에게 음식을 대접하는 일이 본의인지 분간하기 어려운 경우가 적지 않은 것이었다.

　초상, 소상, 식망……하여 장례 하나를 놓고 보더라도 방불하다. 사람 하나가 죽으면 이런 일의 비용 때문에 주머니가 비지 않은 농가가 드문 것이요, 빚을 지지 않았다면 그는 유족한 농가일 것이다.

농촌경제를 좀 먹는 이런 대사에 드는 비용 이것이 또한 농촌부채의 가장 큰 조목을 차지하고 있은 것도 농촌연구가의 통계숫자에 나타나있는 사실이다.

만주의 조선 사람의 어느 농촌이 안 그러리요만 조선이 가깝고 개척의 역사가 오래여 비교적 자리를 잡고 있는 간도 지방은 이런 허례의 대사만은 조선대지의 전통을 나쁜 면만 고스란히 전승해 가지고 있는 것이었다.

혼인잔치도 마찬가지였다. 학도는 그의 북향촌에는 미풍양속인 향당이 함께 즐길 수 있고 슬퍼할 수 있고 그러면서 향토의 소박한 인정미와 풍토색도 잃지 않고 예식의 본의를 십분 깊게 하며 엄숙한 관혼상제법을 채택하려고 부심하였다.

그러나 뼛속깊이 박혀 있는 오랜 습관을 일찍이 깨뜨릴 수도 없으려니와 그러한 실제생활에 속하는 일은 책상 우에서 안을 세워가지고 이렇게 해라 저렇게 해라 하고 관련한다 해서 될 일이 또한 아니었다.

(가장 좋다고 생각하는 방법을 실제로 행해 보이여 스스로 따라오게 하자.)

(그러나 그 가장 좋다는 방법도 이것이래야 된다는 것이 처음부터 작정해진 것은 아닐 터이니 오래두고 자꾸 고쳐나가는 사이에 자연히 형성될 것이다.)

학도는 이렇게 생각하고서 위선 생일잔치부터 개선해보기로 하였었다.

생일잔치도 농촌에 있어서는 비용과 시간이 적지 아니 낭비되는 잔치였다.

물론 부모의 회갑 같은 경우는 사람의 자식 된 도리를 차리는 것이 마땅도 하겠으나 돌이 되는 어린애의 돌맞이를 법자(번화)하게 차리고 이웃을 청하는 것은 자식을 자랑하는 천치의 비망을 스스로 맞는 품으로 되지만 돌잔치에는 초대받은 측에서 어린애에게 돈을 푼푼히 넣어주지 안으면 인사가 아닌 것으로 되어있고 보매 생각하면 이것은 허례를 지나서 손님에게 미안을 끼치는 일도 되는 것이었다.

이런 특수한 例보다도 남의 생일잔치를 얻어먹고 입을 닦고 있을 수 없어 부득이 비용을 자아내어 차리지 않아서는 안 되는 경우, 꼭 차려야 할 회갑을 여유가 없어 못 차리고 괴로워하는 경우, 이런 경우 저런 경우를 생각할 때 생일잔치도 농촌에는 가볍지 않은 부담이며 폐풍의 하나였다.

학도는 그러나 婚祭에 비겨 중요성이 덜한, 따라서 융통성이 있는 이 생일잔치를 그의 안에 의하여 개선해보기로 하였다.

고성희는 이런 계제로 생긴 것이었다.

찬구는 미리 목장식구의 생활을 조사하여 월별로 일람표를 꾸며두었다가 초하룻날 낮에 그달에 난 사람들에게 정식으로 초대장을 보낸다. 모이는 장소는 원칙으로 그달 생일중의 최 연장자의 집으로 정하는 것이었으나 많이 윤 씨가 자기 집에서 자진하여 차리었다. 부인네들은 그날 일찍 그 집에 모여 음식을 만드는 것이니 음식이래야 반찬을 장만하는 것이 아니었다. 一食一菜라고 할까. 떡을 치면 무나물, 국수 누르면 나박김치, 밥이면 국과 두부찌개…… 이런 종류로 간략한 것이었다.

저녁 일들이 끝나면 모두들 모여들었는데 그날 밤의 主客이라 할 생신 될 사람들은 아랫목에 앉고 윗목에 나머지 사람들이 주객과 마주 앉는 것이었다.

사람이 다 모이게 되면 찬구는 학도만 모셔오고, 학도가 오자 이를테면 식이 시작되는 것이다. 처음 얼마동안은 아랫목에 앉은 주객과 윗목에 앉은 사람이 함께 절을 하는 것으로 식이 시작되어 그 뒤에 묵도를 하였었는데 이내 그것을 고쳐 건국신묘 요배, 궁성 요배, 제궁 요배, 묵도의 순서는 국민의 례를 행하는 것이 隣組常會때와 마찬가지였다. 묵도가 끝나는 時局省民의 誓詞齊唱 올려 행하였고 그 다음 학도가 축사 겸 훈화를 하는 것이었다. 학도의 말은 매달 다른 것이었으나 옛이야기를 들어가면서 구수하고 재미있게 들 하는 가운데 이 생일과 면전하여 사람이란 향상해야 된다는 교훈을 들려 주기도 하였고 북향의 그 이상을 역설하는 것도 잊지 아니하였다. 학도의 말이 끝나면 기념품의 증정, 그 다음이 壽品의 獻上이다. 기념품은 목장에서 주는 것으로 때에 따라 변하는 것이나 주로 생활필수품이었다. 혹, 목장에서 나는 바가지를 곱게 싸서 주는 경우도 있고 함박을 주는 경우, 또는 숟가락을 주는 경우도 있다. 수품벽상이란 생일에 당하는 사람이 제 나이 수효대로 무엇이든지 바치는 것이다. 30이 되는 사람의 경우, 돈으로 바친다면 30전이 아니면 3원이나 30원…이요, 물건으로 하려면 무어든지 30개를 바치는 것이나 목장에서 차지하는 것은 아니었다. 돈이면—그대로 물건이면 돈으로 바꾸어 그달 들어온 것은 한데 얼러 평생사업인 구제사업 같은데 희사하지만 결국에는 오로지 대다수가 현금으로 기여하는 것이었다. 이것이 끝나면 연회다. 이 연회야말로 생일잔치였다. 전 식구가 한자리에 모인 터이라 이런 화목하고 기꺼울 데가 없다. 아이들은 창가도 하고 어른들은 제 장기대로 소리도 하며 춤도 추고 기꺼웁게 논다. 강 서방은 여흥의 주재자로서 천성인 익살을 피워가며 이 잔치의 흥을 한층 더 돋구어준다.

고성희는 이렇듯 북향 목장의 꽃이요, 흥이요, 명랑이었다.

"오늘 며칠이야."

"열나흘."

"아직 고성희 멀었네."

비용도 안 들고 즐거운 생일을 즐길 수 있은 일, 목장 사람들은 모두들 이 날을 기다리었다.

그러나 이런 고성희도 학도가 앓아 눕게 되고 목장이 비꼬여가면서부터 심상치 못하더니 학도가 죽은 뒤 목장사람이 흩어져간 오늘에 와서는 그런 모임을 열려고 하여도 열 수 없는 일이었다.

　고성희, 화려했던 무렵의 기꺼웁던 일, 우스웠던 일, 가지가지를 추억해가 며 이야기하는 중에 음식은 다 치러져서 모두들 상을 비고 들어앉게 되었다.

거듭하는 감격(感激)(四)

飮福이 끝난 뒤에 찬구는 식구들을 법당에 다시 모이게 하였다.

제사가 끝난 뒤에 학도의 위패와 사진 모셔놓은 앞에 있는 촛불을 끄지 말라고 일러두어 다시 법당에 모였을 때에도 촛불은 그대로 반짝이었으나 향은 이미 사라졌었다.

찬구는 향을 다시 피워 학도의 위패 앞에 올리고 여러 사람 보는 데서 위패를 향하여 한참 예배를 하였다.

그리고 돌아서서 자리를 정하고 앉아있는 여러 사람들을 향하여 읍하는 것으로 인사를 대신하고 입을 열었다.

"우리 식구들 사이에 이런 인사치레 말은 되려 멋쩍지만 여러분이 이렇게 절에까지 오셔서 마지막까지 제사에 참배해주신데 대하여 사모님을 대신하여 감사의 뜻을 표합니다."

찬구는 이렇게 말한 다음 오늘의 제사는 윤 씨가 정학도의 冥福을 빌려는 생각과 여러분을 대접하고 싶은 생각으로 무리를 하여 지내게 되었다는 것을 말하고 거기에 대하여 목장식구의 한사람으로서 윤 씨에게 감사하는 뜻을 전하였다.

"그런 뜻으로 지내게 된 이 제사와 飮福은 아까까지로서 유감이 없이 끝났는데 이번에 다시 자리를 새로이 하여 여러분을 모이게 한 것은 오찬구 이 사람이 정 선생님 영전에서 여러분에게 말씀 여쭙지 않아서는 안 될 일이 있어서 그런 것입니다."

모두들 잠자코 찬구의 얼굴을 치어다보았다.

"그것은 다른 것이 아니라 정 선생이 돌아가시기 전부터 시들시들하였고 선생이 별세했을 때부터 장근 넉 달 동안이나 구름 속에 가려 그 귀추를 알지 못하였던 북향목장이 오늘 정 선생님 생신인 이 날을 吉日로 소생할 수 있게 되었다는 기쁜 소식을 알려드리는 것입니다."

식구들의 얼굴에는 금시에 기쁜 빛이 돌면서 서로서로 낯을 쳐다보았다. 잠깐 웅얼웅얼하는 騷音이 방 안에 일어났다.

"양떼하구 생이별 안 해도 되나요, 이제 그럼."

"고성희두 그럼 다시 할 수 있겠군요."

"그러기에 좀 더 기다리라고 해도 그 사람들 한사코 가더니 다시 오겠대도 내가 안 받을 테야."

강 서방이며 춘사이며 모두 기쁜 음성으로 제가끔 이렇게 지껄이었다.

"여러분이 기뻐하실 것입니다. 나도 기쁘고 우리를 내려다보시고 계시는 정 선생께서도 기뻐하실 것입니다."

하고 찬구는 학도의 위패와 사진을 가리켰다. 그리고 말을 이었다.

"이 기쁨을 가져오게 한 것은 정 선생님 英靈이 우리 목장을 돌보아주신 때문인 것을 잊어서는 안 되겠고 그리고는 목장식구 여러분들이 정 선생님 뜻을 잊지 않으시구 마음속에 간직해두어 어떻게 하든 목장을 살리겠다고 애를 쓰신 정 선생님이 하늘에 통한 것으로 생각합니다."

찬구의 말에 모두들 얼굴을 서로 쳐다보며 벙글벙글했는데 찬구는 잇대어,

"다음에는 여러분과는 서로 연분도 있는 마준영 씨, 그리고 정 선생의 동지로서 사생을 함께 하실 정도로 정의가 깊으신 이기철 선생의 힘인 것을 알려드립니다."

하고 마준영이를 불러내어 소개한 다음 이기철이는 몸이 아파 이 자리에
참석치 못한 것이 유감이라는 것을 말하고 나서 쭉 그 동안의 목장의 버티어
나가든 사실로부터 최근의 사정까지 이야기하였다.

거듭하는 감격(感激)(五)

찬구의 이야기가 주주들의 배반으로 목장의 존폐가 위기에 간 대목에서 박병익이가 은행에 잡혀먹는 대목에 이를 때 그런 나쁜 놈들하고 격분해하던 사람들은 박과 지배인이 법의 재단을 받게 된 것을 들을 때 당연한 귀결이다, 오히려 그럴 듯이 여기었고 은행에서 목장을 처분케 되었다는 대목에 와서는 짜릿짜릿 숨들을 모아 쉬였지만 준영이가 나서서 주선한 대목에 와서는 강 서방은 박수까지 하였었다. 그 뒤 문하생들의 감격적인 편지와 돈이 몰려든 대목에 이르러서는 모두들 감격하였고 이기철이가 집을 팔기로 하였다는 말에는 새삼스레 이기철이의 인격에 머리들을 숙이었고 기철이가 학교교장으로, 그리고 목장에 정 선생 대신 들어오게 될 것이라 말했을 때는 모두 정학도가 되살아온 듯 환영하는 뜻이 얼굴에 나타났다.

"제가 이 자리에서 아직 일러 맺어지지도 않은 것을 이렇게 이야기하는 것은 경솔한 것인지도 알 수 없으나 목장을 위하여 정 선생의 뜻을 받들기 위하여 오늘날까지 온갖 고난을 참으시고 버티어 오신 몇 분 안 되시는 여러분에게 무엇을 숨기고 가리겠습니까.

내일 준영 씨가 북만에 갔다 오면 또 갔다 오는 일이 여의하게만 되면 문제가 없으나 그렇지 못하게 되면 목장에는 다시 난관이 가로놓이는 것이요, 설사 여의하다 하더라고 목장을 살린 뒤에 진실로 목장을 살리는 일은 오직 여러분의 어깨에 달려 있는 것이니 이날 정 선생 생일에 모든 것을 여러분

앞에 털어놓고 이야기하여 여러분의 각오를 한번 다시 다지자는 것이었습니다."

방 안은 아까부터 조용해졌다. 학도의 사진 앞에 켜놓은 촛불이 껌벅껌벅 소리 없이 껌뻑이었다. 선향(線香)이 위패 주위에 얕은 구름을 끼게 하고 이미 꺼졌다.

"오 선생."

고요한 법당 한편 구석에서 찬구를 부르는 소리가 들리었다. 소리 나는 쪽에 눈을 가져가니 그 사람은 한명식이었다.

그는 일어나드니,

"나는 오 선생 말을 듣고 그대로 앉아있을 수 없습니다. 정 선생 문하생들이 넉넉지 못한 주머니를 털어서 선생님의 유업을 살리겠다고 하는 행동은 나 같은 농군의 마음도 움직이게 하였습니다. 나는 일찍 학교에 다녔습니다만 가르치는 선생에게 반항한 일은 있으나 선생을 위하여 마음으로 무엇을 도운 일이 없습니다. 나는 정 선생의 문하생이 부럽습니다. 나는 정 선생의 직접 문하생은 아니지만 정 선생의 교훈을 학교 강당이 아닌 곳에서 받은 사람이니 문하생이라 해도 무방할 것입니다."

하고 양복바지 시계주머니에서 회중시계를 꺼내어들고 찬구 있는 데로 나왔다.

"이것은 아버지께서 돌아가시기 전에 저에게 준 것인데 아버지의 유품으로 이것 하나뿐입니다. 그러나 이런 일에 쓴다면 지하의 아버지께서도 반겨 하실 것이니 정 선생 문하생 한명식이가 정 선생님께 바치는 제 성의의 일단으로서 반드시 이걸 돈으로 바꾸어 목장 찾는데 보태어주십시오."

한명식이는 줄이 달린 시계를 찬구의 손에 쥐여 주고 뚜벅뚜벅 제자리로 돌아갔다.

찬구는 아직도 체온(體溫)으로 따뜻한 시계를 손바닥에 쥐고, "명식 씨, 명식 씨."

하고 감격에 떨리는 목소리로 명식이를 연거푸 불렀으나 뒤도 안 돌아보고 자리에 가서 앉는 것이었다.

거듭하는 감격(感激)(六)

한명식이의 행동이 바로 법당안의 모든 사람의 통일된 심리를 행동으로 표현하는 신호나 되듯이 찬구의,

"명식 씨, 뜻은 감사하오나, 선대인의 유품인 이 시계를—"

하는 말이 끝나기도 전에,

"오 선생—"

하고 벌떡 일어난 것은 강 서방이었다.

그는 쌈지를 부스럭 부스럭 뒤지더니, "이건 내 장가 미천(밑천)으로 쭉 모아 두었던 건데, 장가야 장차 목장이 심평이 피면야 어련히 잘 갈려고, 옜소, 이거 은행 가져가는데 보태주오." 하고 내미는 것은 꼬깃꼬깃 접혀있던 십 원 지폐 다섯 장이었다.

찬구는, 엽초 부스러기가 틈에 끼어있고 장가의 희망이 손때와 함께 장장이 배어 있는 강 서방이 五十원을 받아들고 어쩔 바를 몰라 했다. 그러는데 그의 앞에 나타난 사람은 머리를 숙이고 부끄러운 듯한 태도를 짓는 석순임이었다. 순임이는 아무 말도 없이 저금통장을 찬구에게 주고는 머리를 숙인 듯한 대로 제자리에 가서 앉았다.

찬구는 무어라 말할 수 없었다. 몸이 떨리고 입이 얼어붙은 듯, 혀가 바로 돌지 아니하였다. 한자 욱도 뗄 수 없었다. 선 자리에 그대로 못 박힌 것같이 꼼짝할 수 없었다.

"오 형."

또 찬구를 부르는 소리가 들리었다. 찬구는 겨우 그쪽에 머리를 돌리었다. 현암이었다. 현암은 일어나더니 어음이 분명하나 떨리는 목소리로 말을 하였다.

"오늘저녁 이 자리에 전개되는 거듭하는 감격, 이는 정히 감격의 폭로라도 할 수 있겠습니다. 나는 일찍이 이와 같은 감격에 잠겨본 일이 없었습니다. 그리고 이처럼 교훈을 얻은 적도 없습니다. 목장의 영극의 고난서와 그 목장을 살리겠다는 노력, 여기에서 나는 어떤 위대한 교훈을 얻었습니다. 이 자리에서 여러분이 보여준 그 정성은 숭고한 것이었습니다."

현암은 격하여 그랬든지, 그가 말하려는 내용이 고급한 것이어서 이런 자리에서 말했대야, 잘 이해할 것 같지 않아 그랬든지, 이상과 같은 추상적이요, 모호한 말을 하다가 멈추고 잠깐 뒤에,

"목장에 올 때 예비금으로 천원 가지고 온 것이 있으니, 오 형, 받아주십시오." 하고 앉았다.

그 다음에는 찬이었다.

찬이는 다섯 달 동안 월급에서 15원씩 남겨둔 것, 75원을 내놓았다.

춘삼이는 현암이 천원 내논는 것에 감히 대등하게 자신을 비겨 생각하기도 했겠으나, 강 서방이 50원을 내는데 단돈 5원이 부끄러워 우물쭈물하다가, 마침내 "나는 5원이오. 5천원 맞잡이로 써주시오." 하고 용기를 내어 찬구를 갖다 주었다. 이명곤이도, 윤 씨까지도 얼마인지는 몰라도 주머니들을 털었고 화담법사는 나중 봉투에 돈을 넣어 점잖이 갖다 주었다. 다만 애라만이 감격의 도가니 속에서 시종여일하게 눈 하나 깜짝 않고 앉아있었다.

찬구는 여럿이 가져다주는 돈을 두 손에 쥔 채로 얼마동안 김빠진 사람처럼 서 있드니 갑자기 정신을 차린 듯 기운을 내어, "여러분, 여러분의 이 정

성은 이대로 받겠습니다. 이 같은 뜻도 안했으면 몸으로 힘으로 직접 목장을 지켜나가기는 여러분에게 이런 미안을 끼치는 것은 나로서는 못 갚을 일입니다. 그러나 또한 이 넘치는 정성을 어찌 나 같은 위인이 막아내겠습니까. 여러분의 그 품은 뜻을 그대로 와우 선생님께 바치겠습니다."

그리고 학도의 위패 앞에 두 손에 쥐었던 돈을 바치고 향을 사루고 머리를 숙이어 오랫동안 합장하였다.

이윽고 돌아서서,

"이제 목장은 자신이 살았습니다. 그 열성이 목장을 살린 다 확신합니다. 그리고 정 선생님께 뜻도 영구히 살아 그 위대한 사업이 이룩하여질 것이라 여러분 앞에 거듭 확실히 말을 올립니다."

찬구는 이렇게 말을 하면서 수건을 내어 코에 가져갔다.

이것으로 감격의 밤은 끝이 났다.

거듭되는 감격(感激)(七)

　감격을 가슴에들 안은 채 목장 식구들은 법륜사에서 헤어졌다.

　혹은 목장으로 밤길을 걸어 돌아가는 사람 혹은 시내의 아는 집에 하룻밤 신세지러 가는 삶, 법륜사에서 잘 두어 사람을 남겨놓고는 모두들 화담법사에게 하직의 인사를 하고 흩어졌다.

　찬구는 현암이와 함께 마준영이의 집에서 자기로 하였으나 이기철이에게 오늘밤의 전말을 보고하려고 그 집에 들르기로 하였다. 하여 그 집에 가서 자기로 한 윤 씨와 애라와 동행이 되었었다. 물론 시내에 들어오기까지는 여럿이 떼를 지어 왔으므로 애라와 따로 나란히 서서 이야기할 계제가 못되어 아무런 말도 서로 주고받지 못하였다. 볼 수 있지만 윤 씨 모녀와 찬구 셋만이 걷게 될 때에도 찬구와 애라는 말수작이 없었다.

　찬구는 법당에서 얻은 감격으로 몸과 마음이 뻐근해 조알조알 지껄이는 것이 긴치 안아 그런 것이겠지만 애라는 웨 찍소리 한마디도 없을까. 윤 씨는 찬구와 애라가 꼭 서로 싸움이나 하고픈 사람같이 뚜욱해서 회합치 안은 것이 마음에 쓰이지 않을 수 없었다.

　(저것들, 구구구 비둘기같이 정답게 사는 걸 언제 보겠나……)

　윤 씨는 항상 마음속에 그리고 있던 생각이 이때에도 일어났다.

　(저것이 나긋나긋하게 서울 이야기라두 했으면 좋지 않겠나. 찬구는 자내고 본래 말이 적은 사람이라.)

윤 씨는 안타깝기만 하였다.

이기철이는 찬구가 전하는 법당의 감격을 듣고 만족하였고 기뻐하였다.

기뻐하는 이기철이에게 안녕히 주무시라는 인사를 하고 찬구는 친구들이 기다리는 준영이의 집으로 걸음을 다그쳤다.

준영이와 현암은 사무실 방의 전등을 밝혀놓고 앉아서 무엇을 격론(激論)하던 그친 모양이었다.

"이 선생 좀 웬만하시던가."

준영이는 의자를 집어다놓고 찬구를 앉게 한 다음,

"자네 기다리는 사이에 언젠가 자네에게도 말한 기억이 있네만 요즈음의 기금운동하며 오늘저녁의 감격 하며를 놓고 볼 때 만주의 선계를 어깨에 짊어지고나갈 사람은 三十대의 젊은이들이고 五十대의 사람들의 시대적 사명은 이미 지나간 지 오래다는 나의 지론을 이 사람한테 들려주던 참이었네."

하고 격론의 내용이 무엇이 였었다는 것을 알리듯 말하였다.

찬구는 원체 이론투쟁은 싫어하는 터이라 그랬는가보다 로만 준영이의 말을 듣고,

"대관절 그러면 총회계가 어떻게 되는 셈인가." 하고 돈 들어온 결과를 알려고 말하였다.

준영이는 법륜사에서 가지고 온 오늘밤의 거금한 돈을 지갑에서 꺼내어 헤이더니 수판을 가져다가 알을 팅겨 저금통장의 것과 오늘 저녁의 돈을 합하였다.

그리고 주판을 찬구에게 보이였는데 거기 나타난 숫자는 四二二, 五五八 이었다.

"四천 二백 二十五원 五十八전, 여기에 현군이 현금을 안 냈으나 현금 합해서 들어올 돈이 천원, 이 선생이 五천원, 이 사람 이것만으로도 합이 五천

二백원……하고 五천원하고 하면, 만원하고 그러고도 二백二十五원 각수가
되지 않나."

준영이는 벙글벙글 웃으면서 말하였다.

"우수라는 이자와 수속비를 쓴 셈 잡으면 꼭, 五천원이 부족이지."

친구의 말에 준영이는 대뜸,

"그렇지, 五천원이 구세주야." 하였다.

"五천원—五천원."

찬구는 근심스럽게 뇌이였는데 준영이는,

"이사람, 그 썩은 콩 씹은 얼굴 제발 보기 싫네. 내일 낮차에 떠나면 모레
아침에 가서는 닿을 것이고 모레 밤차로 떠나면 글피 낮에는 빨랑빨랑 한시
전으로 五천원 쥐고 돌아올 건데 뭘 그렇게 오밀조밀 생각하는가. 천생 자네
는 소음인(少陰人)은 못 면하겠네."

준영이는 헷헷헷, 쾌활히 웃으며 말하였다.

거듭하는 감격(感激)(八)

그날 밤 그들 친구, 준영, 현암 셋은 밤이 깊도록 앉아 목장을 찾아내어서
는 이기철이의 명의로 소유를 낼 것, 문하생으로부터의 거금 운동은 목장을
찾은 뒤에도 계속하여 하되 거금운동은 <북향도장설치 기성회(北響道場設置期
成會理事會)>라는 것을 조직하여 그 기성회가 행할 것, 도장이 설치되는 날에
는 기성회는 해산하고 그 재산을 재단 법인으로 하여 <북향도장 이사회(北響
道場理事會)>에 넘길 것, 그리하여 학도의 사업의 경영은 재단법인 북향도장
이사회가 맡게 하여 영구히 흔들리지 않게 둘 것 등을 의논하였다.

"기성회 회장에는 유종석 군 같은 사람을 앉히는 것이 문하생에게 운동
을 전개해나가는데 좋겠고 재단법인 이사장에는 물론 이기철 선생, 도장장
에도 이 선생."

이렇게 인선 문제까지도 마련하였는데 이 의논에서 가장 말을 많이 하였
고 척척 계획을 발론한 것은 마준영이였고 거기에 꺾인 것이 현암이요, 친구
는 준영이와 현암의 조리 정연한 탁항 계획을 말씨 적게 듣기만 하고 거기에
제 의견을 첨가하거나 그러지 아니하였다.

"재단법인만 되어보지, 얼친 쥐새끼 꺼떡댈 턱 있나."

"그때에는 나두 북향도장에 들어가겠네. 자네 미리부터 내가 쓰고 잘 집
이나 양지바른 데 장만해두게. 정말이야, 목장에 내가가겠네."

준영이는 신이야 넋이야 제 계획을 이야기한 다음 이렇게 벌써 일이 다

된 것같이 까불었다.

"목장 찾을 일두 아직 미타한데 자네 집 봐두는게 급한가." 찬구는 묵중하게 준영이를 꾸짖었다.

이튿날 오후 두시 조금 넘어 찬구는 준영이가 치치하루로 떠나는 길을 바래주려고 정거장에 나갔다.

이 차는 전에 주주들이 목장 마셔먹으려고 회의를 하던 날 애라가 서울로 전문학교에 입학하려고 가던 바로 경성행과 신경행이 여기서 갈리는 차였다. 찬구는 그날을 회상하고 그날도 목장의 운명이 좌우되는 운명의 날이었지만 오늘이야말로 최후의 운명 결정되는 걸음을 준영이가 걷는 날이라 새삼스럽게 생각하였다.

찬구는 매점에서 『주간 조일(週刊朝日)』 사서 준영이를 주면서,

"자네의 사명이 큰 것을 잊어서는 안 되네."

하고 준영이의 각오를 한 번 더 다지었다.

"염려 말게. 늦어도 글피 낮에는 돌아오겠지만 일이 되는대로 지금 전보를 침세."

준영이는 그러고서 개찰구로 나아갔다.

찬구도 입장권을 찍은 다음 준영이의 뒤를 따라 홈으로 나갔다.

얼마 기다리지 않아서 신경행 열차가 들어왔다. 신경행이 들어와 머무르자 곧 경성행도 들어왔다.

준영이를 앉힌 다음 이내 신경행은 움직였다.

"잘 다녀오게."

찬구는 창을 열고 상반신을 창밖으로 불쑥 내민 준영이한테 인사하고 돌아섰다.

바로 그때 개찰구로부터 경성행 차를 바라보고 머리카락을 흩날리고 숨

을 헐떡이면서 뛰어오는 젊은 여자가 찬구의 눈에 띄었다.

"애라가 아닌가."

애라였다.

"애라."

하고 찬구는 반사적으로 애라가 뛰어오는 쪽으로 갔다.

애라는 찬구를 보고는 그 앞에서 뛰어오던 걸음을 딱 멈추었다.

그 순간 뛰 소리가 나며 경성행이 떠난다는 기적을 울리었다.

"빨리 타오."

역원이 애라를 향하여 소리를 질렀다.

애라는 뜀박질해 겨우 승강구에 매어 달렸다.

기차는 움직였다.

"애라 씨, 어딜 가시오?"

찬구는 움직이는 기차를 쫓아가며 소리를 질렀다.

"서울에요."

애라의 새된 소리가 흩어져서 옮겨지기도 전에 급행차는 벌써 역구내를
빗어져나갔다.

거듭하는 감격(感激)(九)

이기철이의 집에서 자고난 윤 씨의 모녀는 아침 첫 자동차로 마가둔 목장에 돌아갔다.

어젯밤 법당에서부터 자고나서 집에 올 때까지 이상하게도 한마디 말이라고는 없던 애라는 집에 들어서자 어머니 윤 씨더러,

"난 오늘 서울 올라가야겠어요."

느닷없이 말하였다.

의외인 애라의 말에 윤 씨는 어안이 벙벙해 얼마동안 말문이 막혔었는데,

"아니, 이 애가 그게 무슨 소리냐." 하고 겨우 한 마디를 하였다.

"너 몸이 아파 방학도 갖지 못하구 미리 내려왔다면서 이제 온지가 닷새두 못돼 올라간다니 그게 온전한 정신으로 하는 말이냐."

다그쳐 말하였으나 애라는 눈 하나 깜박하지 않고 있드니,

"암만해도 가야겠어요."

딱 잘라 말하였다.

"암만해두 네가 갈일이 생겼으면야 가야겠지만 처녀애 볼 일이 무슨 그리 급한 일이야 있겠다구, 어제 밤까지 아무 일 업던 애가 갑작스레 웬일이냐, 약도 이제 먹기 시작해놓고서……"

"그래도 가야겠어요."

"그래도 가다니 네가 참말 온전한 정신은 아니구나."

아무리 유순한 윤 씨라도 애라가 너무도 어미의 진정을 몰라주는 것이 괘씸하였다.

애라를 서울전문학교에 보낸 뒤 윤 씨는 영감 살았을 때와는 또 달라 딸 그리는 정이 가슴을 에이고 간을 쪼개어내는 것 같았다.

그러나 제가 한사코 좋아하는 학교에 공부 갔다는데 스스로 위로를 하면 오로지 방학 날만을 손꼽아 기다리고 있은 것이었는데 애라는 방학을 앞두고 몸이 아프다고 내려온 것이 아니었던가. 처음 애라를 보았을 때 반가운 생각이 났으나 몸이 파리해진 것을 보고는 자기도 모르게 윤 씨는 눈물을 흘리었다.

"네가 객지에서 먹을 것 못 얻어먹고 노심초사 공부에 열심해 그랬든 게로구나."

그때에는 애라는,

"걱정할 것 없어요. 무슨 병이 특별히 있어 그러는 게 아니라 밤에 잠이 잘 오지 않은 것뿐이에요. 의사도 시골 가서 여름만 지내면 아무 일 없겠다 하였고, 아이구 짓궂은 약리 선생은 엄마젖 한여름 잘 먹으면 잠이 너무 와 걱정일 게라고 하시지 않았겠어요."

이렇게 말하여 어머니를 위로하였다. 윤 씨는 곧 애라를 한 주부에게 진맥을 시켜 보약 두 제를 지어왔다. 애라는 아무 군소리 없이 약을 먹기 시작했는데 갑자기 이 무슨 변덕이냐, 어미의 진정을 조금이라도 헤아린다면 이럴 까닭이 없겠다. 윤 씨는 괘씸했고 이러고 보니 와락 성도 치미는 것이었다.

하여 윤 씨는,

"네가 언제 어미 말을 들은 때가 있니. 어미 속 편케 해준 일이 있니. 서울 가겠으면 가고, 영국에 가겠으면 가고, 인제 구태여 어미에게 물을 게 뭐냐." 하고 가시를 돋쳐 말하고는 벌떡 일어나 밖으로 나갔다.

그래도 애라는 무슨 심본지 밖으로 나가는 어머니를 뒤쫓아 부엌문을 열고,

"어머니 용서해주세요. 오늘 두시차로 꼭 떠나야겠어요." 하고 서울 간다는 제 의견을 영 굽히지 않았다.

속이 상한 윤 씨는 동리 집에 가서 이내 집으로 돌아오지 아니하였다.

그동안 애라는 간단히 행장을 수습하여 가지고 어머니 돌아오기를 기다렸으나 자동차 시간이 되었으므로 어머니 돌아오는 것도 보지 않고 현성으로 나왔다. 자동차에서 내리자 정거장으로 뛰어나와 겨우 떠나려는 기차에 매어 달리게 된 것이다.

애라가 서울로 가게 된 것은 이렇듯 어머니 몰래 도망하는 것이나 다름없는 행동이었다.

모내기(一)

입춘철 들어서 눈이 자가 넘게 쌓이었고 그 후에도 비가 흡족히 내리었다. 바람도 고루 불고 햇볕에 맞춤이었었다.

춘경도 이미 순조로이 지내였고, 파종마저 골고루 유감이 없었다.

한 벌 김을 맨지 얼마 안 되는 한전(旱田)에는 벌써 곡초(穀草)가 자라 생기가 넘쳤었다.

보리는 누른 물결을 짓고, 감자는 흙속에서 여물기 시작하였다.

단오(端午)가 낼 모레인 오늘은 버들 방천 옆 논에 모내기하는 날이었다.

마가둔의 논은 포대(袍帶) 옆에 와 버들 방천 일대에 널려있는바 포대 옆 일대의 논은 이미 모심기가 끝이 났고 버들 방천의 모내기도 오늘로써 마감이 되는 날이었다.

어저께는 저녁때부터 비가 내리기 시작하더니 장밤 비는 쉬지 않았다. 아침에 와서 날이 개이어서, 논물이며 날씨며, 오늘 모내기에 가장 알맞은 날이었다.

속 시원하게 개인 하늘, 하룻밤사이에 녹엽(綠葉)이 의젓해진 방천의 버들, 배미와 배미사이에 담겨, 거품이 출렁출렁 흡족한 논물, 농민들의 마음은 몸과 함께 일찍부터 뛰었다.

뛰는 마음으로 농민들은 이 논배미에 나란히 줄을 지어 노래를 부르면서 모를 꽂았다.

이쪽에는 웃통을 벗은 춘삼이가 있었다.

구리쇠 같은 등에 햇빛이 반사해 기름이 흐른다.

저 배미에는 이른 봄에 올순이와 약혼한 장송이가 눈에 뜨인다. 올순이도 보였으나 장송이 있는데서 네 배미 오른쪽인 부인네들 틈에서였다. 농립을 쓴 것은 강 서방 하나 만이었다.

그는 손과 입이 함께 놀 사이가 없었다. 익살이 아니면 제 깐에는 재담이 였고 "얼른 꼼쎄, 이러단 해 구멍 막겠네" 하며 잔소리요 독려(督勵)였다.

　웃 논의 물을 뽑아내어
　아래 논에 잡아넣고

　─모두들 그 뒤를 받았다.
　어어 허야 더덩지로다.

　꼭 찬 논의 쌀일랑은 우리 부모 공양하고
　어어 허야 더덩지로다.

　널따란 논의 쌀일랑은
　어린 처자 먹여 살려
　어어 허야 더덩지로다.

　여보 동무 정신을 차리소.
　아, 실수 벼 포기 뜨네.
　어어 허야 더덩지로다.

감실감실 벼 포기는
아마도 풍년의 징조
어어 허야 더덩지로다.

뼈야리 광지 흰 저고리
아마도 우리네 점심인가
어어 허야 더덩지로다.

여러 동무 일심을 해서
한일자로 나가보세.
어어 허야 더덩지로다.

바삐 바삐 저 둑까지
얼른 나가 쉬어볼까.
어어 허야 더덩지로다.

먹이는 소리는 구성지지만 듣는 소리마저 흥겨워 이렇게 주고받고 하는
사이에 논배미 한줄 두줄 파랗게 모로 메워져 나갔다.

(作者注: 노래는 <덩지> 金素雲編 『中傳謠選』?에서)

모내기(二)

모내기의 총지휘는 자연 한명식이가 감당하였다. 그가 목장에 와서 푼 수전이 이 버들방천 옆에 있어서가 아니라 논에 관하여는 개간하는 일이나 물돌을 내는 일이나 모심는 일이나 김매는 일이나, 나중 거둬들인 뒤 이삭을 줍는 일에까지라도 침식을 잊고 나서는 열성과 취미가 있을 뿐 아니라 명식이로서는 그렇게 될 수밖에 없었다.

그는 한손에 호미를 쥐고 한손에 모포기를 쥐고 이 논둑, 저 논둑 더듬어다니면서 물이 시원치 않은 데는 호미로 둑을 틔어놓기도 하였고 물이 많은 곳에는 적당히 막아놓기도 하였고 그러면서 모가 자라는 곳에는 행하니 쥐였던 모를 던져주기도 하였다.

그의 하는 행동은 나무가 제대로 가지를 뻗듯, 물이 제 곬으로 흐르듯 이어져 빈 데가 도무지 없었고 그러므로 보기에 아름답고 멋들어지기도 하였다.

"짐승 기르는데도 취미를 붙이는 것 같습니다만 송충이는 역시 솔잎을 먹어야 제 맛입지요."

찬구는 그의 옆으로 지나가는 명식이르 보고 웃으며 말하였다.

"핫핫."

명식이는 먼저 쾌활히 웃고,

"송충이는 솔 이파리, 핫핫핫."

다시 소리 높이 명랑하게 웃어댔다.

"앗, 애들 나오는군."

웃고 섰던 명식이는 버들 숲 사이에 선두(先頭)가 나타난 학교 아이들의 행렬을 발견하고 말하였다.

"가 봐야겠군."

그는 성큼성큼 무릎 위까지 사이에 걷어 올린 긴 다리로 건너오는 것이었다. 오늘은 학교에서 상급생이 모심기 근로 봉사(勤勞奉仕)를 하게 되었는데 그 봉사대가 지금 나오는 것이었다.

찬구는 논둑에 서서 모를 적당한 곳에 던지는데 열중하다가 이윽하여 버들숲 속에 머리를 돌리니 명식이가 횡대(橫帶)로 나란히 서있는 애들한테 모심는 요령을 알쳐 주는 모양인지, 손짓을 해가며 열심히 설명하는 모양이 눈에 띄었다.

찬구는 방긋이 반기어 웃음을 머금고 이 광경을 바라보고 섰는데, 이윽하여 명식이의 설명은 끝이 났는지, 와 소리 요란스러우면서 애들은 흩어져 혹은 모판으로 가고 혹은 논으로 향하여 들어오는 것이었다.

논판은 갑자기 흥성흥성해졌다.

모를 나르는 애들, 모를 심는 애들은 "덩지"가 아니라 새된 목소리로 목구멍이 미어지도록 창가를 부르며 손과 발과 입이 함께 놀지 아니하였다.

선생들과 함께 명식이는 애들의 뒤를 쫓아다니면서 "모를 정성스럽게 다루어라.", "너무 깊게 꽂지 마라.", "그랬다구 너무 옅게 꽂아도 못써.", "곧게 꽂아야지, 줄기를 꺾어 꽂아서는 안 돼.", "저런, 그렇게 꽂는 법이 아니야." 하며 감독하기에 또한 열중이었다.

어른들은 애들의 명랑한 기분에 자극이 되었는지 갑자기 원기들을 돋구었고 섬기고 받는 노래가 이 배미 저 배미에서 애들의 새된 창가소리 틈에 섞이어 모두 구성지게 들리었다. 해는 쨍쨍 중천을 향하여 말없이 올라가고 쨍쨍한 햇볕 속에 논판에는 건강하고 명랑한 증산 풍경이 힘 있게 전개되어 잇다.

모두가 태양 밑에 한 마음 한 뜻이었다. 애들도, 큰 사람도, 선생도, 생도도, 부인도, 늙은이도 모두가 한뜻 한마음이었다. 벼를 사랑하는 마음 그것이었다.

(한 포기라도 실수 없이 가꾸자.) 그런 마음이었다. (한 알이라도 더 거두자.)

그런 마음이었다. 이 마음은 어른도 아니요, 의리도 아니요, 칭찬을 받자는 외면치레는 물론 더구나 아니었다. 그것은 신앙이요, 그들의 육체도 생리(生理)요, 호흡이었다.

모내기(三)

찬구는 문득 일찍 정학도가 농민도에 대하여 말하던 것을 생각하였다.

재작년 봄, 그것도 모내기가 한창인 때의 일이었다.

늙은 다리를 훌렁 걷어붙이고 논판에서 모 꽂는 데에 다른 동무에게 지지 않은 기세이던 정학도는 문득 그의 옆에 허리를 구부리고 모를 심어나가던 찬구에게,

"자네, 농민도가 무엇인지 아는가." 하고 물었다.

"……"

예기도 안 했던 말이라 찬구는 갑자기 대답을 할 수 없었다. 찬구는 대답을 못한 채, 학도도 더 추궁해 묻지 않은 채 둘은 대여섯 포기나 심어나갔었다.

"농민도를 한 마디로 말해보지."

학도는 찬구에게 채근하듯이 또 말하였다.

찬구는 채근을 받고 보니 무엇이라 대답하지 않을 수 없는데 정당한 농민도를 확립해야 된다, 농민의 복리를 위하여 희생한다, 안일한 농촌을 만들기 위하여 노력한다, 입으로 뇌이는 것이 이것뿐이요, 마음으로 생각하는 것이 이것뿐이었으나 막상 한마디로 농민도가 무엇이냐 할 때에 적당한 말이 나오지 아니하였다.

"농민도란 농민이 지켜나갈 길이 겠습지요."

찬구는 궁한 끝에 이런 모호한 대답을 하는 수밖에 없었다. 이렇게 말하고 찬구는 학도를 보고 웃었다.

"농민이 지켜야 될 길."

학도는 찬구의 웃음에 따라 입가에 빙긋이 웃음 띠었다.

"생각은 가득하면서 적당한 말이 얼른 생각이 나지 않습니다."

찬구는 선생님의 말을 듣고 싶다는 듯 말하였는데 학도는 힘든 모포기를 찬구에게 보이면서,

"모를 심으면서도 깨닫지 못하나." 하고,

"농민도란 모포기를 자식으로 생각하는 마음일세."

이렇게 말하고,

"그렇게 생각하는데 자네는 어떻게 여기는가."

찬구의 의향을 떠보았다.

찬구는 갑자기 옳다 글다 말이 있을 수 없었다.

학도는 말을 이었다. "자네 여름이나 가을철에 북만 지방에 가본 일이 더러 있는가."

"예."

"그럼, 일망무제한 들판에 꼬―량(수수)과 뽀―미(옥수수)밭이 지루하도록 차창에서 내다보이다가도 멀리 논이 눈에 띄고 들판에 누런 벼들이 물결치는 것이 모일 때 자네 마음이 어떻든가."

"대단히 반갑습니다."

"반갑겠지, 왜 반가울까."

"논이 있구 벼가 있으면 그 근방에는 반드시 조선 사람이 보이구 조선집이 보이는 까닭인줄 압니다."

"그럼, 조선 사람이 있은 곳에는 산간벽지는 물론 하고, 벼가 있고 벼가

있은 곳에는 어디를 물론 하구 조선 사람이 있다는 말도 되겠구먼."

"예, 그렇습지요."

"왜 조선 사람이 있은 곳에 벼가 있고 벼가 있은 곳에 조선 사람이 있을까."

"그는 조선 사람이 벼농사를 잘 짓는 까닭이겠습지요."

"그거야 물론이겠지. 그러나 조선 사람이 벼를 사랑하는 까닭은 아닐까. 제 자식같이 사랑하는 까닭은 아닐까."

학도는 이렇게 답하고 말을 이어 다음같이 농민도가 모포기를 자식으로 생각하는 마음인 까닭을 설명하였다.

"조선 농민이 벼농사를 잘 짓는다는 것이 세상이 다 인정하는 일이지만 그잘 짓는 까닭은 벼를 자식같이 사랑하는 때문이라고 생각하네. 꼬—량이나 뽀—미 농사로도 소출이 흡족한 곳에서 구태여 논을 풀어 벼를 심는 마음이라든가 산간벽지가 되어서 논을 전혀 풀 수 없는 곳이지만 노존 떼 만한 땅이라도 논을 만들 수 있다면 논을 만들어 벼를 심는 마음을 생각해본단 그것은 벼를 아들로 생각하는 마음이 아니면 못하는 일일 것일세."

모내기(四)

"모를 내고 물을 끌어들이고 모를 가꾸고 가을에 베어 단을 묶고 탈곡기로써 알을 떨구고 그리고 방아에 찧어 흰쌀을 내고, 낸 쌀로써 밥을 해먹으나 떡 쳐 먹는 것을 마치 자식이 재롱을 피고 걸음말 타고 말을 하고 학교에 다니고……하는 것과 꼭 같이 생각하는 까닭이네."

학도는 구부렸던 허리를 펴고 흙 묻은 손등으로 허리를 두드리면서 와우봉쪽을 바라보다가 다시 엎디어 채 맞추지 못한 말을 계속하였다.

"……자식으로 생각하기 때문에 그 자식이 침해를 당하고 자식을 키우지 못하게 방해 놓음을 받을 때 부모 된 농민들은 목숨을 내걸고 그 침해를, 그 방해를 막을 것이 아니겠나. 자네도 과거에 우리 부조 개척민들이 여러 가지로 다난한 길을 걸었다는 사실을 알겠지만 그 고난을 달게도 받았고 또 그 고난에 무수한 무명의 농민이 개척의 영령으로 사라진 것도 다 이 벼를 자식같이 생각하는 마음에서 나온 것이라고 생각하네. 그러므로 나는 평소에 조선 사람의 만주 개척에 대한 정신적 지주(支柱)를 도혼(稻魂), 벼의 혼이라 생각하네. 도혼이라는 걸 쉽게 말하자면 벼를, 모포기를 자식같이 생각하는 마음일세. 이것이 즉 농민도일세."

이때만이 아니었다. 학도는 다음같이 친구에게 들려준 적도 있었다.

"조선 농민은 만주에 덕(德)의 씨를 심은 사람들일세. 조선 농민의 이주사를 줄잡아 70년이라고 한다면 70년 전이나 오늘이나 농민이 이곳에 이주한 까닭은 한결 같이 여기 와서 처자 권속을 거느리고 먹고 살자는 것밖에 없었네. 그 살자는 것도 고스란히 누워서 이곳에 마련되어 있는 것을 냠냠 집어먹자는 비루한 생각이 아니었었네. 그들은 볍씨와 호미를 가지고 왔네. 넓고 거칠어 쓸모없는 땅에 옥답(玉畓)을 만들고 거기에 볍씨를 심어 요즈음 말로 하면 농지 조선농산물 증산에 땀을 흘린 값으로 이곳에서 먹고 살자는 것이었네. 얼마나 깨끗한 생각이요, 의젓한 행동인가. 하늘을 우러러 부끄러울 것이 없고 땅을 내려 보아도 역시 부끄러울 데 없는 바일세. 그러나 (물론 건국 이전의 일이지만) 이런 깨끗한 생각과 뻔한 이치가 이해되지 못하고 가지가지의 곤경을 겪었으니 이런 억울할 데가 어디 있겠나. 했으나 그들 덕을 가진 그들은 더욱 벼를 심으면서 갖은 악몽과 핍박을 굳세게 참고 버티어온 것일세. 그 심은 덕의 씨에서는 싹이 돋았네. 만주건국은 처음으로 돋은 덕의 싹이었었네. 이것을 다른 면으로 상고한다면 70여 년간 백만이 넘는 조선농민이 이곳에서 버티고 버틴 그 힘이 그들을 한 번도 제 공로를 주장한 일이 없었고 예나 이제나 다름없이 수전을 풀고 벼를 심는 일을 천직(天職)으로 여기고 묵묵히 이 일만을 해오고 있은 것일세. 그런데 여기에 한 가지 통탄되는 일이 있네. 그것은 다른 것이 아니라 깨끗하고 떳떳한 동포였었지. 그러나 양복선인(洋服鮮人)이라고 누가 말한 것을 들은 일이 있지만 그 명사야 무어든 건국 후에야 경의선 함경선 직통열차를 타고 들어온 돈벌이꾼들일세. 그들은 건국 전에야 이 땅에 동포가 살고 있는지 팽이새끼가 있는지 관심 가져 줄 까닭이 있었겠는가만 건국이 된 후 너도 나도 무력천지의 이 바닥에서 돈 벌러 떠나는 것과 꼭 같은 생각으로 우 몰려들어온 것이니 그들이 에서 하는 행동이란 조선 사람의 체면을 염려하는 지각 있는 것이었을 수가 있겠나. 한다는 노릇이 몰 의리요, 거짓말이요, 사기횡령이요, 부정업이요, 또 닿지 않은 자존심에다가 쓸데없는 권리주장이요, 심한데 이르러는 만인을 경멸하는 언동이요, 했으니 조선 사람의 신용이 일계나 만계에서 두터울 리가 있겠나. 그런 분자란 어느 민족들한테나 다 있느니라 양해해준다면 그만 되겠지만 어디 세상이 그런가. 결정은 속히 눈에 띄는 대신 장점을 들추어내려 보지 않은 것이 세상인심이고 보니 이런 분자의 행동으로 조선 사람 전체를 율(律)하기가 첩경이 아니겠는가. 더욱이 논란되는 것은 이런 분자들이 이곳에 몸 둘 곳이 없다던가 제게 이롭지 못하면 만주를 실컷 욕하고 돌아가던가 새 땅 북지(北支)나 남지에 가면 그만이지만 하늘이 무너진대도 갈 곳이 업은 농민의 얼굴에 한번 묻혀놓은 흙은 좀체로 벗어질 길이 없다는 점일세…그러나 조선 농민은 이곳에 덕의 씨를 심었고 심고 있는 사람들일세. 농민도는 또한 음덕(陰德)의 씨를 어떻게 뿌리자는 정신이기도 하네. 양보(陽報)가 있을 날을 회신하면서……"

모내기(五)

"수고하십니다."

그의 골똘한 생각은 석순임이의 목소리로 말미암아 깨어졌다.

"석 선생이신가요, 석 선생께까지 미안합니다."

찬구는 손에 모를 한 움큼 쥐고 있는 순임이 보고 말하였다.

"실례입니다만 아주 농갓집 부인 같습니다."

찬구는 마음이 거뜬했던 탓인지 좀체로 순임에게는 하지 않던 농담이 나갔다.

"선생님도."

부끄러워하며 고개를 숙여 순임이는 흙 묻은 검정 운동화를 내려다보았다.

잠깐 말들이 없다가.

"거, 마 선생께서는 소식이 왔습니까."

순임이는 그런 일에 여자가 참견하는 것이 주제넘지 않는가 생각하고 망설이는 태도로 조심스럽게 물었다.

"가서 일이 되는대로 전보 친다고 했는데 소식이 없었고 늦어도 글피도 그저께로 지났는데 아직 아무 소식이 없습니다."

찬구는 치치하루에 갔던 마준영이한테서 깜깜 무소식인 것을 이렇게 말하였다.

"퍽 걱정되시겠습니다."

순임이는 저도 걱정한다는 뜻도 섞어 근심스럽게 말하였다.

이때 버들방천에서 나팔소리가 들려왔다.

"와―"

소리 요란스럽게 애들은 이곳저곳에서 버들방천을 향하여 뛰어갔다. "그럼."

순임이는 친구에게 인사하고 애들이 뛰어가는 틈에 끼어 버들방천으로 빠른 걸음을 걸었다.

모내기(六)

애들은 모이라는 나팔소리를 듣고 어른들도 갑자기 시장기를 깨달은 듯이 하나, 둘, 일손들을 떼고 버들방천으로 모여들게 되었다.

방천 왼쪽 버들숲 속에서는 아까부터 부인네들이 한지에 솥을 걸어놓고 밥과 국을 끓이고 있었는데 밥과 국이 다 되었는지 버드나무 사이에 피어오르던 연기도 인제는 그치었다.

오늘의 점심은 제법 성찬이랄 수 있었다. 쌀은 추렴으로 모은 것이니 특별히 이렇다 할 것이 없겠으나 목장에서 살이 찐 도야지 한 마리를 국감으로 내었다. 거기에 둔장의 주선으로 호주도 서너 병 준비되었다.

전이나 떡이 없는 것은 유감이라 하겠지만 그는 할 수 없는 일이고 그 대신 부인네들이 도야지국 끓이는 데에 갖은 솜씨를 내었으므로 이것 하나로 넉넉히 다른 부족을 채울 수 있었다.

병속에 멀쑥한 진짜 호주, 부글부글 끓는 냄새와 함께 사람의 비위를 돋우는 도야지국, 그리고 밥은 넉넉하겠다. 오늘의 모내기는 점심으로도 마지막 모내기되기에 손색이 없었다. 모두들 적당한 피곤과 적당한 시장기까지 지닌 채 이제 벌어진 풍성한 점심의 야외 식탁에 기대와 호기심과 내심 즐거움을 가지고 모여들었다.

강 서방은 즐거움이 행동으로 나타나기까지 하였다.

"아주머니들 수고 막심이오."

그는 코를 벌룩벌룩 익살맞게 움직이면서 국솥 안을 들여다보더니 흠썩,
"요놈 이것이, 야, 땅재주 그만해라. 이제 곧 한밥 잘 대접하마." 그러며 배를
재치 있게 두어 번 두드렸다.

부인네들은 강 서방의 얼굴만 보아도 웃음집들을 터뜨리는 것이었는데
이렇게 익살을 피고 보니 배겨낼 까닭이 없었다.

"아즈방이(아저씨)두 허리를 굵기네."

"허리를 삐여놓곤 어쩌자구 약이나 가지고 와서 웃기시오다."

수다스럽고 강 서방을 허물없이 대하는 부인네는 이런 말을 하면서 웃어
댔고 그렇지 못한 부인네들은 그저 낄낄낄 웃기만 하였다.

부인네들의 웃는 모양을 시치미 떼고 보고 섰던 강 서방은,

"큰 일이 났군."

말하였는데 남편과는 달리 수다스럽고 놀기 좋아하는 춘삼이 아내가

"무시기 큰일이란 말이오."

하고 대들다시피 하는 말을 재차 받아가지고 강 서방은,

"바람이 들었으니 말이외다."

하고 역시 시치미를 떼었다.

"바람이 들다니오."

"바람이 들어두 크게 들엇쉬다."

"어떻게 하는 말이오."

"저렇게들 웃으면서 바람 든 걸 모른단 말이오."

"오—오—, 허파에 바람이 들었단 말이구만."

"아따, 이 아즈망(아주머니)이 잘 두 알아맞힌다."

강 서방은 척 손뼉을 치면서 춘삼이 아내의 대답하는 것이 신기하고 기특
하다는 듯이 말하였다.

부인들의 웃음집은 또 터졌다.

"어서, 그만들 웃으시오, 공연히 죄업은 강 서방 대구리 깨놓지 말구."

춘삼이 아내가 이 말을 받어

"우리가 웃는데 아즈방이 머리 깨질 택이 무시기오."

하였는데,

"하, 하, 허파에 바람이 들면 웃음집이 터지는 것은 알문서 내 대구리 깨지는 건 어찌 모르오."

하고 강 서방이 하는 말은 이러하였다.

"웃음집을 거두지 못한다는 것은 허파에 바람이 되게 들었다는 말이니 바람이 되게 들어보오, 공중에 둥둥 뜰게 아니겠소. 뜨게 되면 말이요, 넓고 높은 하늘에 어디 갔는지 종적을 알 수 없을 것이니, 이렇게 되고만 보면 아우성을 칠 것은 아즈망이네 주인이오, 영감이라, 이 양반들이 내 각시 어디 갔나 내 노친 어디 갔나, 하고 찾아다니다가 나중에 올 것이라 하고 달려들 테니 이 대가리가 스무 갠들 부지할 수 있겠소."

강 서방이 일부러 점잔을 빼어 팔자걸음으로 사나이들의 처소에 간 뒤에도 부인네들의 웃음소리는 사라지지 않았다.

모내기(七)

둔장의 간단한 인사로 식사는 시작되었다.

애들은 점심을 싸가지고 왔음으로 그쪽에는 국만 보내고 어른들 자리에는 밥에다 국을 껴 얹은 사발이 돌려졌다.

술도 밥공기에 담아 돌렸다.

어른들의 자리에는 선생들도 청하였으나 현암 이외의 교원은 애들과 함께 있겠노라 오지 아니하였다.

이곳저곳에 웃음의 꽃이 피었다.

이야기 장단이 벌어졌다. 술이 두어 순배 돈 뒤에는 웃음과 이야기가 더 한층 명랑하여졌다.

강 서방은 술을 안 마셔도 경쾌한 사람이라 그가 끼어 있는 자리는 다른 곳보다 유달리 떠들썩했고 흥거웠다.

"성님 벌써 취했소."

그의 옆에 앉았는 만주인 반성괴(潘成魁)는 강 서방의 들까부는 양을 재미스럽게 보다가 똑똑한 조선말로 말하였다.

"술 한 모금에 취할 강 서방인 줄 아오. 어림없지."

"그러면 무스거에 취했소."

"재미에 취했소."

"재미에 취했소? 이 사라미 그 뜻 모르겠소."

"하하하, 반 서방, 오늘 말이야, 모내기 마지막 날 아니유. 우리 조선 사람 모내기 끝나는 날 제일 기쁜 날이오. 헌데 또 마가둔 사람들 모두 한자리에 모여서 점심을 먹지 않우. 동생은 재미업소."

"나두 재미있소. 마음이 기쁘오."

반성괴는 벙글벙글 웃으며 대답하였다.

"성님, 나도 그 소리 배와 주오."

"무슨 소리."

"아까 논 안서 성님이 부르던 소리를."

"덩지 말이지. 그 소리 구성지지. 그게 우리 조선 사람이 모 심을 때 하는 소린데…여기니 이렇지만 저 우리고향 가보오, 쪽쪽 밭전자로 갈라 논 논에 쭉 한일자로 서서 덩지를 부르며 모심는걸 보면 심는 사람두 신이 나지만 보는 사람도 제절로 어깨가 으쓱으쓱해지오." 하고 신이 나서 고향의 모내기 광경을 자랑하였다.

"우리 조선 못 가봤지만 이야기 들어서 조선이 좋은 줄 알고 성님이랑 우리 마가둔 사람들 사귀어서 조선 사람 좋은 사람인줄 아오."

반성괴는 강 서방의 구수한 이야기를 입을 벌리고 듣고 있다가 감탄하면서 말하였다.

반성괴의 감탄에 더 기운을 얻어 강 서방은,

"웃 논의 물을 뽑아내어……"

하고 목소리를 돋아 부르기 시작하다 말고

"여기선 같은 벼라도 벼 심는 맛이 나야지."

하고 고향의 모내기가 그리운 듯 말하였다.

"동생네는 그런 노래 없소?"

"우리나라 말두 있긴 있소. 밭이나 맬 때 하는 노래. 꽤 좋은 것이 있긴 있소."

"그 소리 들어봅시다."

"우리는 듣기 좋지만 조선 사람이 듣기 나쁠 게요."

"그럴 까닭이 있겠소. 하여튼 그럼 우리 노래는 동생네 귀에 듣기 좋소?"

"네, 모두 같이 부르는 게 듣기 좋소."

"동생네 노래는 혼자 부르는 거요?"

"아—니, 그런 게 아니지만 여기 사람 얼마 없소."

사실 반성괴는 마가둔에 네 호 밖에 없는 만주인 중의 하나였다. 원래 순직한 그이지만 많은 조선 사람 농가에 끼어 살자니 자연히 조선말을 유창하게 하지 않을 수 없었고 생활 뿐 아니라 감정까지도 속속들이 이해하는 사람이었다. 강 서방과는 형님 동생으로 친하게 지내는 터이었다.

"그럼, 동생, 날 동생네 노래 가르쳐주오. 그러면 난 또 우리 노래 동생 가르쳐줄게, 서로 엇바꾸잔 말이야."

강 서방의 이 제안을 재미있게 여기는 듯 성괴는 대뜸 찬성하였다.

"그거 좋소. 나는 조선 소리 하고, 성괴는 만주 노래 부르고, 그 아주 좋소."

모내기(八)

　찬구는 현암, 둔장, 한명식이— 이렇게 자리를 잡고 앉았으나 이곳저곳에서 들려오는 명랑한 웃음소리, 말소리가 대견하면서도 그 자신은 마음대로 기뻐할 수 없었다.

　준영이한테서 소식이 없는 것이 큰 납덩이같이 그의 마음을 내려누르는 까닭이었다.

　"필연코 일은 낙방이 난 게로구나."

　찬구는 생각할 수밖에 없었고,

　"그러면 그 뒤의 일을 어쩌나."

　근심이 되지 않을 수 없었다.

　점심은 아직 끝이 나지 않았으나 찬구는 먼저 일어났다.

　찬구가 일어나는 것을 보고 현암도 따라 일어났고,

　"오늘에야 소식이 있겠지요."

　하고 그의 뒤를 따라 애들이 있은 곳으로 가면서 현암은 찬구한테 위로의 말을 하였다.

　"글쎄요."

　찬구의 말씨 적게 대답하였으나 아까의 순임이며 지금의 현암이며 모두 목장의 장래를 근심해주는 진정이기에 그 무거운 마음을 어머니의 손같이 어루만져주었다.

“이 진정 이 정성, 지성이면 감천이라 정 선생은 항상 말씀하시지 않았나.”

찬구는 이러한 경우에 온화한 얼굴로 제자를 타이를 스승을 마음속에 그려보았고,

“인력을 다하고 천명을 기다려라.”

또다시 학도가 할 수 있을 말을 생각해내었다.

이러한 생각에 가슴을 설레면서 찬구는 모로 파랗게 메워진 논둑을 거니는 것이었는데 이윽고 점심도 끝나, 하나 둘 다시 논판으로 농부들은 들어서게 되었다.

논판은 어느 사이에 또다시 활기가 넘쳐 흘럿다.

애들의 떠드는 소리로 한층 더 높았고, 어른들의 격양가도 한층 구성져갔다.

강 서방의 옆에는 반성괴가 허리를 구부리고 모를 심고 있었는데 강 서방의 먹이는 소리를 받아 뇌이는 “어어허야 더덩지로다.” 하는 소리가 조금도 어색하지 않게 성괴의 입에서 흘러나와 조선 농부들의 소리 속에 화해버리었다.

이렇게 일손들은 쉴 사이 없었고 파랗게 모포기 면적은 각각으로 넓어갔고 그리고 햇발은 서산을 바라고 점점 더 엷어갔고…… 이러할 석양 무렵 무거운 찬구의 마음에 휙 기쁨의 불을 지른 것은 모내기 논판을 바라보고 걸음을 다그쳐 오는 마준영이의 뒤를 제낄싸하고 걷는 특징이 있은 걸음 걸이었다.

정류소에서 이리로 통하는 길에 일찍부터 주의를 게을리 하지 않고 살피었던 탓만이 아니라 누구보다도 먼저 준영이를 알아본 찬구는 그의 발이 저도 모르게 준영이가 오는 쪽으로 움직여진 것을 십 여보 걸은 뒤에야 깨달았다.

그렇게 깨달은 뒤에도 그대로 준영이를 맞기 위하여 걸어 나아갔다. 준영이는 이내 찬구를 알아보았는지 손을 번쩍 치켜들고 쳐 켜든 손을 휘두르면서,

"찬구우"

하고 찬구를 부르고 무어라 말하였는데 아랫말은 알아들을 수 없었다. 그러나 그의 태도가 결코 풀이 꺾인 것이 아님을 찬구는 대뜸 알아차릴 수 있었다. (그러면 그렇겠지一) 찬구는 속으로 기뻐하고,

"준영이一."

손을 들어 준영에게 응해주었다.

"찾았네 찾았어."

이윽하여 둘은 막다 질렀는데 준영이는 찬구의 손을 덥석 잡아 쥐고 걸음을 다그치느라고 가다가 섰으나 기쁜 결과를 속히 알려야 되겠다는 급한 마음을 억제치 못하여 씩씩거리며 한다는 말이 밑도 끝도 없는 이 말 "찾었다, 목장을 찾을 수 있다."는 말인 것이다. 벌써 이 일이 성공할 것을 짐작한 찬구는 사실 준영이 못지 않게 격했으나 마음을 억지로 가라앉히고 여유 있게 웃으며 말하였다.

"찾다니, 자네와 나와 언제 숨바꼭질을 했나."

모내기(九)

찬구의 말에 평소의 준영이라면 무슨 대꾸든 있었을 것이로되 그 말은 개의 치도 않고 빙긋이 웃고 섰는 찬구의 코 밑에 준영이가 들이대인 것이 있었다.

찬구는 깜짝 놀라,

"이게 무엇인가."

하였는데 준영이는,

"그게 감로수(甘露水)일세."

하고 껄껄 웃었다.

"감로수."

하고 찬구가 준영이 손에서 받은 것은 전보위체표(電報爲替票)와 저금통장이었다.

"돈 깍지와 통장이 아닌가. 종이와 물이 어디 동이 닿는 말인가."

찬구는 웃으며 말하고,

"목장을 살린 종잇조각이니 감로수지 뭐야."

준영이가 대꾸하는 것을 다시 찬구가,

"자네가 그런 뜻으로 말한 줄 나도 미리 알았네."

하였다.

찬구는 돈 깍지의 액면(額面)을 살피였는데 3천 5백 원으로 적혀있어 우선 대금임에 놀랐다. "대관절 어찌된 돈인가."

"어찌 되긴 뭐가 어찌 돼, 목장을 찾으라는 독지가의 정재(淨財)이지."

"심중섭이가 낸 건가."

"심중섭이가 내는 돈이 아니면 안 쓸 작정인가."

"이건 또 현금숙, 경이 엄마 통장이 아닌가."

"경이 엄마는 왜 경이 엄마야, 부군(夫君)되는 사람 앞에서, 그것은 영부인(令夫人)이라고 하는 법일세."

"아아, 실례했네. 그런데 부인— 아차 영부인 통장인지 분명한가."

"그래, 내 영부인은 저금통장 송두리째 바쳐 못쓴다는 법이 있던가."

"아따 이 사람, 너무 뽐내지 말게, 헌데, 四백 六十九원, 이 많은 돈, 자네 강탈해온 것은 아니겠지."

찬구는 고마웠다. 이야기를 듣지 않아도 그 구차한 살림에서 한 푼, 두 푼, 저축한 돈인 것은 통장면의 금액 예입일자(預入日字)를 살피어보아도 알 수 있었다. 찬구는 준영이와 농을 주고받으면서 몇 번이고 경이 엄마를 향하여 마음속으로 (고맙습니다, 고맙습니다.) 하고 절을 하였다.

"강탈해 오고도 여편네—아니, 영부인이랬지, 영부인이 내 줄려고, 그러는 것은 아닌가."

그리고 찬구는,

"전보채는 어찌된 것인가, 발신국(發信局)이 경성 안국정(京城安國町) 서울서 보내온 것인데, 어째 서울에서 보낸 건가."

하고 전보환과 심중섭이와 관련시켜 준영에게 물었다. 했는데 준영이는 불쑥 또 찬구 앞에 종잇조각을 내밀었다.

"이거 또 무어야."

찬구는 그 종이를 받어 펴보았다 전보였다.

"3천 5백 원 목장기금에 써주시오. 윤룡근"

"인류—꽁, 인류—꽁, 심중섭이는 아니지."

"심중섭이면 찡 쥬—쇼겠지, 인류—꽁일 까닭이 있나."

찬구는 얼른 수신인 난(受信人欄)을 보았는데 주소는 준영이의 신문사로 하고 이름은 오찬구로 쓰여 있었다.

윤룡근 윤룡근을 XX 윤○○ 찬구는 インリウコン에 해당할 조선 성명을 이리 붙이고 저리 붙여보았으나 도무지 거기에 근사한 사람으로 서울에서 3천 5백 원의 대금을 목장기금으로 보낼 사람이 없었다.

"이거 탐정소설인가 インリウコン이 누구야, 자네 생각나는 사람이 없나. 난 도무지 근사한 사람도 없는데 대관절 심중섭이는 자네 만나보았나 어쨌나."

"사실은 심중섭이를 못 만났네."

"못 만났다. 어째서……"

"가만있게, 걸어가면서 찬찬히 이야기합세, 이번 일은 기가 차고도 신기하기로 이른다면 자네 말마따나 탐정소설 맛일세."

그리고 준영이는 치치하루에 갔던 이야기를 다음과 같이 설명하였다.

익명의 독지가(一)

"그날 자네의 배웅을 밧고 현성 정거장을 떠날 때에는 범 앞으로 가는 포수의 기세였었네. 치치하루 정거장에 내릴 때까지도 그런 기세였었네. 했는데 으레 마중 나왔으리라고 생각했던 심 군의 얼굴이 보이지 않았을 때 기세가 좀 꺾이기는 하데. 그렇지만 그 차가 한 시간쯤 연착이 되었으므로 마중 나오지 않은 것도 차가 연착된 것일 것이라 다시 생각을 도사려가지고 심군의 상점을 찾지 않았겠나. 그 상점이라는 것이 찾기에 매우 힘이 들데. 겨우 통 호수 번지를 더듬고 파출소와 행인에게 물어 찾아가기는 갔으나 태산같이 바라던 심 군이 그저께 서울로 올라갔다는 점원의 대답이 아니겠나. 요전번 올라가시었던 일이 미진했는데 급히 전보가 와서 그저께 부랴부랴 다시 올라갔습니다. 점원은 친절하게 일러바치데 만 이 사람 나는 앞이 캄캄하데. 언제 오실지 알 수 없냐고 물었네만 글쎄요, 속히 오실 것도 같지만 또 모르지요, 이번 일은 해산물을 무역해 오는 일인데 전번에 국외반출허가(國外搬出許可) 수속을 조선의 거래처에서 맡아하기로 하여 거의 허가가 내리게 되었다던 것이 갑자기 여의치 않게 되어 주인을 급히 부른 모양인데 일이 속히 되면 수일 내에 돌아올 것이요, 그렇지 않으면 언제 올지 기약할 수 없을 것입니다. 이런 대답이 아니겠나. 큰일이 났네"

그는 그날 밤 여관에서 밤을 드새면서 어쩌면 좋을까, 이 궁리 저 생각을 하였으나 묘책이 나서지 아니하였다. 이튿날 아침에 먼저 심중섭의 부인을 찾아보았다.

중섭의 부인은 준영이를 반갑게 맞아주었고 주인이 목장 기금을 모은다는 소식을 알고 나도 돈을 보내야겠는데 하고 근심하더라는 말까지 들려주었다.

그래 준영이는 그러면 되었다 생각하고 언제 올지 모르는 중섭이를 무턱대고 기다릴 수 없는 일, 거기에 은행 기일이 4, 5일밖에 남지 않았으니 어떻게 부인께서 먼저 들려주시오 하고 애걸하다시피 말했으나 돈에 대해서야 내가 어찌 자의로 처리하겠습니까 하고 부인은 거절할밖에 없었다. 안연히 앉아있을 수가 또 없었다.

준영이는 점방으로 나갔다.

"주인은 서울 가있은 주소를 아르켜 주시오."

점원더러 물었으나,

"글쎄 지금 서울에서 계시다고 단정할 수 없습니다. 서울에는 반출 수속 때문에 가신 것이지만 현품은 원산(元山)과 고저(庫底)에 있으니 지금 반드시 서울에 계시다고 단정할 수 없습니다."는 대답이었다.

"그럼 서울, 원산, 고저, 세 곳 주소 다 적어주시오."

"그는 그러리다만 어쩌자고 그러시오."

준영이는 전보국(電報局)으로 뛰어갔다. 점원이 적어준 세 곳, 세 상점, 전교(轉交)로 심중섭이한테 동문(同文)의 장문 전보를 썼다.

목장 기금 5천원 부족을 형과 상의차 치치하루에 왔으나 형을 만나지 못하여 전도 막연, 은행 기일, 6월 30일, 이날 전에 5천원이 안 들어오면 모처럼의 일이 파탄될 밖에 없으니, 형에게 간원함. 치치하루 형 댁에 답하든 현성 나한테 송금하든 백번 절하고 부탁함.

마준영은 급한 나머지에 전보문인지 어귀(語句)의 나열인지 모를 글을 이렇게 뒤죽박죽 써서 보내었다.

익명의 독지가(二)

"이렇게 전보를 치기는 했으나 이것이 다 눈에 달이 뜬 나머지의 행동이지 될 법이나 한 수작이겠는가. 그러나 그때에는 전후를 모르겠네. 그날 오후부터 나는 점방에 처음에는 한 시간에 한번씩, 밤이 되어서는 15분에 한번씩은 찾아갔었네, 주인한테서 소식이 없습니까, 아직도 소식 없어요? 하고 드나들었더니 처음에는 그리도 친절하던 점원의 태도가 차츰 달라지데그려. 눈도 거들떠보지 않기는 물론이요, 나를 미친 사람으로 치는지 슬슬 피하는 것이 아니겠나. 그 이튿날에는 점방에 아침부터 가서 배겨 앉았었네. 했더니 점원들은 점방을 비우고 종일 들어오지 않데. 빈방은 혼자 지키고 앉았으나 소식이라고 있을 까닭이 있겠나."

준영이는 단념할 수밖에 없어 치치하루에서 두 밤을 드새고 사흘 되던 날 목단강 유종석이를 찾아 떠났다.

유종석이는 물론 쉽게 만났지만 자초지종을 들은 종석이는 허허허 웃으면서 말을 하였다.

"참으로 책상물림들이란 할 수 없는 일이요. 심중섭이를 맞서 보지도 않고 五천원을 예삿일로 하고 마련하는 것도 우습거니와 남대문 입납으로 전보를 치고 기다렸다는 당신도, 노여워 마오만 어린애 못 면한 사람이요. 하여튼 일은 다급하나 여기서 지체할 것이 아니라 속히 돌아가서 은행에 어떻게 교섭을 넣어 기일을 연기하든지 그렇지 않으면 달리 돈을 구하든지 하시오. 심 군의 건은 그 사람이 돌아오는 대로 이번에는 내가 만나서 규정을 지어줄 터이니 그는 염려할 것이 없고."

들어보니 유종석이의 말이 또 옳았다. 준영이는 얼굴이 뜨끈뜨끈한 것을 겨우 딴은 그렇네 하는 웃음 섞인 말로써 얼러 마치고 곧 회정에 오른 것이었다.

집에 들어왔으나 처음 떠날 때의 기세가 있었을 까닭이 없었다.

경이 엄마는 풀이 꺾인 남편의 태도를 보고 대뜸 일이 글러진 것을 알아차리고 조반상을 차려왔으나 삼사일동안 노심초사한 꼴이 얼굴에도 나타나 있어 못내 가슴이 쓰린 모양이었다.

이윽고 밥상을 물리려고 할 때었다. 경이 엄마는 들어오더니

"이걸 보태 쓰시오."

하고 밥상머리에 저금통장을 내밀었고,

"이게, 뭐야."

"얼마 안 되지만 시집올 때 친정에서 어른들이 10원, 20원 쥐어주신 것을 쓰지 않고 저금하기 시작했던 것인데 그 후 헌 신문 같은 걸 판돈을 꼬박꼬박 넣어 경이 학교 들 때까지에는 천원 하나는 만들어둔 것이었어요."

"수다스런 임자한테도 그런 기특한 구석이 있었나."

준영이는 왈칵 아내가 귀여운 생각이 일어났다.

"하여튼 고맙소."

준영이는 아내가 주머니에서 꺼내어주는 도장까지 받아쥐니 치치하루에서 얻은 불쾌가 씻은 듯이 가버리고 마음이 다시 명랑해졌다.

"이걸 이렇게 선뜻 내놓고 후에 바가진 긁지 않겠나."

"남은 성의를 다하는데 농담도 할 때가 있지요."

"큰 소리는 해도 모르겠다."

준영이는 경이를 안아 목마를 태우고 방 안으로 돌아다니며,

"너 엄마가 곱니, 아빠가 곱니?"

하였다. 경이는 한참 망설이더니,

"엄마도 곱고, 아빠도 고와."

그랬다.

"하하, 엄마도 곱구, 아빠도 곱다."

준영이는 창가를 부르듯이,

"우리 경이는 엄마도 곱고 아빠도 곱단다야—"

소리 높여 뇌이었다. 그의 눈에는 눈물이 글썽글썽 매치었다.

익명의 독지가(三)

"자네 말을 빈다면 처자를 데리고 노닥거리는 판이 아니었겠나, 바로 그럴 때일세. 가끼도메(서류우편, 또는 등기우편)—하는 퉁명스런 우체부의 소리가 사무실 방에 들여오데 그려. 경이를 목마를 태운 채 나가보았더니 우체부의 말이 오찬구라고 여기에 있소 하였네. 으레 소위채(小爲替)를 동봉한 감격의 편지려나 생각할밖에 없겠은 것이 그럼 가끼도메는 자네의 이름이나 내 이름으로 오는 것이 아니었나, 그래 자네 도장도 새겨두고 있던 것이 아닌가.

그래 오찬구한테, 서류우편이 왔소, 하고 서랍에서 자네 도장을. 내주었는데 체부의 말이 전보환이요, 하고 주는 우정사무(郵政事務)피봉을 뜯어보니 나오는 것이 바로 그 돈깍지였었네."

준영이는 그러면 그렇겠지, 치치하루서 친 전보의 효력이 대뜸 낫다고 기뻐한 것은 그 돈을 보낸 사람이 심중섭이라고 단정해버린 까닭이었다. 그는 곧장 우정국으로 뛰어갔다.

"이 돈 주시오."

"보낸 사람이 누구요."

"심중섭."

"뭐요?"

"심중섭."

"네?"

"진 쥬—쇼—"

"아니외다."

사무원은 준영이를 의심쩍은 눈으로 훑어보면서 돈 발송한 우편국에서

"심중섭이 아니면 누구란 말이오. 거기다 누구라고 적어왔소."

준영이는 창구(窓口)에 머리를 쑥 들이밀고 말한즉 사무원은 준영이의 태도에 어이가 없었던지,

"이 양반이 정신이 있소. 돈 보낸 사람을 우리가 대어주는 법이 어디 있소."

한마디 .

준영이는 뒤통수를 치면서 집에 돌아왔는데,

"이건 도깨비 홀림이야 뭐야."

투덜거렸고,

"심 군도 장난을 할 때가 있지, 남의 속도 모르고 이런 고비에 장난할 건 뭐야."

중섭이가 장난으로 제 이름을 안 쓴 줄로 여기었다.

이러면서 집에 들어서는데 들어서자 경이 엄마가 문소리를 듣고 뛰어나오면서,

"이런 전보가 왔어요."

하고 내민 곳이 바로 송발인이 "インリウコン"이라는 것을 알리는 전보였다.

"잘 한다."

준영이는 돈 보낸 사람이 심중섭이가 아니었다는데 스스로 섬찍했으나,

"하여튼 돈을 찾을 수 있으니 일은 성공이다."

하고 기뻐했다.

"이렇게 되었으니 가만히 앉아있을 수가 있겠나. 그래 여편네에게 돈 찾아

가지고 그길로 목장에 갔다 오겠노라 이르고 우정국으로 뛰어가는 도중에 바로 자동차부 앞을 지나다가 자동차가 막 떠나려고 시동을 걸고 있지 않던가. 다짜고짜로 올라앉았지. 송금함을 안 바에야 돈을 내일에도 찾을 수 있겠지만 자동차는 이번 것을 놓치면 또 한 시간이나 기다려야 되지 않나…”

찬구는 잠자코 듣고 준영이는 이렇게 소상이 이야기하느라고 그들은 버들방천에 다다른 것도 몰랐다.

“자네 수고했네.”

찬구는 보기 좋게 실을 늘인 수양버들 밑에 준영이의 함께 안으며 말하였다.

“수고랄 게야 있겠나만 대관절 インリウコン이라고 자네 아는 사람인줄로만 여겼는데 아까 자네 말 같아서는 그렇지 않은 모양이니 이게 대관절 어찌된 영문인가.”

준영이는 담배를 태워 물었다.

익명의 독지가(四)

"옳지, 사모님 친정이 윤 씨가 아니 드라고."

준영이는 담배 연기를 하늘로 뽑더니 금세 무엇을 깨달은 듯 말하고 찬구를 보았다.

"윤치덕(尹致德) 씨야, 사모짐 오라버니 되시는 이는."

찬구는 학도 부인 윤 씨가 친정 오라버니한테 하는 편지의 피봉을 써준 일이 있으므로 그 일을 잘 알고 있다.

"그래도 서울에서 윤 씨면 사모님 친정밖에 더 생각할 것이 없는데 그분이 손수 돈을 우편국에 가지고 가서 부쳤을 리는 만무 할게고 하니까 아들이나 손자한테 심부름 시켰을 것이 아니겠나. 심부름으로 돈 부친 사람이 제 이름을 쓰고선 그렇게 전보 친 것으로 나는 생각하는데 자네 생각은 어떤가."

준영이의 의견은 근사하였다.

더욱이 애라가 그렇게 서울로 올라간 지 며칠 안 되어서 온 돈이고 보매 이것은 목장의 위기를 애라한테서 듣고 애라의 외삼촌이 부친 것이라고 찬구도 해석 못할 것은 아니었다. 그러나 윤 씨를 통하여 소상하게 알고 있은 윤 씨 친정집의 살림살이를 생각할 때 그대로 수긍하기는 어려운 억측에 지나지 않았다. 하여 찬구는,

"글쎄."

하고 준영이의 추측에 전폭으로 찬동하는 뜻을 감추고 말하였는데 준영

이는,

"글쎄구 절쎄구 공론할 거 있나, 사모님께 물으면 대뜸 알 것."

하였다.

그때 준영이가 온 것을 보고 현암과 순임이와 한명식이가 버들방천으로 뛰어왔다.

"형님, 애쓰셨소."

현암의 인사였고,

"선생님, 수고하셨습니다."

순임이의 말이었고,

"대관절 가신 일이 어찌 되었습니까. 여기서는 모두 간이 콩알만큼 돼가지고 기다렸습니다."

명식이의 말은 단도직입이었다.

"일이 아주 석 잘 되었쉬다."

준영이는 여러 사람의 인사를 받으며 쾌활하게 말하였다.

"그럼 양과 돼지 하고 생이별은 면하게 되나요."

명식이는 유난히도 좋아하였으나 다른 사람들이라고 언짢아할 까닭이 없었다.

모두 기뻐하고 흐뭇해하였다.

이윽하여,

"사모님께서 나오셨겠지."

준영이는 현암을 보고 물었는데,

"네, 아까 저쪽에서 점심 적근 뒷갈매 하느라고 계시는 걸 보였는데요."

하고 순임이가 대답하고 오른편 부인들이 밥과 국을 끓이던 쪽을 가리켰다.

준영이는 순임이가 가리키는 쪽으로 걸음을 옮겨 버드나무께로 사라졌다.

5분이 채 못 되어 준영이는 돌아왔다.

그 사이에 명식이는 논판에 가 벗었고 그 자리에는 찬구, 순임이, 현암, 셋이 준영이를 기다리고 있었다.

"룡(龍)짜나 건(乾)짜나 곤(坤)짜 항렬은 얻어다 기르는 애도 없대."

준영이는 오던 말에 이렇게 말하고,

"누가 보냈든 뭐라나. 목장을 살렸으면 그만이지."

송금인에 대한 천착(穿鑿)에 지친 듯 말하였다.

"그래두."

미타해하는 찬구의 말에,

"그래두라니."

준영이는 오금을 박았다.

"출처를 밝히기 전에야 맘 놓고 쓸 수 있나."

"뭐야, 진소음인(真小陰人)이야 상납전이래두 채어 쓸 판인데 번듯하게 목장 기금으로 써주십사─한 돈을 마다해? 익명(匿名)의 독지가란 옛날부터 잇던 것이고 희사(喜捨)의 진의(眞意)가 반드시 익명이 안 된다는 것은 괜한 주문이겠지만 1전을 내고도 신문 면에 제 이름을 찾노라, 들이대는 세상인심에 4천원 대금을 이름을 감추고 선뜻 내던진 사람이 잇다는 것은 정 선생 사업을 이룩하는데 으뜸가는 미담(美談) 가화(佳話)요, 선생의 유덕(遺德)이 큼을 말하는 것일세."

"익명의 독지가."

찬구는 입가에 빙긋이 웃음을 머금었다.

"그래, 익명의 독지갈세."

둘은 서로 마주보고 또 순임이 현암의 얼굴을 번갈아보며 만족하게 웃었다.

재출발(一)

난감한 고비에 하늘이 도운 듯 날아 들어온 익명 독지가의 돈까지 합하여 눈물겨운 정성으로 모인 정재(淨財)는 마침내 북향 목장을 살려놓고야 말았다.

찬구의 기쁨, 준영이의 흐뭇함, 이기철이의 만족, 그의 목장 식구들의 기쁜 심정이야 어찌 붓끝으로 형용할 수 있으랴.

모두 미칠 듯이 기뻐했다.

모두 날뛰면서 좋아하였다.

그러나 기쁨에 취하여 할 바를 잊어버릴 그들은 아니었다. 달리는 말에 채찍을 더해야 된다고 생각하는 그들이었다.

"목장을 살리는 것은 금후에 있다."

일찍부터 각오하고 있던 그들이었다.

그리하여 각각 제 맡은 소임에 따라 진실로 목장을 살리는 일, 학도의 유업을 이룩하는 일에 그들은 목장을 찾았다는 기쁜 눈물이 마르기도 전에 힘 있는 첫걸음을 내디딘 것이었다.

준영이는 제가 발 벗고 서서 한 일이 이렇게 빛나는 결과를 맺은 것을 스스로 대견히 생각하면서 은행에 돈을 문다, 목장 소유권을 이기철이 이름으로 옮겨놓는다, 저당권을 설정한다, 이런 일을 하기 위하여 은행으로, 등기소로, 현공서로, 지정정리국(地政整理局)으로, 대서소로, 이기철이의 처소로, 뻔질나게 돌아다니느라고 책망의 말까지 들었으나 그의 목장에 대한 일은 그래도 식지 않고 더욱더 타올랐다.

은행에 대한 사무가 단락을 짓기 무섭게 그는 자금을 보낸 학도 문하생에게 자사의 뜻을 겸하여 전말을 알리는 글을 보내었고 그 뒤를 이어 북향 도장 기성회 조직에 대한 안(案)을 세우기에 골똘하였다.

이에 대하여는 찬구와 이기철이와도 자주 만났으나 우선 유력한 동창생한테 사신(私信)을 내어 그들의 동의를 구하기로 하여 이 운동의 첫 걸음을 내딛게 마련해 놓았다.

이기철이는 아들이 쓰고 살 집, 한 채 사주고는 이내 목장에 이사하여 왔다.

"내야 무얼 해내겠소. 폐스럽지만 한 구석에 박혀있게 하여 한 일월이나 보내게 해주구려."

하고 기철이는 목장에 들어온 것이었으나 이것은 겸사의 말에 지나지 않은 것이었고, 이삿짐을 채 풀기도 전에 왼쪽 어깨를 살구고 모지듯 걷는 게걸음으로 부지런히 학교로, 목장사무실로 왔다 갔다 하였다.

더욱이 학교 일에는 젊은 교원이 미안하리만큼 부지런하였다. 일찍 한다 하던 솜씨라 그동안 정리가 되지 않았던 온갖 문부며 경영상 소홀한 점을 눈에 띄는 대로 자신이 정리도 하고 또 정리하도록 교원들에게 시키기도 하여 학교의 사무적인 면부터 첫째 정돈하였다. 그러면서 교원이 부족하여 교수치 못하는 급(級)에는 늙은 몸을 이끌고 들어가 교단에 서는 것도 게을리 하지 아니하였다.

낮에는 교수, 밤에는 사무의 정리도 얼마동안은 주야를 가리지 않고 앞장을 서서 젊은 교원을 지휘하였다.

부인 안 씨가,

"그렇게 몸을 턱없이 부리다가 탁 병이라도 나시면 어째요."

하고 근심스럽게 말하면,

"거꾸러져도 무가내하지. 내가 할 수 있은 일이 이게 고작이니까."

하고 주름진 얼굴에 결의를 나타내었다.

재출발(二)

한명식이, 강 서방, 춘삼이는 목장의 명맥이 간들간들할 때에도 버티고 물러나지 않고 제 맡은 일 외에도 한두 가지씩은 익혀두던 사람들이라 그들이 침식을 잊고 뼈가 부서지는 줄 모르고 목장재건에 이바지했을 것은 더 말할 것도 없는 일이다.

아동교육에 취미를 느끼기 시작하였던 현암이 이 교장의 지휘 밑에 착착 정돈되어가는 학교에 애착을 느끼고 교수에나 경영에나 주임으로서의 지식과 경험과 관록을 쌓아올리는데 전신을 불덩이로 대어든 것도 대견한 일이지만 그는 또한 작가로서의 농촌연구에도 결코 등한하지 아니하였다.

순임이는 낮에는 학교, 밤에는 야학, 그리고 쉬는 사이에는 농촌 부인들을 찾아다니며 섭슬려 노는 가운데 그들을 교화 지도하는 일에 어찌도 피곤하였던지 앵두 같은 입술이 트기까지 하였다. 이명곤이가 그랬고… 윤 씨마저 내가 어찌 편히 있을쏘냐 하고 산태미에다가 짐승의 어지러운 물건 쳐내는 일 같은 것을 도와주었다.

찬구는?

모두가 이랬으니 찬구야 더 말이 있으랴.

말씨가 적고 몸가짐이 무거운 그는 다른 사람같이 입으로나 몸짓으로 마음속에 결심한 바를 드러내는 경솔한 짓은 하지 않았으나 목장을 찾던 날 '만년파형(萬年波形)'의 미남발(美男發)이라고 준영이한테 칭찬을 받던 머리를 아낌없이 깎아버림으로 결의의 일단을 나타내었다.

목장의 일을 돌보는 것은 물론이었다. 도장 기성회 조직에 대하여, 학교에 대하여 걱정하는 것도 더 말이 없다.

그러나 이 일에는 각각 몸과 정성을 부어 해나가는 동지들이 있었다. 찬구는 그들을 믿었고 믿었음으로 잔 간섭을 할 까닭이 없었다.

다만 목장의 모든 일이 최종의 목적을 달성하기 위하여 대체의 계획과 주선을 하는 것이 목장에 대한 그의 일이었다.

그리고 그는 그의 온갖 노력을 마가둔에 속속들이 이바지하였다. 마가둔을 북향촌으로 만들려는 일에 바치었다.

마가둔을 상대로 하여 할 일은 수두룩하였으나 찬구는 우선 사도미의 주선으로 찬구한테 대여(貸與)해준 양과 도야지를 둔민한테 나눠주고 찬구 자신은 자전거 한대를 장만해가지고 그것을 타고 각호에 돌아다니면서 직접으로 목축하는 방법을 가르쳐주었다.

사도미는 찬구를 성공서로 이끌려고 하다가 찬구가 그럴 사정이 못된다고 편지로 또는 직접 만나 완곡하게 거절을 하였으므로 뜻을 이루지 못하였으나 그 뒤에도 찬구를 버리지 아니하고 목장을 찾는 운동을 일으킬 때에는 목축업자의 감독 당국자로서 은행에 절충도 해주고 그 후에는 찬구한테 양백 마리, 도야지 五十마리를 대여하여 목축시장 보급에 힘써달라고 부탁하였다.

사도미한테서 대여 받은 양과 도야지를 찬구는 목장의 사유물로 하지 아니하고 마가둔에 나눠준 것이었는데 둔장과 의논하고 가축을 키울 때까지 씨(種畜)를 살 여력이 없는 빈농을 조사하여 그런 가정에 나눠주었다.

찬구가 자전거를 타고 각호에 돌아다니는 것은 빈농한테 나눠준 짐승을 농가의 실정에 맞도록 기르는 방법을 가르치려는 것 외에 농가에서 개량하여야 될 점을 일일이 직접 지도해 고치기 위하여서였다.

재출발(三)

찬구가 자전거를 타고 마가둔 각패(各牌)에 돌아다니며 농민과 접하여 그 사람들을 지도한지 얼마 되지 않은 어느 일요일이었다.

더위도 처음 고비는 지나 이제 바야흐로 혹염이 되려고 하던 날, 찬구는 이날 일찍, 육패부락(六牌部落)에 자전거를 타고 간 것이었다.

이 부락에는 현암이 기숙을 하고 있다.

육패부락은 목장과 학교가 있는 곳에서 서북쪽으로 걸어가면 한 시간은 착실히 걸리는 산골짜기에 二十여호가 팽개쳐 있은 것이나 다름없이 살고 있는 곳이었다.

사변 전에도 이곳 주민들은 풍족한 살림을 한 것은 아니었으나 사변 당시의 패잔병들의 북새, 그 후의 비적의 내습이 항시로 있어 마음을 가라앉히어 농사를 지을 수 없는 형편이었다. 농사래야 순 소작들이였으니 가지가지로 모든 곤란을 몇 차례이고 겪은 그들은 치안이 확보된 오늘에 와서도 생활의 근거가 말이 못되는 것이었다.

적빈여세(赤貧如洗)란 오히려 사치한 표현이요 겨우 산등을 의지하여 풍우를 피할 수 있는 움집 같은 집을 짓고 사는 것이 고작이랄까, 여자들은 옷이 벗어 마대를 치마 대신으로 두르는 것이 보통이요, 남자는 옷 한 벌을 가지고 겨울이면 솜을 놓아 입고 봄이면 솜을 빼고, 여름이면 거죽을 홑옷으로 이렇게…입는 형편이었으니 다른 생활이야 더 말할 것도 없는 일이었다.

이러한 그들이고 보매 문화나 정신적 향상은 피우려는 여유가 생길 까닭이 없어 겨우 애들을 학교에 보내는 것이 고작이요 일껏 목장에서 베푸는 혜택인 아이 기르는 것에도 거리가 먼 까닭도 있겠지만 육패부락들은 다니려고 들지 아니하였다.

그리고는 저녁 숟가락을 놓기도 무섭게 새끼 한 오리 꼴 생각을 하지 않고 잠을 자는 것이었는데 이는 등불이 자유롭지 못한 까닭도 있겠으나 등불을 연구해만들 생각조차 내지 않은 것이었다. 그러나 잠을 자는 것은 오히려 선량한 편에 속하는 것이요, 농사에는 성의를 내지 아니하고 도회지 부정업자들의 끄나풀이 되어가지고 아편이나 금제품의 짐을 밤새워 가며 져다준 보수로 얼마 안 되는 돈을 압회(押會)나 모이죠, 취패쥬(退牌九)로 도박에 불어먹는 패들도 적지 않아 육패부락은 생활상으로나 정신상으로나 마가둔의 두통거리가 단단히 되었다.

이 부락에 대하여는 둔장도 골머리를 앓고 있었는데 찬구는 무엇보다도 먼저 이 부락을 갱생시키는 일에 착수하기로 하였다. 정신적으로 거치른 그들에게 정신적인 지도가 필요한 것은 물론이겠으나, 대뜸 북을 치고 징을 올리고, "착한 사람이 되어라.", "도박을 없애라.", "부정업을 박멸해라." 이 따위로 소리소리 지른다 했댔자, 도리어 그 사람들의 역정만 자아낼 것이므로, 찬구는 위선 그 사람들한테 생활의 여유를 주어, 제 생활에 재미를 붙이고, 제 생활을 소중히 여기게 하는데 지나는 일이 없다고 생각하였다.

하여 찬구는 사도미가 준 가축을 육패부락에게 가장 많이 배달하여 주었고, 각 호를 방문하여 지도하는 일을 이 부락에 특히 주력하였다.

이 찬구의 뜻을 전면적으로 옳게 여긴 현암은 그의 농촌 생활연구의 대상으로 육패부락을 택하여 이 부락에다 기숙사를 정한 것이었는데, 찬구가 하는 일에 측면으로 도우려는 뜻인 것은 더 말할 것도 없으니, 또한 그가 학교에서 흥미를 느낀 박창덕 소년이 여기에 집이 있은 것이 현암으로 하여금 육패부락에 기숙사를 정하게 한 또 한 가지의 원인이기도 하였다.

재출발(四)

이날 찬구가 굿패에 간 것은 어저께 채 못 마친 돈역 예방주사를 놓기 위해서였다.

일요일이어서 집에서 쉬고 있던 현암도 조력하여 돈역주사는 정오 전으로 끝마치었다.

이내 다른 패(牌)로 가겠다는 친구를 현암은 오늘은 이야기나 하면서 좀 쉬시오 하고 만류하여 찬구는,

"아무려나 그래봅시다."

하고 주저앉은 것이었는데 둘은 뒷산 등성이에 홀로 서있는 늙은 느티나무그늘 밑 잔디밭위에 다리를 뻗어 펴고 앉아 옷 내복을 헤쳐 놓고 시원한 바람을 가슴에 받으며 이야기를 주고 밧고 하였다.

"현형의 창작노트가 이젠 상당히 불룩했으렷다."

"이제 두 책 채 적어 넣고 있지만 쓸 만한 재료가 되겠는지요."

"두 책 채, 야하, 형의 열심에는 머리가 숙여집니다."

"창작에 대한 것은 내 취미니까 더 말할 것이 없지만 내 취미 만에 열중하고 오 형의 일을 도와드리는데 등한한 것 같아 대하기 부끄럽기만 합니다."

"원 천만의 말씀, 그에서 더 도우시면 어떻게 도운 단 말씀입니까. 나는 목장일, 학교일에 시간을 다 뺏겨 형의 소설 쓰시는데 방해되지나 않을까 그것이 되려 걱정 이였는데요."

"별 말씀 다 하십니다. 작품이라는 것이 호화롭게 서재를 꾸며놓고 앉았어야 반드시 쓰여지는 것은 아니니까요. 생활에 부닥치고 생활을 몸으로 파헤치고 들어가는데서 피 뛰고 생기 있은 것이 쓰여진다고 생각하는데 이런 점으로 본다며 지금의 이 노력이 어림이나 있습니까."

"그는 나는 모르지만 이야기에 들건대 조선 문인이 걸작을 못쓰는 것은 호화롭게 꾸며 논 방이 없는 탓이요, 찻집이나 빠나 그런데 푹 박혀있을 돈의 여유가 없어 그러는 것이요, 유한부인이 자동차 타고 인천이요, 배천이요 하고 노라리 다닐 경제력이 없으니 그러는 것 인줄 알고 있는데?"

"허, 허, 오 형의 힘구도 가위 맵다 하겠습니다."

"허허허."

"허허허."

둘의 허허허 웃는 소리는 오후의 쨍쨍한 여름 하늘에 높고 명랑하게 드날리었는데 그 웃음 속에는,

"현형. 제발 물게가 동이 뜨게 다른 먼 나라 문사의 생활을 껍데기만 모방하려 드는 부박한 문학청년으로 끝마치지 말고 그 건실한 태도를 끝까지 지녀가지고 조선 사람의 정신적 양식이 되고 등불이 될 대작을 써서 모쪼록 대성하시오."

하는 찬구의 격려에,

"오 형의 신뢰를 저버리지 않으리다."

하는 현암의 힘 있는 대답이 감추어져있었다.

이야기는 의외로 이런 방면에 흘러 얼마동안, 현암은 많이 말하였고 찬구는 미지의 나라의 이야기를 듣는 듯, 현암이가 하는 말을 재미있게 들다가, 겨우 화제가 현암의 육패부락에서 부락사람을 상대로 일해 나가는 보고와 감상담에 접어들려고 할 때,

"선생님들 여기 계신 걸 찾었네."

하고 소년 하나가 두 사람 앞에 나타나 깍듯이 경례하고

"점심 다 되었으니 곧 오시랍니다."

똑똑한 목소리로 말하였다.

둘은 현암의 집에 내려와 언 감자떡에 오이냉국 점심을 맛있게 먹고 난 다음 등성이에서 미진한 이야기를 계속하려고 찬구가,

"요즈음 어때요."

하고 말을 끄집어내었다.

"아주들 좋아해요."

현암은 말하고,

"이걸 우선 읽어보십시오."

하고 책상 위에 노였던 노트를 찬구한테 집어주었다. 표지에는 하고 책상 위에 놓였던 노트를 찬구한테 집어주었다. 표지에는 「창작수첩(創作手帖)」이라 쓰여 있었다.

▮
주: 「재출발(五)」는 루락.

재출발(六)

겨우 나의 뜻을 이해한 부인은,

"창덕이를 나한테 맡기시오."

하는 나의 제언에 승낙하는 듯 안하는 듯, 승낙을 하였으나 본인인 창덕이가 이번에는 문제였다.

나의 복안(腹案)은 창덕이를 나의 사관에 데려다가 함께 먹고 자고 학교에도 같이 데리고 오고 하면서 그의 동무가 되어주는 동안에 애정을 베풀어보자는 것이었다.

처음에는 내방에 들어서기를 벌벌 떨면서 무서워하였다. 무엇을 물어도 머리를 숙이고 대답을 분명히 못하였다. 이럴수록 나는 그를 대하는데 도무지 어른 아이라는 간격을 두지 아니하였다. 일부러 나는 먹을 것을 사가지고 와서는 허뜨려 놓고 함께 먹었다. 그리고 나는 그의 하는 일이 모두 훌륭하다고 칭찬하였다. 더욱이 공부에 대하여 어떤 무엇을 묻는데 대답을 하는 족족 옳아하고 치켜 주었다. 사실 그의 뇌는 결코 나쁜 것은 아니었다.

나는 그와 같이 뛰놀았다. 강변에 나가 빨가벗고 목욕도 같이 하였고 저녁 후 동구 수양버들 밑에서 씨름도 하였다. 아침에는 일찍 일어나 등성이에 올라가서 올라오는 햇빛을 바라보고 고함도 같이 지르고 체조며 창가로 동심(童心)이 할 수 있은 갖은 명랑하고 활발한 행동을 하였다. 달밤에는 강변에 가 앉아서 고요하고 아름다운 동화도 들려주었다. 학교에 갈 때에는 일부러

'구보로'를 하였다. 오 형이 권하는 자전거를 장만하지 않은 것은 박 소년과 함께 등교하고 퇴근하기 위하여서였다.

×　×

찬구는 여기까지 읽고 현암의 창작수첩을 덮었다. 그리고 말하였다.

"박 소년이란 아까 그 애지요."

"네. 우리를 데리러 왔던 그 앱니다."

"어두운 구석이라고 전연 없어졌는데요."

"요즈음은 아주 제 골수로 들어섰습니다."

"수고하셨소."

"천만에, 그것이 내 공부요 취미입니다."

그 후 둘은 육패부락도 박 소년처럼 속이 명랑하고 건전한 부락으로 갱생했으면 좋다고 기대하여 이런 이야기 저런 이야기를 주고받는 끝에 六패부락 사람들의 마음이 거칠고 게으르고 명랑치 못한 원인을 상고하게 되었는데 현암은,

"그 원인이 여러 가지겠지만 자연(自然)에서 받는 영향도 그 한 가지라고 생각합니다."

하고 말하였다.

"산천이 황폐하고 아름답지 못한 까닭에 부지불식간 사람의 마음까지 거칠고 어두워진다는 말입죠."

찬구는 □□□□ □□□□□

"그렇지요."

하고 현암은 대답하였다.

찬구는 빙긋이 웃으면서,

"정 선생께서 아름다운 고향을 만들자는 생각이 바로 이 점에 있다는 걸 그럼 이해하실 수 있겠군요."

하였다.

"네. 학도 선생 뜻이 점점 육체화 해지는듯합니다."

현암은 자신 있은 듯 말하였다.

재출발(七)

현암이의 말에 찬구는 만족한 표정을 입가에 머금고 다음과 같이 말하였다.

"만주에 온 조선 사람같이 살림에 윤택이 없는 사람들은 드물 것입니다. 또 그것을 가져보려고 노력을 안 하는 사람들도 드물 것입니다. 자연히 거칠고 경제가 핍박하니 어느 해가에…… 모두 이런 심리겠으나 집 주위에 나무를 심고 툇마루 앞에 화단을 가꾸는 것이 돈 드는 일입니까. 산천이 거칠면 거칠수록 집을 중심으로 하는 또는 부락을 중심으로 하는 인조 풍치를 만들 필요가 더 있은 것이 아닐까요. 저 만주사람들을 보십시오. 마차를 모는 노동자의 집에가 보아도 뜰에 화단은 있은 것이요, 화초분 몇 분은 으레 장만하여 가지고 있어 겨울에도 집안 생기가 팔팔한 화초가 잎과 꽃을 만발하게 되어가지고 있지 않습니까."

"그는 사실입니다. 동감입니다. 화초 사랑할 줄 모르는 사람은 조선 사람인 것입니다."

현암도 찬구의 말이 옳다고 동감의 뜻을 표하였다.

"학도 선생은 생전에 이를 통탄이 여기어 몇 번씩 말씀하시었는데 마가둔에 최근 이 년은 마당구석에 꽃밭이 없는 집이 거의 없을 정도이지만 이렇게 되기까지에도 적잖은 노력이 들었습니다."

하고 찬구는 현암의 책상 위에 놓여있는 화초분의 운치 있게 드리운 화초를 보았다.

"참말로 꽃밭이 없는 집은 없더군요. 출근 퇴근에 마을을 지나다닐 때 나도 갸륵한 일이라 생각했었는데 역시 형의 노력이었구먼요."

"여 선생의 노력이었습니다. 석 선생은 마가둔에 화초 사랑하는 마음을 심어놓고야 물러나겠다고 애들에게 꽃씨를 나눠준다, 손수 돌아다니며 심게 한다 하여 '화초 선생'이란 별호까지 들을 지경으로 열심이었습니다."

찬구는 이렇게 말을 하고 아침에 이리로 올 때에 꽃밭에 물을 주고 있은 순임이를 만났던 것을 생각하였다.

"호랑이도 제 말을 하면 온다더니 석 선생이야 말로 말씀하자 오십니다그려."

이때 순임이와 찬이가 어느 결에 왔는지 툇마루 앞에 나타났는데 활짝 열어놓은 문 쪽에 밖을 향하여 앉았던 현암이 먼저 달려 나왔다.

"이 고을에 어떻게 이런 귀한 걸음걸이를 하셨습니까, 어서들 들어오십시오."

현암의 말에 찬구는 머리를 돌려 밖을 내다보고,

"석 선생 오셨습니까, 방 안이 시원합니다. 어서 들어오십시오."

반갑게 순임이를 맞이하고,

"너는 몇 시차에 왔니."

하고 찬이더러 말하였다.

둘은 들어와 자리를 정하고 앉았다.

현암은 부채를 내놓았다.

부채를 집어 부치는 두 처녀를 보고 현암은,

"멀리 오시느라구 시장들 하실 텐데."

하고,

"귀빈을 무엇으로 대접해야 되나."

하는 것을 찬이가,

"점심은 순임 언니한테서 잔뜩 먹었어요."

하고 현암의 말을 막았다.

"감자떡은 얼마든지 있지만 정말 자시구 오셨어요?"

하고 현암은, "창덕아."

하고 창덕이를 부르려고 하였는데.

"그만 두세요, 언니가 스끼야끼를 한 턱 했어요, 어찌도 넋 없이 먹었던지 아직도 속이 트릿해요."

하고 찬이는 순임이를 보고 동의를 구하듯 말하였다.

"정말 못 먹겠어요."

순임이도 이렇게 말하였다.

재출발(八)

"스끼야끼? 그럼 내 감자떡은 물러서야겠군요."

현암은 웃으며 말하였으나 "스끼야끼"라는 말에 찬구는 아침에 순임이를 만났을 때의 순임이 태도가 수긍되었다.

그때 순임이는 자전거를 타고 그 앞을 지나가는 찬구를 보고 말하였다.

"일찍 어디 가십니까."

"六패부락에."

"현 선생님께요."

"도야지 주사 놓으러 갑니다."

"일요일에도 쉬지 않으시구요."

"일요일에는 도야지가 무서워서 병 안 난답디까. 허허"

"그래두요."

"오늘 올라가서 뭘 해치워야겠습니다."

"찬이가 온다고 했는데요."

"찬이가요."

"네."

순임이는 나직한 목소리로 네 하고,

"오늘은 일요일이고 그리고 찬이도 오고해서……"

하다가 그만 말을 채 못 마치고 말았다. 찬구는 순임이의 말끝을 캐지 않고 훌쩍 자전거에 올라앉아 페달 밟는 것이었는데 그러면 순임이는 음식을 장만해가지고 찬구남매를 대접하려고 한 것이었구나, '스끼야끼'라는 말을 듣고 찬구는 이렇게 생각하였다.

이렇게 생각하고 보니 찬구는 순임이의 은근한 정이 뼈에 스며드는 것이었으나 이러한 순임이 가지가지 그윽한 정에 비겨 자신이 너무도 그를 냉정하게 대해준 것이 뉘우쳐졌다.

"이거 찬이가……"

하고 순임이는 책보에 싼 것을 내놓고 책보를 끌렀는데 봄에도 먹음직한 수밀도가 나타났다.

현암은 찬이를 보고 인사치레 말을 하고 찬이는 수줍은 듯이 머리를 숙이었다.

"벌써 수밀도가 나왔다."

하고 찬구는 말을 하면서 머리를 수그린 찬이를 보았는데 제 오라비한테는 호떡 한 개 사들고 다니지 아니던 덤벙덤벙한 찬이가 현암한테는 이렇게 훌륭한 선물을 가지고 오는 것이 한편으로는 노여웠으나 한편으로는 찬이가 남에게 인사 차릴 줄 하는 예절이 있다고 기특한 생각도 들었다. 더욱이 누구 앞에든 가릴 것 없이 수다를 피고 말이 많던 찬이가 오늘은 제법 의젓이 앉아있고 현암의 인사에 머리를 수그리고 부끄럼을 머금은 태도를 가지는 것을 보니 계집애의 철드는 일이란 묘한 것이다 하고 못내 기뻐하고 감복하였다.

복숭아를 먹으면서 현암은 석순임이의 화초 사랑하는 마음을 펴는데 대한 치하의 말을 한 것으로 말끝이 풀리어 찬구가 오늘 한 여 선생의 노작(勞作)을 재미있게 읽었노라—고 창작수첩 읽었다는 것을 말하여 현암은 노작이 무엇입니까—하고 겸사하였다. 그리하여 화제는 찬구가 읽은 수첩의 내용, 즉 박 소년의 이야기에 뻗게 되어 박 소년을 잘 아는 순임이와 현암이 많이 말을 하게 되었고 찬구 남매는 둘의 이야기들을 흥미 있게 듣고만 있었다. 박 소년의 화제는 또 그와 대척(對蹠)되는, 처음부터 착하고 공부 잘 하는 아이의 이야기로 벌어지고 그 이야기는 학교에 관련된 다른 화제에로 가지를 뻗혀 찬이가 마지막 자동차를 타자면 지금쯤 여기서 떠나야겠다고 넉넉 잡은 시간에 찬구가,

"인제 그만 실례합시다." 하고 그만 일어설 뜻을 말할 때까지부터 대 보람의 화제가 학교를 싸고 도○○○○*

---

* 신문 연재본에서 이하 내용 없음.

재출발(九)

찬구가 일어설 뜻을 말하자,

"벌써요."

하고 현암은 팔뚝 시계를 보았는데 찬이도 그와 동시에 조사깨끼 적삼소매에 가리어있은 시계를 한쪽 손가락으로 살짝 밀어올리고 보았다.

그리고 나서,

"모두 읽었습니다."

하고 핸드백을 열어 그 안에서 문고본(文庫本)의 그리 두껍지 않은 책을 내어 현암 앞에 내놓았다. 그 책은 전에 찬이가 현암한테서 빌려간 것이었다.

"어떠세요. 재미있지요."

현암은 책을 받으며 말하였다.

"네. 그러나 제가 어디 바로 읽을 줄 알아야지요."

하고 찬이는 수줍게 말하였다.

"저어 또 한 책 빌려주세요."

"무엇이 좋을까요."

"『임꺽정(林巨正)』 있습지요?"

"네, 그러나 요즈음 밤마다 마슬 꾼들께 읽어드리는 중이어서 그 책은 후에 보시기로 하고…… 「흙」을 읽으셨어요?"

"「흙」은 읽기는 했습니다만……"

"한번 읽으셨으면 또 읽으실 건 없고. 「좁은 문」도 읽으셨다지…아, 좋은 책이 있습니다."

하고 현암은 책꽂이에서 파─란 표지의 책 하나를 뽑아내었다.

"이건 일본의 모 유명한 작가가 결혼독본이라고 추천한 것인데 이 소설을 읽어보십시오."

그리고 현암은 그 책을 찬이에게 내주었다.

『여자의 학교(女子의 學校) 로베트』를 바더가지고 찬이도 찬구 순임이와 함께 일어섰는데 찬구는 모자를 쓰면서,

"나도 책을 얻어가지고 가야지."

하고,

"찬이는 결혼독본을 얻어가지만 나는 현 선생의 노작(勞作)을 읽어야겠다."

찬이를 보고 웃으며 말하고 현암더러,

"창작수첩 빌려주십시오."

하여 현암이 내놓기 싫어하는 것을 억지나 다름없이 가지고 밖에 나섰다.

현암은 동구 밖 먼 데까지 전송하였다.

현암과 갈라진 다음 찬구는 자전거를 타지 않고 끌고 순임이 찬이와 함께 걸었다.

예사 때의 찬구였었으면 자전거를 타고 횡하니 먼저 내뺐었을는지도 모르는 일이로되 순임이에게 불친절하게 대하였다고 뉘우치는 생각이 아까부터 마음에 걸려하던 끝이라 이 기회에 순임이에게 나긋나긋이 이야기라도 하며 거닐자고 찬구는 마음을 먹은 것이었다. 내친 길이라 좋기는 하였으나 자전거를 사이에 두고 좌우 옆에 둘이 가지런히 걷기에는 그다지 군색치 아니하였다.

오빠가 어떻게 마음을 작정하여 순임이 언니를 아내로 맞았으면 그것을

바라고 있은 찬이는 오늘의 이와 같은 기회는 일부러 만들기라도 할 것이겠거늘 둘의 사이에 끼어들어 모처럼 어울리는 분위기를 깨칠 까닭이 없었다.

그래 찬이는 길옆 잔디밭에 피어있는 들꽃을 꺾는체하면서 뒤에 멀리 떨어져서 찬구와 순임이의 나란히 걸어가는 뒷모양을 바라보았다.

"저렇게 이야기하며 걷는 사이에 두 분의 마음이 그대로 맺어졌으면 ......"

이렇게 마음속으로 빌면서.

애라의 행방(一)

　둘 다 나긋나긋하게 말할 줄을 모르는 위인들이라 찬구와 순임이는 촌길을 걸으면서 주고받은 회화(會話)랬자 별로 이렇다 할 정담가화가 있었을 까닭이 없어 서로 수고를 치하하고 어떻게 하면 맡은 소임을 유감없이 해나가겠느냐 걱정하는 따위였으나 그런 표면으로는 덤덤한 말수작가운데도 정은 스며있었던 모양, 찬구는 그날 저녁에 웬일인지 순임이와의 회화가 낱낱이 기억되어 마음이 설레임을 억제할 수 없었다.

　"좀 쉬지도 안으시고 너무 무리를 하시지 않습니까."

　"나요? 나야 원체 건강하니까 무리할거야 없지요만 석 선생께선 피곤하실 겝니다."

　"저야 무슨 하는 일이 있어 곤하겠어요. 곤하기는커녕 너무 게을러 잠만 잔답니다."

　"선생이 그렇게 말씀하실 지경이면 나는 자지두 먹지두 말고 일해야겠군요."

　"선생님도."

　"허허허."

　이런 대목도 역력히 귀에 남아있었고,

　"찬인 요즈음 갑자기 음전해졌어요."

　"나두 그렇게 생각했는데."

　"농촌 배격 두 잡아뗸 듯 없어졌구요, 그리고 책도 많이 읽어요."

"현 선생한테서 빌려다 읽지요."

"네."

"그 애가 현암과 연애를 하지 않나. 허허."

"……"

연애란 말에 순임이는 살짝 얼굴이 붉어지면서 말없이 머리를 숙이었다.

이런 대목과 함께 순임이가 머리를 숙이던 동작까지 되살아 눈에 선하였다.

간도의 시원한 여름 밤, 모기조차 없는 방 안에 담배를 피워 물고 반듯이 누워 찬구는 천정을 바라보노라니 가지가지로 순임이의 환영이 자연(紫烟)사이에 나타났다 사라지는 것이었다.

"석순임이, 순임이."

찬구는 저도 모르게 입속에서 뇌어짐을 깨닫고 놀라기도 하였다.

(내가 순임이에게 애정을 느껴.)

오늘에 시작된 일이 아니었다. 찬구의 마음은 벌써부터 석순임이에게 차지된 지가 오래었다.

그러나 찬구는 이 엄연한 사실과 싸우지 않아서는 안 되었다. 순임이에게 가는 애정을 이를 악물고 억누르지 않아서는 안 되었다.

전에나 이제나 매한가지인 스승의 유언 때문이었다. 애라 때문이었다.

("내 마음이 왜 이다지 약하여졌을까.")

찬구는 마음이 약해진 탓으로 돌렸다.

(목장 일에 겨우 숨을 돌리니 벌써 마음이 이렇게 나약해져……)

그러나 억지로 저어하는 이런 생각에 훌륭히 물러갈 순임의 환영은 아니었다.

(순임이는 동지지. 애정을 느낀다면 그는 그 동지로서의 우정에 지나지 않는다.)

찬구는 이렇게 생각을 돌이키려 애를 썼다.

(동지로서의 사랑, 우정…)

그러나 이렇게 되뇌이고 보니 서글펐다.

(마준영이와 같은 사이, 현암과의 친분……)

아니었다. 도무지 아니었다. 아닌 것이 아니라 쥐였던 것을 놓인 것 같은 허전함이 앞을 가리었다.

"오 선생, 안에 있소."

찬구는 이런 소리를 무슨 구원의 소리같이 듣고 벌떡 일어났다.

"사모님께서 어떻게……"

찬구는 맞으러 마루에 나아갔으나 윤 씨는,

"나오지 마오. 내가 들어갈게."

하고 신을 벗고, 누가 보는 것을 기이듯이 얼른 방으로 들어왔다.

애라의 행방(二)

"이리 앉으십시오. 방 안이 좀 덥습니다만."

찬구는 방석을 내어놓고 윤 씨에게 권하였다.

"안 까는 것이 더 시원할 것 같구먼……"

하고 윤 씨는 말하면서도 방석은 깔았는데 방석 우에 앉은 윤 씨는 몹시도 초췌하고 기운이 없어 보이었다.

이런 윤 씨의 모습을 보니 또 찬구의 마음은 아팠다.

"어디 편치 안으십니까."

"아—니"

그 대답마저 한숨이 섞인 것이었다.

"무슨 걱정되는 일이 있으십니까."

찬구는 어쩐지 마음이 슬퍼졌다.

"늙은 게 무슨 걱정이 있겠소만 한 목숨 기껏 끼쳐놨는데 이리두 애를 먹인다오."

윤 씨의 얼굴에는 슬픈 빛이 흘렀다.

"……"

(애라의 일이로구나.)

찬구는 얼른 짐작이 갔으나 뭐라고 캐어물을 수 없는 계제였다. 윤 씨는 말을 이어,

"다―내 죄업이지요. 전생에 지은 죄 갚음이지요. 누구를 탓하고 원망을 하겠소."

그러면서 허리춤을 들추어 꼬깃꼬깃 접은 봉투 편지를 끄집어내어 찬구를 주고,

"이걸 좀 읽어보오." 하였다.

어머니의 승낙도 받지 않고 부랴부랴 서울로 올라간다고 떠난 애라한테서는 그 후 서울에 무사히 가 있다는 간단한 엽서가 날아왔을 뿐 그 후는 20일이 되도록 소식이라고는 전하지 아니하였다. 어미의 진정 아비의 비장한 취후에 대하여 조금치도 이해와 동정이라고 없는 딸의 괘씸한 행동에 역정과 노염이 머리끝까지 치밀었던 윤 씨는 서울에 내리었다는 엽서조차 바로 보지 않고 팽개쳤는데 그 후 소식이 없는 것을 보고는 슬그머니 근심이 되어 애라에게 손수 편지를 쓰는 동시에 오라버니한테도 애라 소식을 알려달라고 편지를 내었다.

했더니 십 여일 지나 애라한테서는 역시 꿩 구워 먹은 소식이요, 오라버니한테서 편지가 왔는데 그것은 서울에서 한 편지가 아니고 경상도 함양(咸陽)에서 한 것이었다.

편지내용은 간단하여 오라버니는 지금 몸이 편치 안아 시골에 내려와 정양하고 있는데 애라는 六月달에 학교를 휴학하고 윤 씨한테 간 뒤에는 서울에 아직 올라오지 않았다는 것이었다.

"이게 무슨 말이냐. 서울에 올라오지 않았다니……"

윤 씨는 깜짝 놀랐다.

"그러면 이 애가 어디로 갔단 말인가."

다시 팽개쳐둔 애라의 편지를 찾아내어 읽어 보았으나 서울에 닿았다는 것이 분명하였고 다른 사람한테 보이어도 역시 서울에 내렸다는 것이요, 일

부인(日附印)이 광화문(光化門)이니 서울에서 한 편지가 틀림없다는 것이었다.

윤 씨는 어안이 벙벙하였다. 아니 할 몹쓸 생각도 다 났다. 그러나 자식의 일이라 어디 가서 내놓고 이야기할 수도 없는 일이고 보매 혼자 속을 태우다가 급기 야에 찬구를 찾은 것이었다.

애라의 행방(三)

찬구는 윤 씨가 주는 편지를 받아가지고 조심스럽게 알맹이를 끄집어내어 소리를 내지 않고 읽었다.

희미한 남포 불이였건만, 그 희미한 불빛 속에서도 읽혀지는 사실은 너무도 또렷한 것이었다. (애라가 행방불명.) 찬구는 놀라지 않을 수 없었다. 그 표정이 마음속의 놀람을 들어내지 않을 수 없었다. 그런 찬구는 억지로 놀라는 기색을 누르지 않아서는 안 되었다.

섣불리 놀라는 기색을 보인다든가 난색을 들어내었다가는 찬구한테서 무슨 속 시원한 말이나 들어보려고 온 눈치인 윤 씨에게 크게 실망을 주는 결과를 버르집게 되는 까닭에서였다. 그러나 그랬다고 난처한 일이 아닌 것은 아니었다. 더욱, 지금까지 애라 일 때문에 고민하던 끝이라 찬구의 마음속에 애라의 행방불명은 사실보다 더 무거운 중량(重量)으로 내리덮이는 것이었다.

이런 복잡한 마음으로 찬구는 편지를 두 번이나 내리읽었었다.

"이 애가 어떻게 되었겠소." 윤 씨는 찬구가 잠자코 편지만 읽는 것을 안타까웁게 바라다보다가 입을 여는 것이었다.

"애라 씨 외숙께서 함양으로 내려가시고 하시느라고 아마 어긋난 거겠지, 달리 무슨 애라 씨게 틀림이 있을 까닭이 있겠습니까."

찬구는 편지를 접어 도로 윤 씨에게 주면서 이렇게 말하였다.

"그럴까. 아니, 그랬을까."

윤 씨는 찬구의 이 말이 무슨 구원이나 되듯이 반기며, 찬구 앞에 다가앉으면서 말하였다.

대수롭지 않은 한마디에 이렇게 금시에 생기가 도는 윤 씨의 태도를 보니 찬구는 윤 씨의 안타까운 심경이 또다시 속속들이 헤아려져서 마음이 아프지 않을 수 없었다.

"암요. 이제 자세한 편지가 애라 씨로부터 올 것입니다."

"그랬으면 야 여북 좋겠소만⋯⋯나는 꼭 어디 가서 잘못된 것만 같아 아니할 생각두 다 했다니요."

"허허, 공연한 걱정이십니다. 잘못되다니, 세 살 먹은 어린애라구 길을 잃었겠습니까.

서울 장안이 예전 간도 천지라고 누구를 볼모로 잡아두고 돈 가져오라 쪽지를 보내겠어요. 다― 공연한 걱정이십니다. 마음을 놓으십시오."

"정말 아무 일도 없이 소식이 있을까요."

"무소식이 희소식이란 말도 있습지요만, 혹 어찌어찌해 소식을 자주 못 전하는 수도 있습지요."

"그래도 마음이 뇌이지 않아⋯⋯"

하고 윤 씨는 후우 한숨을 쉬었는데, 그 한숨가운데 윤 씨에게는 말 못할 걱정이 스며 있는 것을 찬구가 짐작 못할 바가 아니었다. 윤 씨의 걱정이란 별 것이 아닐 것이다.

어떤 사내와 눈이 맞아 부정한 것을 하는 것이 아닐까 함이었다.

찬구도 편지를 보자 먼저 이것을 생각하였다.

그러나 그 장본인이 애라였고, 그리고 그 어머니가 앉아있는 앞인지라 그렇게 생각하는 찬구 자신이 도리어 부정한 것 같아 말은 커녕 말살시켜버린 것이었는데 세 살 난 아이 운운이며 볼모 잡이 운운이란 말도 그러니까 이런 생각을 말살시키려는 데서 나온 임기응변인 것이었다.

"염려 마십시오. 준영 군이 지사장회의로 쉬이 서울 올라간다니까 군한테 부탁해 어떻게 소식을 알도록 하지요."

"마 선생이 서울 올라가시오."

윤 씨는 그다지 대견스럽게 생각지 않은 듯 말하고 다시 잠깐 지난 뒤에,

"너무 왁자지껄할 것 없고 애가 서울에 그저 몸성히 있는 것만 알면 그만이니 떠들 것은 없구……"

하는 것이 준영이의 풍이 많은 성질을 기이는 눈치였다.

애라의 행방(四)

준영이에게는 극히 은밀한 중에 애라의 거취를 알아오도록 부탁하마하고 윤 씨를 보내었으나 윤 씨가 간 뒤에 찬구는 혼자 방 안에 앉았으려니 방 안이 옥속(獄中)같이 갑갑하고 괴로웠다. 그러나 그는 그러한 방속에서 벗어날 염도 내지 않고 괴로운 생각을 괴로운 그대로 마치 그것을 즐기는 듯이 되풀이하고 있는 것이 자신으로도 이상히 여겨졌다.

(애라가 행방불명이 되었다.)

(사모님은 남몰래 우실 것이렷다.)

(앓고 있을까.)

(그렇지 않으면……)

갑자기 준영이가 치치하루로 가던 날 정거장에서 허둥지둥 머리를 흩날리며 떠나는 기차에 매어 달리던 애라의 동작이 그대로 눈앞에 나타났다. (정염(情炎)에 불타는 여자―)그때의 애라는 어김없이 이것이었다.

(그러면 사내와의 도피행―)

이 생각은 아까 윤 씨 앞에서도 일어나려는 것을 억누르던 일이 있었지만 역시 믿어지지 아니하였다.

믿고 싶지가 않았다.

애라의 성격이 맹랑한 것을 익히 아는 바이다. 그러나 정학도의 피를 받고 윤 씨의 배에서 태어난 애라이고 보매 그다지 궤도를 벗어진 일은 있을 수 없으리라 생각해지는 때문이었다.

(그러면?)

그러나 달리 추측할 길이 없는 것이 딱하였다.

(그러면 무어야.)

찬구는 제 자신한테 짜증까지 내었다.

그러다가 스스로 마음을 누그리었다.

(정학도의 딸이 아비나 어미의 얼굴에 먹칠이야 하려고.)

찬구는 다시금 이렇게 탁 털어버리고 문득 준영이를 생각하였다. 준영이가 이 장면에 다다라 이 꼴을 보았으면

(요 진소음인아, 머리 안 벗어지는 수가 용타.)

하고 또 타박을 줄 것이다 생각하니 스스로 웃음이 나왔다. 웃으면서 천정을 바라보고 아까 모양으로 반듯이 드러누웠다. 누워서 담배를 태웠다.

자연(紫烟)은 언제 대하여도 그윽한 것이 철학(哲學)의 연기(烟氣)라, 과예(過譽)이겠으나 찬구같이 생활을 즐기는 것이 아니라 생활을 일종의 고행(苦行)으로 여기는 사람에게 있어는 유—한 오락이요, 위로요, 윤택(潤澤)이었다. 찬구에게 이러한 가지가지로 뜻 깊은 담배를 거의 한대나 다 태웠을 무렵에 찬구는 열어놓은 쌍창 밖에 인기척을 들을 수 있었다.

"거기 누가 왔소."

찬구는 벌떡 일어나않았다.

"주무시는 걸 공연히 깨게 하지 않았어요."

안은 불빛에 환하고 밖은 캄캄하여 밖에서는 안의 동정을 소상히 살필 수 있었으나, 안에서는 어둠속의 사람을 딱히 알아볼 수 없었다. 그러나 목소리로써 대뜸 밖에 온 사람이 누구임을 알아차리었다.

"어서 들어오세요. 곤치는 않으셔요, 석 선생."

찬구의 말에,

"주무시지는 않으셨어요? 들어가도 괜찮을까요."

하고 순임이는 그제야 열어놓은 쌍창으로 방 안의 불이 훤히 내비치는 밝은 부분에 들어섰는데 그는 새하얀 소복(素服)을 하였었다. 소복을 하였을 뿐 아니라, 소복을 한 까닭에 그의 얼굴은 특히 화장을 한 것은 아니었으나 찬구의 눈에 환히 돋보이었다.

애라의 행방(五)

찬구가 들어오라는 말에, 방에 들어온 순임이는 흰 치마폭으로 무릎을 싸고 찬구에게 가깝지도 멀지도 않은 자리에 살포시 앉았다.

"낮에는 실례했습니다."

찬구는 점잖은 어조로 인사치레의 말을 하였는데 순임이는 아무 말도 없이 머리를 숙이기만 하였다. 낮과 달리 밤에, 그것도 다른 사람이 아닌 바로 순임이가 찾아왔고 보매 여자에게 대하여 뿐 아니라 누구한테든 나긋나긋하게 말할 줄 모르는 찬구는 확성기가 되면서 무슨 화제를 꺼냈으면 좋을지 말문이 막혀버렸다. 그래 잠깐 동안 둘은 아무 말도 없이 자리가 어색하게 되었는데 찬구는 용기를 내어 한다는 소리가,

"무슨 볼일이 있으세요."

이었다. 불쑥 했다는 말이 너무 박정한 것이라 생각되어 찬구는 내가 왜 이렇게 수줍어하고 스스로 낯을 붉히었는데 순임이는

"저어—"

하고 망설이는 눈치더니,

"찬이 심부름으로 왔어요."

하였다.

"찬이가 막차에 안 갔어요."

"내일 아침 차에 가두 된다고 지금 우리 집에 있습니다."

"그래 무슨 부탁을 받았어요."

"찬이가요, 학교일 보게 해 줍시사구요."

"전습소는 어떡하고."

"……"

"지그시 한 군데서 일을 보는 것이지, 이제 들어간 지가 며칠이 되었다고 벌써 싫증이 났나."

찬구는 혼잣말 같이 이렇게 말하였다.

순임이는 찬구의 첫마디에 애당초 틀렸다고 주눅이 들었으나 이때 문득 싫다는 것을 애걸하다시피 하여 찬구한테 보내는 찬이의 모양이 눈앞에 떠올라 마음을 단단히 먹고 말하였다.

"찬이가 처음부터 취직자리가 마음에 안 들어 한 것을 오 선생께서 아시고 계셨는지는 모르겠습니다만 농촌 처녀들이 마음에 안 든다고 도래 질하던 말은 오 선생께서도 몇 번 들으시였을 것입니다. 그러한 말 들으실 때마다 선생께서 점잖게 책망하시는 것을 제가 들은 적도 몇 번 있습니다만 저도 기회 있는 대로 그래서는 못쓴다, 마음을 붙여 일을 보라고 타일러 왔었지요. 타이른 덕이었는지 낮에도 이야기했지만 철이 든 까닭이었던지 요즈음에 와서는 입을 열면 그때마다 나오던 농촌배격도 잡아뗀 듯 없어졌고 취직자리 옮겨보겠던 허튼 생각도 자취를 감춘 듯 해 못내 기뻐했더니 오늘 갑자기 한다는 말이 학교로 옮기게 해 줍시사가 아니겠어요. 이전 같았으면 으레 해보는 소리겠거니 생각하고 별로 개의할 것도 없었겠지만 오늘은 아주 의젓이 말하는 품이 일시 아무 생각 없이 뇌이는 것이 아니었어요."

하고 순임이는 일단 말을 끊었다.

"그래, 하고 많은 일에 학교일 보자고 결심한 까닭은 무어랍디까."

찬구는 순임이의 말이 동강이 난 틈을 타서 이렇게 물었다.

"그 까닭은 딱 짚어지며 말하지는 안으나 아마 나두 있구 오빠두 계시고 하니 그런 거겠고 그 보다도 우선 정 선생 유업을 붙들어나가는 데 마치 견마지역이라도 해보자는 갸륵한 생각에서겠지요."

"석 선생 옆에 오고 싶어 그런다는 건 하, 괜찮은 이유지만 내가 있어 그런다는 거야 어디 당한 소린가요. 내 잔소리를 약으로 듣게 쯤 되자면 아직 二十년은 더 철이 들어야 될 것입니다."

찬구는 입가에 빙긋이 웃음을 띠며,

"다른 이유가 있을걸요." 하였다.

찬구의 의미 있는 말에 순임이도 웃음을 머금으면서 다만,

"글쎄요."

할 따름 다른 말이 없었다.

애라의 행방(六)

다른 이유가 있을 것이라고 찬구가 웃었고, 순임이도 따라 웃은 그 다른 이유라는 것을 별 것이 아니라 '현암의 옆으로 온다는 것'이다.

이점은 찬구나 순임이가 다 한 가지로 생각하는 바였다. 순임이는 찬이의 이 열렬한 갈망을 헤아렸으므로 밤임에도 가리지 않고 찬구를 찾은 것이었고, 찾아서는 그 원을 풀어주도록 찬구한테 부탁한 것이었지만 찬구는 이에 대하여 달리 해석을 가졌었다.

……찬구는 자신이 순임이와 애라의 사이에 끼어, 고민하는 것을 돌이켜 보고 (찬이에게는 순조롭게 저 좋아하는 사람과 결혼하게 해주자,) 마음을 먹는 것이었으나, 그렇게 하기 위하여는 도리어, 그들을 한 학교에 두는 것이 부질없는 일이라 생각하였다. 동료사이의 결혼을 기이는 탓으로 그런 것만이 아니라 결혼 전의 상사하는 남녀가 너무 가까운 곳에서 기거를 함께하는 것은, 그 정(情)을 오래 지탱하고 깊이 간직하는데 유리한 것이 못된다고 생각한 때문이었다.

(적당한 거리와 시간을 두고 교제를 시키자.)

찬구는 이렇게 생각하였으므로 순임이의 청을 물리치기로 작정한 것이었다.

"그대로 더 있으라고 석 선생께서 잘 타이르십시오."

찬구의 말은 씨가 적었으나 단정적이었다.

"제 생각에는, 찬이를 제 소원대로 하여주었으면 하는데요."

순임이는 찬구의 뜻을 굽힐 수 없는 줄은 짐작하면서도 찬이의 애타는
마음이 또다시 안타까워 말하였다.

"생각하는 바가 있어 그러는 것입니다."

찬구의 이 말에 순임이는 더 할 말이 없었다. 이 말이 무안한 듯 시무룩해
순임이는 얼굴까지 붉어지며, 머리를 숙이었는데, 아까부터 눈에 거슬리던
담배꼬투리가 재와 함께 어지럽게 담겨있는 재떨이를 집어 들고 정주로 나
아갔다.

이윽고 순임이는 말쑥이 소제한 재떨이를 들고 들어왔는데, 나갈 때의 행
동과는 달리, 웃음을 머금고,

"오 선생, 담밸 퍽 즐기시지요."

하였다.

"밥 다음엔 갈걸요. 하루에 스무 대, 그러나 그런 보통 때이고, 무얼 생각
한다든가 무슨 번민이 있을 땐 종잡을 수 없이 피우니까요."

하고 찬구는 새 담배 한 대를 또 피웠다.

"그럼 오늘은 무슨 번민 톡톡히 하셨는 것 같군요."

순임이는 재떨이에 꽁초가 엄청나게 많았던 것을 생각하고 불쑥 이렇게
말하였으나 왜 같은 말이면 무슨 생각을 많이 하였느냐고 못하였을까 후회
하였다.

"번민요?"

찬구는 되뇌더니,

"네, 번민, 어지간히 했습니다."

솔직한 어조로 말하였다.

그리고,

"요이야미, 세마레바, 나야미와, 하데나시…깐. (환혼이 되면 번민이 끝이 없나

―流行歌의 一句)”

하고 담배를 깊숙이 물어 푸우, 천정에 향하여 연기를 내뿜었다.

그러다가 훌쩍 순임이를 돌아보고,

“애라한테서 소식이 있어요?”

물었다.

“저하곤 편지거래 첨부터 없어요.”

“찬이한테 있답디까?”

“있었는진 몰라도 또 그런 얘긴 못 들었으니, 전 모르지요.”

“찬이한테도 소식이 없다.”

찬구는 혼잣말같이 뇌이더니,

“애라가 행방불명이 되었대요.”

하고 순임이를 보았다.

애라의 행방(七)

(애라가 행방불명이 되었다?)

순임이는 이 뜻도 안했던 이 사실에 보다도 찬구가 '번민했다'는 것이 그러면 애라 때문에 애썼구나 생각하고 그 사실에 더 놀랐다.

(그러니까 찬구 씨는 애라를 생각하고 있은 것이겠지.)

순임이는 마음이 금시 어두워짐을 느끼었다.

가슴이 뻐근토록 차 있었던 어떤 힘이 푸우 일시에 빠져나가는 것 같은 허전함을 깨달았다. 순임이가 찬구에게 향하는 마음은 밑바닥을 캐어본다면 이성이 이성을 사모하는 마음임에 틀림이 없다. 그리고 그 사모하는 정이 유달리 열렬한 것도 사실이었다.

그러나 순임이 자신은 찬구를 이성으로 사모해서는 안 된다고 생각하였다. 남이 그렇게 보아도 안 되고 찬구 자신이 그렇게 짐작해도 안 된다고 생각하였다.

(그의 인격을 앙모하고 그의 굳건한 뜻에 감명하여 분골쇄신 그 위대한 사업을 도우려는 마음.)

순임이는 스스로 이렇게 찬구에게 향하는 마음을 규정 지으려고애를 썼다. 그리고 이런 티 없는 마음을 가지고 찬구를 앙모하는 것이 얼마나 숭고하고 아름다운 일이랴, 그는 생각하였다.

그리고 빨래를 맡아한다, 병간호를 한다, 음식을 대접한다, 수고를 위로한

다― 이런 일들을 순임이는 찬구가 이성이기에 하는 일이 아니라고 생각하였다. 그러나 그런 생각, 그런 행동, 모두가 순임이의 찬구를 연모하는 정이 유달라 엄연하다는 것을 증명하는 외에 아무 것도 아니었다.

더욱이 이 자리에서 애라의 조그마한 일 때문에 마음이 설레이는 것이 순임이의 평소에 감추었던 잠재의식이 발로된 것이라고 할 수 있다.

집에 돌아와서도 순임이는 풀이 꺾이었다.

찬이는 풀이 꺾인 순임을 대하고 제가 부탁한 일이 글러진 줄 알았으나,

"어찌 되었소."

하고 물었다.

"그냥 눌러 있으래요."

"그럴 줄 알았어요."

찬이는 혼잣말같이 중얼거리며 얼굴에 잠깐 검은 구름이 끼었으나 금방 명랑해지며,

"근데 언닌 왜 그리 시무룩하고 있어요, 오빠와 싸우진 않았겠지요."

하고 물었다.

"찬이두, 싸우긴…"

순임이는 얼굴을 유하게 짖고 말하였으나 역시 슬픈 빛이 남아 있은 것을 찬이는 역력히 살필 수 있었다.

(조용히 이야기나 하라고 추켜 보냈더니…되려 일이 탁방난 것 아닌가.) 찬이는 순임이를 찬구한테 보낸 것은 비단 자신을 학교에 옮겨달라는 교섭을 시키려는 데만 있은 것이 아니라 낮에 둘을 함께 걷게 한 연장으로써 밤에도 조용히 만나게 하려는데 뜻이 있는 것이었다.

그랬으므로 자신의 일이 글러진 것은 둘째로, 순임이의 태도에 자연 마음이 쓰이지 않을 수 없었다.

"싸우지 않았으면 정담 가화 많이 했겠구먼요."

찬이는 호호호 명랑하게 웃음으로 순임이의 마음을 누그러지게 하려는 듯 말하였으나 순임이는 그저,

"못하는 말이 없소 그려."

하고 쓸쓸히 대꾸할 따름이었다.

조선의 종달새(一)

　빅터 축음기회사에서는 성악의 소질과 실력 함께 갖추어 있으면서 그 천분을 넓힐 기회를 얻지 못하고 들에, 거리에 무위하게 묻혀있는 무명불우의 '예술가'를 캐어내어 한번 세상에 널리 소개한다는 심히 갸륵한 취지하에 전선에 널리 광고하여 그 방면에 뜻 있는 청년남녀의 대거 응모를 바란 일이 있었는데 많은 응모자 가운데서 엄선에 엄선을 거듭한 결과 영예의 합격자로 여자 한사람, 남자 한사람을 선발하게 되었다.

　이들 영예의 합격자에 대하여 축음기회사에서는 '전속예술가(專屬藝術家)'로 적지 않은 금액을 던져 계약을 맺어준 것은 물론이려니와 처음의 취지에 어그러짐이 없이 그들을 세상에 널리 소개하는데 조금치도 인색한 빛을 보이지 아니하였다.

　인색한 바를 보이지 않았다는 것은 사실에 있어 거리가 멀리 부족한 말이고 사실은,

　'천재 음악가의 탄생'이다. '조선의 종달새'이다. 이런 말로 최고급의 찬사를 나열해가지고 신문과 광고란을 깽쇠와 북으로 삼아 당자가 어리둥절할 정도로 선전을 하였다.

　전선에서 한다하는 축들 가운데서 뽑아낸 그들인지라 물론 부르는 노래가 남달리 얌전했을 것이나 전선의 힘이 범의 날개가 되어 그들이 불어넣은 레코드가 시장에 나가서 며칠이 아니 되어 서울 장안은 물론 조선 十三도의

소위 유행가 애호자들의 인기의 초점이 이 '영예의 선택지'에게 모이게 되었다.

인기는 '조선의 종달새' 여자가수에게 더 많이 집중케 되었으니 그것은 그가 여성이라는 점, 그리고 목소리가 아름답고 성량이 풍부하고 정서가 무르익었다고 해서가 아니라 그의 출신과 이력을 세상에 알리지 않은 점, 더욱이 인기가수답게 말쑥하게 차린 모습을 사진으로나 몸으로나 애호자에게 보여주지 아니한 점으로 말미암음이었다.

다만 윤혜순(尹惠順)이란 그것도 평범한 이름이지만 그것만 들어내었을 뿐 그 굉장한 신문잡지광고에도, 그리고 레코드의 가사를 인쇄한 종이에도 그의 사진은 본적이 없었다. 그 뿐 아니라 당선기념음악회(當選記念音樂會)에도 병을 탈하고 애초부터 나서지 아니하였다.

(짜장 종달새야, 노래를 남겨놓고 몸은 간데없어.)

(노래는 괜찮으나 실물은 어떠냐?)

(박색이냐, 미인이냐.)

이런 엽기적 호기심(獵奇的好奇心)이 혜순이를 인기 면으로 더욱 높이게 하였다.

짓궂은 친구들은 회사에 대고 욕지거리를 하였다.

유령가수를 만들어가지고 사람을 농락한다고 어떤 젊은 사람은 윤혜순이 앞으로 편지를 하였다.

당신 얼굴을 한번만 보여 달라고,

그러나 이런 열렬한 애호자들도 마침내 그리운 얼굴을 보지 못하고 달콤한 노래에, 다만 애타는 심사를 부칠 뿐, 그 외에 더 하는 수가 없었다.

그러던 조선의 종달새 성악발표회(聲樂發表會)가 오늘부터 부민관(府民館)에서 열리게 되었다.

조선의 종달새(二)

오뉴월의 긴긴 해라고 오후 넉 점쯤이 되면 저물어가는 때에 부민관 앞에는 표사기를 기다리는 사람들의 장사진(長蛇陳)으로 벌써부터 법석이었다. 퇴근 무렵에 '오리 가방'을 든 월급쟁이, 말쑥하게 차려입은 농부인 패, 사각모자를 비스듬히 얹어놓은 전문학교 학생복차림의 전문학교 학생, 유행복을 맵시 좋게 입은 멋쟁이, 기생, 여급, 여점원 혹은 부채를 부치고 있는 사람, 맥고모자를 부채 대신 쓰는 사람, 시커먼 손수건으로 이마의 땀을 닦는 사람, 시계를 몇 번이고 꺼내보는 사람, 누그러지게 신문을 보는 사람, 빵을 꾸역꾸역 먹는 사람, 다리가 아파 펄쩍 주저앉은 사람, 바지를 떡 걷어붙이고 섰는 사람, 밀치는 사람, 사람을 닥치는 대로 사람중간에 끼어드는 사람, 그것을 시비하는 사람…… 문은 여섯시에 열고 시간은 여섯시 반이라 했으니 아직 두 시간은 넉넉히 남아있건만 벌써 이 지경으로 모여 법석이는 것을 본다면 아무리 구경을 좋아하는 서울사람의 일이라 하여도 일개 유행가수인 오늘 저녁의 주인공 '조선의 종달새'에 대한 인기가 이렇게 높은 것에 놀라지 않은 사람이 없을 것이다.

그리고 그 놀란 사람 중에 유난히도 놀랄 사람은 마침 이 무렵 부민관 옆을 빼빼 마르고 키 큰 친구와 또 한사람이 무엇을 유쾌하게 지껄이며 지나가는, 그 몸이 비대하여 마치 절구통이와 같은 사람이었다.

그 사나이는 가던 친구에게 손짓몸짓해가며 무엇을 이야기하기에 여념이 없었는데 훌쩍 부민관 관장사진을 보고 눈이 뒤집혀 험상스럽게 놀라는 표정이었다.

"야, 이게 뭐냐?"

"사람이지 뭐야."

"파리가 아닌 줄은 진작 아네 마는."

"파리같이 모여들었던 말이지."

"대관절 어찌된 일인가."

"부민관 앞에 사람이 모였으면 진작 알아먹을 일이지."

"이것이 구경꾼이란 말이렷다."

"그럼, 사탕배급으로 모였겠나."

"대낮부터 이 지경 법석인걸 보면 그놈 광대 八도에서도 유명 짜한 광대인 모양이지. 줄을 타나, 춘향갈 부르나."

"이 사람, 광대는 무슨 광대야."

"그럼 남사당인가, 여사당인가."

"에이 사람, 저 간판이나 보고 말하게."

키 큰 사나이가 가리키는 간판을 뚱뚱한 사나이가 보았다.

"조선의 종달새 성악발표회, 빅터 축음기회사라. 종달새노래가 곱기는 하지. 그래 조선인종달새 잡아다 노래를 시키나."

"에잇, 사람, '조선의 종달새' 요즈음 인기 백퍼센트의 유행가술세. 자네 눈엔 종달새란 것만 보이고 그 밑에 써논 윤혜숙이란 글잔 안 보이는가."

"오올치, 윤혜숙인지하는 그 여사당 별호가 이를테면 조선의 종달새란 말이렷다."

"여사당― 그런 소리 함부로 지껄이다간 저 사람들한테 뺨 얻어맞네."

"별말 다 하네, 유행가수가 뭐고 그게 그거야. 조선말로는 광대고, 남사당이고, 여사당이지 뭐야."

"에이 사람."

"그래 저 친구들 종달샌가 무언가 하는 여사당(어쩌면 그렇게도 몰라주세요, 네에─)하고 몸을 비꼬며 샐쭉 웃는 고 짓거리를 보자고 저렇게 대낮에들 모여 든거겠군. 시러베 연놈들."

"자네 험구도 어지간하지만…… 뚝배기보단 장맛이 다르다구, 어쩌면 '고렇게도……' 하는 목소리 제법 예쁘장하네."

"이래봬도 한때에는 그길로 나서자고 해보던 목소릴세." 하고 뚱뚱보 친구가 뽐내었다.

"이 사람, 그길로 나섰으면 성공했겠지."

주: 「조선의 종달새(三)」부분은 루락.

조선의 종달새(四)

그 이튿날 준영이는 오후 한시쯤, 덕화전문학교(德華專門學校)로 찾아갔다.

교장을 만났대야 별 수 있을 것이 아니므로 준영이는 음악과장(音樂科長)이나 만나보자고 명함을 통하였더니 잠깐 응접실에 들어가 기다리라는 급사의 답전갈이었다.

응접실에 들어가 기다리기 이윽하여 들어온 사람은 전문학교 과장으로는 젊다고 생각되었으나 예술가답게 정돈된 모습을 가진 음악과장은 오래 기다리게 하여 미안하다는 인사를 하고 내방(來訪)의 용건을 물었다.

"정애란 학생 고향에서 온 사람입지요……"

준영이는 이렇게 허두를 떼고, 그 학생 면회시켜줄 수 없느냐고 능청스럽게 말하였다.

준영이의 이 말을 듣자, 과장은, 처음에는 놀라는 기색이었으나 이내 준영이가 마치 자신을 욕보이려 대드는 사람인 것으로 여기고, 그 적(敵)의 공격을 방비하려는 것 같은 태도로 확 변하였다. 그리고 말소리도 단호하게,

"정애라요, 그런 학생 우리학교에는 없어요."

하였다.

"정애라가 이 학교 학생이 아니라니, 여기가 그럼 덕화전문이 아닙니까."

준영이의 말을 가시 돋친 것으로 들었던지 과장은 신경질로 생긴 얼굴을 붉힐까 하다가,

"정애라 건에 대하여 이 사람을 공격하려 왔습니까."

하고,

"정애라는 얼마 전까지 이 학교 학생이었으나 지금은 이 학교 학생이 아닙니다."

쌀쌀스럽게 말하였다.

이 선생님, 왜 이렇게 쌀쌀히 굴까. 하여튼 곡절이고 무엇이든 간에 알 것은 알아야겠다 준영이는 생각하고,

"선생님께서 나를 오해하시는 것 같은데 사실인 즉은……"

하고 애라가 방학 전에 내려왔다가 갑작스레 올라간 대목으로부터 최근에 이르러 그 행방이 모호하여, 모친이 걱정한다는 대목까지 대강 이야기한 다음,

"마침 서울 올라온 기회에 이렇게 선생님을 찾아본 것입니다."

하고 찾아온 까닭을 밝히었다. 과장은 준영이의 말을 잠자코 듣고 나서는 좀 누그러졌으나 말은 여전히 쌀쌀하였다.

"그럼 애라가 출학(黜學)당한 줄도 모르십니까."

"무어요? 애라가 출학이요?"

이번에는 준영이가 놀랐다.

"무슨 까닭에요?"

"정애라가 유행가수로서 서울 장안의 인기를 독차지하고 있는 것도 그럼 모르십니까."

"유행가수요?"

"지금 막 서울 들어서신 것은 아니겠지요."

"네. 四, 五일 됩니다."

"그럼 어젯밤, 부민관이 생겨서 처음으로 초만원 이룬 인기의 유행가수가

정애라인 줄도 모르시는군요.”

준영이는 마음이 섬뜩하였다.

“그럼, 그, ‘조선의 종달새’가 애라인가요.”

“네. 잘 아셨습니다.”

준영이는 또다시 놀랐다. 그리고 이내 어제 부민관 앞으로 지나가며 석근채와 함부로 지껄였던 말이 생각나서,

(요렇게 일이 묘하게 될 데가 어디 있으며, 이처럼 겸연쩍은 일이 어디 있나.) 하고 얼굴이 뜨거워 지는 것을 억제치 못하였다.

ⅼ

주: 「조선의 종달새(五)」, 「조선의 종달새(六)」, 「조선의 종달새(七)」부분은 누락.

주: 「딸의 도리(一)」, 「딸의 도리(二)」부분은 누락.

딸의 도리(三)

목장을 찾는데 보탬이 되게 하자고 돈을 얻으려는 것이 처음의 동기였을 뿐 유행가수로서 인기나 무대에 황홀해 취한 행동이 아닌 애라는 학교에서 말이 있는 대로 학생인 제 길로 돌아가는 것이 옳은 일이라 생각하였다.

그러나 五백원이란 대금을 애라는 회사에 빚을 지게 된 것이었고 때마침 외삼촌은 재기할 수 업은 병으로 시골로 요양을 내려가 몸을 붙여 있을 곳이 업게 되었다.

거기에 처음에는 예기도 아니 하였고 평소에 경멸하는 태도로 다다랐던 인기라는 것이 차츰 애라의 마음에 달콤한 유혹으로 스며들기 시작하였다. 소리판이 날개가 돋치고,

"당신의 얼굴을 한번만 보게 해주소서."

편지가 날아들어 올 때 애라는 이것이 참된 음악의 예술적인 공명에서 답지하는 인기가 아님을 그의 교양으로 이내 판단할 수 있었다.

그러나 세상대부분의 사람이, 심지어 어린애들이나 술 먹는 자리에서까지 내가 부른 노래를 본받아 부른다 생각하고 보니 그것이 그렇게 불유쾌한 일은 아니었다.

더욱 유행가수가 한둘이 아니건만 유별나게 나에게 인기가 집중되는 것은 남을 누르고 그 우에 올라서는 통쾌감이 이에서 더함이 없었다. 애라는 이렇게 생각하게 되었다.

그러자 학교에서는 동급생들까지 떠들어 퇴학처분을 내리었다.

애라는 왈칵 학교에 대하여 또 동급생에 대하여 반항심이 생겼다.

(옜다, 보아라.)

애라는 이런 마음으로 지금까지 자중하였던 유행가 발표회를 열기로 작정한 것이다.

그리고 교수와 동급생에게 내 인기를 보아라 하는 듯이 초대장을 일일이 보낸 것이었다. 뿐만 아니라 청중 앞에 경력도 밝히었다.

× ×

애라의 고백으로 이상과 같은 사실을 알게 된 준영이는 애라가 취한 행동에 대하여 그것을 옳게 여겨야 될지 그르다 해야 될지 갑자기 판단이 내리지 아니하였다. 다만,

"그럼, 익명의 독지가가 애라 씨였었구만요."

하였을 따름이었다. 애라는 이 말의 뜻을 이내 알아차리지 못했는지 잠자코 있다가,

"그래, 목장은 어찌 되었어요."

준영에게 물었다.

"목장요?"

준영이는 뇌이고,

"애라 씨 돈 덕분에 살려놓았소."

하였다.

"그랬나요."

애라는 기쁜 얼굴로 이렇게 말하였다.

준영이는 곰곰이 생각하였다.

무대에 어제 저녁 같은 말을 하고 올라서서 부박한 사람들의 하루 저녁의 파적거리가 되어주고 축음기회사의 선전물이 되어주는 것은 그 부모 정학도와 윤 씨를 위하여 문하생인 준영으로서는 아무리 관대하게 생각한대도 수긍할 수 없는 일이다. 그러나 그 최초의 동기를 살필 때, 애라의 심정을 갸륵하다 생각하지 않을 수가 없는 일이었다. 결과는 부당하나 원인은 이해할 수 있다― 준영이는 이렇게 생각하고 부민관에서부터 조금 전까지 애라에게 행한 야무진 언동이 경솔한 것이 아니었던가 뉘우쳐졌다. 그래 준영이는,

"나의 경솔을 용서하시오."

하였고 애라는,

"천만의 말씀입니다."

대답하였다.

딸의 도리(四)

준영이는 애라를 똑바로 보고,

"애라 씨."

불러 애라의 주위를 일으키게 하고 말하였다.

"나의 경솔을 용서하라는 말은 결코 애라 씨의 지금의 생활을 시인해서 한말이 아닙니다. 애라 씨의 갸륵한 동기를 알아보지도 않고 결과만으로 애라 씨를 비난한 경솔입니다.

"그는 어쨌든, 애라 씨 이 생활을 이 이상 계속할 작정인가요?"

애라는 이내 대답이 없드니 잠깐 뒤에 입을 떨어 어음이 똑똑하게 말하였다.

"계속하지 않으면 어떻게 해요. 학교는 퇴학이요, 외삼촌은 재기할 수 없는 병환이요, 마가둔에 내려가 촌에 붓배겨 일생을 지내기는 죽어라 싫고, 거기에 인기가 총 집중이 아니에요. 이 생활을 버릴 수가 있겠어요."

준영이는 애라가 뜻밖에도 망설이는 태도도 없이 마치 준비해가지고 기다린 듯 서슴지 않고 하는 말에 울컥 했으나 내려누르고 침착하게 말하였다.

"아버님과 어머님 체면이라는 것을 생각해본 일이 있나요."

애라의 얼굴은 금시에 구름이 끼는 듯 어두워지더니 다시 개여가지고 대답하였다.

"네, 생각을 해보고말고요."

"생각하였다고요."

준영이가 재차 물으려는 것은 들은 척도 않고 애라는 이내,

"생각하였어요, 생각해도 곰곰이 숙고(熟考)했어요." 하였다.

"숙고까지 했다?"

"네. 그리고 고민했어요."

"고민?"

"네, 몹시도 고민했어요."

"숙고하고, 고민하고도, 이 생활을 계속해야 된다고 말해요?"

"숙고한 끝에 결론으로 얻은 생각이 그거예요."

"뭐요?"

준영이는 울컥 하며 말소리조차 사나워졌다. 준영이가 격한데 반하여 애라는 더욱 침착한 태도를 짓고 눈 한번 깜박이지 않은 것은 물론, 준영이의 부아를 돋구어주려는 듯,

"네, 결론으로 얻은 생각이에요."

하고 야멸치게 말하였다.

"……"

준영이의 말소리는 높아졌다. 애라는 그러나 그것에는 무관심하고 말하였다.

"난 자식의 도리를 다 했어요. 아버지 남기신 사업을 살리는데 딸로서의 도리를 다했어요. 아버지 문하생이나 목장 식구나 세상사람 누구 하나 나를 비난할 까닭이 없어요."

"애라."

준영이는 목소리를 높여 애라의 호명을 불렀다. 그 기세가 자못 사나웠다. 그러나 애라는 준영이의 기세에 꺾이기는커녕 더 야멸치게 말을 이었다.

"…다만 어머님이 마음에 씌어요. 그러나 어머니도 할 수 없는 일. 출가외

인(出家外人)이라고 일찍 멀리 시집보낸 것으로 생각하시면 그만 아니에요…"

"찰싹!"

애라의 뺨에는 준영이의 우람찬 손바닥이 와서 때렸다.

"뭐, 어째."

애라의 머리는 반사적으로 숙으려졌다. 그러나 이내 머리를 들었는데 그 얼굴에는 눈물이 흘렀다. 눈물이 흐른 채, 애라는 움찔 일어났다. 일어나자 핸드백을 들고 도어를 밀치고 나왔다.

"애라 씨, 애라 씨."

준영이는 쫓아나가며 불렀으나 애라는 뒤도 돌아보지 않고 현관문을 요란스럽게 닫고 어둠속으로 사라졌다. (끝)

출처: 『만선일보』, 1944.12.1.─1945.4.7.

중편소설

소금

강경애

농가

용정서 팡둥(중국인 지주)이 왔다고 기별이 오므로 남편은 벽에 걸어두고 아끼던 수목두루마기를 꺼내 입고 문밖을 나갔다. 봉식 어머니는 어쩐지 불안을 금치 못하여 문을 열고 바쁘게 가는 남편의 뒤 모양을 물끄러미 바라보았다. 참말 팡둥이 왔을까? 혹은 자×단들이 또 돈을 달래려고 거짓 팡둥이 왔다고 하여 남편을 데려가지 않는가? 하며 그는 울고 싶었다. 동시에 그들의 성화를 날마다 받으면서도 불평 한 마디 토하지 못하고 터들터들 애쓰는 남편이 끝없이 불쌍하고도 가엾어 보였다. 지금도 저렇게 가고 있지 않는가! 그는 한숨을 푹 쉬며 없는 사람은 내고 남이고 모두 죽어야 그 고생을 면할게야, 별수가 있나, 그저 죽어야 해 하고 탄식하였다. 그러고 무심히 그는 벽을 긁고 있는 그의 손톱을 한참이나 바라보는 그는 사람의 목숨이란 끊기 쉬운 반면에 역시 끊기 어려운 것이라 하였다.

그들이 바가지 몇 짝을 달고 고향서 떠날 때는 마치 끝도 없는 망망한 바다를 향하여 죽음의 길을 떠나는 듯 뭐라고 형용하여 아픈 가슴을 설명할 수 없었다. 그러나 불행 중 다행으로 이곳까지 와서 어떤 중국인의 땅을 얻어가지고 농사를 짓게 되었으나 중국 군대인 보위단들에게 날마다 위협을 당하여 죽지 못해서 그날그날을 살아가곤 하였다. 그러기에 그들은 아침 일어나는 길로 하늘을 향하여 오늘 무사히 보내기를 빌었다.

보위단원들은 그들이 받는바 월급만으로는 살수가 없으니 농촌으로 돌아다니며 한 번 두 번 빼앗기 시작한 것이 지금에 와서는 의례히 할 것으로 알고 아무 주저 없이 백주에도 농민을 위협하여 빼앗곤 하였다. 그러니 농민들은 보위단 몫으로 언제나 돈이나 기타 쌀을 준비해두지 않으면 목숨이 위태한 것을 깨닫고 아무것은 못하더라도 준비해두곤 하였다. 그동안 이어 나타난 것이 공산당이었으니 그 후로 지주와 보위단들은 무서워서 전부 도시로 몰리고 간혹 농촌으로 순회를 한다더라도 공산당이 있는 구역에는 감히 들어오지를 못하게 되었다. 그러나 시국이 바뀌며 공산당이 쫓겨 들어가면서부터 자×단들이 나타나게 된 것이었다. 그는 그의 손톱을 바라보며 몇 번이나 보위단들에게 죽을 번하던 것을 생각하며 그나마 오늘까지 목숨이 붙어있는 것이 기적같이 생각되었다. 그러고 남편을 찾았을 때 벌써 남편의 모습은 보이지 않았다. 그는 멀리 토담 우에 휘날리는 기발을 바라보며 남편이 이제는 건넛마을까지 갔는가 하였다. 그리고 잠간 잊었던 불안이 또다시 가슴에 답답하도록 치민다. 남편의 말을 들으니 자×단들에게 무슨 돈은 다 물었다는데 참말 팡둥이 왔는지 모르지, 지금이 씨 뿌릴 때니 아마 왔을 게야, 그러면 오늘 봉식이는 팡둥을 보지 못하겠지, 농량도 못 가져 오겠구먼 하며 다시금 토담을 바라보았다. 저 토담은 남편과 기타 농민들의 거의 일 년이나 두고 쌓은 것이다. 마치 고향서 보던 성같이 보였다. 그는 토담을 볼 때마다 지금으로부터 사오 년 전 그 어느 날 밤 일이 문득문득 생각 키웠다. 그날 밤 한밤중에 총소리와 함께 사면에서 아우성소리가 요란스레 났다. 그들은 얼핏 아궁 앞에 비밀히 파묻은 움에 들어가서 며칠 후에야 나와 보니 팡둥은 도망가고 기타 몇몇 식구는 무참히도 죽었다. 그 후로부터 팡둥은 용정에다 집을 사고 다시 장가를 들고 아들딸을 낳아서 지금은 예전과 조금도 차이가 없이 살았던 것이다.

팡둥이 용정으로 쫓기여 들어간 후에 저 집은 자×단들의 소유가 되었다.

그래서 저렇게 기를 꽂고 문에는 파수병이 서있었다.

그는 눈을 옮겨 저 앞을 바라보았다. 그 넓은 들에 햇빛이 가득하다. 그리고 조겨 같은 새무리들이 그 푸른 하늘을 건너질러 펄펄 날고 있다. 우리도 언제면 저기다 땅을 가져보나 하고 그는 무의식간에 탁식하였다. 그러고 그나마 간도 온지 십여 년 만에 내 땅이라고 몫을 짓게 된 붉은 산을 보았다. 저것은 아주 험악한 산이었는데 그들이 짬짬이 화전을 일구어서 이런 밭이 되었다. 그러나 아직도 완전한 곡식은 심어보지 못하고 해마다 감자를 심 군 하였다.

(올해에는 저기다 조를 갈아볼까? 그리고 가녘에다는 약간 수수도 갈고……) 그때 그의 머리에는 뜻하지 않은 고향이 문득 떠오른다. 무릎을 스치는 다박솔밭 옆에 가졌던 그의 밭! 눈에 흙 들기 전에야 어찌 차마 그 밭을 잊으랴! 아무것을 심어도 잘되던 그 밭! 죽일 놈! 장죽을 물고 그 밭머리에 나타나는 참봉영감을 눈앞에 그리며 그는 이렇게 중얼거렸다. 그러고 가슴이 울렁거리며 손발이 가늘게 떨리는 것을 깨달으며 그는 고향을 생각지 않으려고 눈을 썩 부비치고 정신을 바짝 차리었다. 그때 뜰 한구석에 쌓아둔 짚 낟가리에서 조잘대는 참새소리를 요란스레 들으며 우두커니 서 있는 자신을 얼핏 발견하였다. 그는 곧 돌아섰다. 방 안은 어지러우며 여기저기 일감이 나부터 손질하시오 하는 것 같았다. 그는 분주히 비를 들고 방을 쓸어내렸다. 그리고 군데군데 뚫어진 삿자리 구멍을 손끝으로 어루만지며 잘 살아야 할 터인데 그놈 그 참봉놈 바란 듯이 우리도 잘살아야 할 터인데…… 하며 그의 눈에는 눈물이 글썽글썽해졌다. 아무리 마음만은 지독히 먹고 애를 써서 땅을 파나 웬 일인지 자기들에게는 닥치느니 불행과 궁핍이었던 것이다. 팔자가 무슨 놈의 팔자야, 하느님도 무심하지. 누구는 그런 복을 주고 누구는 이런 고생을 시키고…… 이렇게 생각하며 그는 방 안을 구석구석 쓸

었다. 그리고 비 끝에 채어 데구르르 데구르르 굴러나는 감자를 주어 바가지에 담으며 시렁을 손질하였다. 이곳 농가는 대개가 부엌과 방 안이 통해있으며 방 한구석에 솥을 걸었다. 그리고 그 옆에 시렁을 매곤 하였다. 그가 처음 이곳에 와서는 무엇보다도 방 안이 맘에 안 들고 도야지굴이나 소외양간 같이 생각되었다. 그리고 어쩌다 손님이 오면 피해 앉을 곳도 없었다. 그러니 멍하니 낯선 손님과도 마주앉지 않으면 안 되게 되었다. 그러나 시일이 차츰 지나니 낯선 남성손님이 온다 하더라도 처음같이 그렇게 어색하지는 않았다. 그저 그렁저렁 지낼 만 하였다. 그리고 반드시 부뚜막 앞에는 비밀토굴을 파두는 것이다. 그랬다가 어데서 총소리가 나든지 개소리가 요란스레 나면 온 식구가 그 움 속에 들어가서 며칠이든지 있곤 하였다. 그리고 옷이나 곡식도 이 움에다 넣고서 시재 입는 옷이나 먹을 양식을 조금씩 꺼내놓고 먹곤 하였다. 말할 것도 없이 보위단이며 마적단 등이 무서워서 이렇게 하곤 하였다.

시렁을 손질한 그는 바구니에 담아둔 팥을 고르기 시작하였다. 고요한 방 안에 팥알소리만 재그럭 자르르 하고 났다. 팥알과 팥알로 시선이 옮아지는 그는 눈이 피곤해지며 참새소리가 한층 더 뚜렷이 들린다. 동시에 저 참새소리같이 여러 가지 생각이 순서 없이 생각났다. 내일이라도 파종을 하게 되면 아침, 점심, 저녁에 몇 말의 쌀을 가져야 할 것, 오늘 봉식이가 팡둥을 만나지 못해서 쌀을 못 가져올 것, 그러나 나무를 팔아서 사라고 한참감은 사오겠지. …… 생각이 차츰 희미해지며 졸음이 꼬박꼬박 왔다. 그는 눈을 부비치고 문밖으로 나오다가 무심히 눈에 뜨인 것은 벽에 매달아둔 메주였다. (참, 메주를 내놓아야겠다.) 하며 바구니를 밖에 내놓고서 메주를 떼어서 문밖에 가지런히 내놓았다. 그리고 그는 비를 놓고 메주의 먼지를 쓸어내렸다. 그는 하나하나의 메주덩이를 들어보며 간장이나 서너 동이 빼고 고추장이나 한

단지 담그고…… 그러자면 소금이나 두어 말은 가져야지. 소금…… 하며 그
는 무의식간 한숨을 푹 쉬였다. 그리고 또다시 고향을 그리며 멍하니 앉아있
었다. 고향서는 소금으로 이를 닦았건만…… 달리는데도 소금 한줌이면 후
련하게 내려갔는데 하였다. 그가 고향 있을 때는 하도 없는 것이 많으니까
소금 같은데 는 생각이 미치지 못하였는지는 모르나 어쨌든 이곳 온 후로부
터는 그는 소금 때문에 남몰래 운 적이 한두 번이 아니었다. 소금 한 말에 이
원 이십 전! 농가에서는 단번에 한 말을 사보지 못한다. 그러니 한 근 두 근
극상 많이 산대야 사오 근에 지나지 못한다. 그러므로 장 같은 것도 단번에
담그지를 못하고 소금 생기는 대로 담그다가도 어떤 때는 메주만 썩혀서 장
이라고 먹곤 하였다. 장이 싱거우니 온갖 찬이 싱거웠다.

끼니때가 되면 그는 남편의 얼굴부터 살피게 되고 어쩐지 맘이 송구하였
다. 남편은 입 밖에 말은 내지 않으나 번번히 얼굴을 찡그리고 밥술이 차츰
느려지다가 맥없이 술을 놓곤 하는 때가 종종 있었다. 이 모양을 바라보는
그는 입안의 밥알이 갑자기 돌로 변하는 것을 느끼며 슬며시 술을 놓고 돌아
앉았다. 그리고 하루 종일 들에서 일하다가 들어온 남편에게 등허리에 땀이
훈훈하게 나도록 훌훌 마시게 국물을 만들어놓지 못한 자기! 과연 자기를 아
내라고 할 것인가?

어떤 때 남편은 식욕을 충동시키고자 하여 고춧가루를 한술씩 떠넣었다.
그리고는 매워서 눈이 뻘게지고 이마가 에서는 주먹 같은 땀방울이 맺히곤
하였다. "고춧가루는 웨 그리 잡수셔요." 하고 그는 입이 벌려지다가 가슴이
무뚝해지며 그만 입이 다물어지고 말았다. 동시에 음식을 맡아 만드는 자기,
아, 어떻게 해야 좋을까?

이러한 생각을 되풀이하는 그는 한숨을 땅이 꺼지도록 쉬며 오늘저녁에
는 무슨 찬을 만드나 하고 메주를 다시금 굽어보았다. 그때 신발소리가 자박

자박 나므로 그는 머리를 들었다. 학교에 갔던 봉염이가 책보를 들고 이리로 온다.

"웨 책보 가지고 오니?"

"오늘 만공일이여. 메주 내났네."

봉염이는 생글생글 웃으며 메주를 들어 맡아보았다.

"아버지 가신 것 보았니?"

"응. 정팡둥이 왔더라, 어머이."

"팡둥이? 왔디?"

이때가지 그가 불안에 붙들려있었다는 것을 느끼며 가볍게 한숨을 몰아쉬었다.

"어디서 봤니?"

"팡둥 집에서…… 저 아버지랑 자×단들이랑 함께 앉아서 뭘 하는지 모르겠더라."

약간 찌푸리는 봉염의 양미간으로부터 옮아오는 불안!

"팡둥도 같이 앉았디?"

봉염이는 머리를 끄덕이며 무슨 생각을 하고 또다시 생글생글 웃었다. 그러고 책보 속에서 달래를 꺼냈다.

"학교 뒷밭 가에 달래가 어찌 많은지."

"한 끼 넉넉하구나."

대견한 듯이 그의 어머니는 달래를 만져보다가 그중 큰놈으로 골라서 뿌리를 자르고 한 꺼풀 벗긴 후에 먹었다. 봉염이도 달래를 먹으며

"어머니, 나두 운동화 신으면……" 무의식간에 봉염이는 이런 말을 하고도 어머니가 나무랄 것을 예상하며 어머니를 바라보던 시선을 달래뿌리로 옮겼다. 달래뿌리와 뿌리사이로 나타나는 운동화, 아까 용애가 운동화를 신

고 참새같이 날뛰던 그 모양!

"쟤는 이따금 미친 수작을 잘해!"

그의 어머니는 코끝을 두어 번 비벼치며 눈을 흘겼다. 봉염이는 달래가 흡사히 운동화로 변하는 것을 느끼며 어머니 말에 그의 조그마한 가슴이 뜨거워났다.

"어머니는 밤낮 미친 수작밖에 몰라!"

한참 후에 봉염이는 이렇게 종알거렸다. 그러고 용애의 운동화를 바라보고 또 몰래 만져보던 그 부러움이 어떤 불평으로 변하여지는 것을 그는 느꼈다. 그의 어머니는 봉염이를 똑바로 보았다.

"그래 네 말이 미친 수작이 아니냐. 공부도 겨우 시키는데 운동화 운동화, 이 애, 이 애 너도 지금 같은 개화 세상에 그나마 공부도 하는 줄 알아라. 아, 우리들 전에 자랄 때에야 뭘 어디가 물 긷고 베 짜고 여름에는 김매고 그래도 짚신이나마 어디 고운 것 신어본다디… 어미 애비는 풀 속에 머리를 들이매고 애쓰는데 그런 줄을 모르고 운동화? 배나 곯지 않으면 다행으로 알아. 그런 수작 하랴 거든 학교에 가지 마라!"

"뭐, 어머이가 학교에 보내우 뭐."

봉염이는 가볍게 공포를 느끼면서도 가슴이 으쓱하도록 반항하였다. 그리고 얼굴이 갑자기 화끈하므로 눈을 깜박하였다.

"그래 너의 아버지가 보내면 난 그만두라고 못할까. 계집애가 웨 저 모양이야. 뭘 좀 안다고 어미 대답만 톡톡 하고 이 애, 이놈의 계집애 어미가 무슨 말을 하면 잠자코 있는 게 아니라 톡톡 무슨 아가리질이냐! 그래 네 수작이 옳으냐? 우리는 돈 없다…… 너 운동화 사줄 돈이 있으면 봉식이 공부를 더 시키겠다야." 봉염이는 분김에 달래만 자꾸 먹고 나니 매워서 못 견딜 지경이다. 그리고 눈에는 약간의 눈물이 비쳤다.

"웨 돈 없어요? 웨 오빠 공부 못시켜요?"

그 순간 봉염의 머리에는 선생님의 하던 말이 번개같이 떠오른다. 그리고 그의 가슴이 터질 듯이 끓어오르는 불평을 어머니에게 토할 것이 아님을 깨달았다. 그러나 아무것도 모르고 달만 그르게 생각하고 덤비는 그의 어머니가 너무도 가엾었다. 그의 어머니는 하도 어이가 없어서 멍하니 봉염이를 바라보았다. 동시에 없으면 딴 남은 그만두고라도 제 속에서 나온 자식들한테까지 라도 저런 모욕을 받는구나 하는 노여운 생각이 들며 이때까지 가난에 들볶이던 불평이 눈두덩이 뜨겁도록 치밀어 올라온다.

"웨 돈이 없는지 내가 아니? 우리 같은 거지들에게 웨 태어났니? 돈 많은 사람들에게 태어나지. 자식! 흥, 자식이 다 뭐야!"

어머니의 언짢아하는 모양을 바라보는 봉염이는 작년 가을의 타작마당이 얼핏 떠오른다. 그때 여름내 농사지은 벼를 팡둥에게 전부 빼앗긴 그때의 어머니, 아버지! 지금 어머니의 얼굴빛은 그때와 똑같았다. 그리고 아무 반항할 줄 모르는 어머니와 아버지! 불쌍함이 지나쳐서 비굴하게 보이는 어머니!

"어머니, 웨 돈 없는 것을 알아야 해요. 운동화는 웨 못 사줘요? 오빠는 웨 공부 못시켜줘요?"

그는 이렇게 말해가는 사이에 그가 운동화를 신고 싶어 한 것이 잘못이 아니라는 것을 깨달았다. 그리고 무심하게 들어두었던 선생님의 말이 한 가지 두 가지 문득문득 생각났다.

"이 애, 이년의 계집애 웨 돈 없어. 밑천 없이 남의 땅 부치니 없지. 내 땅만 있으면……"

여기까지 말했을 때 그는 가슴 이 뜨끔해지며 말문이 꾹 막히었다.

그리고 또다시 솔밭 옆에 가졌던 그 밭이 떠오르는 그는 눈물이 쑥 삐어졌다. 그리고 금방 그 밭을 대하는 듯 눈물 속에 그의 머리가 아롱아롱 보이는 듯하였다.

그때 가볍게 귀가를 스치는 총소리! 그들 모녀는 눈이 둥그레서 일어났다.

짚 낟가리 밑에서 졸던 검둥이가 어느덧 그들 앞에 나타나 컹컹 짖었다.

유랑

그들은 마적단과 공산당을 번갈아 머리에 그리며 건넛마을을 바라보았다. 이 마을 저 마을에서 개 짖는 소리가 그들로 하여금 한층 더 불안을 갖게 하였다. 그리고 아까까지도 시원하던 바람이 무서움으로 변하여 그들의 옷자락을 가볍게 스친다.

"이 애, 너 아버지나 어서 오셨으면…… 웨 이러고 있누. 무엇이 온 것 같은데 어쩐단 말이."

봉염의 어머니는 거의 울상을 하고 가만히 서있지를 못하였다. 총소리는 연달아 건너왔다. 그들은 무의식간에 방 안으로 쫓기어 들어왔다. 이제야말로 건넛마을에는 무엇이든지 온 것이 확실하였다. 그리고 몇몇의 사람까지도 총에 맞아 죽었으리라 하였다. 이렇게 생각하고 나니 봉염의 어머니는 속에서 불길이 화끈화끈 올라와서 견딜 수가 없었다. 그러면서도 감히 방문 밖에까지 나오지는 못하였다. 무엇들이 이리로 달려오는 것만 같았던 것이다.

"어쩌누, 어쩌누? 봉식이라도 어서 오지 않구."

그는 벌벌 떨면서 이렇게 중얼거렸다. 암만해도 남편이 무사할 것 같이 않았던 것이다. 더구나 팡둥과 같이 남편이 앉았다가 아까 그 총소리에 무슨 일을 만났을 것 만 같았다.

"이 애, 너 아버지가 팡둥과 함께, 함께 앉았디? 보았니?"

그는 목에 침기라고는 하나도 없고 가슴이 답답해왔다. 봉염이도 풀풀 떨면서 말은 못하고 눈으로 어머니의 대답을 하였다. 그때 멀리서 신발소리 같은 것이 들려오므로 그들은 부엌구석의 토굴로 뛰어 들어가서 감자마대 뒤에 꼭 붙어 앉았다. 무엇들이 자기들을 죽이려고 이리 오는 것만 같았다. 한참 후에

"어머니……"

부르는 봉식의 음성에 그들은 겨우 정신을 차리고 마주 아우성을 치고도 얼른 밖으로 나오지를 못하였다. 그들이 움 밖에까지 나왔을 때 또다시 우뚝섰다. 그것은 봉식이가 전신에 피투성이를 했으며 그 옆에 금방 내려 눕힌 듯한 그의 아버지의 목에서는 선혈이 샘처럼 흘렀다. 그의 어머니는

"아!"

소리를 지르고 그 자리에 팔싹 주저앉았다. 그다음 순간부터 그는 바보가되어 멍하니 바라만 볼뿐이었다. 봉식이는 어머니를 보며 안타까운 듯이

"어머니는 웨 그러구만 있어요? 어서 이리 와요."

봉염이가 곧 어머니의 팔을 붙들었으나 그는 일어나다가 도로 주저앉으며

"너 아버지, 너 아버지."

하고 중얼거릴 뿐이었다.

그 밤이 거의 새여 올 때에야 봉염의 어머니는 겨우 정신을 차리고 목을 내여 어이어이 하고 울었다.

"넌 어찌 아버지를 만났니? 그때는 살았더냐? 무슨 말을 하시디?"

봉식이는 입이 쓴 듯이 입맛만 쩍쩍 다시다가

"살 게 뭐유!"

대답을 기다리는 어머니의 모양이 난처하여 이렇게 소리치고 나서 한숨을 후 쉬었다. 그리고 항상 아버지가 팡둥과 자×단들에게 고마이 구는 것이 어쩐지 위태위태한 겁을 먹었더니만 결국은 저렇게 되고야 말았구나 하였

다. 아버지 생전에 이 문제를 가지고 부자가 서로 언쟁까지도 한 일이 있었으나 끝끝내 아버지는 자기의 뜻을 세웠다. 보다도 그의 입장이 그로 하여금 그렇게 하지 않고는 견디지 못하게 하였던 것이다.

아버지 생전에는 봉식이도 아버지를 그르다고 백 번 생각했지만 막상 아버지가 총에 맞아 넘어진 것을 용애 아버지에게 듣고 현장에 달려가서 보았을 때는 어쩐지 '너무들 한다!' 하는 분노와 함께 누가 그르고 옳은 것을 분간할 수가 없이 머리가 아뜩해지곤 하였다.

이튿날 아버지의 장례를 지낸 봉식이는 바람이나 쏘이고 오겠노라고 어디로인지 가버리고 말았다. 모녀는 봉식이가 오늘이나 내일이나 하고 돌아오기를 손꼽아 기다리나 그 봄이 다 지나도 돌아오기는 고사하고 소식조차 끊어지고 말았다. 그래서 그들은 기다리다 못해서 봉식이를 찾아서 떠났다. 월여를 두고 이리저리 찾아다니나 그들은 봉식이를 만나지 못하였다. 마침내 그들은 용정까지 왔다. 그것은 전에 봉식이가 '고학이라도 해서 나두 공부를 좀 해야지.' 하고 용정에 들어왔다 나올 때마다 투덜거리던 생각을 하여 행여나 어느 학교에나 다니지 않는가 하였던 것이다. 그러나 그들 모녀가 학교란 학교 뜰에다 다 가서 기웃거리나 봉식이 비슷한 학생조차 만나지 못하였다. 그들이 마지막으로 TH학교까지 가보고 돌아설 때 봉식이가 끝없이 원망스러운 반면에 죽지나 않았는지? 하는 불안에 발길이 보이지를 않았다. 더구나 이젠 어데로 가나? 어데 가서 몸을 담아있나? 오늘밤이라도 어데서 자나? 이것이 걱정이요, 근심이 되었다.

해가 거의 져갈 때 그들은 팡둥을 찾아갔다. 그들이 용정에 발길을 돌려놀 때부터 팡둥을 생각하였다. 만일에 봉식이를 찾지 못하게 되면 팡둥이라도 만나서 사정하여 봉식이를 찾아달라고 하리라 하였던 것이다. 그들이 큰 대문을 둘이나 지나서 들어가니 마침 팡둥이 나왔다.

"왔소? 언제 왔소?"

팡둥은 눈을 크게 뜨고 반가운 뜻을 보이였다. 봉염의 어머니는 그의 반가워하는 눈치를 살피자 찾아온 목적을 절반나마 성공한 듯하여 한숨을 남몰래 몰아쉬었다. 팡둥은 봉염의 머리를 내리쓸었다.

"그새 어데 갔어? 한번 갔어. 없어 섭섭했어."

"봉식이를 찾아 떠났어요. 봉식이가 어디 있을까요?"

봉염의 어머니는 가슴을 두근거리며 팡둥을 쳐다보았다.

"봉식이 만나지 못했어. 모르갔어."

팡둥은 알가 하여 맥없이 그의 입술을 쳐다보던 그는 머리를 숙였다. 팡둥은 그들 모녀를 데리고 방으로 들어갔다. 캉에 앉아있는 팡둥의 아내인 듯한 나젊은 부인은 모녀와 팡둥을 번갈아 쳐다보며 의심스러운 눈치를 보이였다. 팡둥은 한참이나 모녀를 소개하니 그제야 팡둥 부인은

"올라 앉어요."

하고 권하였다. 팡둥은 차를 따라 권하였다. 가벼운 차내를 맡으며 모녀는 방 안을 슬금슬금 돌아보았다. 방 안은 시원하게 넓으며 캉이 좌우로 있었다. 캉 아래는 빛나는 돌로 깔리었으며 저편 창 앞에는 대리석으로 만든 테이블이 놓였고 그 위에는 검은 바탕에 오색빛 나는 화병 한 쌍을 중심으로 작고 큰 시계며 유리단지에 유유히 뛰노는 금붕어 등 기타 이름 모를 기구들이 테이블이 무겁도록 실리어 있었다. 창 윗벽에는 팡둥의 사진을 비롯하여 가족들의 사진이며 약간 빛을 잃은 가화들이 어지럽게 꽂이었다. 그리고 테이블을 뚝 떨어져 이편 벽에는 선 굵은 불타의 그림이 조이는 듯하고 맞은편에는 문짝 같은 체경이 온 벽을 차지했으며 창문 밖 저편으로는 화단이 눈이 서늘하도록 푸르렀다.

그들은 어떤 별천지에 들어온 듯 정신이 얼얼하였다. 그리고 그들의 초라

한 모양에 새삼스럽게 더 부끄러운 생각이 들며 맘 놓고 숨 쉬는 수도 없었다. 팡둥은 의자에 걸터앉으며 권연을 붙여 물었다.

"여기 친척 있어?"

봉염의 어머니는 머리를 들었다.

"없어요."

이렇게 대답하는 그는 팡둥이 어째서 친척의 유무를 묻는 것임을 생각할 땐 전신에 외로움이 훨씬 끼친다. 동시에 팡둥을 의지하려고 찾아온 자신이 얼마나 가엾은가를 느끼며 팡둥의 어깨너머로 보이는 화단을 물끄러미 바라보았다. 신록에 무르익은 저 화단! 그는 얼핏 밭에 조싹도 이젠 퍽 자랐겠구나! 김매기 바쁠 테지, 내가 웬 일이야? 김도 안 매고 가을에는 뭘 먹고 사나 하는 걱정이 불쑥 일었다. 그리고 시선을 멀리 던졌을 때 티 없이 맑게 개인 하늘이 마치 멀리 논물을 바라보는 듯 문득 그들이 부치던 논이 떠오른다. 논귀까지 가랑가랑하도록 올라온 그 논물! 벼 포기도 퍽 자랐을 게다! 하며 다시 하늘을 쳐다보았을 때 그 하늘은 벼 포기 사이를 헤치고 깔렸던 그 하늘이 아니었느냐! 그사이로 털이 부르르한 남편의 굵은 다리가 철버덕철버덕 거닐지 않았느냐! 그는 가슴이 뜨끔해지며 다시 팡둥을 보았다. 남편을 오라고 하여 함께 앉았던 저 팡둥은 살아서 저렇게 있는데 그는 어찌하여 죽었는가 하며 이때껏 참았던 설움이 머리가 무겁도록 올라왔다.

"친척 없어. 어디 왔어?"

팡둥은 한참 후에 이렇게 재우쳐 물었다. 목구멍까지 빠듯하게 올라온 억울함과 외로움이 팡둥의 말에 눈물로 변하여 술술 떨어진다. 그는 맥없이 머리를 떨어뜨리며 치맛귀를 쥐어다 눈물을 씻었다. 곁에 앉은 봉염이도 어머니를 보자 눈물이 글썽글썽해졌다. 모녀를 바라보는 팡둥은 난처하였다. 지금 저들의 눈치를 보니 자기에게 무엇을 얻으러 왔거나 그렇지 않으면 자기 집을 바라보고 온 것임을 시간이 지날수록 깨달았다. 그는 불쾌하였다. 저들을 오늘로라도 보내려면 돈이라도 몇 푼 집어줘야 할 것을 느끼며 당분간 집에서 일이나 시키며 두어둬볼까? 하는 생각이 어렴풋이 들었다. 팡둥은 약간 웃음을 띠웠다.

"친척 없어. 우리 집 있어. 봉식이가 찾아왔어 갔어 응."

팡둥의 입에서 떨어지는 아들의 이름을 들으니 그는 원망스러움과 그리움, 외로움이 한데 뭉치여 견딜 수가 없었다. 그리고 팡둥의 말과 같이 봉식이가 언제든지 나를 찾아오려나, 그렇지 않으면 제 아버지와 같이 어디서 어떤 놈에게 죽음을 당해서 다시는 찾지 않으려나? 하는 의문이 들며 흑흑 느껴 울었다.

그 후로부터 모녀는 팡둥 집에서 일이나 해주고 그날그날을 살아갔다. 팡둥은 날이 갈수록 그들에게 친절하게 굴었다. 그리고 어떤 때는 밤이 오래도록 그들이 있는 방에 나와서 이러 이야기 저런 이야기를 하여주며 때로는 옷감이나 먹을 것 같은 것도 사다주었다. 그때마다 봉염의 어머니는 감격하여 밤 오래도록 잠들지 못하곤 하였다.

팡둥의 아내가 친정집에 다니러 간 그 이튿날 밤이다. 그는 팡둥의 아내가 말라놓고 간 팡둥의 속옷을 재봉틀에 하였다. 팡둥의 아내가 언제 올는지는 모르나 어쨌든 그가 오기 전에 말라 놓은 일을 다 해야 그가 돌아와서 만족해할 것이다. 그러므로 그는 밤잠을 못자고 미싱을 돌렸다. 그는 이 집에 와서야 미싱을 배웠기 때문에 아직도 서툴렀다. 그래서 그는 바늘이 부러질세라 기계에 고장이 생길세라 여간 조심이 되지를 않았다.

저편 팡둥 방에서 피리소리가 처량하게 들려왔다. 팡둥은 밤만 되면 저렇게 피리를 불거나 그렇지 않으면 깡깡이를 뜯었다. 깡깡이 소리는 시끄럽고 때로는 강아지가 문짝을 할퀴며 어미를 부르는듯하게 차다 듣지 못할 만큼 귀가이가 간지러웠다. 그러나 저 피리소리만은 그럴 듯하게 들리었다.

일감을 밟고 씩씩하게 달려오는 바늘 끝을 바라보는 그는 한숨을 후 쉬며 "봉식아, 너는 어째서 어미를 찾지 않느냐." 하고 중얼거렸다. 그는 언제나 봉식이를 생각하였다. 낯선 사람이 이 집에 오는 것을 보면 행여 봉식의 소식을 전하려나 하여 그 사람이 돌아갈 때까지 주의를 게을리 하지 아니했다. 그러나 이렇게 기다리는 보람도 없이 그날도 그날같이 봉식의 소식은 막막하였다. 팡둥은 그들에게 고맙게 구나 팡둥의 아내는 종종 싫은 기색을 완연히 드러내었다. 그때마다 그는 봉식을 원망하고 그리워하며 운 적이 한두 번이 아니었다. 아무래도 장래까지는 이 집을 바라지 못할 일이요, 어디로든지 가야 할 것을 그는 날이 갈수록 느꼈다. 그러나 맘만 초조할 뿐 어떻게 하는 수는 없었다. 그는 이러한 생각을 뒤풀이하며 팡둥의 아내가 없는 사이 팡둥보고 세집이나 얻어달라고 해볼까? 하며 피리를 불고 앉았을 팡둥의 뚱뚱한 얼굴을 그려보았다. 그러나 어찌 그런 말을 해? 세집을 얻는다 하더라도 무슨 그릇들이 있어야지 아무것도 없이 살림을 어떻게 하누 하며 등불을 물끄러미 바라보았다.

어느덧 피리소리도 그치고 사방은 고요하였다. 오직 들리느니 잠든 봉염의 그윽한 숨소리뿐이다. 그는 등불을 휩싸고 악을 쓰고 날아드는 하루살이 떼를 보며 문득 남편의 짧았던 일생을 회상하였다. 그렇게 살고 말 것을 반찬 한번 맛있게 못해주었지, 고춧가루만 땀이 나도록 먹고 참…… 여기는 왜 소금 값이 그리 비쌀까?

그래도 이 집은 소금을 흔하게 쓰던데, 그거야 돈 많으니 자꾸 사오니까 그렇겠지. 돈? 돈만 있으면 뭐든지 다할 수가 있구나. 그 비싼 소금도 맘대로 살수가 있는 돈, 그 돈을 어째서 우리는 모으지 못했는가 하였다.

그때 신발소리가 자박자박 나더니 문이 덜거덕 열린다. 그는 놀라 휙 돌아보았다. 검은 바지에 흰 적삼을 입은 팡둥이 빙그레 웃으며 들어온다. 그는 얼른 일어나며 일감을 한 손에 들었다.

"앉아있어! 일만 했어?"

팡둥의 시선은 그의 얼굴로부터 일감으로 옮겨진다. 그는 등불 곁으로 다가앉으며 팡둥보고 이 말을 할까 말까, 세집 하나 얻어주시오 하고 금방 입술사이로 흘러나오려는 것을 참으며 팡둥의 기색을 살피었다.

"누구 옷이야? 내해야?"

팡둥은 일감 한끝을 쥐여보다가

"내해야…… 배고프지 않아? 우리 방에 나가 차물도 먹고 과자도 먹구 응? 나가."

일감을 잡아당긴다. 그전 같으면 얼른 팡둥의 뒤를 따라 나갈 터이니 팡둥의 아내가 없는 것만큼 주저가 되었다.

"배고프지 않아요." 이렇게 말하는 그는 웬 일인지 눈썹 끝에 부끄럼이 사르르 지나친다. 팡둥은 일감을 홱 빼앗았다.

"가 응? 자, 어서어서."

그는 일감을 바라보며 어째야 좋을지 몰랐다. 그리고 이 기회를 타서 세집을 얻어달라고 할까 말까, 할까……

"안 가?"

팡둥은 일어서며 아까와는 달리 어성을 높인다. 그는 가슴이 선득해서 얼른 일어났다. 그러나 비쭉비쭉 나가는 팡둥의 살진 뒷덜미를 보았을 때 싫은 생각이 부쩍 들었다. 그리고 발길이 떨어지지를 않았다. 문밖을 나가던 팡둥은 휘익 돌아보았다. 그 얼굴은 무어라 형용할 수 없는 무서움을 띠웠다. 그는 맥없이 캉을 내려섰다. 그리고 잠든 봉염이를 바라보았을 때 소리쳐 울고 싶도록 가슴이 답답하였다.

해산

이듬해 늦은 봄 어느 날 석양이다. 봉염의 어머니는 바느질을 하다가 두 눈을 비비며 방문을 바라보았다. 빨간 문 위에 처마 끝 그림자가 뚜렷하였다. 오늘은 팡둥이 오려나, 대체 어딜 가서 그리 오래 있을까? 그는 또다시 생각하였다. 팡둥의 안해만 대하면 그는 묻고 싶은 것이 이 말이었다. 그러나 언제든지 새치름해서 있는 그의 기색을 살피다가는 그만 하려던 말을 주리치고 말았다. 그리고 이렇게 석양이 되면 오늘이나 오려나? 하고 가슴을 조였다. 팡둥이 온대야 그에게 그리 기쁠 것도 없건만 어쩐지 그는 팡둥이 기다려지고 그리웠다. 오면 좋으련만…… 이번에는 곡 말을 해야지. 뭐라고? 그다음 말은 생각나지 않고 두 귀가 화끈 단다. 어떻게 그도 짐작이나 할까? 하기는 뭘 해. 남정들이 그러니 고렇게 내게 하리…… 그는 팡둥의 얼굴을 머리에 그리며 원망스러운 듯이 바라보았다.

그날 밤 후로는 팡둥의 태도가 아무리 좋게 해석해도 냉랭해진 것만 같았다. 처음에는 점잖으신 어른이고 더구나 성미 까다로운 아내가 곁에 있으니 저러나보다 하였으나 시일이 지날수록 원망스러움이 약간 머리를 들었다. 반면에 끝없는 정이 보이지 않는 줄을 타고 팡둥에게로 자꾸 쏠리는 것을 그는 느꼈다. 그는 한숨을 후— 쉬며 이마 가에 흐르는 땀을 씻었다. 언제나 자기도 팡둥을 대하여 주저 없이 말을 건네고 사랑을 받아볼까? 생각만이라도 그는 진저리가 나도록 좋았다. 그러나 자기 주위를 둘러싸고 있는 모든 환경을 깨닫자 그는 울고 싶었다. 그리고 팡둥의 아내가 끝없이 부러웠다. 그는 시름없이 머리를 숙이며 원수로 애는 왜 배었는지 하며 일감을 들었다. 바늘 끝으로 떠오르는 그날 밤. 그날 밤의 팡둥은 성난 호랑이같이도 자기에게 덤벼들지 않았던가. 자기는 너무 무섭고도 두려워서 방 안이 캄캄하도록 늘이운 비단포장을 붙들고 죽기로써 반항하다가 못 이겨서 애를 배게 되지 않았던가. 생각하면 자기의 죄 같지는 않았다. 그런데 왜 자기는 선뜻 팡둥에게 이 말을 하지 못하는가. 그리고 그렇게 먹고 싶은 냉면도 못 먹고 이때까지 참아왔던가. 모두가 자기의 못난 탓인 것 같다. 왜 말을 못해? 왜 주저해? 이번에는 말할 테야, 꼭 할 테야. 그리고 냉면도 한 그릇 사다달라지 하며 그는 눈앞에 냉면을 그리며 침을 꿀꺽 삼켰다. 그러나 이 생각은 헛된 공상임을 깨달으며 한숨을 푸 쉬면서도 픽 하고 웃음이 나왔다. 모든 난문제가 산과 같이 자기를 둘러싸고 있거늘 어린애 같이 먹고 싶은 생각부터 하는 자신이 우습고도 가련해 보이었던 것이다. 그러나 먹고 싶은 것은 어쩔 수 없다. 목이 가렵도록 먹고 싶다. 냉면만 생각하면 한참씩은 안절부절 못할 노릇이다.

그가 배 속에 애든 것을 알게 되었을 때 유산시키려고 별짓을 다하여 보았다. 배를 쥐어박아도 보고 일부러 콱 넘어지기도 하며 벽에다 배를 대고 탕탕 부딪쳐도 보았다. 그리고도 유산이 되지를 않아서 나중에는 양잿물을 마시려고 캄캄한 밤중에 그 몇 번이나 일어나 앉았던가. 그러면서도 그 순간까지도 냉면은 먹고 싶었다. 누가 곁에다 감추고서 주지 않는 것만 같았다. 그렇게 먹고 싶은 냉면을 못 먹어보고 죽는다는 것은 너무나 애달픈 일이다. 더구나 봉염이를 생각하고는 그만 양잿물그릇을 쏟고 말았던 것이다.

삭수가 차올수록 그는 어쩔 줄을 몰랐다. 우선 남의 눈에 들키지나 않으려고 끈으로 배를 꽁꽁 동이고 밥도 한두 끼니는 예사로 굶었다. 그리고 될 수 있는 대로 사람을 피하여 이렇게 혼자 일을 하곤 하였다.

그때 지르릉 하는 이십오세(마차)소리에 그는 머리를 번쩍 들었다. 팡둥 방에서 뛰어나가는 신발소리가 나더니 "바바! 바바!" 하고 팡둥의 어린애들이 떠드는 소리가 들린다. 그는 왔구나! 하였다. 따라서 가슴이 후다닥 뛰며 배 속의 애까지 빙빙 돌아간다. 그는 치맛주름이 들썩들썩하는 것을 보자 배를 꾹 눌렀다. 신발소리가 이리로 오므로 그는 얼른 일어났다. 그리고 팡둥이 혹시 나를 보러 오는가 하였다.

　"어머이, 팡둥 왔어. 그런데 팡둥이 어머이를 오래."

　봉염이는 문을 열고 들여다본다. 그는 팡둥이 아님에 다소 실망을 하면서도 안심되었다. 그러나 팡둥이 자기를 보겠다고 오라는 말을 들으니 부끄럼이 확 끼치며 알 수 없는 겁이 더럭 났다. 그리고 말을 할 수 없이 입이 다물어지며 손발이 후들후들 떨린다.

　"어머이, 어디 아파?"

　봉염이는 중국 계집애같이 앞머리를 보기 좋게 잘랐다. 그는 머리카락 사이로 눈을 동그랗게 뜨고 어머니를 말똥히 쳐다본다. 그는 딸에게 눈치를 보이지 않으려고 머리를 돌리며

　"아니."

　봉염이는 한참이나 무슨 생각을 하더니

　"어머이, 팡둥이 성난 것 같아 웨."

　"웨 어찌더냐?"

　"아니 글쎄 말야."

　봉염이는 솥 가에서 닳아져서 보기 싫게 된 그의 손톱을 들여다보면서 아까 팡둥의 얼굴을 생각하였다. 그때 팡둥의 아내 소리가 빽 하고 났다.

　"뭣들 하기에 그러고 있어? 어서 오라는데."

　심상치 않은 그의 어성에 그들은 일시에 불길한 예감을 품으면서 팡둥 방

으로 왔다. 팡둥은 어린애를 좌우로 안고서 모녀를 바라보았다. 그리고 잠간 눈살을 찌푸리며 눈을 거치게 뜬다. 팡둥의 아내는 입을 비쭉하였다.

"흥, 자식을 얼마나 잘 두었기에 애비 원수인 공산당에 들었을까. 그런 것들은 열 번 죽여도 좋아…… 우리는 공산당 친지는 안 돼. 공산과는 우리는 원수야. 오늘부터는 우리 집에 못 있어. 나가야지."

모녀를 딱 쏘아본다. 갑자기 무슨 말인지를 알아들을 수가 없었다. 그리고 머리가 어정쩡해났다.

"이번 쟝꿰디가 국자가 가서 네 오빠 죽이는 것을 보았단다."

모녀는 어떤 쇠방망이로 머리를 사정없이 후려치는 듯 아뜩하였다. 한참 후에 봉염의 어머니는 팡둥을 바라보았다. 팡둥은 그의 시선을 피하여 어린애를 보면서도 그 말이 옳다는 뜻을 보이었다. 그는 한층 더 아찔하였다. 그애가 참말인가 하고 그는 속으로 부르짖었다.

"어서 나가! 만주국에서는 공산당을 죽이니깐."

팡둥의 아내는 귀고리를 흔들면서 모녀를 밀어내었다. 모녀는 암만 그들이 그래도 그 말이 참말 같지 않았다. 그리고 속 시원히 팡둥이 말을 해주었으면 하였다. 팡둥은 그들을 바라보자 곧 불쾌하였다. 그날 밤 그의 만족을 채운 그 순간부터 어쩐지 발길로 그의 엉덩이를 냅다 차고 싶게 미운 것을 느꼈다. 그다음부터 그는 봉염의 어머니와 마주서기를 싫어하였다. 그러나 살림에 서투른 젊은 아내를 둔 그는 그들을 내보내면 아무래도 식모든지 착실한 일군이든지를 두어야겠으니 그러자면 먹여주고도 돈을 주어야 할 터이므로 오늘내일하고 이때까지 참아왔던 것이다. 그보다도 내보낼 구실 얻기가 거북하였던 것이다.

그러던 차에 이번 국자가에서 봉식이 죽는 것을 보고서는 곧 결정하였다. 무엇보다도 공산당의 가족이니만큼 경비대원들이 나중에라도 알면 자신에게 후환이 미칠까 하는 생각이었고 또 하나는 자기가 극도로 공산당을 미워하느니만큼 공산당이라는 말만 들어도 소름이 끼쳐서 못 견디었던 것이다.

아내에게 밀리어 문밖으로 나가는 모녀를 바라보던 팡둥은 봉식의 죽던 광경이 다시 떠오른다.

친구와 교외에 나갔다가 공산당을 죽인다는 바람에 여러 사람의 뒤를 따라가서 들여다보니 벌써 십여 명의 공산당을 죽이고 꼭 하나가 남아있었다. 그는 좀 더 빨리 왔더라면 하고 후회하면서 사람들의 틈을 헤치고 들어갔다. 마침 경비 대원에게 끌리어 한가운데로 나앉은 공산당은 봉식이가 아니겠는가! 그는 자기 눈을 의심하고 몇 번이나 눈을 비빈 후에 보았으나 똑똑한 봉식이었다. 전보다 얼굴이 검어지고 거칠게 보이나마 봉식이었다. 그는 기침을 칵하며 봉식이가 들으리만큼 욕을 하였다. 그리고 행여 봉식이가 돈을 벌어가지고 어미를 찾아오면 자기의 생색도 나고 다소 생각함이 있으리라고 하였던 것이 절망이 되었다.

누런 군복을 입은 경비 대원 한사람은 시퍼런 칼날에 물을 드르르 부었다. 그러니 물방울이 진주같이 흐른 후에 칼날은 무서우리만큼 빛났다. 경비 대원은 칼날을 들여다보며 식뻑 웃는다. 그리고 봉식이를 바라보았다. 봉식이는 얼굴이 새하얗게 질리고도 기운 있게 버티고 있었다. 그리고 입모습에는 비웃음을 가득히 띄우고 있다. 팡둥은 그 웃음이 여간 불쾌하지 않았다. 그리고 어느 때인가 공산당에게 위협을 당하던 그 순간을 얼핏 연상하며 봉식이가 확실히 공산당이라는 것을 의심하지 않았다. 그러자 칼날이 번쩍할 때 봉식이는 소리를 버럭 지른다. 어느새 머리는 땅에 떨어지고 선혈이 솨 하고 공중으로 뻗치올 때 사람들은 냉수를 잔등에 느끼며 흠칫 물러섰다.

생각만이라도 팡둥은 소름이 끼치어서 어린애를 꼭 껴안으며 어서 모녀가 눈에 보이지 않기를 바랐다. 모녀는 문밖에까지 밀리어 나오고도 팡둥이 따라 나오며 말리려니 하였다. 그러나 그들이 보따리를 가지고 대문을 향할 때까지 팡둥은 가만히 있었다. 봉염의 어머니는 노염이 치받치어 획 돌아서서 유리창을 통하여 바라보이던 팡둥의 뒷덜미를 노려보았다. 미친 듯이 자기를 향하여 덤벼들던 저 팡둥이! 그가 무어라고 소리를 지르려고 할 때 팡둥의 아내와 웬 알지 못할 사나이가 그를 돌려세우며 그들을 밖으로 내몰았다.

그들이 정신없이 시가를 벗어나 해란강변으로 나왔다. 강물이 앞을 막으니 그들은 우뚝 섰다. 어디로 가나? 하는 생각이 분김에 흩어졌던 그들의 생각을 집중시켰다. 그들은 눈을 들었다. 해는 뉘엿뉘엿 서선에 걸렸는데 저 멀리 보이는 마을 앞에 둘러선 버들 숲은 흡사히도 그들이 살던 싼드거우 앞에 가로 놓였던 그 숲과도 같았다. 그곳에는 아직도 남편과 봉식이기 있을 것만 같았다. 그러나 다시 한 번 눈을 비비고 모았을 때 봉염의 어머니는 털썩 주저앉았다. 그리고 소리높이 흐르는 강물을 들여다보며 그만 죽고말까 생각하였다. 동시에 이때까지 거짓으로만 들리던 봉식의 죽음이 새삼스럽게 더 걱정이 되며 가슴이 쪼개지는 듯하였다. 그러나 그 말은 믿고 싶지 않았다. 봉식이는 똑똑한 아이다. 그러한 아이가 아버지 원수인 공산당에 들었을 리가 없을 듯하였다.

그것은 자기 모녀를 내보내려는 거짓말이다.

"죽일 년, 그년이 내 아들을 공산당이라구? 에잇, 이 년놈들 벼락 맞을라. 누구를 공산당이래…… 너의 놈들이 그러고 뒈질 때가 있을라. 누구를 공산당이래."

봉염의 어머니는 시가를 돌아보며 이를 북북 갈았다. 시가에는 수없는 벽돌집이 다닥다닥 붙어 앉았다.

저렇게 많은 집이 있건만 지금 그들은 몸담아 있을 곳도 없어 이리 쫓기어 나온다 생각을 하니 기가 꽉 찼다. 그리고 저자들은 모두 팡둥 같은 그런 무서운 인간들이 사는 것 같이 보였다. 이렇게 원망스러우면서도 이리로 나오는 사람만 보이면 행여 팡둥이 나를 찾아 나오는가 하여 가슴이 뜨끔해지곤 하였다.

어스름 황혼이 그들을 둘러쌀 때에 그들은 더욱 난처하였다. 봉염이는 훌쩍훌쩍 울면서

"오늘밤은 어데서 자누? 어머이." 하였다. 그는 순간에 팡둥 집으로 달려들어가서 모조리 칼로 찔러죽이고 자기들도 죽고 싶은 충동이 강하게 일어났다. 그래서 그는 벌떡 일어났다. 그러나 그의 앞으로 끝없이 뻗어나간 대철로를 바라보았을 때 소식 모르는 봉식이가 어미를 찾아 이 길로 터벅터벅 걸어올 때가 있지 않으려나……. 그리고 또다시 팡둥의 말과 같이 아주 죽어서 다시는 만나지 못하려나 하는 의문에 그는 소리쳐 울고 싶었다. 속 시원히 국자가를 가서 봉식의 소식을 알아볼까. 그러자 그 후에 참말이라면 모조리 죽이고 나도 죽자! 이렇게 결심하고 어정어정 걸었다.

그날 밤 그들은 해란강변에 있는 중국인집 헛간에서 자게 되었다. 그것도 모녀가 사정을 하고 내일 시장에 내다 팔 시금치나물과 파 등을 다듬어 주고서 승낙을 받았다. 봉염의 어머니는 밤이 깊어갈수록 배가 자꾸 아팠다. 그는 애가 나오려나 하고 직각하면서 봉염이가 잠들기를 고대하였다. 그러나 잠이 많던 봉염이도 오늘은 잠들지 않고 팡둥 부처를 원망하였다. 그리고 이때가지 몸 아끼지 않고 일해준 것이 분하다고 종알종알하였다.

"용애는 잘 있는지. 우리 학교는 학생이 많은지."

잠꼬대 비슷이 봉염이는 지껄이다가 그만 잠이 들고 만다.

그의 어머니는 한숨을 후 쉬며 어서 봉염이가 잠든 틈을 타서 나오면 얼른 죽여서 해란강에 띄우리라 결심하였다.

그리고 배를 꾹꾹 눌렀다.

바람소리가 후루루 나더니 빗방울이 후두두 떨어진다.

그는 되기 딴은 잘되었다고 생각하였다. 이런 비 오는 밤에 아무도 몰래 애를 낳아서 죽이면 누가 알랴 싶었던 것이다.

그리고 그는 봉염의 몸을 어루만지며 낡은 옷으로 그의 머리까지 푹 씌워 놓았다. 비는 출출 새기 시작하였다.

그는 봉염이가 비에 젖었을까 하여 가만히 그를 옮겨 눕히고 자기가 비새는 곳으로 누웠다. 비는 차츰 기세를 더하여 좍좍 퍼부었다. 그리고 그의 몸도 점점 더 아팠다.

그는 봉염이가 깰세라 입술을 깨물고 신음소리를 밖에 내지 않으려고 애썼다. 그러나 신음소리가 콧구멍을 뚫고 불길같이 확확 내달았다. 그리고 빗방울은 그의 머리카락을 타고 목덜미로 입술로 새어 흐른다.

"어머이!"

봉염이는 벌떡 일어나서 어머니를 더듬었다.

"에그, 척척해."

어머니의 몸을 만지는 그는 정신이 펄쩍 들었다. 그리고 비가 오는 것을 알았다.

"비가 새네. 아이그 어떻거나?"

딸의 말소리도 이젠 들리지 않고 딸이 들을 세라 조심하던 신음소리도 더 참을 수가 없었다. 그는 "으흥, 으흥." 하면서 몸부림쳤다. 머리로 벽을 쾅쾅 받다가도 시원하지 않아서 손으로 머리를 감아쥐고 와짝와짝 뜯었다.

봉염이는 어머니를 흔들다가 그만 "흑흑" 하고 울었다.

어머니는 봉염이을 밀치며 "응응" 하고 힘을 썼다. —한참 후에 "으악!" 하는 애기 울음소리가 들렸다. 봉염이는 어머니 곁으로 다가붙으며

"애기?" 하고 부르짖었다.

어머니는 얼른 애기를 더듬어 그의 몸을 꼭 쥐려 하였다. 그 순간 두 눈이 화끈 달며 파란 불꽃이 쌍으로 내달았다.

그리고 전신을 통하여 짜르르 흐르는 모성애! 그는 자기의 숨이 턱 막히며 쥐려는 손끝에 맥이 탁 풀리는 것을 느꼈다.

그는 땀을 낙수처럼 흘리며 비켜 누워버렸다. 그리고

"아이구!"

하고 소리쳐 울었다.

유모

애기를 죽이려다 죽이지 못하고 또 무서운 진통기를 벗어난 봉염의 어머니는 이제는 극도로 배고픔을 느꼈다. 지금 따끈한 미역국 한 사발이면 그의 몸은 가뿐해질 것 같다. 미역국! 지난날에는 남편이 미역국과 흰 이밥을 해 가지고 들어와서 손수 떠넣어주던 것을…… 하며 눈을 꾹 감았다. 비에 젖고 또 비에 젖은 헛간 바닥에서는 흙내에 피비린내를 품은 역한 냄새가 물큰물큰 올라왔다. 어떻거나? 내가 지금 냉수라도 잘잘 끓여다가만 주어도 그 물을 마시고 정신을 차릴 것 같다. 그러나 그는 흙을 쥐어 먹기 전에는 아무것도 먹을 것이 없지 않는가. 봉염이를 깨울까. 그래서 이 집 주인에게 밥이나 좀 해 달라 할까. 아니 아니 못할 일이야. 무슨 장한 애를 낳았다고 그러랴. 그러면 어떻게? 오라지 않아 날이 밝을 터이니 아침에나 주인집에서 무엇이든지 얻어먹지…… 하였다. 그리고 눈을 번쩍 떠서 뚫어진 헛간 문을 바라보았다. 아직도 캄캄하였다. 날이 언제나 새려나. 이 집에는 닭이 없는가 있는가 하며 귀를 기울였다. 사방은 죽은 듯이 고요하다. 간혹 채마밭에서 나는 듯한 벌레소리가 어두운 밤에 별빛 같은 그러한 느낌을 던져주었다. 그는 애기를 그의 뛰는 가슴속에 꼭 대이며 자기가 아무렇게 해서라도 살아야 할 것 같았다. 내가 왜 죽어? 꼭 산다. 너희들을 위하여 꼭 산다 하고 중얼거렸다. 애들 낳기 전에는 아니 보다도 이 아픔을 겪기 전에는 죽는다는 말이 그의 입에서 떠나지 않았고 또 진심으로 죽었으면 하고 생각도 많이 하였다. 그러나 마침 죽음과 삶의 경계선에서 아차아차한 고비를 넘기고 겨우 소생한 그는 어쩐지 죽고 싶지는 않았다. 오히려 삶의 환희를 느꼈다. 그가 하필 이번 뿐만이 아니라 이러한 경우를 여러 번 당하였으나 그러나 남편의 생전에는 죽음에 대하여 한 번도 생각해보지도 않았으며 역시 죽고 싶지 않았다. 그래서 죽음이란 아무 생각도 없이 대하였을 뿐이었다.

이튿날 봉염의 어머니는 곤히 자는 봉염이를 흔들어 깨웠다. 봉염이는 벌떡 일어났다.

"너 이거 내다가 빨아오너라. 그저 물에 헤우면 된다."

피에 젖은 속옷이며 걸레뭉치를 뭉쳐서 그의 손에 들려주었다. 그때 봉염의 어머니는 어쩐지 딸이 어려웠다. 그리고 딸의 시선이 거북스러움을 느꼈다. 봉염이는 아직도 가슴이 울렁거리며 모두가 꿈속에 보는 듯 분명하지를 않고 수없는 거미줄 같은 의문과 공포가 그의 조그마한 가슴을 꼭 채웠다. 그는 얼른 일어나 밖으로 나왔다. 그의 어머니는 딸이 나가는 것을 보고 저것이 추울 터인데 하며 자신이 끝없이 더러워 보이었다.

봉염의 신발소리가 아직도 사라지기 전에 그는 애기의 얼굴을 자세히 들여다보았다. 볼수록 뭉치정이 푹푹 든다. 그리고 애기의 얼굴에 얼굴을 맞대지 않고는 견디지 못하였다. 주인집에서 깨여 부산하게 구는 소리를 그는 들으며 밥을 하는가, 밥을 좀 주려나, 좀 주겠지 하였다. 그리고 미역국 생각이 또 일어나며 김이 어린 미역국이 눈앞에 자꾸 얼른거려 보인다. 따라서 배는 점점 더 고파왔다. 이제 몇 시간만 더 이 모양으로 굶었다가는 그가 아무리 살고 싶어도 살수가 없을 것 같았다. 그는 이러한 생각에 겁이 펄쩍 났다. 무엇을 좀 먹어야 할 터인데, 그는 눈을 뜨고 사면을 휘 돌아보았다. 아직도 헛간은 컴컴하다. 컴컴한 저편 구석으로 약간씩 보이는 파뿌리! 그는 어제 저녁에 주인 여편네가 오늘 장에 내다 팔 파를 헛간으로 옮겨쌓던 생각을 하며 옳다! 아무게라도 좀 먹으면 정신이 들겠지 하고 얼른 몸을 솟구어 파뿌리를 뽑았다. 그러나 주인이 나오는듯하여 그는 몇 번이나 뽑은 파를 입에 대다가도 감추곤 하였다. 아침내 그는 파를 입속에 넣었다. 그리고 우쩍 씹었다. 그때 이가 시큼하여 딱 질린다. 그래서 그는 얼굴을 찡그리며 입을 쩍 벌린 채 한참이나 벌리고 있었다.

침이 턱밑으로 흘러내릴 때에야 그는 얼른 손으로 침을 몰아넣으며 이 침이라도 목구멍으로 삼켜야 그가 살 것 같았다. 그는 다시 파를 입에 넣고 이번에는 씹지는 않고 혀끝으로 우물우물하여 목으로 넘겼다. 넘어가는 파는 왜 그리도 차며 뻣뻣한지, 그의 목구멍에 찢어지는 듯 눈물이 쑥 삐어졌다. (파를 먹고도 사는가.) 그는 이렇게 생각하며 헛간문 사이로 보이는 하늘을 멍하니 쳐다보았다.

그때 신발소리가 나며 헛간문이 홱 열린다.

"어머이, 용애 어머이를 빨래터에서 만났어. 그래서 지금 와!"

말이 채 마치기전에 용애 어머니가 들어온다. 봉염의 어머니는 얼결에 일어나 그의 손을 붙들고 소리를 내여 울었다. 용애 어머니는 '싼더거우'서 한 집안같이 가까이 지내였던 것이다. 그래서 봉염이를 따라 이렇게 왔으나 그들의 참담한 모습에 반가움은 다 달아나고 내가 어째서 여기를 왔던가 하는 후회가 일었다. 그리고 뭐라고 위로할 말조차 생각나지 않았다.

"아니? 봉염의 어머이, 이게 어찌 된 일이요?"

한참 후에 용애 어머니는 입을 열었다. 봉염의 어머니는 울음을 그치고

"다 팔자 사나와 그렇지요. 웨 죽지 않구 살았겠수. …… 그런데 언제 나려왔수. 여기를?"

"우리? 작년에 모두 왔지. 우리 동네서는 모두 떠났다오. 토벌난 통에 모두 밤도망을 했지. 어디 농사할 수가 있어야지. 그래 여기 내려오니 이리 어

렵구려."

봉염의 어머니는 퍽으나 반가웠다. 그리고 용애 어머니를 놓쳐서는 안 될 것을 번개같이 깨달으며 모든 것을 숨김없이 말하고 사정하리라고 결심하였다.

"용애 어머이, 난 아이를 낳았다오, 어젯밤에 이걸…… 어떻거우. 사람 하나 살리는 셈 치고 날 며칠 동안만 집에 있게 해주. 어떻거겠수. 날 같은 년 만나기만 불찰이지……"

그는 말끝에 또다시 울었다. 용애 어머니를 만나니 남편이며 봉식의 생각까지 겹쳐 일어나는 동시에 어째서 남은 다 저렇게 영감이며 아들딸을 데리고 다니며 잘사는데 나만이 이런 비운에 빠졌는가 하는 생각이 들었던 것이다.

용애 어머니는 한참이나 난처한 기색을 띠우다가 한숨을 푹 쉬었다.

"그러시유. 할 수 있소?"

용애 어머니는 더 물으려고도 안하고 안 나오는 대답을 이렇게 겨우 하였다. 뒤에서 가슴을 졸이고 있던 봉염이까지 구원받은 듯하여 한숨을 호 내쉬었다.

"고맙수. 그 은혜를 어찌 갚겠수."

봉염의 어머니는 떨리는 음성으로 이렇게 말하고 봉염에게 애기를 업혀주었다. 용애 어머니는 이렇게 모녀를 데리고 가나? 남편이 뭐라고 나무라지나 않으려나? 하는 불안에 발길이 무거워졌다.

용애네 집으로 온 그들은 사흘을 무사히 지났다. 용애 어머니는 남의 빨래 삯을 맡아 날이 채 밝지도 않아서 빨랫가로 달아나고 용애 아버지는 철도공사 인부로 역시 그랬다. 그래서 근근이 살아가는 것을 보는 봉염의 어머니는 그들을 마주 바라볼 수 없이 어려웠다. 그래서 얼른 일어나고 말았다. 그날 저녁 봉염의 어머니는 빨랫가에서 돌아오는 용애 어머니를 보고

"나두 남의 빨래를 하겠으니 좀 맡아다 주."

용애 어머니는 눈을 크게 떴다.

"어서 더 눕고 있지 웬 일이요. …… 어려워 말우."

용애 어머니는 갑자기 무슨 생각이 난 듯이 눈을 껌뻑이더니 다가앉았다. 부엌에서는 용애와 봉염의 종알거리는 소리가 들렸다.

"아니, 저 나 빨래 맡아다 하는 집엔 젖유모를 구하는데…… 애가 달렸다 하더라도 젖만 많으면 두겠다구 해. 그 대신 돈이 좀 적겠지만…… 어떠우?"

봉염의 어머니는 귀가 번쩍 띄웠다.

"참말이요? 애가 있어도 된대요?"

용애 어머니는 이 말에는 우물쭈물하고

"하여간 말이야, 한 달에 12~13원을 받으면 세집 얻어서 봉염이와 애기는 따루 있게 하고 애기에겐 봉염의 어머니가 간간이 와서 젖을 먹이고 또 우유를 곁들이지, 어떻거나? 큰애 같지 않아 갓난애니까 저쪽서 알면 재미는 좀 적을게요. 그러니 위선은 큰애라고 속이고 들어가야지. 그러니 그렇게만 되면 그 벌이가 아주 좋지 않우?"

봉염의 어머니는 벌이 자리가 난 것만 다행으로 가슴이 뛰도록 기뻤다.

"그러면 어떻게든지 해서 들어가도록 해주우."

하였다. 그리고 돈만 그렇게 벌게 되면 이 집에 신세진 것은 꼭 갚아야겠다 하며 자는 애기를 돌아보았을 때 저것을 떼고 남의 애에게 젖을 먹여? 하였다.

며칠 후에 몸이 다소 튼튼해진 봉염의 어머니는 드디어 젖유모로 채용이 되어 애기와 봉염이를 떨어치고 가게 되었다. 그리고 봉염이와 애기는 조그마한 방을 세 얻어 있게 하였다. 그 후부터 애기는 봉염이가 맡아서 길렀다. 애기는 매일같이 밤만 되면 불이 붙는 것처럼 울고 않았다. 그때마다 봉염이는 애기를 업고 잠 오는 눈을 꼬집어 뜨면서 방 안을 거닐었다. 그리고 나중에는 애기와 같이 소리를 내어 울면서 어두운 문밖을 내다보곤 하는 때가 종종 있었다.

이렇게 지나기를 한 일 년이 되니 애기는 우는 것도 좀 나아지고 오줌이며 똥도 누겠노라고 낑낑대었다. 봉염이는 애기를 잘 거두어 주다가도 애가 놀러 왔는데 자꾸 운다든지 제 장난감을 흩어놓는다든지 하면 애기를 사정없이 때리었다. 그리고 미처 오줌과 똥을 누겠노라고 못하고 방바닥에 싸놓으면 사뭇 죽일 것 같이 애기를 메치며 때리곤 하였다. 그것은 애기가 미워서 때리는 게 아니고 제 몸이 고달프고 귀찮으니 그렇게 하는 것이었다. 애기의 이름은 봉염의 이름자를 붙여서 봉희라고 지었다. 봉희는 이제는 우유를 안 먹고 간간이 어머니의 젖과 밥을 먹었다. 그는 이제야 겨우 발발 기었다. 그리고 때로는 오똑 일어서고 자작자작 걸었다. 그러나 눈치는 아주 엉뚱하게 밝았다. 그리므로 어떤 때는 똥과 오줌을 방바닥에 싸놓고도 언니가 때릴 것이 무서워서 "으아!" 하고 때리기 전부터 미리 울곤 하였다. 그리고 어떤 때는 봉염이가 동무와 놀 양으로 봉희가 보고 자라고 소리치면 봉희는 잠도 안 오는 것을 눈을 꼭 감고서 땀을 뻘뻘 흘리며 자는 체하였다. 그가 돌이 지나도록 자란 것이 뼈도 아니요, 살도 아니요, 눈치와 머리통뿐이었다. 머리통은 조그마한 바가지통만은 하였다. 그리고 머리통이 몹시도 굳었다. 그러나 이 머리통을 싸고 있는 머리카락은 갓 났던 그대로 노란 것이 아스스하였다. 어쨌든 그의 전체에서 명 붙어 보이는 곳이란 이 머리통같이도 보이고, 혹은 이 머리통이 너무 체에 맞지 않게 크므로 못 이겨서 오래 살지 못하고 죽을 것같이도 무겁게 보이곤 했다.

봉희는 어머니를 알아보았다. 그래서 어머니가 왔다갈 때마다 그는 번번이 울었다. 그때마다 세 모녀는 서로 붙안고 한참씩이나 울다가 헤어지곤 하였다.

어느 여름날이다. 봉염이는 열병에 걸려 밥도 못 해먹고서 자리에 누워 있었다. 온몸이 불같이 뜨거워서 미처 어디가 아픈지도 알아낼 수가 없었다. 곁에서 봉희는 "앵앵" 울었다. 봉염이는 어머니나 와주었으면 하면서 어제 먹다 남은 밥을 봉희의 앞에 놓아주었다. 봉희는 울음을 그치고 밥을 퍼 넣는다. 봉염이는 눈을 딱 감고 팔을 이마에 올려놓았다. 그러다 신발 소리 같아 눈을 번쩍 떠서 보면 어머니는 아니요, 곁에서 봉희가 밥그릇 쥐어 당기는 소리다. 그는 화가 버럭 났다.

"잡놈의 계집애 한자리에서 먹지 여기저기 다니며 벌려놓니!"

눈을 부릅떴다. 봉희는 금시 울음이 터져 나오는 것을 참으며 입을 비죽비죽 하였다. 그리고 문을 돌아보았다. 필시 봉희도 어머니를 찾는 것이라고 봉염이는 얼른 생각되었을 때 그는 "어머이!" 하고 소리치고 싶은 충동을 강하게 받았다. 그는 입술을 꼭 다물고 한참이나 울듯 울듯이 봉희를 바라다보았다.

"봉희야, 너 엄마 보고 싶니? 우리 갈까?"

그는 누가 시켜주는 듯이 이런 말을 쑥 뱉었다. 봉희는 말끄러미 보더니 밥술을 뎅그렁 놓고 달려온다. 봉염이는 (아차 내가 공연한 말을 했구나!) 후회하면서 봉희를 힘껏 껴안았다. 그때 두 줄기 눈물이 그의 볼에 뜨겁게 흘러내리는 것을 그는 깨달았다.

"어머이는 웨 안 나와? 오늘은 꼭 올 차례인데. 그렇지 봉희야?"

봉희는 아무것도 모르고

"응."

하고 대답할 뿐이었다.

"어서 밥 먹어. 우리 봉희는 착해."

봉염이는 봉희의 머리를 내리쓸고 내려놓았다. 봉희는 또다시 밥술을 쥐고 밥을 먹었다. 봉염이는 멍하니 천정을 바라보았다. 언제인가 어머니가 와서 깨끗이 쓸어주고 가던 거미줄은 또다시 연기같이 쓸어 붙었다. "어머니는 거미줄이 쓸었는데두 안 온다니." 하였다. 그 후에도 어머니는 몇 번이나 왔건만 그 기억은 아득하여 이런 말을 하지 않고는 견디지 못하였다. 그는 돌아누우며 어머니가 조반을 먹고서 명수를 업고 문밖을 나오다…… 에크, 이제는 되놈의 상점은 지났겠다. 이젠 문 앞에 왔는지도 모르지 하고 다시 문편을 흘끔 바라보았다. 그러나 신발소리는 들리지 않았다. 오직 봉희가 술그으는 소리뿐이었다.

그는 벌떡 일어나서 문을 탁 열어젖혔다. 봉희는 어쩐 까닭을 모르고 한참이나 언니를 말끄러미 바라보다가 발발 기어왔다.

그는 코에서 단김이 확확 내뿜는 것을 깨달으며 팔싹 주저앉았다.

밖에서 곁집 부인이 흰 빨래를 울바자에 바삭바삭 소리를 내며 널고 있었다. 바로 밖으로 넘어오는 손끝은 흡사히 어머니의 다정한 그 손인 듯, 그리고 금시로 젖비린내를 가득히 피우는 어머니가 저 바로 밖에 서 있는 듯하였다. 그는 젖비린내 속에 앉아 있으면 어쩐지 맘이 푹 놓이고 평안함을 느꼈다.

그는 못 견디게 어머니 품에 자기의 다는 몸을 탁 안기고 싶었다. 그는 목이 마른 듯하여 물을 찾았다. 그래서 봉희가 밥 말아먹던 물을 마셨지만 어쩐지 더 답답하였다.

이렇게 자리에 못 붙고 안타까워하던 그는 어느새 잠이 들었다가 무엇에 놀라 후다닥 깨었다.

그의 얼굴에 수없이 붙었던 파리소리만이 왱왱 하고 났다. 그는 얼른 봉희가 없는데 정신이 바짝 들었다.

뒤이어 어머니가 왔었나? 그래서 봉희만 데리고 어디를 나갔나 하는 생각이 들자 그만 발악을 하고 울고 싶었다.

그는 미친 듯이 달려 일어났다. 그래서 밖으로 뛰어나가니 어머니와 봉희는 보이지 않았다. 그리고 찌는 듯한 더위는 마당이 붙어지도록 내려쪼인다. 어디 갔을까? 어머니가? 하고 울 밖에까지 쫓아나갔다가 앞집 부인을 만났다.

"우리 어머이 못 봤수?"

"못 봤어…… 웨 어데 아프냐, 너?"

어머니 못 봤다는 말에 더 말하고 싶지 않은 그는 눈이 발개서 찾아다니다가 방으로 들어왔다. 그때 뒤뜰에서 무슨 소리가 나므로 벌떡 일어나 뛰어나갔다.

저편 뜨물동이 옆에는 봉희가 붙어 서서 그 큰 머리를 숙이고 마치 젖 빨듯이 입을 뜨물동이에 대고 뜨물을 꼴깍꼴깍 들이마시고 있다. 그리고 머리털은 햇볕에 불을 댄 것처럼 빨갛다.

어머니의 마음

　사흘 후에 봉염이는 드디어 죽고 말았다. 그의 어머니는 할 수 없이 유모를 그만두고 명수네 집에서 나오게 되었으며 봉희 역시 몹시 앓더니 그만 죽었다. 형제가 죽는 것을 본 주인집에서는 그를 나가라고 성화 치듯 하였다. 그는 참다못해서 주인마누라와 아우성을 치면서 싸웠다. 그리고 끌어내기 전에는 움직이지 않을 뜻을 보이고 하루 종일 방 안에 누워있었다. 전날에 그는 미처 집세를 못 내도 주인 대하기가 거북하였는데 지금은 어디서 이러한 대담성이 생겼는지 그 스스로도 놀랄 만하였다.

　이제도 그는 주인마누라와 한참이나 싸웠다. 만일 주인마누라가 좀 더 야단을 쳤다면 그는 칼이라도 가지고 달라붙고 싶었다. 그러나 다행히 주인마누라는 그 눈치를 좀 채였음인지 슬그머니 들어가고 말았다. "흥, 누구를 나가래? 좀 안 나갈 걸, 암만 그래두." 이렇게 중얼거리며 그는 문편을 노려보았다. 그리고 좀 더 싸우지 않고 들어가는 주인마누라가 어쩐지 부족한 듯하였다. 그는 지금 땅이라도 몇 십 길 파고야 견딜 듯한 문이 우쩍우쩍 올라왔던 것이다.

　분이 내려가니 잠간 잊었던 봉염이, 봉희, 명수까지 펀이 떠오른다. 생각하면 할수록 그들은 자기가 일부러 죽인 듯했다. 그가 곁에 있었으면 애들이 그러한 병에 안 걸렸을지도 모르거니와 설사 병에 걸렸다하더라도 죽기까지는 안했을 것 같았다. 그는 가슴을 탁탁 쳤다. "남의 새끼 키우느라 제 새끼를 죽인단 말이냐…… 이 년들 모두 가면 난 어쩌란 말이냐. 날 마저 데려가라." 하고 소리를 내어 울었다. 그러나 음성도 이미 갈리고 지쳐서 몇 번 나오지 못하고 콱 막힌다. 그리고는 목구멍만 찢어지는 듯했다. 그는 기침을 칵칵하며 문밖을 흘끔 보았을 때 며칠 전 일이 불현 듯이 떠올랐다.

그날 밤 비는 좍좍 퍼부었다. 봉염의 어머니는 봉염이 앓는 것을 보고 가서 도무지 잠들 수가 없었다. 그래서 밤중에 그는 속옷 바람으로 명수의 집을 벗어났다. 그는 젖유모로 처음 들어갔을 때 밤마다 옷을 벗지 못하고 누웠다가는 명수네 식구가 잠만 들면 봉희를 찾아와서 젖을 먹이곤 하였다. 이 눈치를 채인 명수 어머니는 밤마다 눈을 밝히고 감시하는 바람에 그 후로는 감히 옷일 입지 못하고 누웠다가 틈만 있으면 벗은 채로 달려오는 때가 종종 있었던 것이다. 그날 밤, 낮에 다녀온 것을 명수 어머니가 뻔히 아는 고로 다시 가겠단 말을 못하고 누웠다가 그들이 잠든 틈을 타서 소리 없이 문을 열고 나온 것이다. 사방은 지척을 분간할 수 없이 어두우며 몰아치는 바람결에 굵은 빗방울은 그의 벗은 어깨를 사정없이 내리쳤다. 그리고 눈이 뒤집히는 듯 번갯불이 번쩍이고 요란한 천둥소리가 하늘을 때려 부수는 듯 아뜩아뜩하였다.

그러나 그는 지금 아무것도 무서운 것이 없었다. 오직 그의 앞에서는 저 하늘에 빛나는 번갯불같이 딸들의 신변이 각일각으로 걱정되었던 것이다.

그가 숨이 차서 집까지 왔을 때 문밖에 허연 무엇이 있음에 그는 깜짝 놀랐다. 그러나 그것이 봉염인 것을 직각하자 그는 와락 달려들었다.

"이년의 계집애 뒈지려고 예 와 누웠냐?" 비에 젖은 봉염의 몸은 불같았다. 그는 또다시 아뜩하였다. 그리고 건폭을 갉아내는 듯함에 그는 부르르 떨었다. 따라서 젖유모고 무엇이고 다 집어버리겠다는 생각이 머리가 아프도록 났다. 그러나 그들이 방까지 들어와서 가지런히 누웠을 때 그의 머리에는 또다시 불안이 불 일 듯하였다. 명수가 지금 깨어나서 그 큰 집이 떠나갈 듯이 우는 것 같고 그리고 명수 어머니 아버지까지 깨어서 얼굴을 찡그리고 자기의 지금 행동을 나무라는 듯, 보다도 당장에 젖유모를 그만두고 나가라는 불호령이 떨어지는 듯, 아니, 떨어진 듯 그는 두 딸의 몸을 번갈아 만지면서도 그의 손끝의 감촉을 잃도록 이런 생각만 자꾸 들었다. 그는 마침내 일어났다. 자는 줄 알았던 봉희가 젖꼭지를 쥐고 딸려 일어났다. 그리고 "엄마!" 하고 울음을 내었다. 봉염이는 차마 어머니를 가지 말란 말을 못하고 흑흑 느껴 울면서 어머니의 치맛자락을 잡고

"조금만 더……"

하던 그 떨리는 그 음성— 그는 지금도 들리는 듯하였다. 아니, 영원히 잊혀지지 않을 것이다.

그는 벌떡 일어났다. 그리고 이 모든 생각을 하지 않으려고 방 안을 빙빙 돌았다. 그러나 불꽃 튀듯 일어나는 이 쓰라린 기억은 어쩔 수가 없다. 그리고 명수의 얼굴까지 떠올라서 빙빙 돌아간다. 빙긋빙긋 웃는 명수, "그놈 울지나 않는지……" 나오는 줄 모르게 이렇게 중얼거리고는 그는 억지로 생각을 돌리려고 맘에 없는 딴 말을 지껄였다. "에이 이 놈의 자식, 너 때문에 우리 봉희, 봉염이는 죽었다. 물러가라!" 그러나 명수의 얼굴은 점점 다가온다. 손을 들어 만지면 만져질 듯이…… 그는 얼른 손등을 꽉 물었다. 손등이 아픈 것처럼 그렇게 명수가 그립다. 그리고 발길은 앞으로 나가려고 주춤주춤 하는 것을 꾹 참으며 어제 이맘때 명수의 집까지 갔다가도 명수 어머니에게 거절을 당하고 돌아오던 생각을 하며 맥없이 머리를 떨어뜨리었다. (흥! 제 자식 죽이고 남의 새끼 보고 싶어 하는 어리석은 년아, 웨 죽지 않고 살아있어? 웨 살아, 웨 살아. 그때 죽었으면 이 고생은 하지 않지.) 하며 남편이 죽은 것을 보고 (따라 죽을까?) 하던 그때 생각을 되풀이하였다. 그리고 자신

이 이러한 비운에 빠지게 된 것은 남편이 죽었기 때문이라고 단정하였다. 그리고 남편을 죽인 공산당이 그에게 있어서는 철천지원수인 듯했다. 생각하면 팡둥도 그의 남편이 없기 때문에 그에게 그러한 일을 감행하지 않았던가. 그렇다. 모두가 공산당 때문이다. 그때 공산당이라고 경비대에게 죽었다는 봉식이가 떠오르며 팡둥의 그 얼굴이 선명하게 나타난다. "이놈, 내 아들이 공산당이라구? …… 내쫓으려면 그냥 내쫓지 무슨 수작이냐? 더러운 놈…… 봉식아, 살았느냐 죽었느냐?" 그는 봉식이를 부르고나니 어떤 실 끝 같은 희망을 느꼈다. 국자가에 가자. 그래서 봉식이를 찾자 할 때 그는 가기 전에 명수를 봐야겠다는 생각이 불쑥 일어난다. 명수, 명수야! 하고 입속으로 부르며 무심히 그는 그의 젖꼭지를 쥐었다. 지금쯤은 날 부르고 울지 않는가? ……그는 와락 뛰어나왔다. 그러나 명수 어머니의 그 얼굴이 사정없이 그의 앞을 콱 가로막는 듯했다. 그는 우뚝 섰다. "이 년! 명수를 웨 못 보게 하니? 네가 낳기만 했지 내가 입대 키우지 않았니? 죽일 년, 그 애가 날 더 따르지 널 따르겠니? 명수는 내거다." 하고 눈을 부릅떴다. 그러나 다음 순간에 명수의 머리카락 하나 자유로 만져보지 못할 자신인 것을 깨달았을 때 그는 머리를 푹 숙였다.

고요한 밤이다. 이 밤의 고요함은 그의 활활 타는 듯한 가슴을 눌러 죽이려는 듯했다. 이러한 무거운 공기를 헤치고 물큰 스치는 감자 삶는 내! 그는 지금이 감자철인 것을 얼핏 느끼며 누구네가 감자를 이리도 구수하게 삶는가 하며 휘돌아보았다. 그리고 뜨끈한 감자 한 톨 먹었으면 하다가 흥— 하고 고소를 하였다. 무엇을 먹고 살겠다는 자신이 기막히게 가련해보였던 것이다. 그는 벽을 의지해서 하늘을 멍하니 바라보았다. 하늘에는 달이 둥실 높이 떴고 별들이 종종 반짝인다. 빛나는 별, 어떤 것은 봉염의 눈 같고 봉희의 눈 같다. 그리고 명수의 맑은 눈 같다. 젖을 주무르며 처다보던 명수의 그 눈, "에이, 이 놈, 저리 가라!" 그는 또다시 이렇게 중얼거렸다. 그리고 봉희, 봉염의 눈을 생각하였다. 엄마가 그리워서 통통 붓도록 울던 그 눈들, 아아, 이 세상에서야 어찌 다시 대하랴. …… 공동묘지에나 가볼까 하고 그는 총총 걸어 나올 때 달 아래 고요히 놓인 수없는 묘지들이 획 지나친다. 여기에 툭 튀어나오는 달 같은 명수의 그 얼굴, 그는 멈칫 서며 죽음이란 참말 무서운 것이다 하며 시름없이 저편을 바라보았다. 그때 그는 무엇에 놀란 사람처럼 후다닥 달려 나왔다.

앞집 처마 끝 그림자와 이 집 처마 끝 그림자 사이로 눈송이같이 깔리어 나간 달빛은 지금 명수가 자지 않고 자기를 부르며 누워있을 부드러운 흰 포단과 같았던 것이다. 그러나 그것은 그의 볼을 사정없이 후려치는 듯한 달빛이었다. 그는 두 손으로 볼을 쥐고 그 달빛을 밟고 섰다. 그리고 "명수야!" 하고 쏟아져 나오는 것을 숨이 막히게 참으며 조금도 이지러짐이 없는 저 달을 쳐다보았다. 그의 눈에는 어느덧 눈물이 줄줄 흐른다. 그리고 (정이란 치사한 것이다!) 라고 생각하였다.

그는 문득 그의 그림자를 굽어보며 이제로부터 자신은 살아야 하나 죽어야 하나가 의문이 되었다. 맘대로 하면 당장이라도 죽어서 아무것도 잊으면 이 위에 더 행복은 없을 것 같다. 그러고 나니 그의 몸은 천 근인 듯 이 무게는 죽음으로써 해결할 것 같다. 죽으면 어떻게 죽나? 양잿물을 마시고…… 아니아니, 그것은 못할게야. 오장육부가 다 썩어 내리고야 죽으니 그걸 어떻게, 그러면 물에 빠져…… 그의 앞에는 핑핑 도는 푸른 물결이 무섭게 나타나 보인다. 그는 흠칫하며 벽을 붙들었다. 사는 날까지 살자. 그래서 봉식이도 만나보고 그놈들 공산당들도 잘되나 못되나 보고. 하늘이 있는데 그 놈들이 무사할까 보냐. 이 놈들 어디 보자. 그는 치를 부르르 떨었다. 마침 신발소리가 나므로 그는 주인마누라가 또 싸우러 나오는가 하고 안방 편으로 머리

를 돌렸다. 반대방향에서

"웨 거기 섰수?"

그는 휘끈 돌아보자 용애 어머님임에 반가웠다. 그리고 제가 명수의 소식을 가지고 오는 듯싶었다.

"명수 봤수?"

"명수? 아까 낮에 잠깐 봤수."

"울지? 자꾸 울게유!"

용애 어머니는 그를 물끄러미 바라보며 아까 명수가 발악을 하고 울던 생각을 하였다. 그리고 봉염의 어머니 역시 얼마나 명수를 보고 싶어 한다는 것을 즉석에서 알 수가 있었다.

"어제 갔댔수? 명수한테."

"예. 그 년이, 죽일 년이 애를 보게 해야지, 흥! 잡년 같으니!"

용애 어머니는 잠깐 주저하다가

"가지 말아요. 명수 어머니가 벌써 어디서 알았는지 봉염이, 봉희가 염병에 죽었다구 하면서 펄펄 뜁데다. 아예 가지 말아유."

그는 용애 어머니마저 원망스러워졌다.

"염병은 무슨 염병. 그 애들이 없는 데야 무슨 잔 수작이래유. 그만두래. 내 그 자식 안 보면 죽을까 뭐. 안가, 안가유. 흥!"

명수 어머니가 앞에 서있는 듯 악이 바락바락 치밀었다. 그의 기색을 살피던 용애 어머니는

"그까짓 말은 그만둡시다. 우리! 저녁이나 해자셨수?"

치맛자락을 휩싸고 쪼그려 앉는 용애 어머니에게서는 청어 비린내가 물큰 일어난다. 그는 갑자기 자기가 배가 고파서 이렇게 더 어렵다는 것을 알았다. 그리고 용애 어머니에게 말하여 식은 밥이라도 좀 먹어야겠다 하였다.

"오늘도 또 굶었구려. 산 사람은 먹어야지유! 내 그럴 줄 알고 밥을 좀 가져오려 했더니…… 잠깐 기대리우. 내 얼른 가져올게."

용애 어머니는 얼른 일어나서 나간다. 봉염의 어머니는 하반신이 끊어지는 듯 배고픔을 느끼며 겨우 방 안으로 들어가서 쾅 하고 누워버렸다. 용애 어머니는 왔다.

"좀 떠보시유. 그리고 정신을 차려우. 그리고 살 도리를 해야지…… 저 참, 이 남는 장사가 있우."

봉염의 어머니는 한참이나 정신없이 밥을 먹다가 용애 어머니를 바라보았다.

"아주 이가 많이 남아유. 저 거시기 우리 영감도 그 벌이하러 오늘 떠났다오."

"무슨 벌이유?"

벌이라는 말에 그의 귀는 솔깃하였다. 용애 어머니는 음성을 낮추며

"소금 장사 말유."

"붙잡히면 어찌우?"

봉염의 어머니는 눈을 동그랗게 떴다.

"그러기에 아주 눈치 빠르게 잘해야지. 돈벌이하랴면 어느 것이나 쉬운 것이 어디 있수 뭐?"

그는 이렇게 말하면서 먼 길을 떠난 영감의 신변이 새삼스럽게 더 걱정이 되었다. 한참이나 그들은 잠잠하고 있었다.

"봉염이 어머니두 몸이 튼튼해지거들랑 좀 해봐유. 조선서는 소금 한말에 삼십 전안에 든다는데 여기 오면 이 원 삼십 전! 얼마나 남수."

그의 말에 봉염의 어머니는 기운이 버쩍 나면서도 다시 얼핏 생각하니 두 딸을 잃은 자기다. 남들은 아들딸을 먹여 살리려고 소금 짐까지 지지만 자신은 누구를 위하여…… 마침내 자기 일신을 살리리라는 결론을 얻었을 때 그

는 너무나 적적함을 느꼈다. 그러나 아무리 자기 일신일지라도 스스로 악을 쓰고 벌지 않으면 누가 뜨물 한 술이나 거저 줄 것인가? 굶는다는 것은 차라리 죽음보다도, 무엇보다도 무서운 것이다. 보다도 참기 어려운 것은 그것이다. 요전까지도 그의 정신이 흐리고 온 전신이 나른하더니 지금 밥을 입에 넣으니 확실히 다르지 않은가. 살아서는 할 수 없다. 먹어야지…… 그때 그는 문득 중국인의 헛간에서 봉희를 낳고 파뿌리를 씹던 생각이 났다. 그는 몸서리를 쳤다. 그리고 그동안에 그는 명수네 집에서 비록 맘고통을 있었을지라도 배고픈 일은 당하지 않았다는 것을 처음으로 느꼈다. 그는 명수의 얼굴을 또다시 머리에 그리며 명수가 못 견디게 자꾸 울어서 명수 어머니가 할 수 없이 날 또다시 데려가지 않으려나? 하면서 밥술을 놓았다.

"웨 더 자시지. 어전 아무 생각도 말고 내 몸 튼튼할 생각만 해유."

"튼튼할…… 흥 사람의 욕심이란…… 영감 죽어, 아들 딸……"

그는 음성이 떨리어 목멘 소리를 하면서 문편을 시름없이 바라보았다. 달빛에 무서우리만큼 파리해 보이는 그의 얼굴을 바라보는 용애 어머니는 나가는 줄 모르게 한숨을 쉬었다.

그리고 하늘도 무심하다 하며 달빛을 쳐다보았다.

"그럼 어찌우. 목숨 끊지 못하구 살 바에는 튼튼해야지. 지나간 일은 아예 생각지 말아유."

이렇게 말하는 용애 어머니는 그의 곁으로 다가앉으며 흐트러진 그의 머리를 만져주었다.

그는 얼핏 명수가 젖을 먹으며 그 토실토실한 손으로 그의 머리카락을 쥐어뜯던 생각이 나서 적이 가라앉았던 가슴이 다시 후닥닥 뛴다. 그는 무의식간에 용애 어머니의 손을 덥석 쥐었다.

"명수, 지금 잘 가유?"

말을 마치며 용애 어머니 무릎에 그는 머리를 파묻고 소리를 내어 울었다. 어느덧 용애 어머니 눈에서도 눈물이 흘렀다.

"우지 마우. 그까짓 남의 새끼 생각지 말아유. 쓸데 있수?"

"한 번만 보구는…… 난 안 볼테유. 이제 가유. 네, 용애 어머니."

자기 혼자 가면 물론 거절할 것 같으므로 그는 용애 어머니를 데리고 가려는 심산이었다.

용애 어머니는 아까 입에 못 담게 욕을 하던 명수 어머니를 생각하며 난처하였다.

그래서 그는 언제까지나 잠잠하고 있었다. 봉염의 어머니는 벌떡 일어났다. 그리고 용애 어머니의 손을 잡아끌었다.

"봉염의 어머니, 좀 진정해유. 우리 내일 가봅시다."

하고 그를 꼭 붙들어 주저앉히었다. 달빛은 여전히 그들의 얼굴에 흐르고 있다.

밀수입

북국의 가을은 몹시도 스산하다. 우레 같은 바람소리가 대지를 뒤흔드는 어느 날 밤 봉염의 어머니는 소금 너 말을 자루에 넣어서 이고 일행의 뒤를 따랐다. 그들 일행은 모두가 여섯 사람인데 그중에 여인은 봉염의 어머니뿐이었다. 앞에서 걷는 길잡이는 십여 년을 이 소금밀수로 늙었기 때문에 눈 감고도 용이하게 길을 찾아가는 것이다. 그러므로 그들은 이 길잡이에게 무조건 복종을 하였다. 그리고 며칠이든지 소금 짐을 지는 기간에는 벙어리가 되어야 하며 그 대신 의사표시는 전부 행동으로 하곤 하였다. 그들은 열을 지어 나란히 걸었다. 바람은 여전히 불었다. 그들은 앞에 사람의 행동을 주의하며 이 바람소리가 그들을 다그쳐오는 어떤 신발소리 같고 또 어찌 들으면 순사의 고함치는 소리 같아 숨을 죽이곤 하였다. 그리고 어제도 이 근방 어디서 소금 짐을 지다 총에 맞아 죽은 사람이 있다지 하며 발걸음 옮김을 따라 이러한 불안이 저 어둠과 같이 그렇게 답답하게 그들의 가슴을 캄캄케 하였다.

남들은 솜옷을 입었는데 봉염의 어머니는 겹옷을 입고 발가락이 나오는 고무신을 신었다. 그러나 추운 것도 모르겠고 시간이 지날수록 머리에 인 소금 자루가 무거워서 견딜 수 없다. 머리복판을 쇠뭉치로 사정없이 뚫는 것 같고 때로는 불덩이를 이고 가는 것처럼 자꾸 뜨거웠다. 그가 처음에 소금 자루를 일 때 사내들과 같이 여섯 말을 이려 했으나 사내들이 극력 말리므로 아수한 것을 참고 너 말을 이게 된 것이다. 그런 것이 소금 자루를 이고 단십 리도 오기 전에 이렇게 머리가 아팠다. 그는 얼굴을 잔뜩 찡그리고 두 손으로 소금 자루를 조금씩 쳐들어 아픈 것을 진정하려 했으나 아무 쓸모도 없고 팔까지 떨어지는 듯이 아프다. 그는 맘대로 하면 이 소금 자루를 힘껏 쥐어뿌리고 그 자리에서 자신도 그만 넌쩍 죽고 싶었다. 그러나 그것은 공연한 맘뿐이었다. 발길은 여전히 사내들의 뒤를 따라간다. 사내들과 같이 저렇게 나도 등에 졌더라면…… 이제라도 질수가 없을까, 그러려면 끈이 있어야지, 끈이…… 좀 쉬어가지 않으려나, 쉬어갑시다, 금시로 이러한 말이 입 밖에까지 나오다는 콱 막히고 만다. 그리고 여전히 손길은 소금 자루를 들어 아픈 것을 진정하려 하였다.

이마와 등허리에서는 땀이 낙수처럼 흘러서 발밑까지 내려왔다. 땀에 젖은 고무신은 왜 그리도 미끄러운지 걸핏하면 그는 쓰러지려 하였다. 그래서 그는 정신을 바짝 차리면 벌써 앞의 신발소리는 퍽 멀어졌다. 그는 기가 나서 따라오면 숨이 칵칵 막히고 옆구리까지 결린다. 두말이나 일 것을…… 그만 쏟아버릴까? 어쩌나? 소금 자루를 어루만지면서도 그는 차마 그러하지는 못하였다.

어느덧 강물소리가 어렴풋이 들린다. 그들은 이 강물소리만 들어도 한결 답답한 속이 좀 풀리는 듯하였다. 강가에 가면 이 소금 짐을 벗어놓고 잠시라도 쉴 것이며 물이라도 실컷 마실 것 등을 생각하였던 것이다. 그러면서도 강 저편에 무엇들이 숨어있지나 않을까? 하는 불안이 강물소리를 따라 높아간다. 봉염의 어머니는 시원한 강물조차도 아픔으로 변하여 그의 고막을 바늘 끝으로 꼭꼭 찌르는 듯 이 모양대로 조금만 더 가면 기진하여 죽을 것 같았다. 마침 앞의 사내가 우뚝 서기에 그도 따라 섰다. 바람이 무섭게 지나친 후에 어디선가 벌레울음소리가 물결을 따라 들렸다. 끼웅하고 앞에 사내가 않는 모양이다. 그는 털썩하고 소금 자루를 내려놓으며 쓰러졌다. 그리고 얼른 머리를 두 손으로 움켜쥐며 바늘로 버티어있는 듯한 눈을 억지로 감았다. 그러면서도 앞에 사내들이 참말로 모두들 앉았는가, 나만이 이렇게 쓰러졌는가 하여 주의를 게을리 하지 않았다.

아픈 것이 진정되니 온몸이 후들후들 떨린다. 그는 몸을 옹크릴 때 앞에 사내가 그를 꾹 찌른다. 그는 후닥닥 일어났다. 사내들의 옷 벗는 소리에 그는 한층 더 정신이 번쩍 들었다. 그는 잠깐 주저하다가 옷을 훌훌 벗어 돌돌 뭉쳐서 목에 달아매었다. 그는 놀릴 수 없이 아픈 목을 어루만지며 용정까지 이 목이 이 자리에 붙어있을까? 하는 의문이 들었다. 그리고 사내가 이워주는 소금 자루를 이고 다시 걷기 시작하였다.

벌써 철버덕철버덕 하는 물소리가 나는 것을 보아 앞의 사람은 강물에 들어선 모양이다. 벌써 그의 발끝에 모래사장을 거쳐 물속에 들어간다. 그는 으스스 추워나며 알 수 없는 겁이 버쩍 들어서 물결을 굽어보았다. 시커멓게 보이는 그 속으로 물결소리만이 요란하였다. 그리고 뭉클뭉클 내리 밀치는 물결이 그의 몸을 울려주었다. 그때마다 머리끝이 쭈뼛해지며 오한을 느꼈다. 그리고 흑하고 숨을 들이마셨다.

물이 깊어 갈수록 발밑에 깔린 돌이 굵어지며 걷기도 몹시 힘들었다. 그것은 돌이 께느른한 해감탕 속에 묻혀있기 때문이다. 그래서 걸핏하면 미끈하고 발끝이 줄달음을 치는 바람에 정신이 아득해지곤 하였다. 봉염의 어머니는 몇 번이나 발이 미끄러지고 또 곱디디었다. 물은 젖가슴을 확실히 지나쳤다. 그때 그의 발끝은 어떤 바위를 디디다가 미끈하여 달음질쳐 내려간다. 그 순간 온몸이 화끈해지도록 그는 소금 자루를 버티고 서서 넘어지려는 몸을 바로잡으려 하였다. 그러나 벌어지는 다리와 다리를 모으는 수가 없었다. 그리고 소리를 쳐서 앞의 사내들에게 구원을 청하려 하나 웬 일인지 숨이 막히고 답답해지며 암만 소리를 질러도 나오지도 않거니와 약간 나오는 목소리도 물결과 바람결에 묻혀버리곤 하였다. 그는 죽을힘을 다하여 외발에 힘을 들이고 섰다. 그때 그는 죽는 것도 무서운 것도 아득하고 다만 소금 자루가 물에 젖으면 녹아버린다는 생각만이 미끄러져 내려가는 발끝으로부터 머리털 끝까지 뻗치었다.

앞서가는 사내들은 거의 강가까지 와서야 봉염의 어머니가 따르지 않는 것을 눈치 채고 근방을 찾아보다가 하는 수 없이 길잡이가 오던 길로 와보았다. 길잡이는 용하게 그를 만났다. 그리고 자기가 조금만 더 지체하였더라면 봉염의 어머니는 죽었으리라 직각되었다. 그는 봉염의 어머니의 손을 잡아 일으키며 일변 소금 자루를 내이뤄 자기의 어깨에 메였다. 그리고 그의 발끝에 밟히는 바위를 직각하자 봉염의 어머니가 이렇게 된 원인이 여기 있는 것을 곧 알았다. 그리고 자기는 이 바위 옆을 훨씬 지나쳐 길을 인도하였는데 어쩐 일인가 하며 봉염의 어머니의 손을 꼭 쥐고 걸었다.

봉염의 어머니는 정신이 흐릿해졌다가 이렇게 걷는 사이에 정신이 조금 들었다. 그러나 몸을 건사하기 어렵게 어지러우며 입안에서 군물이 실실 돌아 헛구역질이 자꾸 나온다. 그러면서도 머리에는 아직도 소금 자루가 있거니 하고 마음대로 머리를 움직이지 못하였다. 그들이 강가까지 왔을 때 맘을 조이고 있던 나머지 사람들은 욱 쓸어 일어났다. 그리고 저마다 두 사람을 어루만지며 어떤 사람은 눈물까지 흘린다. 자기들의 신세도 신세려니와 이 부인의 신세가 한층 더 불쌍한 맘이 들었다. 동시에 잠 한 잠 못 자고 오롯이 굶어왔다. 자기들은 기다리고 있을 아내와 어린것들이며 부모까지 생각하고는 뜨거운 한숨을 푸푸 쉬었다.

그 순간이 지나가니 또다시 맘이 조이고 무서워서 잠시나마 가만히 앉아 있을 수가 없었다. 그래서 그들은 이번에는 봉염의 어머니를 가운데 세우고 여전히 걸었다. 이번에는 밭고랑으로 가는 셈인지 봉염의 어머니는 발끝에 조 베인 자죽과 수수 베인 자죽에 찔리어서 견딜 수 없이 아팠다. 그는 몇 번이나 고무신을 벗어버리려 했으나 그나마 버리지는 못하였다. 그는 언제나 이렇게 맘을 내고도 한 번도 그의 속이 흡족하게 실행하지는 못하였다. 그저 망설이었다. 나중에는 고무신이 찢어져 조뿌리나 수수뿌리에 턱턱 걸려 한참씩이나 진땀을 뽑으면서도 여전히 버리지는 못하였다.

그들이 어떤 산마루턱에 올라왔을 때 "누구냐? 손들로 꼼짝 말고 서라. 그렇지 않으면 쏠테다!"

이러한 고함소리와 함께 눈이 부시게 파란 불빛이 쏵 하고 그들의 얼굴에 비친다. 그들은 이 불빛이 마치 어떤 예리한 칼날 같고 또 그들을 향하여 날아오는 총알 같아서 무의식간에 두 손을 번쩍 쳐들었다. 그리고 (이제는 소금을 빼앗겼구나!) 하고 그들은 저마다 속으로 생각하였다. 이렇게 단정은 하면서도 웬일인지 저들이 공산당이나 아닌가 혹은 마적단이가 하며 진심으로 그들이었으면 하고 바랐다. 공산당이나 마적단들에게는 잘 빌면 소금 짐 같은 것은 빼앗기지 않기 때문이었다.

길잡이로부터 시작하여 깡그리 몸수색을 하고난 저편은 꺼풋 하고 불을 끄고 한참이나 중얼중얼 하였다. 그들은 불을 끄니 전신에 소름이 오싹 끼치며 저놈들이 칼을 빼어들었는가 혹은 총부리를 겨누었는가 하여 견딜 수 없이 안타까웠다. 그때 어둠속에서는

"여러분! 당신네들이 웨 이 밤중에 단잠을 못자고 이 소금 짐을 지게 되었는지 아십니까!"

쇳소리 같은 웅장한 음성이 바람결을 타고 높았다 떨어진다. 그들이 옳다! 공산당이구나! 소금은 빼앗기지 않겠구나. 저들에게 뭐라고 사정하면 될까 하고 두루 생각하였다. 저편의 음성은 여전히 흘러나왔다. 그들은 말하는 시간이 지날수록 어서 말을 그치고 놓아 보냈으면 하였다. 그리고 이 산 아

래나 혹은 이 산 저편에 경비대가 숨어 있어 우리들이 공산당의 연설을 듣고 있는 것을 들으면 어쩌나 하는 불안이 자꾸 일어난다. 봉염의 어머니는 저편의 연설을 듣는 사이에 '싼드거우' 있을 때 봉염이를 따라 학교에 가서 선생의 연설을 듣던 것이 얼핏 생각 키우며 흡사히도 그 선생의 음성 같았다. 그는 머리를 번쩍 들며 저편을 주의해 보았다. 다만 칠흑 같은 어둠만이 가로막힌 그 속으로 음성만 들릴 뿐이다. 그는 얼른 우리 봉식이도 저 가운데에 섞이지 않았는가 하였으나 곧 부인하였다. 그리고 봉식이가 보통 아이와 달리 똑똑한 아이니 절대로 그런 축에는 섞이지 않았을 것이라고 단정되었다. 이렇게 생각하고 나니 봉식이에 대한 불안은 적어지나 저들이 말하는 것이 어쩐지 이 소금 자루를 빼앗으려는 수단 같기도 하고 저 말을 그치고 나면 우리를 죽이려는가 하는 의문이 자꾸 들었다.

어둠 속에서 연설이 끝난 후에 원로에 잘 다녀가라는 인사까지 받았다. 그들은 얼결에 또다시 걸었다. 그러면서도 저들이 우리를 돌려보내는 것처럼 하고 뒤로 따라오며 총질이나 하지 않으려나 하여 발길이 허둥거렸다. 그러나 그들이 산을 넘어 밭머리로 들어설 때 비로소 안심하고 (……생략) 한숨 끝에 탄식하였다.

봉염의 어머니는 조급한 맘을 진정할수록 (저들이 의심할 수 없는 공산당들이었구나!) 하였다. 그리고 아까 그들의 앞에서 꼼짝하지 못하고 섰던 자신을 비웃으며 세상에 제일 못난 것은 자기라고 생각하였다. 남편을 죽이고 자기를 이와 같은 구렁텅이에 빠뜨린 저들, 원수를 마주서고도 말 한마디 못하고 떨고 섰던 자신! 보다도 평시에 저주하고 미워하던 그 맘조차도 그들 앞에서는 감히 생각도 못한 자기. 아아! 이러한 자기는 지금 살겠노라고 소금 자루를 이고 두 다리를 움직인다. 그는 기가 막혀서 웃음이 나올 지경이었다. 그리고 못난 바보일수록 살겠다는 욕망은 더 크다고 깨달았다. 동시에 한 가지 의문되는 것은 저들이 어째서 우리들의 소금 짐을 빼앗지 않고 그냥 보내었을까가 의문이었다. 그렇게 사람 죽이기를 파리 죽이듯하고 돈과 쌀을 잘 빼앗는 그 놈들이…… 하며 그는 이제야 저주하기 시작하였다.

그들은 낮에는 산속에서 혹은 풀숲에서 숨어 지내고 밤에만 걸어서 사흘 만에야 겨우 용정까지 왔다. 집까지 온 봉염의 어머니는 소금 자루를 어디에 감추어야 좋을지 몰라 한참이나 망설이다가 낡은 상자에 넣어서 방 한구석에 놓고야 되는대로 주저앉았다. 방 안에는 찬바람이 실실 돌고 방바닥은 얼음덩이같이 차다. 그는 머리와 발가락을 어루만지며 목이 메어서 울었다. 집에 오니 또다시 봉염이며 봉희며 명수까지 선하게 보이는 듯하였던 것이다. 그들이 곁에 있으면 이렇게 쓰리고 아픈 것도 한결 나을 것 같다. 그는 한참이나 울고 난 뒤에 사흘 동안이나 지난 생각을 하며 무의식간에 몸서리를 쳤다. 그리고 이 눈물도 여유가 있어야 나온다는 것을 알았다. 그는 으음 하고 신음을 하며 누울 때 소금 처리할 것이 문득 생각 키운다. 남들은 벌써 다 팔았을 터인데 누가 소금 사러 오지 않는가 하여 문편을 흘끔 바라보다가 (내가 소금 짐을 져왔는지 이어왔는지 누가 알아야. 그만 내가 일어나서 앞집이며 뒤집을 깨워서 물어볼까? 그러다가 참말 순사를 만나면 어떻게 하나)며 그는 부스스 일어나려 하였다. 아! 소리를 지르도록 다리뼈마디가 막 찔리어 그는 한참이나 진정해가지고야 상자 곁으로 왔다.

그는 잠깐 귀를 기울여 밖을 주의한 후에 가만히 손을 넣어 소금 자루를 쓸어 만졌다. (이것을 팔면 얼만가…… 8원 하고 80전! 그러면 밀린 집세나 마저 물고…… 한 달 살까? 이것을 밑천으로 무슨 장사라도 해야지. 무슨 장사?……) 하며 그는 무심히 만져지는 소금덩이를 입에 넣으니 어느덧 입안에서는 군물이 스르르 돌며 밥이라도 한 술 먹었으면 싶게 입맛이 버쩍 당긴다. 그는 입맛을 다시며 침을 두어 번 삼킬 때 소금이란 맛을 나게 한다. 아무리 좋은 음식이라도 소금이 들지 않으면 맛이 없다, 그렇다! 하였다. 그때 그는 문득 남편과 아들딸이 생각 키우며 그들이 있으면 이 소금으로 장을 담가서 반찬 해먹으면 얼마나 맛이 있을까! 그러나 그들을 잃은 오늘에 와서 장을 담글 생각인들 할 수가 있으랴! 그저 죽지 못해 먹는 것이다. 그는 한숨을 푹 쉬었다. 생각하니 자신은 소금 들지 않은 음식과 같이 심심한 생활을 한다. 아니, 괴로운 생활을 한다. 이렇게 괴로운…… 하며 그는 머리를 슬슬 어루만졌다. 머리는 얼마나 일그러지고 부어올랐는지 만질 수도 없이 아프고 쓰리었다. 그는 얼굴을 상자에 대며 (봉식아, 살았느냐 죽었느냐? 이 어미를 찾으렴, 난 더 살수 없다!)

어느 때인가 되어 무엇에 놀라 그는 벌떡 일어났다. 벌써 날은 환하게 밝았는데 어떤 양복쟁이가 두 명이 소금 자루를 내놓고 그를 노려보고 있다. 그는 그들이 순사라는 것을 번개같이 깨닫자 벌벌 떨었다.

"소금표 내와!"

관염은 꼭 표를 써주는 것이다. 그때 그는 숨이 콱 막히며 앞이 캄캄해왔다. 그리고 얼른 두만강에서 소금 자루를 빠뜨리지 않으려고 죽을힘을 다하여 섰던 그때와 흡사하게도 그의 신경이 날카로워지는 것을 느꼈다. 그때는 길잡이가 와서 그의 손을 잡아 살아났지만. 아아! 지금에 단포와 칼을 찬 저들을 누가 감히 물리치고 자기를 구원할까?

"이 년! 넌 사염 팔러 다니는 년이구나. 당장 일어나라!"

순사는 그의 눈치를 차리고 관염이 아닌 것을 곧 알았다. 그래서 그는 이렇게 소리치며 그의 손을 잡아 낚아챘다. 별안간 그의 몸은 화끈 달며 어제 산마루에서 무심히 들었던 그들의 말……(이하 생략)

출처: 『신가정』, 1934.5—10.

중편소설

유맹

현경준

작자의 말 ─ 이것은 한 개의 보고문에 불과하다고 생각한다. 작자는 이것을 제1회의 보고로 하고 앞으로 몇 차례고 이 부락의 소생상황을 보고하려 한다.

그리고 여기에 기록된 것은 지금으로부터 3 년 전의 상황이라는 것을 말하여둔다.

1. 최초의 탈주

찌는 듯한 한낮.

보도소 소장은 씻어도 씻어도 멎을 줄 모르는 땀발이 거의 발광이라도 할 지경, 단김을 후훅훅 내뿜으며 어제부터 시작한 성 공서에 보낼 제6회째의 부락민의 성적보고서를 작성하기에 갖은 애를 다 쓰고 있다.

열어젖힌 뒤창으로는 "쏴—" 하고 바람이 들어오긴 하나 그것은 화독에서 풍기는 화기와도 같은 뜨거운 바람이다.

쉴 새 없이 씻는 수건에서 물방울이 뚝뚝 흘러 떨어지고 얼굴빛은 붉게 익어들다 못해 나중에는 꺼멓게 독이 오른다. 출입문어구에서 그 모양을 바라보던 자위단서기는 하도 민망스러워 그만 우쭐 일어나 밖으로 나가더니 얼마 안 되어 찬물이 넘쳐흐르는 세숫대야를 들고 들어온다.

"땀 좀 닦으시오."

"뭐? 세숫물인가? 아, 고맙네."

소장은 웃통을 벗어던지고 대야에 마구 머리를 잠근다.

"에— 시원하다!"

전신의 땀줄은 일시에 선뜻 숨어든다.

"에— 좋다. 에— 시원해라!"

연방 흑흑 느끼며 좋아하는 모양에 서기는 만족한 듯 벙긋이 미소를 띠운다.

바로 그때.

누군지 더벅머리를 너펄거리면서 넋 없이 마당 안에 달려들더니 문 어구에 와 무춤 멈춰서며

"저 소장님, 큰일 났어요." 하고는 헐떡거리기만 할 뿐 뒷말을 잇지 못한다.

소장은 어인 영문을 몰라 한참동안 멍하니 상대편의 얼굴을 마주보고만 있다가 눈에 흘러드는 물을 손등으로 썩 씻으며

"뭐가 큰일 났단 말인가?" 다소 거칠게 어조를 높인다.

"저… 성룡이놈과 문삼이가 도망갔어요."

"뭐?"

소장은 소스라치며 정신없이 문어구로 달려 나온다.

"성룡이허구 문삼이가 어쨌어?"

"저… 도망갔어요."

"인제 방금 저 뒷산마루를 넘었어요."

"누가… 누가 봤는가? 자네가 봤는가?"

달려들어 목이라도 틀어잡을 듯한 소장의 험악한 기세에 질려 상대편은 말을 못하고 뒤로 물러선다.

"왜 대답을 못하는가? 자네가 봤는가?"

소장은 한걸음 더 다가서며 주먹까지 틀어쥔다.

"저두 보기는 봤는데."

"봤는데 왜 놓쳤는가?"

"지가 볼 땐 벌써 두 놈은 거의 마루턱을 넘어섰을 때였어요."

"그럼 기호는 어디루 갔는가?"

"뒤를 쫓아 올라갔어요."

소장은 입을 찢어지라고 악물고 허공을 노려보다가 갑자기 정신을 차린 듯 옆에 선 자위단서기를 돌아보고

"얼른 단장한테 가서 이르고 비상소집 종을 때리게." 한걸음 안쪽구석으로 뛰어 들어가다가 다시금 돌아서서

"단장보다 먼저 종부터 때려주게." 하고는 구석에 뛰어가더니 벽에 걸린 몽둥이 같은 지팡이를 쥔다.

벌써 누가 때리는 것인지 종루에서는 비상경종소리가 땡땡땡 울려온다.

소장은 쏜살같이 밖으로 내달린다.

바로 낮밥 쉴 때라 자위단원들은 곧 모여든다.

모두들 서로 질서 없이 떠들어대는 그 속에서 자위단 단장이자 겸 툰장 부락장인 세준이는 면목없어하며 죄송스레 보도소장 앞에 와 선다.

"소장님, 대할 낯이 없습니다."

"그런 사과는 됐다 이담에 하구 어서 뒤를 추격하기로 합시다."

소장은 단장의 늘어진 듯한 행동에 발을 구르며 독촉이 아니라 역정을 쓴다.

"예."

단장은 반발된 듯이 옆으로 비켜서더니 소장을 대할 때의 모양과는 딴판으로 소리를 버럭 지른다.

"일 분대, 이 분대는 저 아래마루를 넘어서 강역을 살피구 삼 분대, 사 분대는 위쪽마루를 넘어서 큰 봉안에 들지 못하도록 하구 그리구 오 분대는 내 뒤를 따라 도망간 놈들의 뒤를 쫓아보세."

명령이 내리자 단원들은 일제히 토성 밖으로 무어라고 떠들며 내달린다.

해가 저물 때까지 뒤를 쫓으며 숲속을 샅샅이 뒤졌건만 두 탈주자의 행방은 묘연했다.

수색단은 하는 수없이 풀기 없는 걸음으로 부락으로 돌아왔다.

부락에 돌아와서 보도소 앞마당에 제각기 되는대로 주저앉은 그들은 모

두 다 무거운 침묵에 사로잡혀 누구 하나 입을 여는 사람이 없다.

그중에서도 보도소 소장의 침묵은 더한층 무겁다. 그는 출입문 앞 마루구팡에 힘없이 걸터앉아 말할 수 없이 침통한 얼굴로 어느 때까지든지 입을 열 줄 모르고 그 무슨 생각에만 잠겨있다.

그 모양을 보고 자위단장은 비길 데 없는 송구스러운 표정으로 쉴 새 없이 소장의 동정에만 곁눈을 팔건만 그러나 일체를 잊어버린 듯한 소장의 얼굴에서는 털끝만한 조짐의 움직임도 찾을 수가 없다.

해만 지면 그렇게 모여들어 떠들어대던 아이들도 한쪽 구석에 몰려가서 우두커니 어른들의 기색만 살피고 있다.

얼마나한 오랜 시간이 무거운 공기 속에서 지나갔던지 소장의 입에서 땅이 꺼지라고 후유—하며 긴 한숨이 흘러나오고 뒤이어

"단장." 하는 소리가 흘러나왔을 때에는 벌써 컴컴하니 어둠이 밀려든 때다.

"예!"

단장은 고대하고 있던 차라 얼른 일어나 소장의 앞으로 돌아서며 뒷말을 기다린다.

"다들 해산을 시킵시다."

"예."

"그리구 단장은 좀 상의할 일이 있으니 사무실루 들어갑시다."

"예."

소장의 명령대로 단장은 선 자리에서 해산을 명한 후 조심스레 소장의 뒤를 따라 사무실로 들어간다.

사무실에 들어간 소장과 단장은 책상을 사이에 놓고 조용히 마주 앉는다.

그러나 한동안이 지나도록 둘 사이에는 부자연한 공기만 오락가락 떠돌

뿐 아무런 말도 없다.

그러다가 마침내 소장은 서서히 고개를 처들며 나직이 입을 연다.

"상의하자는 것은 다른 것이 아니라 이번 탈주사건으로 말할 것 같으면 부락이 건설된 이후 처음으로 생긴 일인 만큼 철저한 대책을 강구하자는 것인데 단장의 의견은 어떠신지요?"

소장의 말씨는 전과 같이 정중하게 나온다.

"지당한 말씀입니다. 물론 그래야지. 그냥 시무룩하게 내버려두었다간 앞으루 자꾸 이런 일이 생길 것이니까 아예 첫 번에 버릇을 고쳐놓아야 합니다."

소장은 고개를 끄덕이다가

"오늘밤으로 경찰서 각 분주소 부락에다가 죄다 통기하여 수배를 하면 이삼일내루 붙잡기야 하겠지만 그러나 이런 불상사가 외부에 알려지는 것은 참말 유감이란 말이오. 그리구 그보다두 이담 성이나 현에 이 말이 미쳤을 때 무슨 면목으로 그들을 대하겠소? 난 아무리 생각해봐두 보고서 쓸 일이 기가 막히오." 하고 또다시 긴 한숨을 쉰다.

"전부가 저의 실책입니다. 단원들의 단속을 게을리 한 탓이지요."

단장은 진정으로 사죄하며 고개를 처들지 못한다.

"그런 말은 그만두시오. 다 한 가지지요. 나는 별사람인가요? 단장이 평소에 단원단속을 게을리 한 게 탓이라면 나 역시 보도자로서의 힘과 성의가 부족한 탓이 있었겠지요. 그런 말은 아예 입 밖에 내지를 말구 금후의 대책이나 잘 강구합시다."

"황송합니다."

단장의 머리는 한층 더 숙어진다.

"헌데, 첫째 오늘저녁에 자위단 간부회의를 엽시다. 그런 다음 간부들을 잘 단속해가지구 내일아침 일찍 집집마다 일제히 가택수색들을 해봅시다.

그리구 미심한 혐의자들을 붙잡아다가 오늘 탈주한 둘의 행동에 대해 추궁하면서 서루 연락이 있었는 가 없었는 가 밝혀봅시다. 나는 반드시 미리부터 눈치를 알구 또 서루 연락이 있었으리라구 믿는데요. 단장은 어떻게 생각하십니까?"

"글쎄 말외다. 저두 아까부터 그걸 생각하고 있었습니다. 반드시 서로 연락이 있었으리라고 생각합니다."

"그렇지요. 반드시 있었지요. 그럼 오늘밤에 다시 모이두룩 합시다."

둘의 입가에는 똑같이 소리 없는 미소가 떠돈다.

이튿날아침 네 시를 기하여 부락에는 일제 검색이 일어났다.

자위단 단장의 지휘 하에 거행된 이 일제검색에 의하여 미리부터 의심되던 혐의자의 집에서는 여러 가지 증거가 나타났다.

무엇보다도 엄금물인 마약의 현품이 수처에서 발각되었음에는 새삼스레 놀라지 않을 수가 없고 또 그 위에 남녀 간의 치정관계까지 발각되었다.

단장은 자기의 단원단속 부주의로 하여 생긴 작일의 탈주사건의 그 불명예를 이런 기회에 깨끗이 씻어버리려고 엄중한 취조를 시작했다.

그리고 그는 또 평소부터 대강 눈치 채인 강 건너 만주부락과의 비밀 연락증거까지 이런 기회에 확실히 집어내가지고 속으로 단단히 항의할 것까지 바수었다.

단장의 곁에서 보도소 소장은 무겁게 입을 다물고 피검자의 동정을 낱낱이 살피며 앞으로의 대책을 생각하고 있다.

그러나 취조 받는 피검자들의 태도는 어디까지나 태연스럽고 무표정하다. 그들은 일체를 망각하여버린 표정으로 단장의 말에는 귀도 기울이지 않고 얼빠진 양을 하고 앉아있다.

그중에서도 중독자들이 더하다. 단장은 참다못해 그중 젊어 보이는 명우의 볼따구니를 철썩 후려갈긴다.

"이눔아. 귀머거리처럼 묻는 말에 잠자쿠 있으면 상수냐!"

이 불의의 일에 명우는 한동안 멍하니 단장의 얼굴을 얼빠진 모양으로 쳐다보더니 그만 입술을 비꼬며

"흥!" 하고 외마디 콧방귀를 뀌고는 모로 고개를 돌려버린다.

단장의 분노는 극도에 달했다. 그는 재차 명우의 뺨을 후려갈기며 의자에서 벌떡 일어선다.

"이눔아, 네 놈의 입에서 대답을 못 들으면 성을 갈 테다!"

노랗게 절은 명우의 얼굴에 차츰 푸른 독기가 서린다. 입술에서 피가 날 지경으로 악물고 쳐다보던 그는 서서히 일어서며 두 주먹을 틀어쥔다.

그 모양에 단장은 다소 압기가 된 듯 주춤거리다가 이내 제대로 돌아지며 한걸음 앞으로 썩 나선다.

"맞서면 어쩔 테냐?"

명우의 얼굴은 푸르다 못해 하얘진다. 말없는 시선과 시선의 싸움이 한동안 계속된 후

"이눔아, 왜 때리는 거냐? 부락민에게 함부루 그런 버릇없는 손찌검을 하라구 누가 시켰더냐?"라고 소리 지른다.

어디서 그런 위엄 있는 소리가 나온 것인지 단장은 얼른 말을 못한다.

"부락민에게 함부로 손을 대며 제자신의 무능과 무식을 폭로시키는 그런 부락장이나 단장이라면 어서 곱게 손을 씻고 물러앉아라. 우리는 너한테 매 맞을 아무런 의무두 가진 일 없구 너에게 그런 권리를 준 일도 없다. 부락장이면 부락장답게, 단장이면 단장답게 인격적으루 부락민에게 감화를 주며 지도를 해야 한다."

유창한 말은 그칠 줄 모르고 다시 뒤를 잇는다.

"그야 물론 우리는 이 사회에서 인간의 취급을 받지 못하는 낙오의 무리인 것만은 사실이다. 그러기 때문에 우리는 사회의 온갖 박해라든지 조소에는 벙어리노릇을 하여왔고 귀머거리노릇을 하여왔고 천치의 노릇을 하여오며 산송장의 생활을 하여온 것이 아니냐? 그렇지만 너는 무어냐? 너는 우리들을… 즉 지옥에서 헤매는 우리들을 개준시켜서 다시금 참다운 사회인으로 만들려고 작정을 하여온 소위 지도자라는 것이 아니냐? 설마 우리들에게 매질을 하려구 온 놈이야 아니겠지? 만약 그런 목적으로 왔다면 나는 여기서 단언한다, 너 같은 놈은 지도커녕 도리어 우리들의 군성을 더한층 삐뚤어지게만 할 놈이다.

대체 네가 우리들을 알기를 어떻게 아느냐? 아편쟁이는 밸이 없다더냐? 아직은 피두 있구 눈물두 있구 신경두 있는 놈이다. 너 같은 놈의 주먹에 그저 죽었소 하고 들이댈 놈은 아니다!"

단장은 참다못해 떨리는 두 팔을 내밀고 달려든다.

그러나 그의 등덜미는 어느 틈엔가 소장의 손아귀에 단단히 잡혔다.

"단장, 좀 참으시우."

"아닙니다. 놓으세요. 내 오늘 이놈들에게 버릇을 단단히 가르쳐주구야 말텝니다."

하며 씨근거리는 단장의 모양을 일종의 가엾어하는듯한 눈으로 바라보는 명우의 입에서 싸늘히 조소가 떠오른다.

"흥, 기껏하면 구류소지, 별 수가 있냐?"

험악하게 벌어지려던 위급한 형세는 보도소장의 중재로 겨우 위기를 벗어났다.

그러나 장내의 험상한 공기는 좀체로 완화되지 않는다. 단장의 격분은 더 말할 것도 없지만 명우의 반항으로 하여 오래 동안 참아오던 부락민의 울분은 비로소 기회를 얻어가지고 바야흐로 한 덩어리가 되어 폭발되려는 형세다.

만은 보도소장의 능란한 수완은 그 기회를 얼른 빼앗아버릴 수가 있었다.

그는 씨근거리는 단장을 겨우 달래어놓고는 자기가 대신 나서서 벌써 귀에 못이 박히도록 들은 설교를 또 시작하는 것이었다.

한번 시작하면 좀처럼 그칠 줄 모르는 그의 설교에 여럿의 이마에는 이내 주름살이 잡혀진다.

"언제나 하는 말이지만 우리 만주국에서 전반 오개소에다가 특수부락을 설치한 것은 무슨 까닭인줄 아시우? 비뚜루 인생의 행로에서 탈선하여나간 여러분을 바른 길루 다시금 인도하여 주려는 것이 그 제일 본의라는 것은 자초부터 알고 있을 일이 아니우?

왕도낙토를 건설하려는 만주국이 아니고는 꿈에도 상상할 수 없는 이런 고마운 혜택을 모르고 여전히 비뚜로만 나가려는 여러분을 대할 때 나는 참말 세상사가 슬퍼나지 않을 수가 없소.

여러분! 여러분은 모두 다 쓰라린 과거를 여러분의 기억에서 흔적 없이 씻어버리구 새로운 광명의 길을 밟게 하자는 것이 아닙니까! 그러나 여러분! 여러분은 그것을 몰라주십니다. 아니, 알고는 일부러 모른 체합니다. 여러분, 우리는 여러분께 장래의 은혜를 지워서 그 갚음을 받으려구 이러는 것두 아니구 내 배 속을 채우려는 것두 아닙니다. 만약 그런 속으로 온 것이라면 왜 하필 이런 곳으로 왔겠습니까?"

보도소장의 말소리는 떨리기까지 하며 점점 울음조로 변해갔다.

그러나 그것을 듣고 있는 군중의 표정은 너무나 평범하다. 그들은 제가끔 제멋대로 다리를 틀고 앉아서는 혹은 담배를 뻐끔뻐끔 빨기도 하고 혹은 곁

사람과 수군거리기도 하고 혹은 먼 산봉우리 위를 흘러가는 구름을 바라보기도 하며 그야말로 소장의 설교에는 오불관심이라는 격이다.

"여러분의 두뇌 속에는 아직도 일확천금의 그 꿈이 남아있고 마약기운이 남아있습니다. 그 비현실적이구 내 몸을 망치구 국가와 사회를 망치는 악몽에서 깨여나기를…"

하며 일단 목소리를 높이려는데 갑자기 한쪽 구석에서

"소장님! 그 뻔뻔스런 거짓말을 이젠 그만 합시다. 귀구멍에 못이 박히겠수다." 하는 퉁명스런 소리가 불쑥 나온다.

소장은 머츰하고 그쪽으로 고개를 돌린다.

질서 없이 떠들어대던 군중들도 이 불의의 폭언에 일제히 긴장을 띠며 그쪽으로 시선을 보낸다.

폭언의 임자는 밀수업자로서 한때는 국경지대에서는 그 이름을 모르는 자가 없던 병철이다.

그는 일제히 쏠리는 군중의 시선은 눈도 팔지 않고 정면으로 빤히 소장의 얼굴을 마주보는 것이 아니라(어디까지든지) 겨루어보려고 늘이는 도전의 태세를 취한다.

소장은 한동안은 말문이 막혀 덤덤히 선채 병철의 거무테테한 얼굴을 얼빠진 모양으로 바라보다가

"어째서… 어째서 거짓말인가?" 하는 소리가 질문이 아니라 괴로움을 못이겨 부르짖는 신음소리다.

"거짓말이 아니구요. 일확천금이 어째서 비현실적이구 꿈이라는 말이우?"

병철의 태도는 더한층 퉁명스러워진다.

소장은 또 한동안이나 말없이 내려다보다가 이번에는 확 내뿜듯이 노기

를 잔뜩 띠고 반문한다.

"그럼 그것이 현실적이라는 것을 증명해보게."

"얼마든지 하지요. 현재 지금 누구니 누구니 하며 돈푼씩이나 지니구 뽐내는 그들 중 자초부터 한 푼 두 푼씩 바른 노릇해서 모은 것을 가지구 부자라는 이름을 띤 자가 그래 몇이나 됩니까? 전부가 일확천금을 한 것이라구 해두 틀리진 않겠지요."

"그렇지만 자네가 생각한 것처럼 부정 업을 해서 얻은 것이야 아니지."

"천만에 말씀입니다. 그들의 사업은 전부가 밀수가 아니면 부로커 노릇이었지요. 그두 대낮에 공공연하게 한 축이랍니다. 멀리를 생각지 마시구 전번에두 목단강에서 소장님을 찾아왔지만 그 무슨 회사 사장인지 한 그 양반이 자초에는 무슨 업을 해서 그렇게 돈을 쥐었는지 아십니까? 자초에는 도문 개척 시에 밀수를 굉장히 해서 돈푼이나 쥐었으니까 아주 지금 회사도 그때에 얻은 것으로 된 것임에 틀림없겠지요."

소장의 낯빛은 새파랗게 질려간다. 그는 무어라고 말하려고 씨근거리기는 하나 입술만 푸들푸들 떨릴 뿐 종시 입은 열지 못한다.

모두들 킥킥거리며 조소하는 그 속에서 병철은 자못 통쾌한 듯 벙글거리기까지 하며 옆채기에서 천천히 담뱃갑을 꺼내는 것이었다.

2. 부락점묘

　최초의 탈주사건이 생긴 이튿날 아침 부락전체에 긍한 일제 검색이 있은 다음 그날 오후 보도소에서는 중독자 명우 외에 남자 사명, 남자 이명 도합 칠 명을 ×××구류소로 요양을 보냈다. 요양이란 구류를 말함이다.

　그런 다음 자위단에서는 일층 더 경계를 엄히 하고 부락민의 외부출입의 자유는 당분간 절대 금하기로 했다.

　그리고 보도소에서는 제6회째의 보고서에다가 새로 생긴 탈주사건의 보고까지 첨부하여 성공서로 보냈다.

　그 보고서의 줄거리는 대강 수자로만 훑어보면 다음과 같다.

△부락호수

중독자	6호
밀수업자	23호
도박상습범	9호
사기횡령범	6호
기타	7호
합계	71호

(이상 초기 입식호수)

△개준자수

1. 완전개준자

중독자	12명
밀수업자	7명
도박상습범	7명
사기횡령범	6명
기	7명
합계	39명

2.불완전개준자

중독자 8명

밀수업자	10명
도박상습범	2명
사기횡령범	―
기	―
합계	20명

△상습범행자

중독자	6명
밀수업자[01]	6명
합계	12명

---

01 밀수자의 계속범행이란 중독자들에게 제공한 마약을 외부와의 비밀연락에서 밀매하여 들이는 것을 말함이다. ―작자 주

△구류송치자

1.남자

중독자	3명
밀수업자	2명
합계	5명

2. 여자

중독자	1명
밀수업자	1명
합	2명

△증감수(이동)

1.	—
감=병사자	5명
탈주자	2명
합계	7명

(이상 강덕 ×년 ×월 ×일 현재)

보도소 소장은 비로소 숨을 돌려 쉬며 늘어지게 기지개를 켠다.

그는 하품 때문에 어린 눈물을 땀 밴 손수건으로 닦은 다음 피곤한 머리도 식힐 겸 밖으로 나왔다.

전날보다는 다소 더위가 풀린 듯 시원한 바람이 땀에 젖은 이맛전을 가볍게 스치고 지나간다.

길가에서 웃통을 벗은 아이들이 숨박꼭질을 하느라고 더운 줄도 모르고 뛰어다닌다.

소장은 그 모양을 한동안이나 우두커니 서서 보다가 문득 그 무엇을 생각한 듯 큰길을 건너더니 맞은 편 골목으로 들어간다.

지저분한 좁은 골목에서는 무슨 냄새인지 썩은 냄새가 후끈하고 콧구멍을 찌른다.

소장은 잠시 콧마루를 씰룩거리며 어지러운 주위의 광경을 두루 살펴보다가 어떤 움막 같은 앞으로 들어선다.

열어젖힌 부엌문으로 들여다보이는 정주간 구들바닥에는 얼굴빛이 노랗게 기름에 젖은 듯한 중년사내가 누워서 희멀끔히 뜬 눈으로 내다보기는 하나 얼른(깁떠?) 일어날 줄은 모른다.

소장은 이맛살을 찌푸리고 잠시 들여다보다가 건너편 오막살이로 발길을 옮긴다.

그 속에도 똑같은 얼굴빛의 중년사내가 그도 한 모양으로 거꾸러져서 거슴츠레 뜬 눈으로 멍하니 내다보고만 있다.

그곳에서도 소장은 한동안 침통한 빛을 띠고 들여다보다가 나직이 한숨 지은 다음 또 다음 집으로 옮겨간다.

그다음 집에는 속옷만 아랫도리에 걸쳤는데 한쪽 엉덩이는 환히 드러내놓은 채 자빠져있는 계집이 침을 게지지 흘리며 자는지 어쩌는지 두 눈을 감고 있다. 소장은 못 볼 것이나 본 듯 이내 외면하며 또 다음으로 옮겨간다.

이리하여 그가 칠십일 호나 되는 집을 죄다 돌고 보도소 마당 음달 진 툇마루에 와서 힘없이 주저앉은 때는 해가 벌써 훨씬 기운 때다.

그는 손수건을 꺼내어 땀에 젖은 이맛전을 닦은 후 담배 한가치를 꺼내어 성냥을 그어 붙여 들고 조용히 지나간 팔 개월 동안의 가지가지 복잡한 기억을 더듬기 시작했다.

일 년도 못되는 짧은 동안이라지만 일생에 있어서 가장 잊지 못할 감개무

량한 동안이다.

가지가지 부류에 속하는 빚을 진 그 낙오의 무리들 속에서 그들의 명일을 위하여 온갖 애를 다 써왔다는 것은 결코 평이하고 단조로운 일이 아니다.

그러나 그 결과 자기의 애쓴 보람이 나타난 것은 대체 어떠한 곳인가? 생각하니 나오는 것은 한숨뿐이다.

부락이 건설된 것은 팔개 월전 소화 십이 년, 만주국의 연호로는 강덕 사년 십일월 ××일이니까 바로 그 역사적 치외법권 철폐이후다.

전반적으로 일제히 검거한 부정업자와 중독자들을 영사관경찰서의 손을 거쳐서 오개소에 배치한 다음 집단부락을 조직하고 빛을 잃은 그들에게 다시금 새로운 희망의 빛을 비춰주려는 그것은 결코 앉아서 따온 과일 먹듯 그렇게 쉬운 일이 아니었다.

극도로 낙오된 페인들과 극단의 이기주의의 전형인 부정업자들과 양심과 의리는 벌써 한 옛날에 매장하여버린 사기도박 횡령범─ 사회의 밑구덩을 헤매어 본대로 본 그들이다.

그러므로 그들은 다시금 그 밑구렁텅이에서 건져내어버리는 설계가 세워졌을 때 그 무모한 계획에 당국에서도 일부는 극력 반대하였던 것이다.

그러나 당국은 조치를 일관시켜서 끝내 착수했던 것이다.

한 사람의 국민이라도 좋다. 신흥국가에서는 한사람이라도 건져내어 바른 국민을 만들려고 이를 악물고 달려들었다.

더구나 그 빛을 잃고 밑구덩에서 헤매는 그들에게는 무엇보다도 아까운 것이 있다. 그 아까운 보물 때문에 위정당국도 번연히 무모에 가까운 일인줄 알면서도 과감하게 실지시험에 착수하게 된 것으로서 그것은 다름이 아니라 그들의 지식과 인재였다.

비록 낙오는 되었을망정 한때는 모두다 이상을 품고 혁혁한 앞날을 바라고 매진하던 그들이다. 그들 속에는 기술자도 있고 정치운동자도 있고 예술가도 있고 종교가도 있고 의술가도 있고 교육자도 있어 각층을 망라하여있다.

지식정도는 전부가 소학정도 이상으로서 중학정도 전문정도도 수두룩하다. 어학도 국어와 만주어는 말할 것도 없거니와 영어, 로어, 독일어에까지 능통한 자가 있다.

이러므로 위정당국이 그 인재를 아끼게 되는 것은 너무도 당연한 일이다.

그러나 한번 인생의 노선에서 탈선한 그들을 다시금 정궤로 끌어들이는 것은 어려운 일이었다. 무엇보다도 아편중독자가 문제다.

다른 무리들과 달라서 이 아편중독자들은 마약과 격절시킨다는 것은 사형을 선고하는 것과 마찬가지다.

그 마약과 격절된 그들은 하루의 대부분의 시간을 혼동상태에 빠져서 지낸다. 그리고 더구나 문제되는 것은 이때까지 마약의 힘으로 눌려 있던 년래의 숙아가 머리를 치밀게 되는 그것이다. 이 때문에 당국은 골머리를 앓으며 여러 가지로 애를 썼으나 결국은 하는 수가 없이 된다.

만은 그러한 희생쯤은 미리부터 각오한 일이라 결국은 처음 계획대로 뻗대어 나갔다.

그 결과 팔 개월 이후의 현재에 와서는 훌륭한 성적을 거두게 되어서 마약과의 격절로 하여 희생을 보게 되는 일은 전혀 없이 되었다.

그러나 마약의 힘이란 어디까지든지 집요하다. 중독자들의 머릿속에는 언제나 오색무지개의 그 꿈이 사라질 줄을 모르고 기회만 있으면 마의 유혹에 빠지려고 하는 것이고 또 악착한 환경은 자꾸만 그들을 유혹하려고 하는 것으로서 이 외부와의 비밀연락 때문에 당국은 가장 골머리를 앓게 되는 것이다.

또 한 가지 두통거리는 밀수업자들의 일확천금의 꿈이다. 그 꿈 때문에 그들은 짬만 있으면 탈주하려고 기회만 엿보고 있는 것으로서 작일의 두 탈주자도 이 부류에 속하는 자들이다.

이 때문에 자위단은 주야로 사면에 뻗어 서서 경계를 엄히 하게 된다.

자위단들은 전부가 젊은이들이다. 아버지나 형들의 타락 때문에 쓰라린 맛은 볼대로 본 자들이다.

그러므로 만약에 그 아버지나 형들의 죄가 적발될 때에는 속으로는 눈물을 머금어가면서도 절대 용서가 없다.

이러한 다른 윤리와 도덕과 조직 아래에서 피투성이의 싸움은 쉴 새 없이 계속 되어간다.

여기까지 생각하고 나니 소장은 저절로 나오는 한숨을 막을 수가 없다.

"후—"

막혔던 단김이 일시에 터져나가는 듯 그득하던 가슴 속은 후련해진다. 그는 두 번째의 담배를 꺼내어 붙여 물고 이번에는 보초막을 돌아볼 양으로 우쭐 일어났다.

보초막의 경비는 여전 엄하다.

찌는 듯한 대륙의 혹서임에도 불구하고 보초들은 자기의 직무를 충실히 지키고 있다. 소장은 여러 가지 격려와 치하의 말을 진정으로 아낌없이 쏟아 놓으면서 남문보초막에서 동문보초막을 거쳐 북문보초막에 이르렀다.

그런데 웬 일인지 거기에는 반드시 있어야 할 보초가 안 보인다.

소장은 잠시 보초막을 들여다보다가 혹시 사면으로 바로 마주 쪼여드는 볕을 피해 음달을 찾지나 않았는가 하여 포대 뒤를 살펴보았으나 거기에도 없다.

수상하여 사방을 두루 살피는데 아래편 냇가 버들방축 속에서 웬 목소리가 거칠게 들려온다.

소장의 머릿속에는 이내 그 어떤 생각이 떠오른다.

그래서 그는 옥수수 밭 옆을 끼고 조심스레 발자취를 죽여 가며 방축 쪽으로 나가보았다.

가까이 이르니 목소리는 똑똑히 들리는데 보초막에 있어야 할 순동의 목소리다. 그리고 또 하나 굵은 목소리의 임자는 틀림없이 그의 아버지 명보다.

소장은 대번에 부자간의 싸움인줄 알고 옥수수 그늘 밑에 살짝 들어섰다.

그런 줄을 모르고 둘은 점점 어성을 높인다.

"이 새끼, 어른 좀 댕겨 오겠다는데 못 갈건 뭐냐?"

"안 돼요. 보초의 책임상 부락민의 외부출입은 절대 허락할 수가 없어요."

"책임이란 게 대체 뭐냐? 책임만 내세우문 장수냐? 그눔 염병할 책임 때문에 비틀어지는 일은 어쩔 테냐?"

"비틀어지는 일은 무슨 일이우? 그렇게 틀어지는 일이라문 좀 있다 교대시간이 지나문 내가 갔다 오지요."

"안 된다. 너 같은 새끼가 참견할 일은 아냐."

"아니문 그만두지요."

"그래 정 못한단 말이냐?"

애비의 음성은 한층 험악해진다.

"글쎄. 안된다는데 왜 이리 딱하게 구세요? 부락규칙을 뻔히 아시면서."

"규칙이 다 뭐냐? 그 오라질 놈의 규정 지키다간 앉은 자리에서 똥 싸겠다."

"안 됩니다. 부락의 규정은 보초로서 위반할 수는 없습니다. 대체 건넛마을에는 뭣 하러 가서요? … 어서 그러지 마시구 도루 들어가서요."

"못하겠다."

"못하겠다문 맘대로 하서요. 나두 못하겠습니다."

"뭐 어째?"

명보는 아들의 앞에 성큼 다가들더니 두말없이 철썩 아들의 뺨을 후려갈긴다.

"이 새끼, 나는 네 애비다. 애비 보고구 그런 말 따위가 어디 있느냐, 응? 이 새끼, 애비는 애비구 보초는 보초지."

순동이는 얻어맞은 뺨을 붙잡고 한동안 말을 못한다. 그러다가 애비의 주먹이 다시금 날려들 때에야 비로소 선뜻 옆으로 비켜서며

"뭐요?" 하고 버럭 소리를 지른다.

"애비? 애비? 흥, 대체 그런 말이 어디서 나와요? 애비라구 하기가 부끄럽지 않아요? 걸핏하면 애비라구 하면서 이때까지 자식들에게 애비의 노릇을 한 게 뭐요? 나는 이때까지 스무 살이나 먹는 동안 애비의 신세를 져본 일은 한 번두 없소. 되려 어린 것이 푼푼이 얻어오는 돈으루 얀관[烟館]에나 댕기(다니)면서 아편만 빤 건 누구요?

애비라구 자칭하면서 자식들에게 옷 한 벌 지어줬소? 언제 한번 먹고 싶어 하는 음식을 먹여본 일이 있소? 그리고 또 어미를 되놈한테 팔아버리구 어린 자식들을 길가에 헤매게 한건 누구요? 애비? 애비? …그런 뻔뻔스런 말이 어디서 그렇게 나오? 내가 못 생긴 놈이라면 애비구 뭐구 벌써 개굴창에라도 차버린 지가 오랬을 거요."

"머? …, 개자식."

명보는 참다못해 아들의 모가지를 와락 틀어잡는다.

소장은 잠시 망설이다가 슬며시 둘의 앞으로 나간다.

소장의 불의의 출현으로 부자간의 싸움은 부득이 중단되고 만다.

그러나 그 대신 순동의 눈에서는 그만 참고 참았던 눈물이 일시에 왈칵

쏟아져 나온다.

소장은 보다 못해 조용히 고개를 돌려버린다.

3. 천국도

아침부터 내리기 시작한 비는 낮밥 때가 겨워도 그냥 구질구질 내리며 그칠 줄 모른다.

부락은 길가에 개새끼 한 마리 어른거리는 양 없이 잠든 듯이 고요하다느니 보다 몹시 피곤해 보인다.

명보는 으슥한 방구석에 지친 듯이 드러누워서 멍하니 밖을 내다보며 걷잡을 수 없는 생각에만 사로잡혀있다.

부엌간에는 딸 순녀가 순둥의 것인지 누덕누덕 떠 붙인 코르덴 양복바지 가랑이를 꿰매고 있고 그 옆에서 바로 전에 보초막에서 돌아온 순동이는 무슨 책인지 잡지 같은 것을 펼쳐들고 신이 나서 읽는다. 명보는 그 모양을 잔뜩 지릅뜬 눈으로 이윽히 내다보다가 그만 벽에다 가래침을 택 뱉으며 등을 지고 돌아 누워버린다.

그러나 순동이는 무관심한 태도로 보던 책을 집어 들고 방으로 들어가더니 "이게 무슨 자나요?" 하고 애비의 눈앞에다 불쑥 책을 들이댄다.

명보는 빠르지 못한 눈으로 아들의 얼굴을 흘깃 쳐다보고는 하는 수없이 볼 멘 소리로 대준다.

"큰 덕(德)자다."

"그럼 일덕일심이란 무엇니까?"

"내가 아니? 나보고 묻지 말구 그런 건 소장한테나 가서 물어라."

명보는 버럭 화를 내며 아들의 들이댄 책을 팔꿈치로 밀쳐버린다.

순동이는 아무 말 없이 애비의 얼굴을 슬픈 표정을 하고 물끄러미 내려다 보다가 슬며시 제자리로 돌아온다.

그러나 보던 책을 다시 볼 생각은 안 나는 듯 문전에 기대앉아 조용히 두 눈을 감는다.

순녀는 오빠의 그 모양을 보고 그도 꿰매던 일감을 살며시 무릎아래에 내려놓으며 나직이 한숨 짓는다. 아버지의 일로 하여 항상 속을 썩이는 오빠의 심중을 생각하면 그의 좁은 가슴 속은 미여지는 것 같다.

어떻게 하면 그 아버지를 바른 길로 이끌어서 남과 같이 단란한 가정을 이루어볼까? 이것은 자나 깨나 언제든지 그의 아빠 순동의 가슴 속에 서려 있는 갸륵한 심정이다.

그러나 아버지는 그 오빠의 마음을 털끝만큼도 알아주지 못한다. 뿐만 아니라 짬만 있으면, 기회만 있으면 그 오빠를 멀리하려고 악독한 생각을 품고 있으며 남의 눈과 법만 아니라면 영영 없애버리려고 생각을 바수고 있는 줄까지 순녀는 잘 안다. 그리고 그 오빠만 없다면 자기는 벌써 그 어떠한 되놈에게 팔려 버렸을는지도 모른다.

그런 것을 생각하면, 더구나 그 위에 아무리 잊으려고 애써도 잊을 수 없는 어머니의 일을 생각하면 열 번 물어뜯어도 시원치 않을 그 아버지다.

어머니, 얼마나 불쌍한 어머닌가? 무도한 남편 때문에 되놈에게 팔려가서 결국은 빠질 수 없는 신세를 비관하고 목을 매여 버린 어머니.

만약 그때 두 남매 중에서 누구든지 조금이라도 눈치를 차릴 수가 있었던들. 어머니를 잃은 후의 두 남매는 그 얼마나 길가에서 울며 헤매었는가? 길가에서 길가로 전전류리하며 떠돌아다니던 그 때 일은 생각하기에도 가슴이 터지는 것 같다.

결국 오빠 순둥이가 겨우 열두 살 된 어린 몸으로 세탁소 심부름꾼으로 들어가기까지 두 남매에게는 진종일 식은 밥 한 숟가락도 얻어먹지 못하고 주림에 시달리게 되는 것은 거의 하루 건너씩 있은 일이 아니었던가?

그러한 자식들을 두고도 밤낮 얀간에만 가서 들여 박혀있던 그 아버지를 그래도 애비라고 이렇게 따라와서 어떻게 하면 바른 길로 끌어 들일가고 애쓰는 오빠의 그 모양을 생각하면 눈물이 아니라 피가 나는 것이다.

그저 소리 없이 고여 넘치는 눈물을 치마끈으로 살짝 씻은 후

"오빠! 뭘 그렇게 생각하우? 시장하실 텐데 점심이나 잡수." 하고 비길 데 없는 다정스런 웃음까지 지어보인다.

"아직 먹고 싶잖아. 아버지한테나 차려드려라."

순둥이는 힘없는 어조로 말하고는 다시금 접어놓은 책을 집어든다.

그러는데 밖에서 신발소리가 나더니 동문어구 득수가 터덜터덜 들어온다.

"명보 있나?"

득수의 부르는 소리에 명보는 기다리고 있기나 한 것처럼 갑자기 정신을 차려 벌떡 일어난다.

"왜 그러나? 어서 들어오게."

"뭘 하는가? 낮잠인가?"

"아닐세. 하는 일 없이 그저 누워있네."

"심심하문 마슬돌이라두 할거지 누워있으면 별수가 있나? 나 『삼국지』 한 책 얻어가지고 왔는데 뒷마을 성오 네게 가서 좀 구수하게 봐주게." 하면서 득수는 무엇을 의미함인지 한쪽 눈을 찔끔 감아 보인다.

그 모양을 보고 명보는 더 두말없이 우쭐 일어난다.

"그러세. 갑갑해 못 견디겠네."

마당 밖을 나서자 득수는 명보의 옆구리를 쭉 찌르며 뜻 모를 웃음을 씽글 웃어 보인다.

명보는 호기심에 번뜩이는 눈으로 마주보며 숨소리를 높인다.

"자네 요즘 한번 빨아봤는가?"

"빨아본 게 다 뭔가? 냄새두 못 맡아봤네."

명보의 입술에는 대번에 침이 흘러내리며 사지가 후들후들 떨린다.

그 모양을 보고 득수는 의기양양해서

"한풍 쳐볼까." 하고 다시금 씽긋 웃는다.

"땄나?(있나)"

"따잖구."

"어디서 땄나?"

"어디서 못 따겠는가?"

"좀 보게."

"이사람, 정신이 있는가? 여기가 어디라구 길가에서 이러는 건가?"

득수의 핀잔에 명보는 그만 하는 수없이 마른 침을 꿀꺽 삼키고는 그의 옆을 따른다.

그들은 한동안 말없이 가다가 보도소가 보이자 약속이나 한 듯이 아래편 골목으로 빠져 들어간다.

"그런데 이 사람아, 어디루 가는 셈인가."

명보는 갑갑해서 또 말을 꺼낸다.

"어디가 좋을까?"

"가자는 자네가 모르문 누가 아는가?"

"글쎄 말이네. 어디든지 조용한데라야 될 텐데."

"조용한 집이 뉘 집인가?"

"성오네 집이 어떤가?"

"성오네 집?"

"응, 거기가 조용할 것 같네."

명보는 수상해하는 눈치로 이윽히 득수의 얼굴을 쳐다보다가

"그리루 가면 성오란 놈도 같이 어울려야지." 하고 못마땅해 하는 어투로 불평스레 말한다.

"그건 그렇지만, 뭐 넉넉하니까 괜찮네."

득수는 말끝을 선명치 못하게 우물쭈물 맺어버린다.

"넉넉하문 얼마나 되는가?"

"글쎄 잔소리말구 따라만 오게. 정 부족하다면 내 몫까지 줄 테니까."

득수의 이 말에서 비로소 그의 속을 엿보았다. 중독자도 아닌 그가 왜 이렇게 모험을 하는 것인지. 그리고 왜 하필 성오의 집을 찾아가려는 것인지, 그 까닭을 명보는 알아채고 속으로 고소를 했다.

그는 아무 말도 없이 묵묵히 뒤를 따르며 생각했다.

(어쨌든 제가 찾아먹을 것만 찾아먹으면 그만이지만 무슨 상관이냐? 득수란 놈이 성오를 한편으로 자빠뜨려놓고 그의 계집을 다치던 찢던 내 무슨 아랑곳할 것이 있느냐? 나는 나대로 득수의 주머니 속에 있는 그것만 받아먹으면 그만이다. 굿이란 구경이나 잘하고 떡만 얻어먹으면 되는 것 아닌가.)

둘이 마당 안에 들어서는 것을 보고 먼저 대가리를 내미는 것은 성오의 아내다. 언제 보던지 밉지 않은 얼굴이다.

몸집도 호리호리하고 게다가 이상하게 사람을 끌어 낚는 웃음까지 얄궂게 웃을 때에는 막 통째로 깨물어주고 싶은 충동까지 인다.

"성오 있나요?"

득수의 입가에는 벌써부터 음탕한 웃음이 떠오른다.

"있어요."

"뭘 하구 있나요?"

"모르지요. 뭘 하구 밤낮 자빠져있는지."

그러자 방 안에서는 푸시시한 머리를 떠이고 얼굴가죽이 딱 말라붙어 해골같이 된 성오가 우멍한 눈으로 퀭하니 내다본다.

"뭘 하는가? 낮잠인가?"

성오는 반쯤 몸을 일으키며

"아무것두 하는 일 없네." 하고 겨우 마지못해 하는 듯이 대답한다.

잔잔히 내리던 이슬비는 갑자기 억수로 퍼붓기 시작하여 비밀공작에는 둘도 없는 좋은 기회다.

하긴 주머니속이 빤히 들여다보이는 성오네 집이라 누구 하나 찾아올 건 없지만 그래도 세상일이란 앞을 가릴 수가 없는 것으로서 어느 때 누가 불의에 달려들는지 모르는 것이고 또 그의 아내의 용모에 침을 흘리는 건달패가 없는 것도 아니고 해서 사실은 은근히 근심했던 것인데 이렇게 줄기찬 비가 내리쏟고는 조금도 개의할 필요가 없다.

득수는 아무 꺼리는 양 없이 바지춤에 단단히 끼어가지고 온 수건 뭉텅이를 꺼내서 성오와 명보의 앞에 펼쳐놓는다.

성오는 보기만 해도 생기가 도는 듯 앉은 자리에서 펄쩍 뛴다.

손수건에 싸온 것은 성냥갑 절반은 넉넉히 됨직한 검정 떡(아편)덩이다.

덕수는 벌쭉 웃으며 손바닥에 들고 다루어본다.

"어떤가? 흐뭇한가?"

"아―하."

성오의 입에서는 뜻 모를 웃음이 나오고 명보는 앉은 자리에서 진정을 못하며 자꾸 군침을 삼킨다.

"아―니, 그건 뭐요? 구류소에 또 가구들 싫수?"

하는 소리에서 셋은 비로소 성오의 처의 존재를 생각하고 서로 얼굴을 마주쳐다본다.

"먹구서 가는 거야 누가 아냐? 못 먹구야 탈이지." 하고 득수는 슬쩍 한마디 넘기며 "어떻수? 아주머니도 한포 빨아보지요." 하고 벌씬 웃는다.

"집어치워요. 그런 건 보기만 해두 신물이 돌아요."

팩 쏘듯 말하긴 하나 눈가엔 얄궂은 웃음이 떠오른다.

성오는 기다리기가 바쁜 듯 득수의 앞에 바싹 다가앉으며

"여보게, 잔 수작 말구 나 좀 맨 첨 떼주게." 하고 졸라댄다.

"그렇게두 바쁜가? 어서 준비나 하게."

"준비는 무슨 준빈가? 난 그냥 먹겠네." 하며 성오는 득수의 손에 매달리더니 어느 틈엔가 물에 퍼진 아편을 콩알만큼 뚝 잘라 그냥 입에 집어넣는다.

"이사람, 생 걸세."

"생 거구 뭐구 우선 먹구 봐야지." 하며 입을 다시는 성오의 얼굴에는 비로소 웃음이 떠오른다.

그 모양을 보고 명보도 손을 불쑥 내민다.

"나두 그냥 먹겠네. 좀 주게나."

"허, 이거 큰일 났군, 이렇게들 다 주구 난 뭘 먹는가?" 하며 두덜거리면서도 득수는 그에게도 콩알만큼 뚝 잘라준다.

앉은 자리에서 둘의 눈길은 거슴츠레 흐려져 간다.

"어떤가?"

득수는 벌쭉 웃으며 둘의 모양을 번갈아본다.

"말 말게, 이런 좋은 걸 못 먹다니."

"아아, 오늘은 생일이다."

둘은 세상없이 만족하며 한쪽 팔을 괴여 베개하고 비스듬히 드러눕는다.

"난 제식으루 빨겠네." 하고 득수는 바지춤에 끼어가지고 온 붓자루 같은 것을 꺼낸다.

"아주머니, 초그루가 있으문 좀 주시우, 그리고 돗바늘 같은 것이 있거들랑 그것두 좀 빕시다."

"돗바늘 같은 거문 어떤 거란 말이요?"

"아니, 돗바늘이면 돼요."

"그럼 진작 돗바늘이라 할 거지 같은 건 또 뭐요?"

"잘못했수다."

"괜히 사람을 놀리기만 하면서."

꽤 놀아먹은 말투다.

득수는 쓰러진 둘을 힐끔 돌아다보고는 저 혼자 벙글거리며 자기도 콩알만큼 떼여주었다.

계집은 마치 준비나 해두었던 것처럼 초그루와 돗바늘을 가져온다.

"미안합니다."

여자는 조용히 웃어만 보일 뿐 말이 없다.

득수는 검정콩알 같은 것을 돗바늘 끝에 꿰어 들고 초불에다 대고 굽기 시작한다.

바질바질 기름이 끓어나고 파란 연기가 구수한 냄새를 피우며 몰몰 솟아오른다.

계집은 사내 앞에 이마가 맞닿을 지경 바싹 가까이 조여 앉는다.

꿈을 실은 고무풍선을 사뭇 상승한다. 어디를 둘러보든지 주위는 노랗게 혼돈된 빛깔이다.

풍선은 자꾸만 상승하는데 이 어인 일인가? 몸은 자꾸만 아래로 아래로 침전되어가며 손가락 하나 까닥할 기운조차 없이 되어버린다. 머릿속은 뽀얗게 흐려져 가며 허리힘은 오뉴월 엿가락 녹듯 나긋해서 숨쉬기도 귀찮아난다. 바람도 없고 비도 없고 시끄러운 세상사 더구나 있을 리 없다.

그런데 무엇일가? 아득한 저쪽 수평선인지 지평선인지 안개 낀 선명치 못한 그 아득한 곳에선 무엇인지 아지랑이 같은 것이 자꾸만 얼른거리면서 이 쪽으로 이 쪽으로 가까이 온다.

(눈을 바로 뜨고 보자.)

그러나 나른해진 눈가죽은 환히 열릴 줄은 모른다. 그렇다고 영 감을 수는 더구나 없다. 감지도 뜨지도 못하는 아스름해진 눈앞으로 아지랑이는 점점 가까이 떠오며 얼른거린다.

바로 그런 때다. 성오는 무엇인가 앞에서 얼른하는 것을 보았다. 흐릿한 의식으로서도 그는 그것이 자기의 아내 치마꼬리가 너펄하는 것인 줄을 알 수가 있었다.

뒤이어 또 무엇인지 우뚝한 것이 눈앞에 스친다. 그것도 무엇인가를 그는 알 수가 있었다.

사내와 계집의 그림자가 잇달아 부엌간 방으로 넘어가자 성오는 머리를 쳐들려고 했다.

그러나 천근보다도 더 무거워지고 물먹은 솜보다도 더 흐느러진 머릿속은 생각만 해도 아득해진다. 그러면서도 눈앞에는 계집과 사내의 음탕한 장면의 환영이 자꾸만 떠오르고 그와 동시에 시시덕거리는 웃음소리까지 보는 듯이 들려온다.

얼마나 분한 일이냐? 생각과 같아서는 당장에 뛰어가서 두 년 놈을 단매에 처치해 버리고 싶건만 그러나 그것은 일순간의 발작과도 같은 것으로서 사실은 그러한 생각을 하는 것조차 게을러지며 귀찮아진다.

그저 멍하니 허공만 바라보고 싶다. 허공은 그야말로 끝이 없는 허공이고 자꾸 아득해만 간다. 그 허공을 향해 생각은 끝없이 떠오르고 육신은 점점 밑으로 밑으로 가라앉아간다.

그러다가 갑자기 머리 속이 아뜩해지는 것 같더니 노랗던 그 허공이 차츰 푸른 빛으로 물들어간다. 그러나 그 푸른 빛 속에서는 무엇인가 반짝이기 시작한다. 하나, 둘, 셋, 넷, 다섯…

그 수효가 차츰 불어 감을 따라 빛깔도 선명해진다.

무엇일가? 아, 별이다. 푸른 하늘에 수없이 반짝이는 별이다. 남북으로 허옇게 가로 뻗은 것은 은하수, 북두칠성을 더듬어서 북극성의 위치도 딱히 알 수가 있다. 아내의 웃음소리가 그 속에서 들려오는 것 같다. 어찌 들으면 첫사랑을 속살일 때 듣던 그 음성과도 같은데… 옳다. 그렇다. 그 내가에서— 갈밭 속에서 첫사랑을 속살일 때 듣던 그 웃음소리다.

그러나 모양은 안 보인다. 그저 흑흑 느끼는 것 같은 웃음소리뿐이다. 만은 아내의 그 웃음소리에 첫사랑의 옛 꿈을 그린 것도 잠시 동안이고 별빛은 다시금 찬란하게 황홀하게 비쳐온다.

얼마나 아름다운 그림인가? 세상에서는 일생을 가도 볼 수 없는 그림. 손만 처들면 만져질 것 같은 푸른 별, 빨간 별, 흰 별.

대체 누가 그린 그림일가? 이 그림 속에 싸여있는 자기는 그 얼마나 행복스러운 인간인가?

아니다. 인간이 아니다. 인간으로서는 절대 볼 수 없는 그림이다.

그러면 자기는 과연 무엇인가? 자기는 신선사람이 아닌가?

그렇다. 신선사람이다. 그리고 이 그림은 천국의 그림이다.

(대체 아내의 음행이 나에게 무슨 상관이냐? 나는 나대로 이 천국의 그림만 보고 있으면 그만이 아니냐.)

거기에서는 다시금 유창한 음악까지 들려오기 시작한다.

그 음악소리를 들으면서 성오는 마치 어머니의 품에 안겨 자장가에 잠들어버린 어린 애처럼 고요히 두 눈을 감아버리는 것이었다.

4. 양심의 잔편

×××구류소에서 이주일간의 요양기간을 마친 명우 네는 부락으로 돌아오자 또 장시간 보도소 소장의 훈시를 받았다.

그리고는 모두다 제집으로 흩어져갔다.

그러나 득수네 집 곁방을 얻어가지고 홀아비 생활을 하는 명우는 집이라고 찾아갔댔자 반가이 맞아줄 사람도 없는 판이라 그대로 보도소 뒷마당 버드나무 그늘아래 앉아서 땀을 들이며 이생각저생각 생각나는 대로 머릿속을 뒤번지고 있었다.

그러는데 북문파수막에서 교대시간이 되어 들어온 것은 순동이다.

그는 명우를 보자 싱글벙글 악의 없는 웃음을 띠우며 앞으로 오며

"형님, 어떻수? 피서 잘 했수?" 하고 명우의 옆에 털썩 주저앉는다.

명도 악의 없는 웃음을 지어보이며 그러나 몹시 지친 모양으로

"네놈 신세에 요양 잘하구 왔다." 하며 순둥의 어깨를 툭 친다.

"하하하…정양하고 온이가 우멍눈이 됐군요. 그런데 나 때문에 정양이라는 건 억설이라두 너무 심한 억설인데요."

"뭐가 억설이냐. 네놈들 다 그런 놈들이지."

"하하하…"

순동이는 또 한바탕 호활스레 웃고 나서

"그런데 형님, 오늘 저녁은 어떻게 하실라우?" 하고 갑자기 정색으로 돌아선다.

"저녁을 어떻게 할 거 있니? 집에 가 먹지."

"집은 덜 좋을걸요."

"왜?"

"김 서방네가 오늘 온종일 내외싸움을 했다우."

김 서방이란 득수를 말함이다.

"무슨 일루?"

"무슨 까닭이 있어서 언제는 했나요? 사내가 그런데다가 계집까지 그따위니까 자연 그런 거죠."

명우는 잠시 득수네 부부를 눈앞에 그려보았다. 말할 수 없이 가슴속이 불쾌해진다.

"형님, 그러지 말구 오늘 저녁은 우리 집에 가서 잡수십시오. 나 오늘 낮밥 때 개울에 나가서 물고기루 두어 되 떠왔어요. 그걸 애호박이나 넣구 고추장에다 지지면 아주 맛이 있죠. 그리고 어저께 거리에 갔다가 오늘 형님이 오실 줄 알구 호주두 이십 전어치나 받아다 놓았어요."

명우는 아무 말도 못하고 한동안이나 응결된 듯한 표정으로 순동의 얼굴만 마주보다가

"형님, 그렇게 하지요, 네?" 하고 재차 따지며 묻는 순동이의 말에야 겨우 고개만 끄덕여 보인다.

"그럼 갑시다. 내가에 나가 땀이나 씻고 들어갑시다." 하고 순동이는 우쭐 일어나 앞을 선다.

명우는 여전히 말없이 뒤를 따른다.

내가에 나가 몸을 닦으면서도 순동이는 연방 무어라고 명랑하게 지껄이지만 명우는 그냥 입을 봉한 채 묵묵히 지나간다.

이윽하여 몸을 닦은 후 순동이네 집으로 그를 따라 들어오니 벌써 미리부

터 이야기가 있은 듯 순녀는 저녁상까지 죄다 차려놓고 기다리다가 반가이 맞아준다.

그러나 부끄러워 말은 못하고 이내 얼굴을 붉히며 모로 돌아서버린다.

명우는 무어라고 말을 하려다가 거북한 생각이 들며 쑥스러운 것 같아서 그만 방 마루 앞에 슬쩍 비켜섰다.

방 안에는 아무도 없다.

순동이는 주저거리는 명우의 앞에서

"어서 들어가세요. 어째 패거리가 없어서 서운한가요?" 하고 또 롱을 건다.

그 말에야 명우는 비로소 기회를 얻은 듯 씽긋 웃으며 입을 연다.

"에끼 녀석, 이상 어른을 너무 놀리면 천벌을 입는 법이다."

"하하하… 형님, 정양 갔다 오더니 아주 점잖아졌수다."

"이 녀석, 또 그런 소리냐?"

명우는 하는 수 없이 웃어버렸다.

"그런데 아버진 어디 가셨니?"

"모르지요. 온종일 뉘 집에 가 낮잠인지 요즘은 온통 집에라구 붙어있지를 않아요."

순동의 얼굴빛은 이내 흐려든다.

오랫동안의 밑바닥생활에서 따뜻한 세상의 온정과는 벌써 한 옛날에 절연된 명우는 오래간만에, 참으로 오래간만에 순동이네 남매의 눈물겨운 심정에서 다시금 인생의 정을 느끼게 되었다.

다 꺼져간 줄 알았던 정열의 폐허 속에는 그래도 아직 식지 않은 재나마 남아있었던가?

자꾸만 뜨거워가는 눈시울은 어두운 속에서도 순동의 눈치를 끄는 것 같아 명우는 굳이 말리는 것을 그냥 뿌리치고 밖으로 나왔다.

밖으로 나오니 참고 참았던 뜨거운 것은 일시에 왈칵 두 볼에 쏟아져버린다. 그래 그는 자기의 기거처인 득수네 집과는 딴 방향으로 발길을 돌려서 보도소 뒷마당 버드나무 밑으로 갔다.

생각은 북문 밖 내가로 나가고 싶었지만 거기에는 보초막이 있어서 출입을 금하기 때문에 하는 수 없이 그리로 간 것이다.

그러나 보도소 뒷마당도 조용하다. 더구나 낮에는 그렇게도 뜨거웠지만 밤이 되면 대륙의 밤이라 한결 서늘하다.

으슥한 버들 그늘 밑에 힘없이 주저앉아 두 팔로 턱을 고이니 순동의 권에 겨워 반주로 두어 잔 마신 호주기운에 머릿속은 이상스레도 부풀어 오른다.

어디서인가 앞마을 쪽에서 피리소리가 들려오며 귀뚜라미 울음소리도 제법 구성지다.

그 소리에 심취된 것은 아니지만 가만히 귀를 기울이니 문득 생각나는 것은 고향의 기억이다.

고향에는 여러 가지 전설도 많았다. 모두가 슬픈 전설들이었다.

어머니는 그러한 전설들을 이야기해주실 때마다 눈물을 지으시더니 지금은 어떻게 하고 계신지?

집을 버리고 떠나온 지가 지금 바로 서른 살이니까 인제는 팔년이나 된다. 팔년이나 되는 그 동안에 어머니는 얼마나 속을 태우시고 늙으셨을까?

백부님의 댁에 가서 계시다니 의식에는 그다지 괴로움을 느끼지 않으시겠지만 그러나 단 하나밖에 없는 불효막심한 외아들 때문에 얼마나 애를 말리실 것인가?

명우의 눈앞에는 남몰래 그들을 찾아가서는 소리 없이 눈물 짓는 어머니의 그 모양이 보는 듯이 선하게 떠오른다. 그것은 참말로 차마 볼 수 없는 정경이다.

그래 그는 마치 보지 못할 것이나 본 듯 얼른 두 눈을 감아버리며 기억조차 떨쳐버리려고 머리를 흔들어보았다. 그리고는 후—하고 긴 한숨을 뿜고 나서 담배를 꺼내어 붙여 물었다. 후욱 시름없이 바라보다가 그만 자리를 일려는데 무언지 눈앞에서 얼른 하는 것 같더니 섬광처럼 사라져간다.

핫 하고 놀라며 다시 눈여겨보려는데 갑자기 눈앞이 캄캄해지며 그 대신 이번에는 머릿속에 또렷이 떠오르는 것이 있다.

틀림없는 그 계집— 몇 해를 내려 잊으려고 애써온 그 계집의 환영이다. 그 순간 그는 울컥 치미는 격정에 그만 벌떡 일어섰다.

그리고는 성난 보조로 씨글거리까지 하며 보도소 뒷마당을 나와 큰길에 나섰다.

갈 곳은 없다.

어두운 길바닥에 우두커니 서서 갈 곳을 생각하는데 눈앞에는 또 그 계집의 환영이 잡힐 듯이 떠오른다.

그는 한동안이나 눈앞에 떠오르는 그 얼굴을 분노에 불타는 눈으로 노려보다가 밑 속까지 뱉어버린 듯 탁 하고 가래침을 뱉어버린 후 되는대로 지향 없이 터벅터벅 걸었다.

여름밤은 벌써 깊었다. 부락은 무덤 속에 든 듯 고요하다. 명우는 공연히 개만 짖기다가 하는 수 없이 득수네 집으로 찾아들어갔다.

곤히 든 잠을 깨울까봐 조심스레 발자취를 죽여서 마당 안에 들어서는데 어디서인지 수군거리는 말소리가 귀결에 들려온다.

명우는 수상스러워 발자취를 죽여 가며 툇마루 앞에 들어서니 이야기소리는 굴뚝 뒤에서 난다.

그리고 낮게 소곤거리는 소리지만 그는 그것이 틀림없는 득수와 명보의 목소리인 것을 알 수가 있었다.

명우는 바싹 벽에 붙어 섰다.

그런 줄도 모르고 둘은 마음 놓고 쑤군거리며 무언지 약속까지 단단히 한다.

"그럼 그날루 실수 없이 해야 허네." 하는 것은 득수의 소리고

"응. 염려 말게." 하는 것은 명보의 음성이다.

이러한 속에서 밤은 시름없이 깊어가고 하늘의 별들은 더한층 빛난다.

언약을 짜놓은 예정의 날. 기대한 대로 순동이는 보도소의 용무를 띠고 현공서로 갔다.

돌아오는 것은 이튿날 저녁 무렵이다. 계획한 것을 수행함에는 두 번 없을 기회다.

순동이가 조반을 일찍 지어먹고 보도소를 거쳐 떠난 후 명보는 실없이 들떠오르는 마음을 걷잡지 못하고 초조하게 지냈다.

그러나 딸은 애비의 그 속을 알 리가 없다. 여전히 바지런히 재빠르게 몸을 놀리며 잔손질에 쉴 줄을 모른다.

점심때가 되자 명보는 끝끝내 견디지 못해 득수를 찾아갔다.

득수는 명보의 기줄해 하는 표정을 보고 귀찮다는 듯이 짐짓 미간을 찌푸리며

"명본가? 들어오게." 열적은 어조로 겨우 맞는 양을 한다.

"갑갑해서 견딜 수가 있어야지."

명보는 더욱 비굴하게 어색한 웃음까지 지어보이며 득수의 눈치만 힐끔 살피다가

"그런데 밤 몇 시루 거사를 할까?" 하고 조심스레 목소리를 낮추어 묻는다.

"열두시나 새루 한 시 쯤으루 하지."

"웅 . 그때문 죄다 잘 때니까 좋겠지." 하고 명보는 또 한동안이나 주밋거리며 득수의 눈치를 살피다가

"그리구 여보게, 너무 여러 번 물어선 안됐네만 그놈들의 약속한 대루 어김없이 거기까지 올까?"

"아, 그 사람 잔걱정두 팔자네. 어김없이 온다니까, 왜 이리 성환가?"

득수는 역정스레 말한 후 모로 돌아앉기까지 한다.

명보는 더한층 낮게 돌아져서 어색한 웃음을 지으며 뒷머리를 긁적긁적 긁는다.

"미안하네. 그리구 삼백 원 돈두 틀림없겠지?"

"그렇게 의심되거들랑 그만두게나."

"아니, 자네를 의심해서 그런 게 아닐세. 어째 그렇게 곡해를 하는가? 되놈들 일이 돼서 어쩐지 미심해 그러네."

"글쎄 이 사람아, 그런 잔걱정은 말래두 그래, 만주 땅 이십년에 되놈은 주물러본 대로 본 놈일세."

득수의 어조는 얼마간 풀려진다.

그 기회를 놓치지 않고 명보는 또 묻는다.

"이사람, 삼백 원만 쥐면 어떻게 할까? 난 자네 하나만 믿는 거니까 어디든지 같이 가야 하네."

득수는 하는 수 없다는 듯 웃어버린다.

"아 참, 그 사람 심하게두 캐고 드네."

그 바람에 명보는 씩하고 웃는다. 그러나 그 웃음은 말할 수 없이 비굴한 웃음이다.

그는 또 한동안 상대편의 눈치를 살피다가 몹시 거북한 양으로 말을 꺼낸다.

“여보게, 좀 없나?”

“뭐가?”

“그것 말일세. 있으면 조금만 주게나.” 하고 입술을 감빨며 침을 삼키는 그 모양을 득수는 이윽히 바라보다가

“낮에 먹고 어떻겠는가?” 하고 핀잔을 주면서도 주머니를 뒤지더니 수건에 싼 것을 꺼내어 팥알만큼 잘라준다.

“고맙네.”

명보의 입가에는 대번에 침이 흐른다.

그런 때에 뜻밖에도 공동농장에 나갔던 명우가 호미를 둘러메고 들어온다.

둘은 깜짝 놀라 서로 색 없이 마주 쳐다보는데 명우는 벌써 눈치를 알아채고

“뭐유? 나두 좀 줘요.” 하면서 둘 앞에다가 호미를 동댕이친 후 성큼 방안에 들어선다.

하는 수가 없다. 현장을 들키고 같은 패거리를 거절할 수는 없다. 싫은 대로 다시금 팥알만큼 잘라주니 명우는 단 입에 홀떡 삼켜버린다.

“어디서 생겼는가요?”

“지난번에 얻어뒀던 걸세.”

득수는 내키지 않는 어조로 대답한 후 슬며시 밖으로 나간다.

명우는 씽긋 뜻 모를 웃음으로 명보를 들여다보고는 부엌에 나가 냉수 한 그릇을 떠서 꿀떡꿀떡 맛있게 들이킨 후 다시 방으로 들어와서 털썩 들어앉더니 이내 목침을 끌어다가 베고 힌들 누워버린다.

잇달아 명보도 드러눕는다.

차츰 몽롱하여져가는 의식 속에서 둘은 제각기 제 생각을 벌려가며 꿈의 세계로 들어가는 것이었다.

그날 밤—

자정이 훨씬 지났을 때 부락은 죄다 잠들었고 사면 보초막에서도 피로에 견디지 못해 모두 다 쓰러진 때였다.

득수는 아랫목에서 꾸무적거리는 명보를 발길로 툭 찼다.

명보는 아무 말도 없이 슬그머니 일어난다. 잇달아 득수도 일어난다.

정지간에서는 순녀가 진종일의 시역에 지쳐서 혼곤히 잠들고 있다. 그는 당장에 무서운 운명의 마수가 뻗쳐들려는 것도 모르고 무슨 꿈을 꾸는 것인지 잠꼬대하고 있다.

득수는 언제인가 성오의 집에서 아편을 빨 때 갖추어가지고 갔던 그 붓자루 같은 것을 옆채기에서 또 꺼내더니 초그루에다가 불을 단 후 전과 같은 공작을 시작하는 것이었다.

명보는 잠자코 구경만 하고 있다.

바늘 끝에 찔린 검정콩알은 초불에 이내 바질바질 끓으며 구수한 냄새를 풍긴다. 명보는 벌써 몇 번이나 군침을 삼켰는지 모른다.

그러나 득수는 외눈으로도 안보고 구워서는 성냥갑에 대고 부비고 부비고는 또 굽고 몇 번을 그렇게 한 다음에야 기름하게 된 검정 약을 붓자루 같은 대의 중간 구멍에다가 살짝 끼여서 명보의 앞에 넌지시 내밀며

"인젠 됐네. 자넨 삼켜선 안 되네." 하고 따진다.

대를 받아드는 명보의 손길은 가늘게 떨린다.

그는 그것을 받아들고도 한동안이나 파리한 얼굴로 무슨 생각엔지 잠겨서 움직일 줄을 모른다.

"얼른 그래야지, 뭘 이렇게 생각하구 있는가?"

득수의 이 말에 명보는 그만 결심한 듯 우쭐 일어나서 초불을 들고 정지간으로 나간다.

문턱을 넘어서는 두 다리는 경련을 일으킨 듯 몹시 후둘거린다. 그러나 그는 입술을 악물고 딸의 머리맡에 자빠지듯 주저앉는다만은 딸의 얼굴을 들여다본 그 순간 그는 그 무엇에 찔린 듯이 얼른 고개를 돌려 외면해버린다. 그리고는 가슴속이 꺼져 나오는 듯한 한숨을 후—하고 내뿜는다.

득수는 보다 못해 벌떡 일어나 나오더니 명보의 손의 것을 확 빼앗아가지고는 아무 주저도 없이 초불에 들이대고 흠뻑 빨아들이었다.

그다음 순간 명보는 그만 보다 못해 네 발 걸음으로 정신없이 방으로 들어간다. 득수의 입안에 가득 물렸던 연기는 몰몰 순녀의 콧구멍으로 새어 들어간다.

몇 번을 빨아서는 뿜고, 뿜고는 빠는 동안 명보는 방 안에서 두 손으로 얼굴을 가리고 어쩔 줄을 몰라 한다.

그러자 순녀의 자던 얼굴이 갑자기 찡그러지는 것 같더니 두어 번 뱉은 기침을 하고는 다시는 숨도 쉬는 것 같지 않게 조용해진다.

득수는 씽글 웃으며 명보를 들여다본다만은 명보는 어두운 쪽으로 고개를 돌리고 앉아서 그 표정을 볼 수가 없다. 그 모양을 보고 득수는 잠시 입술을 깨물며 무엇인지 생각하다가 우쭐 일어나 방 안으로 들어온다.

"이 사람 어쩔 텐가? 이러고 앉았을 텐가?"

명보는 백랍처럼 된 얼굴을 쳐들고 멍하니 바라보다가 그림자처럼 서글프게 일어선다.

"자네 맘대루 하게."

그 소리가 떨어지자 득수는 초불을 훅 불어 꺼버린 후 정지로 나가더니 마치 공기돌이나 다루듯 순녀의 자는 몸을 가볍게 둘러업고 앞장을 서서 나온다. 그 뒤를 명보는 얼빠진 것처럼 정신없는 걸음으로 따라간다.

둘은 골목을 빠져서 동문 위 토성을 넘어 미리 끊어놓은 철조망을 제끼고 아무에게도 발견되지 않고 경계망을 빠져나왔다.

철조망을 빠져서 더 얼마쯤 나오면 조그마한 도랑이 있다. 도랑을 건너 앞산 밑에 이르러서 득수는 비로소 숨을 돌려 쉬며 뒤에 따르는 명보를 돌아다본다.

"여보게, 이젠 반은 성공일세."

그러나 명보는 땅만 내려다보며 고개를 쳐들지 못한다.

득수는 옷소매로 이마에 흘러내리는 땀을 썩 씻은 후

"여보게, 이거 무거워서 혼자는 못하겠네. 자네 좀 도와주게."

그래도 명보는 말이 없다.

득수는 잔뜩 지릅뜨고 그의 거동을 노려보다가

"여보게, 그럼 먼저 요 위 마루턱에 넘어가서 사람 좀 보내주게. 그리 가문왕 서방네 패거리가 벌써 와서 기다릴 거니까." 하고 털썩 주저앉아버린다.

득수가 시키는 대로 명보는 아무 말 없이 산발을 올라탄다.

산은 그다지 높은 산은 아니다. 어느 편이냐 하면 언덕에 가까운 편으로서 명보의 그림자는 이내 눈앞에서 사라진다.

그가 산마루턱을 넘었겠다 할 무렵. 득수는 주위를 한 바퀴 휘둘러 살핀 후 벌쭉 웃으며 내려놓은 순녀를 내려다본다. 득수는 넋을 잃고 한동안이나 내려다보다가 군침을 꿀꺽 삼키며 펑덩 주저앉는다.

그 순간 순녀의 몸은 불의에 움칫한다. 득수는 깜짝 놀라며 우선 살핀 후 순녀의 몸에 픽 엎어진다. 그러자 이때까지 의식을 잃었던 순녀는 갑자기 발딱 일어나 앉으며 몸을 오싹 떤다.

"앗!"

그 무엇에 찔린 듯한 외마디 소리가 나자 득수는 목에 걸쳤던 수건을 순녀의 입에 틀어막는다.

"누구요? 앗!"

죽을힘을 다해 떠밀치는 두 팔을 부러져라 비틀어 잡으며 득수는 순녀의 입을 막기에 필사의 노력을 다한다.

바로 그 때다. 득수는 바른 뺨에서 벼락 치듯 불이 번쩍함을 느끼고 모로 나가 자빠졌다.

그러나 그는 이내 발작적으로 벌떡 일어난다.

"누구야?"

방비의 자세로 한쪽에 비켜서는 득수의 눈앞에 우뚝 선 그림자. 득수는 뒤로 물러서려는 제 몸을 가까스로 지탱하여 뻗쳐서며

"누구냐?" 하고 재차 외쳤지만 그러나 그것은 필사적으로 떨려 나오는 소리다.

"내다!"

"내라는 건 누구냐?"

"명우다!"

"뭐? 명우?"

"그렇다, 명우다!"

득수는 너무나 뜻밖인지라 한참동안이나 덤덤히 선채 입을 열지 못한다.

그 틈을 타서 순녀는 겨우 정신을 가다듬어가지고 입에 물린 수건을 뽑아 버린 후 발딱 일어난다.

그것을 보고 득수는 비로소 자기의 할 일을 깨달은 듯 순녀의 팔을 덥석 틀어잡는다.

"아, 오빠, 아버지—"

순녀는 기절한 듯 질겁을 하며 팔을 뿌리친다.

그러나 득수의 억센 손아귀가 그것을 놓아줄 리가 없다. 그는 다시금 순녀의 목을 틀어잡고 입을 막으려 한다.

그때 득수의 볼따구니에서는 두 번째의 불이 또 번쩍이었다.

"앗… 너 이 자식, 방해냐?"

"방해다!"

둘의 몸은 대번에 한곳에 어울린다. 어둠 속에서 서로 붙안고 뒹구는 모양은 완연 황소의 싸움이다.

순녀는 무엇이 무엇인지 까닭을 모르고 서서 오돌오돌 떨기만 한다.

싸움은 한동안이나 지나도 승패가 없더니 불의에 갑자기 "응." 소리가 나며 누군지 언덕 아래로 굴러 떨어지고 그와 동시에 마치 땅 속에서 불쑥 솟아나듯 거먼 그림자가 우뚝 일어선다.

순녀는 소리껏 질러보려고 애를 쓰나 소리는 목구멍에 꽉 막혀 나오질 않는다.

"갑시다."

너무나 뜻밖의 일이다.

순녀는 한순간 숨 쉬는 것도 잊었다.

"아무 의심두 말구 집으루 갑시다."

명우는 아무 일도 없는 것처럼 극히 평정한 태도로 나직이 말하고는 순녀의 등에다가 손을 대려다 말고 걷기를 기다린다.

순녀는 자꾸만 머릿속이 아찔거리며 주저앉고 싶어 그만 명우의 가슴에 팍 쓰러졌다.

그러는데 갑자기 부락에서는 비상경종이 울려온다. 잠들었던 부락은 졸지에 소란해지며 이 골목 저 골목에서 초롱불이 내달린다.

그러나 명우는 아무것도 의식에 없는 듯 시름없는 태도로 한 팔로 순녀의 몸을 부축하여가며 뚜벅뚜벅 부락으로 내려온다.

자위단의 총동원으로 수색은 이튿날 오전까지 계속되었고 고개 넘어 다른 부락에서까지 응원출동을 했다.

그 결과 득수와 명보는 말할 것도 없거니와 물 건너 마을 만주인 부락 왕가네의 일당도 일망타진으로 죄다 체포되었다.

보도소 앞마당에서는 또 준열한 심문이 시작되었다. 그리고 한편으로는 부락 전체에 긍한 가택수색이 일어났다.

남녀노소 할 것 없이 전부 모인 그 속에서 피검자들은 엄중한 심문을 받아간다. 그중에는 득수의 고발로 명우도 어저께 아편 먹은 죄로 끼여 있었다.

그는 자꾸만 집중되는 장내의 시선을 무관심하게 받으며 태연한 태도로 아까부터 담배만 연거푸 태우고 있다.

"이번 정양은 며칠이나 되나요?" 하고 넌지시 묻는다.

"가만있게. 아직 다 조사해본 다음에야 결정을 짓게 되겠네."

보도소 소장은 엄숙한 태도로 말하고는 다음 차례로 넘어간다.

심문이 다 끝난 다음 보도소 소장은 또 한바탕 일장연설을 하고나서 차례차례로 구류기간을 언도한다.

그러나 명우에게 대하여는 아무런 언도도 없이 다음으로만 자꾸 넘어가다가 마지막에야

"명우, 자네는 사무실루 좀 들어와 주게." 하고는 우쭐 자리를 일어 사무실로 들어가 버린다.

그가 자리를 일자 장내도 죄다 일며 한참동안 훤소하게 떠들다가 제각기 흩어져 가버린다.

그러나 명우는 그냥 앉은 자리에서 일어설 줄을 모르고 걷잡을 수 없는

생각에 잠겼다.

그러다가 소장의 부르는 소리에야 비로소 주위를 둘러보고 힘없이 일어선다. 사무실에는 자위단간부들이 좌우로 어마어마하게 죽 둘러앉고 가운데에 소장은 단장과 같이 마주 앉아있다.

그는 단장과 무슨 이야기인지 주고받다가 명우를 보자 다정스런 웃음까지 지어보이며 눈짓으로 가까이 오기를 청한다.

명우는 천천히 그의 앞으로 갔다. 장내의 공기는 응결된 듯 조용하다. 명우는 전신이 긴장됨을 느끼고 태연한 표정을 가지기에 애썼다.

소장은 잠시 밖을 내다보다가 갑자기 명우의 쪽으로 시선을 돌리며

"자넨 이번엔 특별히 용서하네." 하고 너그럽게 웃어 보인다.

"네? 어째서요?"

명우는 제 귀를 의심하며 반문했다.

"별다른 까닭은 없네. 그저 자넨 아직 양심이란 그걸 비록 쪼박씨라두 가지구 있기 때문일세."

"네? 양심이요?"

명우는 너무나 뜻하지 않은 말에 한동안이나 굳어진 표정을 풀지 못하고 소장의 얼굴을 빤히 쳐다만 본다.

"양심이요? … 양심… 양심이라니요?"

그는 도무지 믿을 수가 없다는 듯이 두 번 세 번 뇌까린다.

소장은 자애로운 어조로 조용히 타일러 말한다.

"자네는 아직 양심의 쪼박씨나마 가지구 있네. 그것을 곱게 키워서 다시금 이전과 같이 훌륭한 소생하여주기를 나는 진심으로 바라네. 자네 한사람이라도 소생만 된다면 나는 누가 내 한편 팔다리를 달라구 해도 아낌없이 꼭 잘라주려네."

명우는 입술이 굳어지고 숨이 치받쳐 올라 견딜 수가 없었다.

그는 아직 소장의 말이 끝나지도 않았는데 정신없는 걸음으로 밖으로 나오고 말았다.

나와서는 그저 발길이 돌아지는 대로 몽유병자처럼 걸어갔다.

"양심… 양심의 쪼박씨."

소장의 말을 기계적으로 외우며 걸어가는 그의 눈앞에 의젓이 떠오르는 것은 어린 시절의 가지가지 일과 중학시대의 그리운 생활, 첫사랑의 그림 같던 장면, 어머니의 인자스런 얼굴, 어느 것 하나 희망에 빛나지 않는 것은 없다.

"아ㅡ하"

명우는 그만 참다못해 두 손으로 머리를 움켜잡고 그냥 길바닥에 쓰러져 느끼고 만다.

5. 마음의 금선

뉘연한 들판에서는 제법 소리까지 내며 선들바람이 쉴 새 없이 불어온다. 팬 옥수수는 벌써 노랗게 익어든다.

장마 때문에 김을 바로 매지 못해 잡초는 성하지만 조는 거무칙칙하게 독이 올라 싱싱하기 비길 데 없고 더구나 금년 처음 번져놓은 앞개논판은 내다보기만 해도 흐뭇해난다.

부락의 농군들은 모두 다 일 밭에 나덮였다. 그리고 마을뒤편 공동농장에는 보도소 소장까지 밭머리에 나와 서서 직접 지도에 애쓰고 있다. 그러나 농군들이라야 오래 동안 흙에서 시달린 일이 없고 난생 처음 호미자루를 잡아본 그들의 일은 좀처럼 진척될 줄을 모른다.

논바닥에 들어서서 두어 번 철렁거리고는 이내 허리를 짚고 일어서서 죽을상을 하는 패들이다. 그리고 가끔 거말이 같은 것이 다리발에 붙기만 하면 그 논바닥은 에누리 없이 욕장을 보고 만다.

다리에 들어붙은 거머리를 털어버릴 생각은 안하고 질겁을 하며 흙탕 속에서 미친것처럼 이리 뛰고 저리 뛰고 그러다가도 자빠져서 뒹굴기만 하면 그만 사방 몇 칸씩은 볼 나위도 없이 되어버린다. 그런 다음에는 그들은 다시 논바닥으로 들어갈 생각은 염두에도 안 둔다.

보도소 소장은 그러기 때문에 개인농장보다도 이 집단농장에는 거의 하루의 반 이상을 나와 있게 된다. 그러나 전부가 독신자뿐인 그들은 도무지 농사에 대한 관념은 안두고 그저 앉아서 대여 주는 것만 먹을 생각을 하며 일체 탐탁해하지 않는다. 매일 농장에 나오는 것은 ×××구류소로 정양 가는 것을 피하려 함과 또 어쩌다가 기회만 생기만 탈주나 하려고 하는 그러한 마음에서 나오게 되는 것이다.

이 때문에 자위단은 조금도 등한히 살피지 못하고 공동농장 작업 때문에는 특별경계까지 하게 된다. 이들에게 비하면 가족을 거느리고 집 잡고 사는 패들은 아무런 근심도 없다. 그야 속으로는 언제든지 딴 생각을 베풀며 탈주를 꿈꾸고 있지만 그러나 그들에게는 가족들이 달렸다. 그 가족들의 눈이 언제든지 감시를 게을리 하지 않고 그들의 일거일동을 낱낱이 살피는 바람에 그들은 하는 수 없이 얽매여있게 된다.

그러던 것이 팔 개월이나 경과하는 동안 인제는 그들 쪽에서 도리어 가족들에게 대한 애착을 느끼게 된 것으로서 보도소 소장이 자기의 애쓴 보람을 느끼고 자못 만족해하는 것도 무리는 아닌 것이다. 공동농장에서는 바로 점심시간이 됐다. 일군들은 제각기 무어라고 떠들어대면서 그늘로 흩어져간다.

명우는 덕수네의 사건이후 어쩐지 사람을 대하기가 싫어져서 혼자만 도는 판이라 일터에 나와서도 한쪽 구석으로만 자꾸 피해가며 일하다가 점심시간이 되자 이내 아래편 언덕 밑 외딴 곳에 가서 시름없이 드러누웠다. 거기에 최초의 탈주사건 때 구류소에 가서 한방에 같이 있게 된 것이 인연이 되어 그 후부터는 각별히 친하게 지내는 규선이가 건너편 개인농장에서 찾아왔다. 그는 명우의 앞에 와서 제 몸을 내던지는 듯 철썩 자빠지며

"혼자서 뭘 하는가?" 하고 명우의 얼굴을 뻔히 들여다본다. 명우는 그 말에는 대답하지 않고

"일하기 재미나는가?" 하고 딴 말을 묻는다.

"재미가 나서 큰일 났네. 제길, 이놈 세상 한번 벌컥 뒤집혀지는 법은 없나."

"뒤집혀지면 별 수 있을 줄 아는가?"

"별 수는 없지만 속은 한번 시원히 풀릴 것 같아."

"개쩍은 소리 말게. 골수까지 썩은 놈들에게 시원한 일이 생긴다면 얼마나 시원스럽겠는가?"

"그래두 난 한번 그런걸 보구 죽었으면 한이 없을 것 같네."

한때는 정치운동의 선봉에 나서서 불타는 정열로 날뛰었다는 이 중독자는 지금도 옛날의 그 꿈은 잊을 수가 없는 듯 멍하니 창공을 바라보며 저 혼자 중얼거린다.

"두 번두 싫다. 단 한 번만이라두."

규선의 그 모양에서 명우는 문득 자기의 과거 중에서 그 가장 빛났던 아름다운 시절을 회상하게 되는 것이었다. 처음으로 출품한 그 어머니의 초상화가 영예스러운 입선을 했을 때 종일 해를 진정을 못하고 우에노를 헤매어 다니던 일, 그 입선된 그림을 보고 비로소 자기의 존재를 발견하고 찾아왔던 그 여자, 무사시노의 가을 햇볕 아래에서 캔버스를 나란히 하고 첫사랑을 속삭이던 그날 꽃은 피어날 대로 피어나고 향기는 풍길 대로 풍겼다. 그러나 다음 순간 그 뒤의 일에 생각이 미쳤을 때 그는 갑자기 전신을 떨며 "여보게, 좀 없는가! 가진 게 있으면 좀 주게나!" 하고 규선의 팔을 살그니 다친다.

멍하니 창공을 바라보며 사라진 꿈의 추억에 함빡 잠겼던 규선이는 조금도 놀라는 양 없이 물끄러미 명우의 얼굴을 들여다보다가 슬며시 옆채기를 뒤지더니 꼿꼿 신문지조각에 싼 례의 그것을 꺼내어 팥알만 한 것을 두 알로 갈라서 한 알을 자기 입에 닁큼 집어놓고 한 알은 명우의 손바닥에 올려놓는다.

명우는 역정스레 홱 빼앗듯 받아 쥐고 입에 넣더니 꿀꺽 삼켜버린다. 그리고는 무겁게 입을 다문 채 먼 산을 바라보는 것이 아니라 노려본다.

규선이는 다시금 하늘로 시선을 보내며

"어째 옛날이 치미는가?" 하고 빈정거리듯 말한다.

"미친놈."

"그럼 왜 급작스레 발작인가."

"개수작 말게. 자네야말루 미쳐나는 모양일세."

"내가? … 히히히… 그럼 여북 좋겠기에. 차라리 그렇게 미쳐만 난다면 난 세상에서 가장 행복자가 될 것이네."

"미친놈."

명우는 보낼 곳 없는 울화를 씨근거리며 주먹을 틀어쥔다.

"여보게 명우, 자넨 아직 흥분되는 걸 보면 멀었나 보네 그려."

"뭐가?"

"녹 쓰는 것 말야."

"녹? 녹이라니? 무슨 녹이라는 말인가?"

"이 사람아, 예술가가 그런 걸 모르구 어떡하는가? 왜 거 어느 시인인가가 부른 노래가 있지 않나? 심금인지 뭔지 한 걸 노래하면서 마음의 거문고 줄이니 뭐니 한 게."

명우는 규선의 그 말에 오랫동안 침묵을 지키며 무슨 생각엔지 잠겨 있다가

"미친 자식, 개수작 말아라." 하고 그만 저쪽으로 훌쩍 돌아누워 버린다. 그러나 규선이는 조금도 개의치 않고 지껄일 대로 지껄인다.

"나도 한때는 시두 써보느라구 했건만. 어디 생각나는 대로 심금이란 그 시나 읊어 볼가? 에—뭐드라? 처음이 생각나야지." 하고 그는 잠시 기억을 더듬다가

"처음은 집어치우고 되는 대로 불러보자.

얼마나 오랜 세월이 흘렀느냐

녹 쓸은 일곱 줄에 서러운 슬픈 전설

나는 고요히 눈감고 기억을 더듬다.

첫 불에 서린 첫사랑의 고담은

어째서 어머니의 죽음보다 더 슬플까

마음에 깃들인 검은 상장은

찢어도 찢어도 찢길 줄 모르고

거기 내 청춘은 오늘도

조문 쥔 채 엎드려 느끼다.

에─또 다음은 뭐드라?"

"듣기 싫다. 좀 지껄이지 말구 잠자쿠 있거라."

명우는 견딜 수가 없는 듯 왈칵 내뿜듯 말하고는 두 손으로 얼굴을 덮는
다. 그래도 규선이는 멈추질 않고 그냥 지껄여댄다.

"어디로 날려갔느냐? 파랑새여!

녹 쓸은 줄 우에 서리서리 얽힌 거미줄

너는 선율 할 줄 모르는 부호 없는 보표

네 퇴색한 낡은 그 줄을 탄식하며

내 슬픈 꿈은 몇 번이나 얽혔던가?

마음의 녹 쓸은 줄아

너는 언제나 그 보표에 맞추어

네 청춘을 다시 울려주려느냐?"

여기까지 읊은 다음 규선이는 나직이 한숨을 짓는다.

명우는 잠든 듯이 두 눈을 꼭 감도 어느 때까지든지 움직이지 않는다.

규선이의 실없는 수작에서 명우는 진종일 무거운 생각에 짓눌려 우울하게 지냈다. 그는 자못 치밀어 오르는 옛 생각을 떨쳐버리려고 남보다 더 기운을 내어 일손을 놀렸으나 그러나 한번 치밀기 시작한 옛날의 환상은 그 기세를 꺾일 줄 모른다. 그래서 그는 마지막에는 논 될 대로 되라 하고 뚝에 나와 풀숲에 드러누워 버렸다. 그 모양을 보고 보도소 소장은 이내 가까이 온다.

"어디가 불편한가?"

"예."

명우는 간단하게 대답하고는 두 눈을 슬며시 감는다.

"어디가 불편한가? 속인가? 머린가?"

"머리가 좀 무거워요."

명우는 말하기도 귀찮다는 듯 미간을 찡그리며 가까스로 대답한다.

소장은 매우 염려스러워하는 빛으로 명우의 모양을 이윽히 내려다보다가 "정 괴로우면 집으루 들어가지." 하고 부드럽게 말한다.

"괜찮아요."

그러나 소장의 잔걱정은 멈추질 않는다.

"이 사람아, 들어가야지. 이런 폭양 밑에 누워서 쓰는가? 어서 들어가세."

명우는 노골적으로 귀찮아하는 빛을 띠우고 벌떡 일어나더니 아무 말도 없이 논뚝을 뚜벅뚜벅 걸어 나간다. 논뚝을 벗어져서 큰길에 나서니 마치 그 무슨 어리에서 풀려난 듯 가슴 속이 활짝 열리는 것 같다. 숨을 들이마셨다가 후—하고 내뿜은 다음 부락을 향해 발길을 옮겨놓으며 어디든지 조용한 데 가서 한숨 흐무러지게 쉴 것을 생각하는데 뒤에서 신발소리가 들린다.

무심코 돌아보니 순동이와 그 뒤에는 순녀도 무엇인지 이고 따라온다.

"형님, 왜 벌써 들어가요?"

순동이는 나란히 따라와 걸으며 목에 걸쳤던 수건으로 땀을 씻는다.

"넌 왜 벌써 들어가니?"

"할 걸 다 했으니 들어가지요."

"다 하다니? 벌써 논두 다 맸냐?"

"논은 내일부터 시작하겠어요."

"무 밭은 다 맸냐?"

"다 맸어요. 인젠 가을에 걷어만 들이면 돼요."

순동의 얼굴에는 명랑한 웃음이 떠오른다.

"그런데 형님은 어째 벌써 들어가우?"

"골머리가 좀 아파서."

순동의 눈가엔 또 심술궂은 웃음이 악의 없이 떠오른다.

"뭐 싫어나니까… 아파나는 골머리쯤이야."

"이 녀석, 또 놀리기냐?"

"하하하…"

손동이는 유쾌한 듯이 웃고 나서

"형님, 그렇게 보니까 요즘 얼굴색이 아주 좋지 못한걸요." 하고 이번에는 정색으로 말한다.

"망할 놈, 어쨌든 놀리기구나."

"아니, 정말이유. 아주 전보담 나빠요."

"이 녀석, 잔 수작 말구 저리 비켜라. 더워죽겠다."

"아니요. 정말 안색이 나빠요. 무슨 근심이나 있잖아요?"

그러나 명우는 순동의 말을 바로 담아듣지 않고

"이 녀석, 너 그러면 매를 맞는다." 하고 흘겨보는 시늉을 하다가 씽긋이 또 웃는다. 순동이도 하는 수없이 따라 웃는다.

부락에 들어와서 순동이와 갈라진 후 명우는 잠시 갈 곳을 궁리해보다가 그냥 집으로 돌아왔다. 집에는 아무도 없다. 방 안에 들어가서 뒷문을 열어 젖히니 제법 시원한 바람이 소리를 치며 들어온다. 그는 벗어버리고 큰대자로 목침도 없이 번듯이 드러누웠다. 전신에 추근히 내배였던 땀은 일시에 건뜻 스며든다. 말할 수 없는 상쾌한 기분에 두 눈을 슬며시 감고 잠든 듯이 하고 있는데 누군지 문 앞을 들어오는 자취소리가 난다. 득수의 처의 발자취인 줄로 알고 그냥 모른 체하고 있는데

"저… 주무세요?" 하는 여자의 목소리가 득수의 처의 탁한 목소리와는 다르게 조심스레 들려온다. 번쩍 눈을 뜨고 내다보니 문 앞에는 순녀가 와서 귀밑까지 붉히고 있다. 명우는 반발된 듯이 벌떡 일어나 앉았다.

순녀는 무엇인가 보자기로 싼 것을 옆에 끼고 왔는데 종시 고개를 쳐들지 못하고 망설이기만 한다. 명우는 무슨 영문을 몰라 멍하니 내다보기만 한다. 그러다가 자기의 웃통 벗은 것이 생각이 들자 그는 당황하게 서둘며 윗목에 벗어던진 적삼을 집어다가 입는다. 그 모양을 보고 순녀는 더한층 고개를 숙이며 도로 돌아서버린다. 명우는 게면쩍어 한동안이나 어물거리다가 큰맘으로 입을 열었다.

"무슨 일루 왔나요?"

순녀는 비로소 살며시 고개를 돌린다. 그러나 바로 쳐다보지는 못하고

"저 이걸 가져왔어요."

애련한 음성은 갈청 울 듯 떨려나온다.

"그게 뭔데?"

"저 속옷을 빨아왔어요."

"예? 속옷을?"

명우는 깜짝 놀라 그제야 벽을 쳐다보니 이때까지 그냥 걸려있는 줄로만 알았던 속적삼과 잠뱅이가 없다.

"거건 언제 가져갔나요?"

"요전번 오빠가 가져다주면서 빨라구 하시기에… 저… 잘 빨리지 않았어요." 하고 순녀는 몇 번 주저주저하다가 가지고 온 것을 사뿐 문턱 안에 들여놓은 다음 그만 도망질치듯 종종걸음으로 바삐 바삐 마당 밖으로 나간다.

그가 마당밖에 나가버린 다음에도 명우는 오랫동안 얼빠진 것처럼 한자리에 앉아 움직일 줄을 몰랐다. 도무지 꿈같으며 골속에 뗑 하여 생각을 바로 가다듬을 수가 없다. 그는 무심히 순녀가 놓고 간 것을 내려다보았다. 그러면서 그가 하던 말을 어렴풋이 생각해보았다. 꼭 꿈속에 들은 듯 기억이 희미하다.

그는 다시금 밖을 얼없이 내다보다가 보자기를 풀어 보았다. 알맞게 풀발을 받은 그것은 방금 다리미를 뗀 듯 따스하게 온기까지 스며있다. 명우는 또 한동안 차곡차곡 개인 것을 들여다보다가 슬쩍 적삼을 제쳐보았다. 무엇인지 접어놓은 사이에서 살짝 구들바닥에 떨어진다. 집어볼 것도 없이 비록 인조견이긴 하나 제법 선까지 정성껏 떠놓은 손수건이다.

명우는 비로소 정신을 차린 듯 얼른 제대로 도로 싸서 뒤로 밀쳐놓았다가 다시 한옆구석 이불장을 들고 밀어 넣는다. 그날 저녁 명우는 말쑥하게 새 옷을 떨쳐입고 어두운 골목을 되는대로 헤매어 다니다가 북문어구로 나갔다. 보초막에는 마침 순동이가 있었다.

"형님, 어디루 가시우?"

"산보다."

"특별허락을 할 테니까 도망질하면 안 됩니다."

"망할 녀석."

명우는 싱글거리는 순동의 앞을 지나려니 제 몸에 걸친 옷이 자꾸 얼굴을 붉혀준다. 그는 얼른 순동의 앞을 지나 내가로 나갔다.

내가로 나가니 돌돌 흘러내리는 물소리는 말할 수 없이 잔조롭다. 그에 따라 마음속은 못 견디게끔 안타까워 난다. 그리고 이상스레도 이야기가 하고 싶어나고 그 누구의 가슴에 포근히 안겨서 밤새도록 울어보고만 싶어난다. 그것이 무슨 까닭인지 저로서도 알 수 없는 일이다. 그는 실없이 들떠오르는 마음을 가누지 못해 조그만한 돌을 집어 웅덩이 속에 집어던졌다.

"출렁!" 하는 물소리에 벌레소리들은 딱 멈춘다.

그 순간 그는 문득 아까 낮에 규선이가 읊던 시를 생각했다.

"심금! 마음의 녹쓸은 줄!"

그는 한동안이나 생각나지 않는 기억을 더듬다가 그만 규선이를 찾아가서 물을 작정을 하고 돌아섰다.

6. 지옥으로 가는 길

칠월이 가고 팔월이 왔다. 팔월을 잡자 며칠 안 되어 부락에서는 만척의 제 오회 째의 대부배급을 받게 되었다. 그 때문에 툰장은 현에 갔다 오고 이튿날은 보도소 앞마당에서 진종일 양미 배급에 눈코 뜰 새 없이 바삐 지냈다.

부락민들은 저마다 내켜하지 않는 얼굴로 배당된 쌀을 둘러메고 각각 제 집으로 흩어져가서는 앞으로의 예산부터 세운다. 어떻게 해서든지 이번 것을 가지고 신곡이 날 때까지 견디어나가야 할 텐데 아무리 손가락을 꼽아가며 날자와 되수를 따져보아야 어림도 없는 일이다. 그래 마지막에는 손가락을 꼽아보다 못해 그만 역정스레 쌀자루에다 침을 탁 뱉고는

"제길, 이러고 살면 뭘 하는가?" 하며 보낼 곳 없는 울분에 제 혼자 씨근거리는 것이었다. 그리고 중독자들은 그러한 쌀보다도 콩알만 한 것이라도 새까만 그놈을 주는 편이 얼마나 났겠는가고 몇 번이고 군침을 삼켜본다.

그러므로 그들은 밤이면 자위단의 경비망을 교묘히 뚫고 외부와 연락을 취해서는 배급된 쌀을 가정의 눈을 속여 가며 아편과 바꾸어 들이는 것이다. 그러나 이때까지 그 공작에 있어서 두 목격이던 득수를 구류소에 빼앗긴 관계로 그들은 어찌할 바를 모르고 헤매다가 결국은 다시 새로운 두목을 선택하게 되었는데 그는 다른 사람이 아니라 규선이었다. 규선이는 자초에는 그들의 청을 거절했으나 아편밀수의 길이 전연 전달되고는 첫째로 자기부터 곤란을 느끼게 되는 것이고 또 다른 사람을 시키느니보다 자기 자신이 직접

관여하게 되면 남의 손을 비느니보다 마음 놓고 만족을 채울 수가 있겠으므로 과감히 그 책임을 맡은 것이다. 그리하여 밤이 되면 비밀공작은 자꾸 계속되어간다. 그러다가 꼬리가 길면 밟힌다고 어느 날 밤 그들은 끝끝내 보초의 눈에 뜨이고 말았다.

요란스런 경종은 부락의 정적을 졸지에 뒤집어놓았다. 규선이네는 걸머졌던 쌀자루를 성 밖에 내던진 후 그냥 앞산으로 올리 달렸다. 추격대는 삽시간에 산을 둘러싼다. 탈주자의 일행은 셋이다. 그들은 죽을 힘을 다해서 앞산 첫 마루턱에 오르자 숨을 돌려 쉰 다음 다시금 마루턱을 타고 위쪽으로 빠졌다. 추격대는 그냥 곧게 마루턱을 넘어 골짜기로 떨어져간다. 규선이네는 적이 마음을 놓고 속력을 늦추었다. 그리고는 서로 얼굴을 마주 보며 어떻게 할 것을 상의했다. 그러나 그 무슨 묘안이 떠오를 리가 없다 생각다 못해 마지막에 규선이는 자포가 되어 혼자 말하듯 중얼거린다.

"될 대루 돼라. 아무 때 죽으면 바로 죽을 신세냐?"

그 말을 듣자 성오는 병철의 얼굴을 돌아다보았다. 그러나 병철의 표정은 조금도 변하는 것 같지 않다. 그저 묵묵히 발길만 옮겨놓는다. 성오는 겁이 덜컥 났다. 평소의 행동으로 보아서 규선의 그 말은 웬일인지 사실을 예언한 것 같은 불길한 생각을 일으켜주고 그리고 병철의 태도는 둘도 없는 이 기회를 놓치지 않고 그냥 이대로 어디든지 탈주해버릴 태도다. 그러나 자기는 그렇게 죽음을 각오한다든가 탈주를 꿈꿀 용기는 갖지 못했다. 그래서 그는 은근히 속을 태우며 둘의 거동만 흘끔흘끔 엿보았지만 둘은 조금도 주저하는 양 없이 그저 발길만 옮겨놓는다.

성오는 세 번째 마루턱을 넘었을 때 참다못해 규선의 얼굴을 조심스레 돌아다보며 물었다.

"그런데 여보게, 지금 대체 어디루 가는 셈인가?"

규선이는 들은 체도 않고 걸음만 옮겨놓는다.

"여보게 규선이, 이게 지금 어디루 가는 길인가?"

"지옥으루 가는 길이라네."

규선이는 웃지도 않고 평범한 양으로 말한다.

"에?"

성오는 깜짝 놀라며 한동안이나 규선의 얼굴에서 시선을 떼지 못하다가

"여보게, 길두 모르구 어디를 이렇게 가는 건가?"

거의 울상이 되어 묻는다. 그 모양을 보고 버럭 소리를 높여 역정스레 핀잔을 주는 것은 병철이다.

"어딘지 알게 뭔가? 그저 가는 대루 갈판이지."

성오는 하는 수없이 입을 다물었다가 얼마 못가서 또 입을 연다.

"가는 대루 갈 판이라니… 이런 심산에 들어서 어디루 간단 말인가?"

그러나 둘은 응대도 없이 어둠속만 자꾸 더듬어간다.

날 밝을 무렵에 하도 지쳐서 나무 그늘에 아무렇게나 쓰러져 잠시 눈을 붙였다가 일어난다는 것이 눈을 떴을 때는 늦은 아침때도 훨씬 지난 듯 산은 째듯이 밝다. 그런데 사방에는 뜻하지 않은 안개가 자욱이 떠돌아 방향을 분간할 수가 없다.

셋은 무거운 표정으로 서로 말없이 담배만 빨며 안개가 사라지기를 기다린다. 만은 아무리 기다려야 사라지는 양은 없고 그냥 자욱하다. 셋은 차츰 불안을 느끼기 시작했다.

"여보게 규선이, 이렇게 앉아만 있으문 어떡할 텐가?" 하고 먼저 입을 뗀 것은 성오다.

"그럼 어디 별수가 있는가?"

"별수가 있는가라니? 어디든지 가야지. 그냥 이대루 있다가 시장기가 돌면 어떡하겠는가?"

성오의 이 말을 듣고 보니 사실 규선이나 병철의 배속은 벌써 시장해난지가 오래다. 그렇기 때문에 둘의 표정은 더욱 어두워진다. 성오는 이윽히 잠자코 둘의 얼굴을 번갈아 살피며 대답을 기다리다가 또 입을 연다.

"여보게 병철이, 자넨 혹 이 근방산발을 타본 일이 없는가?"

"없네."

"여기가 아니라두 다른 곳에서 타본 일두 없는가?"

"한 번두 없네."

성오는 후—하고 긴 한숨을 뿜은 다음 이번에는 규선의 편으로 또 돌아앉는다.

"어제 밤에 온 길을 알 수 있는가?"

"어디던지 잘 모르겠네."

"우뚝한 산봉우리 같은 것을 옆에 끼고 온 것 같은데 그게 어느 걸가?"

"글쎄 나두 그걸 자꾸 찾아보는데 어느 게든지 도무지 알 수가 없네 그려."

"나무 같은 건 없었지?"

"글쎄, 그냥 풀숲으루만 온 것 같은데 웬 대목들이 이렇게 들어찼는가?"

서로 말할수록 마음은 어두워간다. 그러다가 아래편을 내려다보니 자욱이 껴 돌았던 안개 속에서 산등어리가 으스름하니 드러나 보인다.

"아, 저걸세. 간밤에 왼편에 끼고 올라온 건 저걸세."

규선이는 반가움에 벌떡 일어나며 아래편 안개 속을 가리킨다. 안개 속에서 차츰 선명하게 보이는 산등성이를 내다보고 성오와 병철이는 기운이 나는 듯 허리띠를 졸라매며 일어난다.

"그런 것 같네."

"인젠 어떻게 떠나보세."

셋은 아까보다는 훨씬 삭아져간 안개발을 내다보며 방향을 따진 다음 동으로 향해 이슬 밭을 헤치고나간다. 그런데 어째서 동으로 방향을 잡았는지는 셋이 다 서로 모른다. 그 까닭을 캐려고는 아무도 안한다. 그것은 그들에게 더욱 심한 불안을 가져다주기 때문인 것을 잘 알고 있기 때문이다. 그저 어디든지 방향을 잡고 감으로써 잠시라도 무겁게 머릿속을 엄습하는 불안을 떨쳐버리는 것이 셋이 공통된 심리다. 얼마 못가서 셋은 깊숙한 골짜기에 떨어졌다. 골짜기에는 맑은 물이 졸졸하니 흘러내리고 이름 모를 꽃들이 조촐한 빛으로 수줍게 피어있다. 얼음 같은 찬물을 셋은 양껏 들이켰다.

홀쭉하던 뱃속이 얼마간 불러나는 것 같다. 안개는 거의 거두어지고 그 대신 뜨거운 햇볕이 곧게 내려쪼인다. 아무것도 얹힌 것 없는 꼭 뒤는 익어들 듯 뜨거워지고 등허리에서는 도랑물처럼 땀방울이 흘러내린다. 이슬기가 차츰 말라들자 풀숲에선 단내가 후끈후끈 풍겨 오르기 시작한다. 한 마루턱을 넘어섰을 때엔 벌써 한발작도 옮겨놓을 수 없게끔 뱃가죽이 딱 들어붙었다. 그런데 아무리 내다보아야 방향은 알 수가 없다. 모두 다 낯선 산봉우리 뿐이고 갈수록 숲은 거무죽죽하다.

마침내 성오는 답숙한 피나무 밑에 털썩 주저앉으며

"난 못 걷겠네." 하고 둘을 쳐다본다.

병철이와 규선이도 아무 말 없이 성오의 옆에 서로 등을 지고 주저앉는다. 머릿속이 뽀야니 흐려드는 것 같다. 눈을 감고 비스듬히 드러누우니 나릿한 피곤은 전신을 꼼짝 못하게 사로잡아버린다. 셋은 그냥 기진한 채 깁뜨지 못하고 혼곤한 잠속에 들어버렸다.

얼마나한 시간이 어지러운 꿈속에서 흘러갔던지 병철이가 겨우 눈을 떴을 때는 점심때도 훨씬 기울였다. 규선이와 성오는 그냥 깁 뜨지 못하고 잔다. 노랗게 시든 얼굴은 조금도 숨이 붙어있는 산 사람의 얼굴 같지 않다. 그래 병철은 조심스레 둘을 흔들어 깨웠다. 대여섯 번이나 흔든 다음에야 겨우 정신을 차려서 고개를 쳐들고 멍하니 쳐다보는 둘의 눈은 똑같이 빛을 잃었다.

"좀 정신들 차리게. 이렇게 잠만 자군 어쩔 텐가?"

병철은 거의 울상으로 저무는 해를 바라보며 말하고는 떨리는 다리에 힘을 주어 일어선다. 만은 규선이와 성오는 그냥 누운 자리에서 일어날 줄을 모르고 우두커니 허공만 바라본다.

"여보게 규선이, 좀 정신 차려 어디든지 가보세. 인젠 해가 저무네."

"어디루 가겠는가? 난 배가 고파 꼼짝 못하겠네."

규선이는 말도 겨우 이어놓는다.

"그래두 가야지, 앉아서 죽을 텐가? 요 아래 골짜기루 내려 가보세. 물이라도 있으면 배를 채워가지고 어디든지 가야. 그냥 이대루 있다간 그저 앉아서 호랑이밥이나 됐지 별수가 있는가?"

병철의 소리에 성오와 규선이는 넋 없이 일어난다. 둘은 마치 뒤 숲에서 호랑이가 숨어 있다가 달려 나오기나 하는 것처럼 뒤를 둘러 살피며 병철의 앞에 나선다. 그러나 말은 한마디도 없다. 골짜기로 내려가는 동안 성오와 규선이는 절반은 기다싶이하며 몇 번을 굴렀는지 모른다. 병철의 예측대로 거기에는 과연 맑은 물이 흐르고 있다. 셋은 정신없이 들이켰다. 배속이 찡 저려들더니 갑자기 가슴속이 울컥 치밀어 오른다. 참다못해 성오와 규선이는 왈칵 토하기 시작한다. 병철은 입을 악물고 애를 쓴다.

그러나 성오와 규선의 구역은 멈출 줄 모른다.

"아이구— 여보게, 사람 살려주게." 하고 마침내 성오는 뒤로 나가 번드러진다. 그러자 규선이도 옆에 있는 바위에 마구 엎드린다.

"여보게, 자네까지 이러면 어떡하겠는가?" 하고 병철은 규선의 팔을 와락 끌어당긴다.

"여보게, 조금만… 조금만 이대루 둬주게. 배속이 뒤집혀지는 것 같네."

규선이는 거의 거의 숨 줄이 끊어지는 것 같은 음성으로 애원한다. 그러나 병철은 사정을 보아주지 않는다.

"안되네, 여기서 드러눕기만 하면 끝장이 나네. 괴롭더라두 좀 더 가보세. 이 물줄기를 따라가 보세, 내 생각에는 꼭 인가가 있을 것 같네." 하고 그는 그냥 규선의 팔을 당기어 일으킨다. 규선이는 하는 수없이 일어서기는 하나 두 어깨는 축 처져 다 죽은 송장 같다. 병철은 다시 이번에는 성오를 안아 일으킨다.

"아―하, 난 죽네."

성오는 벌써 눈살이 다 풀리고 신음소리도 선명치 못하다.

"제길."

병철은 두덜거리면서도 성오의 한쪽 팔을 자기의 어깨에다가 겹쳐놓고 다른 한 팔로 그의 겨드랑이를 껴안은 후

"어서 걷게." 하고 발길을 떼어놓는다. 그러나 얼마를 못가서 규선이는 나무그루를 걷어차고 나가자빠지더니

"아이구, 모르겠다. 될 대로 돼라." 하고는 다시 얼른(깁떠)일어나지 못한다.

병철은 하는 수없이 성오의 겨드랑이를 놓아버렸다. 그리고는 자기도 그 자리에 풀썩 주저앉는다. 셋은 다시금 혼수상태에 빠졌다. 그러자 해는 서산 넘어 기울고 골짜기에는 어둠이 슬며시 밀려들기 시작한다. 건너편 마루턱에서는 까마귀의 울음소리가 청승맞게 들려오며 뒷산 어깨로는 바람소리조

차 음산하게 들려온다.

자위단의 필사적 노력에 의하여 병철이 네가 수색망에 걸려든 것은 그 이튿날 낮밥 때였다. 셋은 멀리로 도망한다는 것이 결국은 개미가 채 바퀴 돌 듯 제 굽이를 자꾸 끼고 돌아서 사실 그들이 마지막으로 쓰러진 곳은 부락에서 십리도 되나마나한 곳이다. 자위단은 이날도 조반을 먹고 마지막 수색으로 사방에 흩어졌던 것인데 앞산마루턱을 넘어 다음 마루턱에 올라서니 얼마 멀지 않은 건너편 골짜기 쪽에서 까마귀들의 울음소리가 소란하게 들려오므로 수상하여 그 소리를 따라 가보니 뜻밖에도 거기에 탈주자들이 쓰러져있었던 것이다.

단원들은 너무나 반가움에 고생하던 것도 잊어버리고 앞으로 달려갔다. 그러나 그들은 너무나 참혹한 모양에 넋 없이 뒤로 물러서지 않을 수 없었다. 콧구멍을 꾹 찌르는 추기보다도 바위 밑에 엉거주춤하니 앉아서 쏘는 듯한 눈으로 이쪽을 노려보고 있는 한 마리의 늑대.

"앗, 저게 뭐냐?"

앞에 섰던 자보다도 먼저 소리를 지른 것은 뒤에 선 단장이다.

"아, 승냥이다!"

여럿은 서로 뒤로 물러서며 색을 잃는다. 그 모양을 보고 단장은 용기를 내여 앞을 썩 나서며 어깨에 메었던 총을 내려 겨누어댄다. 그것을 본 짐승은 번개 빛이 되어 바위틈으로 빠져 달아난다.

"탕!"

뒤이어 연방 두 방이나 요란하게 산골짜기를 울렸건만 짐승의 몸은 쏜살같이 숲속으로 빠져버린다. 그제야 여럿은 쓰러진 셋의 곁으로 조심스레 가보았다. 비길 데 없이 추악한 냄새가 콧구멍을 쿡 찌른다. 쉬파리가 윙윙거리는 위쪽을 살펴보고 그들은 일제히 얼굴을 돌려버렸다. 여겨볼 것도 없이 옆구리에 커다란 구멍이 뚫려지고 창자가 비죽이 내민 것은 성오다. 단장은 눈앞이 아찔하여 두 손으로 얼굴을 싸쥔다. 그는 눈을 가린 채 신음에 가까운 소리로

"둘을 봐라, 둘도 그렇게 됐나?" 하고는 단원들의 대답을 기다린다. 단원들은 몇 번이나 주저거리다가 하는 수없이 규선이와 병철의 곁으로 조심스레 가본다. 조금도 상한 데가 없다. 그저 잠든듯하다. 그러나 바싹 가까이 다가들어 만져보지 못한다. 단장은 기다리다 못해 쌌던 손을 떼고 허둥지둥 둘의 옆으로 가더니 이윽히 들여다보다가 갑자기 소스라치며 외친다.

"숨이 있다. 아직 살았다!"

"예?"

여럿은 넋 없이 달려든다. 단장은 한쪽 손에 들었던 총을 집어던지고 와락 달려들어 옷섶을 제친 후 가슴을 짚어보며 콧구멍에다간 귀를 기울여본다.

"앗, 숨이 있다. 이놈은 살았다! 그쪽 규선이란 놈을 봐라, 어떠냐? 살았냐?"

단장의 모양으로 가슴을 헤치고 만져보던 단원의 입에서

"아, 숨이 있습니다." 하는 소리가 나오자 단장은 그리로 또 넋 없이 달려간다. 확실히 왼쪽 가슴에서 심장이 뛰는 소리가 난다.

"이놈두 살았다. 심장이 뛴다!"

단장은 벌떡 일어나더니 어쩔 줄을 모르고 단원들의 얼굴만 번갈아본다. 그러나 바른편 성오의 쪽으로 시선이 돌아지자 그의 얼굴빛은 다시금 새파랗게 질려진다.

그들이 부락으로 돌아온 것은 그로부터 한 시간도 못 되어서였다. 그런데 그동안 부락에서는 또 한 가지 변사가 생겼다. 그것은 다른 게 아니라 규선의 처의 자살소동이었다. 그는 남편의 탈주 후 이틀 동안이나 수색단에 끼여서 산속을 헤매다가 결국은 모든 것을 죄다 단념하고 뒤 강변 버드나무에 목

을 매고 늘어진 것이다.

그러나 행이랄지 불행이랄지 마을사람들의 눈에 띠여서 목적은 달치 못
하고 그저 정신만 어리쳐서 집으로 들려왔던 것이다.

7. 빛과 어둠

한번 떨리기 시작한 녹 쓸었던 마음의 금선은 날이 가면 갈수록 점점 잊었던 옛날의 노래를 그리게 되는 것이었고 향수의 부표만 찾아내려고 하는 것이었다.

날려간 파랑새! 그것은 한번 놓치면 다시는 영원히 붙잡을 수가 없는 것인가? 잔인스레도 부첩된 청춘의 상장!

그것은 영원히 씻을 수 없는 운명의 상장인가? 장구한 시일을 어둠의 나락에 침전되었던 명우는 순녀의 존재로 말미암아 몇 날을 진정을 못하고 고민했다.

다시금 울리는 마음의 금선, 규선의 말과 같이 사실 자기의 마음의 금선에는 아직도 녹 쓸지 않은 부분이 남아있었던가? 그는 몇 번이나 부질없는 꿈으로 돌려버리려고 제 마음을 비웃고 마지막에는 증오까지 느꼈다. 그러나 그는 그렇게 비웃고 증오를 느끼는 것이 도리어 얼마나 어리석은 일이고 타기할 일인가를 깨달았다. 그래 그는 나중에는 순동이네 남매간의 친절과 호의에 대하여 조금도 괴로움을 느끼지 않게 되었고 한편 속으로는 은근히 그 어떤 희망까지 지니게 되었다.

그러한 어느 날 그는 보도소 소장의 호출을 받게 되었다. 이전 버릇으로 소장의 호출을 받고 명우는 속으로 곰곰이 생각해보았으나 자기의 지은 죄라고는 며칠 전 밭머리에서 규선이와 같이 아편을 먹은 그것밖에는 없다. 하지만 규선이 입에서 그 비밀이 탄로되었을 리는 절대로 없다. 그렇다면 무슨 일로 부르는 것일가? 아무리 생각해도 까닭을 알 수 없다. 생각다 못해 하여튼 가보기로 작정하고 집을 나섰는데 저쪽에서 헐떡거리며 오는 것은 순동이다.

그는 명우 앞에 오자 대뜸

"보도소로 가시우?" 하고는 무슨 까닭이 있는 듯이 벙긋 웃는다.

"응, 소장이 불러서 간다."

명우는 내켜하지 않는 어조로 대답하고는 순동의 웃는 얼굴을 수상스레 들여다보았다.

"무슨 일루 부른답니까?"

"내가 아니?"

"왜 불리는 이가 몰라요?"

"무슨 일루 부르는지 남의 속을 어떻게 아니?"

"그런 것두 몰라요? 난 벌써 다 알구 있는데." 하며 연신 웃음을 거두지 못하는 그 모양은 아무리 보아도 수상스럽다.

"알면 좀 대주렴."

"대주면 한턱 낼 테유?"

"응, 한턱 내지."

명우는 어색한 웃음을 지으며 순동의 입만 주시했다.

"뭘 낼 테유?"

"아무거나 네 요구대로."

"정말?"

"정말 아니구 애들보구 거짓말 하겠느냐?"

"애들이라니요?"

"그래 아직 장가두 못간 놈이 애들이 아니구 어른이란 말이냐?"

"아니, 그럼 형님은 총각이 아니구 서방님이시우?"

"이 녀석아, 난 총각이래두 늙은 총각이 돼서 어른 축은 든다."

"무슨 소리? 총각이면 늙어두 총각이지 상투쟁인가? 쥐면 큰 쥐두 쥐구 새끼 쥐두 쥐지."

"에끼 녀석, 말버릇 고약하다."

"하하하… 총각 어른께 죄송합니다."

"이 녀석아, 농담 좀 그만 부리구 어서 하자던 말이나 하렴."

"하지요. 그 대신 턱을 잊으면 안돼요."

"글쎄 안 잊으마. 뭐가 요구냐?"

순동이는 잠시 생각하는 양을 하다가 갑자기 정색으로 돌아서더니

"저 형님, 고향 본댁에서 왔어요."

"뭐?"

명우는 깜짝 놀라 한참동안이나 입을 다물지 못하고 마주 보기만 하다가 무서운 것이나 묻는 것처럼 조심스레 말을 꺼낸다.

"오다니? 누가? … 누가 왔단 말이냐?"

"편지가 왔단 말이에요."

순동이는 웃지도 않고 시치미까지 뚝 딴다. 명우는 무거운 쇠망치에 뒤통수를 얻어맞은 것처럼 골속이 띵하여 선 자리에서 움직일 줄을 몰랐다.

보도소 소장의 앞으로 들어가는 명우의 다리는 가늘게 떨린다. 그는 새파랗게 질린 얼굴로 소장의 입만 주시한다. 소장은 자애로운 웃음을 만면에 띠우고 부드럽게 바라보면서

"명운가." 하고 조용히 입을 연다. 그러나 명우는 대리석을 깎아 세운 듯

빳빳이 서서 대답을 못한다.

"명철이라구 누군가?"

명우는 한동안이나 지나서야 겨우 입을 연다.

"사촌형입니다."

"아, 그렇군, 자네 백부 되시는 이는 준 짜 식 짜를 쓰시던가?"

"네."

"어머니께선 지금두 큰댁에 계시겠지."

명우는 고개를 푹 숙여버린다.

"어머니의 연세는 금년 얼마나 높으신가?"

명우는 입술이 찢어져라고 악물며 여전 말을 못한다.

"환갑은 지나지 않으셨겠지?"

소장의 질문은 집요하게 계속된다.

명우는 참다못해 고개를 번쩍 쳐든다.

"소장님, 왜 그런 말씀을 자꾸 물으십니까? 제발 그런 말씀은 묻지 말아주십시오."

소장은 조용히 바라보다가 자못 측은한 듯 나직이 한숨을 짓고 나서

"명우, 잘못했네. 다시는 안 물을 테니 과히 섭섭하게는 생각 말게."한 다음 책상서랍을 당기더니 편지 한 장을 꺼내놓는다.

"사촌형님께서 편지가 왔네. 나한테는 자네 백부님한테서 왔네만 우선 자네 편지부터 먼저 읽어보게. 여기 규정대루 먼저 봉을 찢어 검열을 한 다음에 내주겠지만 군한테루 온 거니까 그냥 내주는 걸세. 거기 걸상을 갖다 놓고 앉아서 천천히 읽어보게나."

명우는 오랫동안 책상위에 놓인 편지를 응시하다가 마침내 떨리는 손을 내민다. 눈에 익은 사촌형의 필적이다. 무슨 말을 써넣었는지 우표는 팔 장

이나 붙어있다. 명우는 몇 번을 주저주저 망설이다가 그만 큰마음으로 부욱 봉을 찢었다.

"그리운 동생아!"

이 첫머리에서 벌써 명우는 목구멍이 꺽 막혀졌다.

"오늘은 팔월××일, 음력으로는 칠월××일.

기억하고 있느냐? 내 가장 사랑하는 아우 명우야!

너의 생신날— 아주머님 눈물이 진종일 그칠 줄 모르는 날이다"

여기까지 내려읽다가 명우는 그만 편지 위에 얼굴을 파묻어버렸다. 소장은 슬며시 자리를 일어나 밖으로 나간다. 막혔던 보물 터지듯 왈칵 쏟아진 눈물은 한동안이 지나도 멈출 줄 모른다. 마지막에는 흑흑 소리까지 내여 느꼈다. 그러다가 그는 그냥 느끼면서 편지에서 얼굴을 떼고 다시 들여다보았다.

"수천 리 타국 낯선 곳에서 남달리 고난을 겪는 너도 오늘만은 불쌍한 어머님의 생각과 고향생각을 하리라.

지금 아주머니는 네가 처음으로 입선의 영광을 얻었을 때의 그 그림을 벽에서 내려놓으시고 보시다가 못해 와락 끌어안고 소리를 죽여 가며 우시는 중이다.

옆방에서 그 모양을 엿보며 너에게 보내는 이 편지를 적는 나에겐들 어찌 눈물이 없을 소냐?

그리운 아우야!

벌써 몇 십번이나 되풀이하며 썼는지는 모르겠다만 나는 결코 너를 원망치도 않고 미워도 않는다.

이 내 맘을 누구보다도 너는 잘 알고 있을 것이 아니냐? 나는 조금도 너를 비난하지는 않는다. 그러기 때문에 야속한 세상에 대한 원망은 더욱 깊어가는 것이다.

네 맘을 잘 알고 진정으로 슬퍼하는 나로서 어떻게 너를 원망할 소냐?

그렇지만 사랑하는 아우야!

내 불쌍한 아주머니의 눈물을 볼 때면—

네가 옛날과 같이 다시 제 길로 들어서지 않는 한 절대로 만나보지 않으시겠다는 그 아주머님께서 우리들의 눈만 없으면 언제든지 으슥한 구석을 찾아가서는 혼자서 소리 없이 눈물 지으시는 모양을 조금이라도 아우야, 네가 상상하여본다면—"

명우는 이 이상 더 볼 수가 없었다. 그는 보던 편지에 다시금 얼굴을 묻어버렸다.

그날 밤 소장은 간단하나마 상을 차려놓고 명우를 청한 다음 순동이까지 불렀다. 명우는 사촌형의 편지에서 흥분된 머릿속이 아직도 식지 않은 탓으로 소장이 권하는 술을 그저 되는대로 받아 마시었다. 소장은 자못 만족한 듯 벌겋게 상기된 얼굴에서 웃음을 거두지 못한다.

"뒤늦어 쇠는 생일맞이 어떤가?"

명우는 자꾸 울고 싶어서 견디기 어려웠다. 소장은 명우의 속을 죄다 엿보고 또 한잔 쭉 마신 다음 잔을 넘긴다.

"그런데 난 명우한테 할 말이 좀 있는데 들어줄는지."

명우는 들었던 술잔을 도로 내려놓고 빤히 소장의 얼굴을 건너다본다.

"꼭 해야만 될 말인데."

"무슨 말씀인데요?"

"꼭 세 가지 청이 있는데 들어 줄려나?"

"제 힘으로써 들어 할 만 한 일이라면 들어드리지요."

"그야 할 수 있는 일이지. 아니, 자네가 아니군 못할 일이지."

"그러시다면 들어드리지요. 무슨 말씀이십니까?"

"그런데 맨 첨 한마디 물은 다음에 꺼내야 할 텐데 그것부터 묻기로 하지. 노하거나 오해해서는 안 되네."

"천만에 말씀입니다."

"그럼 묻겠네. 에— 군은 어째서 처음 아편을 붙이게 됐는지 그것부터 말해줄 수가 없는가?"

명우는 너무도 의외의 질문에 가장 아픈 데를 다친 듯 대번에 얼굴빛이 흐려든다.

"이런 것을 묻는 건 대단히 안 된 일이지만 좀 특별히 너그러운 맘으루 들려주게나."

그러나 명우는 숨소리가 괴롭게 되어져가며 외면하고 고개를 바로 돌리지 못한다.

"영사관서 넘어온 서류에는 그저 간단하게 첫사랑에 실패하구 만주 와서 돈을 벌려다가…"

"소장님, 그것만은… 그것만은 묻지 말아주십시오. 다른 것은 다 물어서두 그것만은 묻지 말아 주십시오."

소장은 한참동안이나 건너다보다가

"그러지. 자네 청대루 취소하겠네." 하고 어색하게 되어버린 좌석을 이내 화락한 웃음으로 가다듬어놓은 후

"그럼 세 가지 청으로 들어가지. 첫째— 인젠 규선이하구 병철의 피로도

회복된듯해서 내일아침이면 구류소로 보낼 가 하는데, 그런데 난 첨부터 그렇게 봤지만 군과 규선이만은 달리 봐왔네. 다행히 내 눈이 틀리지 않아서 군에게선 애써온 보람을 느꼈지만 아직 규선이만은 잘 넘어가지 않는단 말야. 그래 생각다 못해 군의 공작을 좀 빌어 볼가 하는데 어떻게 묘한 방책이 없을까?”

그 소리에 명우는 그러지 않아도 붉어진 얼굴을 더한층 붉혔다. 그는 오랫동안 고개를 쳐들지 못했다. 그러다가 겨우 굳어진 입술을 놀려서 신음하다시피 자기의 죄상을 고백했다.

“소장님 대할 낯이 없습니다. 전 아직두 죄인입니다. 요 얼마 전에도 규선이와 같이 죄를 지었습니다.”

그러나 소장의 눈은 여전히 부드럽게 웃는다.

“과거는 문제가 아닐세. 이제부터 결심하구 다시는 절대 가까이 하지 않으면 되는 것이 아닌가? 이 복잡한 세상에서 어떻게 과거까지 들춰가며 산단 말인가? 그렇잖은가?”

명우는 소장의 얼굴에서 응결된 시선을 떼지 못했다. 소장은 다시금 다음을 이어간다.

“나는 이 부락민의 과거를 들춰내려구 온 사람은 아닐세. 나는 그들의 장래에다가 내 희망을 걸구 온 사람일세. 그러기 때문에 나는 군이 바루 한시간전에 죄를 지었대두 그걸 가지구 문제를 잡으려군 안하네. 요는 이제부터 개심을 하는가 안하는가 하는 그것일세. 그럼 난 군의 앞날을 굳게 믿는 사람이네. 어떤가? 내 말이 틀리는가? 틀리면 틀린다구 말해보게.”

명우는 자꾸만 가슴속에서 돌맹이 같은 것이 치밀어 올라 대답할 수가 없다.

“그런 점으로 보아서 규선의 부탁을 군한테 하는 거니까 오늘 밤에라두 찾아가서 군이 최선을 다해주기를 나는 간절히 부탁하네.”

"네. 가보지요. 꼭 가보겠어요."

명우는 거의 무의식하게 입술을 놀렸다.

"다음 둘째는, 에—좀 거북하지만 에—" 하고 소장은 웬일인지 주저주저 얼른 꺼내지 못하다가 명우의 옆에 앉아 동정만 살피는 순동의 얼굴을 흘깃 돌아본 후

"다른 것이 아니라 나한테 수양딸이 하나 있는데 인제 나이두 차구 해서 적당한 사람이 있으면 떠맡기려구 하던 참인데, 에—" 하고 소장은 또 중단한다.

명우는 어쩐지 가슴속이 울렁거려 남을 느끼고 얼굴을 숙였다. 소장은 술기운을 빌어 용기를 내려는 듯이 앞에 놓인 빈 잔에다가 그득 술을 따라 마신 후

"이사람 명우, 보잘것없는 딸자식이지만 난 자네를 믿네. 어쩔 텐가? 내 사위가 되어줄려나?" 하고 명우의 대답을 기다린다.

그러나 명우는 대답은 고사하고 어떻게 자세를 가졌으면 될지를 몰랐다. 그 모양을 보더니 저 혼자서 뜻 모를 웃음을 벙쭉 웃고 나서 이번에는 은근하게 입을 연다.

"양딸이라니 어째 거짓말같이 생각되는가? 그럼 이름을 대줄까? 다른 애가 아니라 자네 옆에 지금 앉아있는 순동의 여동생 순녀 말일세."

"네?"

명우는 제 귀를 의심하며 소장의 얼굴을 뚫어지라고 바라보았다.

"순동의 여동생을 모르는가? 그 순녀를. 오늘부터 내가 자청해서 자네를 내 양사위로 삼으려는데 어떤가? 이의가 없는가? 이의가 있으면 있다구 이 자리에서 시원스럽게 말해야 하네."

소장은 술기운 때문에 점점 수다스럽게 되어져가며 마지막에는 술상까지 옆으로 밀어놓고 명우의 앞으로 다가앉는다. 그러나 상대편을 바라보는 그의

눈에는 말할 수 없는 진정이 서려있다. 그는 그냥 계속하여 다음을 잇는다.

"다음 셋째는— 이 두 번째 문제에 관련된 것인데 다른 게 아니라 둘째 조건에 대해서 군이 승낙만 한다면 난 내일 전보를 쳐서라두 군의 어머님을 오시도록 하겠네. 군의 백부님 편지에 어머님께선 군의 개심을 보지 않구는 돌아가시는 한이 있더라두 안 만나신다구 하신다는데 인제 군이 내 사위가 된다면 난 장담허구 전보를 치려네."

명우는 조용히 두 눈을 감았다. 무엇이라고 어떻게 그득 차오르는 자기의 심정을 말하였으면 좋을지 몰랐다. 그는 속으로 소장의 말을 다시 한 번 외워보았다. 도무지 믿을 수가 없는 일 같다. 꼭 취담을 들은 것 같다. 더구나 순녀를 양딸이라니 언제 그런 인연을 맺었단 말인가? 하지만 자기의 옆에 앉아 순동이는 소장의 일언일구를 죄다 듣고 있지 않는가? 만약에 소장의 말이 취담이고 객쩍은 농담이라면 순동이가 그저 앉아있을 리 없는 것이 아닌가? 틀림없이 순동의 청이다. 순동의 청을 들어서 소장은 길게 말한 것이다. 자기 자신이 직접 말하기는 면구스러워서 소장을 내세운 그 갸륵한 심사를 생각하니 명우는 눈물까지 솟구친다. 소장은 기다리다 못해

"어째 이의가 있는가? 이의가 있으면 있다구 해야지 가만있으면 어떻게 하는가?" 하고 재촉한다. 명우는 조용히 눈을 떴다. 그리고는 무엇이 되든지 말을 하려고 했다. 그러나 말은 목구멍에 걸려서 나오질 않고 얼굴만 달아오른다.

"이 사람아, 그만 나이에 어째 부끄러운가? 정 그렇게 대답하기가 거북하다면 내일아침 편지루래두 대답하게나."

소장의 이 말에 명우는 그만 결심한 듯 고개를 번쩍 쳐든다.

"아닙니다. 예서 말하지요. 소장님 미안합니다만 어머니한테 전보를 쳐주십시오."

"응! 정말인가?"

소장은 너무나 반가움에 어쩔 줄을 모르고 얼굴가죽만 실룩거린다.

그 이튿날 새벽. 부락에서는 또 일제 검색이 일어났다.

그 결과 그물에 걸려든 자는 여섯 명이나 되는데 거진 중독자들이었다. 판에 박은 듯한 단장의 취조와 보도소 소장의 훈화가 있은 다음 그들은 미리부터 작정되었던 규선이 병철이 네와 함께 ×××구류소로 요양을 가게 되었다.

명우는 밤새도록 흥분되어 잠들지 못하다가 새벽녘에야 겨우 어렴풋이 옅은 잠을 들었다. 만은 얼마 못가서 그 무슨 꿈 때문에 놀라 깬 다음 그는 문득 지난밤의 소장의 말을 생각하고 규선이를 찾아갔다. 무슨 말을 어떻게 꾸며서 할까를 궁리하며 마당 안에 들어서려는데 집안에서는 벌써 눈을 뜬 듯 규선의 말소리가 들려온다. 명우는 앞에 서서 잠시 망설이며 귀를 기울였다.

"이런 말을 하는 건 결코 당신을 미워서 하는 건 아니우. 그것을 잘 이해한다면 굳이 나한테 매달려서 이런 고생은 하지 않으리라고 생각하오."

규선의 말은 틀림없이 그의 아내를 보고 하는 말이다. 명우는 갑자기 긴장이 되어서 귀를 기울였다. 그의 아내의 말소리는 없다.

"나두 당신이 고생한건 잘 알고 있소. 시집을 와서 처음엔 내 나이가 어려서 속을 썩였구, 다음엔 내가 사회객인지 무언지 되어가지고 지랄을 부리는 바람에 속을 썩였구 또 지금에 와선 요 모양이 됐기 때문에 자살까지 하려고 한 당신의 그 속을 난 잘 알고 있소. 그러기 때문에 난 이번에두 요 며칠 동안 어떻게 좀 바른 길루 들어서 볼가구 골똘히 생각해봤소만 여보, 난 아무리 해두 제 길루 바로 들어설 수는 없소."

갑자기 규선의 처의 흑흑 느끼는 소리가 들려나온다. 명우는 아무 소리도 없이 문을 열었다.

둘은 불의의 일에 깜짝 놀라며 내다본다. 그러나 명우인 줄 알고 규선이는 이내 제대로 평범하게 돌아서며 "명운가? 어서 들어오게." 하고 어색한 웃음을 힘없이 지어 보인다. 명우는 잠자코 들어가서 규선의 앞에 조용히 앉았다. 부자연한 침묵이 계속된 후

"명우, 난 지금 아내한테 내 심중을 고백하던 중일세." 하고 규선이는 싱긋이 웃기는 하나 그러나 그것은 말할 수 없이 슬픈 웃음이다. 명우는 나직이 한숨을 쉰 다음

"밖에서 다 들었네." 하고 규선의 처의 쪽으로 시선을 돌렸다. 규선의 처는 수그린 고개를 쳐들지 못하고 느낀다.

"그런가? 그렇다면 더 긴 말을 외우지 않겠네. 자네두 알다시피 난 이번에 가면 반년이 걸릴지 1년이 걸릴지 모를 텐데 한 가지 딱한 것은 아내의 문제란 말일세."

"그야 문제지만 그러나 자네가 개심하구 나와서 금후의 코스만 바루 잡으면 쉽사리 해결될 문제가 아닌가?"

"뭐? 개심?"

규선이는 쓸쓸하게 웃은 다음

"그건 그러이. 하지만 여보게 명우, 저로서도 알지 못할 건 제 맘일세. 개심, 개심하지만 나한텐 그게 제일 문젤세. 자네는 다행히 잊혔던 옛 꿈을 다시 찾아서 앞날에 희망을 걸게 되었다지만 나한테야 뭐가 있단 말인가? 앞날에 대한 아무런 희망도 가지지 못한 나로서는 결국 과거의 꿈밖에야 회상할 것이 무엇이 있단 말인가? 한포 먹으면 자욱이 흐려드는 머릿속에 그림같이 떠오르는 그 잃어버린 꿈— 자네 머릿속에도 그 기억은 잘 남아있겠

지?"

명우는 아무 말도 못하고 창문 쪽으로 고개를 돌린다.

"만약에 나한테서 그것마저 빼앗아버린다면 난 벌써 내 손으로 이 헛껍데기만 남은 송장을 처치해 버린 지두 오랬겠네. 그러니까 명우, 자네두 내 아내 모양으로 부질없는 충고는 일체 말아주게. 간절히 부탁하네."

조반 후 규선이, 병철이, 그리고 새벽에 검색 망에 걸렸던 여섯 명은 부락의 법규에 의하여 ×××구류소로 요양을 떠났다.

그들이 떠난 지가 약 두어 시간 지나서 규선의 처는 끝끝내 서른아홉 살을 일기로 뒷강 버드나무가지에 목을 메여버렸다.

출처: 『인문평론』, 1940년 7─8월호.

중편소설

벼

안수길

前章

만주건국 이 년 전(滿洲建國二年前) 여름이었다.

낮에부터 무덥던 날씨가 해질 무렵부터 동풍이 비를 담뿍이 머금은 구름 떼를 휘몰아 가지고 와서 황혼의 하늘은 짙은 연막을 친 듯하였다. 금시에 비방울이 쏟아질 듯하였으나 늦은 저녁을 다 먹었을 무렵에는 하늘의 연막은 이곳저곳 찢어져서 그 생채기로 부터 빤짝빤짝 별이 쪽빛하늘과 함께 얼굴을 나타냈다.

이럴 줄 알았다면 예정대로 학교지붕에 흙을 올릴 걸 찬수는 각각으로 면적을 넓히어가는 연막의 생채기를 쳐다보면서 중얼거렸으나 모기의 습격을 받지 않는 방에서 길게 누어 책을 읽는 것도 얼마 만에 향락하는 유유한기분이어서 변덕이 많은 날씨를 그렇게 탓할 생각은 나지 않았다.

그러나 낮에 학교공사장에서 얻은 피곤은 그로 하여금 모처럼의 게으름을 마음 것 즐길 여유를 주지 않았다. 몇 페이지를 넘기지 못하고 혼곤히 든 잠이 왁자지껄하는 소리에 깬 것은 자정이 훨씬 넘을 때였으나 눈을 뜨자 바로 그의 귓전을 때린 것은 논에서 우는 개구리 소리였다.

비를 재촉하는 개구리 울음— 논물은 며칠 전에 내린 비로 흡족하였다. 이제 더 내리는 것은 당분간 필요도 업거니와 혹 장마나 된다면 W하(河)범람의 위험이었다. 그보다 시각이 급한 것은 학교건축이었다.

찬수는 내일의 공사예정이 또 어긋나는구나—하고 짜증을 내면서 밖에 나갔다. 구름은 낮게 푹 더 피어있고 주위의 논에서는 개구리의 이가는 것 같은 소리가 초조스럽게 들릴 뿐 하늘도 땅도 칠 같은 암흑 속에서 무시무시 하리만치 아무런 동요도 없었다. 비는 금시에 내려퍼부을 듯 일촉즉발의 위기를 머금고 있는 전쟁직전의 상태도 지금의 이 순간과 같을 것이라. 찬수는 이렇게 생각하고 으음—하고 입맛을 다시며 방에 들어갔다.

잠을 청하였으나 눈은 말똥말똥하고 머리는 냉수를 끼얹은 듯 환하였다. 불을 켜고 책을 들었으나 이번에는 옆방에서 들리는 어머니와 아버지의 말다툼소리가 고막을 번거롭게 하여 정신을 책에만 집중할 수 없었다.

"또 시작이로군."

찬수는 어머니와 아버지사이에 낮게 드리운 암운을 생각하고 그 현안(縣 案)이 그로서는 좀처럼 해결 지을 수 없는 것임을 다시금 느끼며 될 수 있으 면 항상 같은 것일 그 말다툼의 내용을 듣지 않으려고 하였다.

말소리는 낮았으며 아버지보다 어머니 편에서 공세(功勢)를 취하여 말도 수가 잦았다. 아버지는 어머니의 열 마디에 겨우 한마디로 듣기 싫어라든가 이웃이 분주해라든가 묵중한 대꾸로 대응하여 어머니와 항상 되뇌는 구절 이 긴말보다 가끔 들리는 아버지의 간단한 한마디가 더욱 찬수의 신경을 자 극하였다.

밤을 새이도록 계속 될 것 같은 늙은 부부의 싸움도 총알가치 내려 퍼붓 기 시작한 비로 말미암아 중단되어 버린 것은 무엇보다도 찬수에게 다행한 일이었다.

어머니가 밖에 나가 장독을 덮는다. 섶나무를 헛간에 안어 드린다. 바삐 서두는 사이에 아버지가 담뱃불을 그어 닿는 소리를 찬수는 역력히 들을 수 있었다. 찬수의 아버지 박첨지는 담배를 사랑하였다. 찬수도 무척 애연하는 터로 근十년만에 만나는 아버지에게서만 나는 맨 처음 담배를 즐기는 것을 발견코 그런 것도 유전일까 하고 빙긋이 웃었든 일 그리고 그로 말미암아 육친의 애정을 더욱 강렬히 느끼든 일을 생각하였다.

그것은 그가 이곳에 처음 오든 날 그러니까 두 달 전이었다.

C정거장에서 박첨지와 찬수의 형수인 금녀 그의 조카 그리고 매봉둔(鷹峰屯)의 둔장(屯長)으로 지목받는 홍덕호도 함께 나왔다. 홍덕호는 박첨지의 며느리 금녀의 아버지라는 것 그럼으로 사돈을 마지하려 나왔다는 단순한 레의 외에 이제부터 건설하려는 학교의 일을 맡아보고 그것을 운전할 사람을 극진히 대접해야 된다는 것이 더 큰 이유였다. 박첨지는 홍덕호의 이 뜻을 알었음으로 내 아들이 어떠냐하고 동리사람한테 자랑하고 싶은 마음이 행동에 노골로 나타났다.

기차에서내린 찬수는 망연한 벌판에 성냥궤짝을 되는대로 팽개친 것 같은 정거장, 그리고 그 주위에 나무 한 대 없는 살풍경인 정거장부터가 어딘지 모르게 마음 한구석에 허전함을 느끼게 하였다. 그러나 마중 나온 아버지 홍덕호 그리고 형수와 형이 남긴 혈육인 아홉 살 나는 조카를 보는 순간 이런 곳에도 동포가 생활하고 있고 가장 가까운 골육이 나를 맞아준다는 것이 무한히 기뻤으며 아지 못할 감회가 가슴에 가득 찼든 것이었다.

박첨지는 기쁨을 이기지 못하여 만주사람들을 헤치고 찬수의 짐을 찾아 금녀가 이겠다는 것도 듣지 않고 어깨에 둘러메였다. 그리고 준비하여 놓았든 청차에 올려놓을 때까지 짐을 다루는 사이에도 입에는 그냥 권연이 물리어있었다. 그 모양이 보기에 어색한 것은 물론이려니와 한 가닥 웃음을 자아내였으나 청차를 차고 매봉둔까지의 이십리 길을 가는 사이 한시각도 입에서 담배를 떼지 안는 것을 보고 찬수는 퍽으나 담배를 즐기시는군 생각하고 입가에 미소를 띄었든 것이였었다.

박첨지는 十년전 찬수와 갈라질 때보다 훨씬 늙었었다. 짐을 멘 어깨에 육감이라고는 전연 느낄 수 없고 두꺼운 가죽을 씨워놓은 갈퀴 가튼 손에 눈이 제절로 쏠려 十년이라는 사이에 고초를 역력히 엿볼 수 있었으나 그러면서도 주름이 더 늘은 얼굴에는 어딘지 모르게 환한 빛이 떠도는 것을 감출 수가 없어 찬수는 그 사이의 고초를 짐작하는 한편 오늘의 완화된 생활도 느낄수 있었다.

동구에 다다랐을 때 벌판에 가득 찬 논에는 모를 낸지 얼마 되지 않는 벼가 훤히 내려 쪼이는 햇빛을 받아 싱싱히 서있어 매봉둔 주민들의 생활을 상징하는 듯 좋은 인상을 찬수의 뇌 속에 인쳤다. 그러나 오늘이 있기까지의 이곳 주민들의 생활가운데는 남이 아지 못하는 피눈물이 숨어있다는 것을 그는 편지로 또는 이곳에서 고향으로 내왕하는 사람들한테서 이야기로 들었으나 홍덕호며 아버지의 주름진 얼굴에서 그 사실을 찾어내였고 과부형수 금녀에게서 그 산 증거를 발견하였다.

○

매봉둔은 길림성 XX현 H평야(吉林省XX縣H平野) W하(河)의 유역에 자리 잡은 조선사람만의 부락이였다. 대체로 광막한 벌판이였으나 바로 부락동쪽에 이상하게도 평야 한가운데에 봉오리가 하나 우뚝 서있었다. 봉오리라기보다 불과 삼십 자 될가 말가 하는 바위에 지나지 않었으나 이 부락 사람들이 모다 H도 H군 응봉리(郡鷹峰里)사람들이요, 그들의 고향에 매봉이라는 봉오리가 있는 까닭으로 그것과 관련하여 이상한 인연이라고 그 바위를 매봉이라 불렀고 그 동리를 매봉촌, 만주식으로 매봉둔(屯)이라 명명하였다.

매봉둔의 이름이 언제부터 불리워졌는지 이 부락에 처음 수전개척(水田開拓)의 첫 괭이를 내려놓은 홍덕호 자신의 입에서 나온 것은 아닌 듯하였다.

홍덕호는 이 부락개척의 선구자였다. 선구자로 이른다면 박첨지도 그였으나 맨 처음 이곳을 발견하고 여기에 인연을 부친 것은 홍덕호였다.

홍덕호는 스물여섯 살 때에 만주에 건너왔다. 주로 봉천방면에서 뒹굴면서 장작림군대(張作霖軍隊)의 고용병으로 일 년 반 돈장사로 이년 아편밀매로 이년 그 사이에 돈푼 모은 것을 투전판에 드나들면서 다 불어먹었다. 투전판에 드나들 때에는 한해 야회(押會)의 '주이상'으로 그 방면의 세계에서 이름을 떨친 일도 있었으나 마침내 모았든 돈푼을 다― 집어넣고 손을 떼고 나앉게 되었다.

그 후 북만 서백리아 방면으로도 방랑하여 사오년의 고초를 겪었으나 돈한 푼 쥐지 못하고 다시 봉천에 와서 역시 투전판에서 개평이나 떼고 다니기를 또 삼년 나이 사십을 넘게 되자 고향으로 돌아가 금녀를 박첨지의 맏며느리로 시집보내고 일 년쯤 우울한 날을 보내다가 봉천에서 여러 가지로 신세를 지고 한때에는 그의 양아들이라고까지 하며 총애를 받든 부호 한게운(韓啓運)이가 길림성 XX현 현장의 벼슬을 사가지고 그리로 부임하였다는 소식을 듣고 그를 의지하여 무엇이든지 경영하여 볼 량으로 가족이 붙드는 것도 듣지 않고 부랴부랴 떠났든 것이었다.

"이번에는 확실한 업을 붙들어 돈푼이나 담뿍 쥐고 돌아와야지―"

홍덕호는 한 살 젊었을 때의 무궤도하였든 생활을 깨끗이 청산하고 기왕 인연을 맺었든 만주에서 재출발하여 돌을 깨물면서라도 돈푼을 쥐고 금의환향하자는 결심이었다.

한게운은 홍덕호를 반갑게 맞아주었다. 그리고 당분간 그의 집에서 머물면서 무슨 적당한 일을 연구하자는 것이었다.

무료히 한게운의 집에서 한 개 식객으로 날을 보내고 있든 어느 날 그는 이상한 꿈을 꾸었다.

그것은 망연한 벌판동녘에 화광이 충천하였고 무수한 불꽃이 일어나는 중에서 커—다란 매 한 마리가 날아 하늘로 올라가는 것이였다. 그것은 너무도 역력한 꿈이였다.

홍덕호는 잠을 깨자 야회의 문(門)을 이것저것 더듬어보았으나 지나간 날의 얄궂진 습관을 스스로 비웃고 고요히 그 꿈을 가슴에 간직한 채 해몽에 남몰래 머리를 썩이였다. 그리든 어느 날 W하 부근에 있는 만주인 지주 방치원(方致源)이 한 현장을 찾어 왔다.

그와 현장은 일찍부터 친분이 두터웠든 모양 그들은 서로 격조하였음을 사과하면서 무한히 반겨하였다.

며칠 뒤 방치원은 현장을 그의 집에 초대하였다. 특별히 꾸민 청차를 하인이 몰고 왔다. 현장은 그의 부인과 함께 홍덕호를 데리고 방지주의 집에 갔었다. 그 도중에서 그들은 벌판에 □□□□□□□□①있는 커다란 바위 하나를 발견하였다.

一행은 산도 없는 이곳에 저렇게 큰 바위가 어디서 굴러왔을까 하고 이상히들 여기였다.

"하늘에서 떨어진 게지."

홍덕호는 말하였으나 이때 문득 그는 그 바위의 모양이 고향의 매봉과 흡사하되 그것을 적게 꾸며놓은데 지나지 않은 것을 발견하였다. 그리고 해몽에 여러 가지로 머리를 썩이고 있든 얼마 전의 꿈이 이 바위를 두고 꾼 것이 아닌가 무릎을 탁 쳤다. 화광(火光)은 발(發)— 홍덕호는 이 바위 근방에서 무슨 수가 기어코 생길 것이라 생각하고 두리번두리번 사방을 돌려보았으나 편편한 황무지에서 생길 것이라고 도무지 있을 것 같지 않었다.

그러는 중 청차는 W하에 이르러 약간 모래로 쌓아 올린 방축을 넘노라고 우에탄 사람들은 모다 몸이 뒤로 잡아질 번하였다. 반동에 몸을 앞으로 굽히면서 홍덕호는 그의 머리에 번적 한 가닥의 빛이 번적이는 것을 깨달았다. 그의 가슴은 두근거렸다. 말은 사간이 넉넉히 될 강물을 처벅처벅 네발로 차며 청차를 끄을었다. 말굽에 채이는 물소리를 들으니 홍덕호는 그대로 청차 우에 앉아있을 수 없었다.

"이게다 꼭이게다!"

그는 이 강물을 끄을어다 지금 지내온 황무지를 수전으로 풀자는 계획을 마음 가운데다 다지고 다지었다.

방치원의 집에서 돌아와 그날 밤 홍덕호는 한현장의 방에 들어갔다. 그는 꼭 한 가지 청이 있노라하고 말문을 열었다. 그리고 낮에 생각하던 바를 이야기하였다.

"거 대단 좋은 일."

한현장은 언하에 찬의를 표하였다. 그리고 이튿날 아침에 일찍 사람을 시켜 방치원을 불렀다.

한현장과 방치원은 딴방에서 한 시간이나 이야기하드니 홍덕호를 불러드렸다.

"방선생두 당신 의견에 찬성이니 이에서 더 좋은 일 없소."

현장은 웃음을 띄이면서 말하였다.

방치원도 당신네의 힘을 많이 빌겠노라 하면서 매우 너그러운 태도였다. 홍덕호는 고맙다는 치하를 무수히 하고 우선 그것으로 그날은 갈라졌다. 닷새 지난 뒤 방치원은 한현장의 집에 왔다. 현장과 셋이서 수전개간에 대한 것을 구체적으로 협의하였다. 홍덕호는 황무지를 값을 쳐서 팔라고 하였으나 방치원은 팔지 않겠노라 하며 다음과 같은 조건하에 빌리겠다는 뜻을 말하였다.

황무지는 三년간 무상대여(無償貸與)하고 三년이 지나면 수전을 풀어 그대로 돌리는데 첫해의 개간비용과 농호를 불러드리고 다음해 햇곡식이 날 때까지의 노자며 식량은 방치원으로 부터 선대하여 준다는 것이였다. 그리고 그 빚은 三년안에 물면 그만이라는 것이다.

그래 신기경지인 한전(투田)도 부치되 三, 七로하여 소출의 三은 지주에 바치고 七은 작인이 먹으라는 것이었다.

홍덕호는 이것을 쾌히 승낙하였다. 우선 개간비용 농호 불러들이는 로비 등을 선대한다는 것이 좋았고 三년동안 제 땅과 다름없이 논을 풀고 지어먹을 수 있다는 것은 무엇보다 이로운 일이었다. 그 뿐 아니라 한전까지 부친다면 설혹 수전개간에 일 년쯤 실패를 본대도 비옥한 땅이라 三년이면 연명은 할 수 있으니 이에서 더 좋은 조건은 있을 것 같지 않았다. 그는 삼년동안에 잘하면 미천 한 푼 안 들이고 수 천원 모아가지고 나갈 수 있을 것이라 기뻐하며 수전개간에 기술 능한 고향의 친구며 사둔인 박첨지와 그를 통하여 그 외의 몇 가호를 부르기로 하였다.

박첨지는 그 무렵 고향을 떠나 만주로 들어오려고 몇 차례 홍덕호에게 편지한 일이 있었다.

그러나 홍덕호는 그 자신이 아직 확실한 일을 쥐지 못하고 우울한 날을 보내고 있던 터라 편지를 깔기만 하고 한번도 회답을 보낸 일이 없으나 박첨지는 고향을 떠나지 않어서는 안될 사정이 있었다.

그것은 결국 말하자면 고향에서 살림이 궁하게 된 까닭이라 하겠으나 그 살림이 궁하게 된 원인이 박첨지의 한때의 실수에서 온 것이었다.

박첨지의 집은 부자는 아니었으나 선대로부터 물려내려 온 자작농으로 머슴까지 두서너씩은 부리고 있어 一년간 먹고 살 게량과 용돈에는 부족을 느끼지 않는 처지였다.

그리고 박첨지는 근실하기 이름 있는 농부로서 수전 농사에는 선천적 기술을 가지고 있었다. 가족도 얼마 되지 않아 맏아들을 장가보낸 뒤에 찬수의 누이 첨지가 애지중지하든 딸을 시집보낼 준비를 하든 중 그 동리에 유행한 장질부사에 딸을 잃어버린 뒤부터 그는 마음과 생활에 변화를 일으켜 지금까지의 박첨지를 뒤집어놓은 것 같은 사람이 되고 말았다.

딸을 매장한 이튿날 친구의 참척을 위로하기 위하여 동리 몇 친구들이 그의 잔뜩 감겨있든 마음의 태엽을 탁 풀리게 하였다. 그는 향옥이에게 미치나 다름이 없었다.

四十이 넘은 농부와 스물넷인가 되는 화류계의 게집― 그것은 대조가 되는 것이 아니었으나 이 향옥이란 여자가 이상한 성격의 소유자이여서 얼골이나 몸매가 보다 남에게 뒤지는 판은 아니었으나 이리 젊은 남자를 물리치고 박첨지에게 정을 쏟았다. 박첨지는 농사와 가사를 전부 맏아들 익수에게 맡기고 돈양 있는 것을 향옥이와의 유흥에 소올솔 부려먹었다.

그리하여 박첨지는 고향에서 한 웃음꺼리가 되어버린 것은 물론이었으나 그것보다도 그래도 머슴을 두고 있든 처지가 도리어 남의 머슴살이를 하지 안어서는 안될 형편이 되자 향옥이와의 정에도 틈이 생기는 것을 발견하였다.

그가 홍덕호에게 편지를 자주 낸 것은 이때였으며 홍덕호의 부름을 받고 다짜고짜로 떠난 것도 이 때문이었다.

그의 처는 남편의 소행에 속을 태우든 나머지라. 향옥이와의 도피행인 줄만 여겨 고향을 떠나기는 싫어했으나 혼자 내어놓을 수 없다하여 바싹 남편의 꽁무니를 틀어잡고 함께 떠났든 것이었다.

어머니가 가시면 저이도 가겠노라. 나선 것이 아들 익수 부부였거니와 그들이 따라나선 다른 중요한 이유는 익수의 처의 친정이모 다 가장인 홍덕호의 부름을 받아 떠나게 되었음으로 금녀 혼자 남어있는 것이 호젓하다 하여 남편을 조른데 있었다.

홍덕호의 편지에 작인들을 몇 호 데리고 오라 하였고 노자까지 보내었음으로 박첨지며 익수며 홍덕호의 가정에서 그럼직한 사람들에게 은근히 그 뜻을 말하였다.

그들은 살림이 구차한 푼수로 한다면 당장이라도 떠나고 싶었으나 생소한 땅에 소홀히 갈수도 없다는 것과 굶어죽어도 제고장이 좋다는 향토에 대한 애착으로 하여 도리질을 하였다. 그러나 여기에 익수의 짝패 장정 몇은 밑져야 본전이 아니냐 하고들 나서 십여 명의 지원자가 나타났다. 그러나 부모의 만류와 또 피치 못할 사정으로 익수 네와 함께 떠나게 된 것은 민식 치호 오손이의 세 사람이었다.

그들은 다시 정세를 보고 편지하겠노라 말하고 가족은 뒤에 두고 홀몸으로 떠났다.

이리하여 박첨지를 위시한 열세명의 일행이 응봉리를 떠나게 된 것은 가을도 저무른 어느 날 새벽이었다.

K역까지 사십 리를 자동차를 타지 않아서는 안 되는 길 이였으나 홍덕호의 지시에 따라 일체의 살림기구— 바가지는 물론 이러니와 뚝배기까지 걷어가지고 가는 일행임으로 짐이 부폈다.

동리에서들은 이 고향을 떠나는 사람들에게 베푸는 석별의 정으로 우차 네 대를 내여 짐과 함께 사람을 태웠다.

이른 새벽에 응봉리를 하직한 것은 정오쯤 떠나는 북행 차에 못 미칠까 저어함이였다.

찬수는 그때 보통학교를 졸업하고 읍에서 면사무소 급사노릇을 하고 있었다.

그는 우차를 타고 정거장까지 그의 가족의 전송을 나갔다. 박첨지의 가족

중 찬수 하나만이 남게 되었다. 열일곱 살밖에 안 되는 아들 찬수를 남겨두고 가는 것이 서운한 품에선 그의 어머니에 지지 않게 박첨지의 심중이 허전하였다.

그것은 박첨지가 찬수를 어머니보다 더 사랑한 탓이라기보다도 보통학교를 수석으로 졸업하자 그 어마어마한 면사무소에 곧잘 붙었다는 것 그리고 한 삼년 지나면 면서기가 되고(그것은 이웃동리 리의이영감 손자의 례를 보아) 그렇게 된다면 머리를 하이칼라로 빗어 넘기고 훌륭한 신사가 되어 응봉리에도 출장 나올 것을 항상 기쁨으로 기다렸던 터라. 그 아들의 출세를 동리사람들에게 미처 자랑하지 못하고 떠나는 것이 무엇보다 애석하였다.

부인네들은 아무 말이 없었고 울퉁불퉁한 촌길에 수레가 이쪽저쪽 몹시 들까부는 대로 몸을 맡긴 채 우두머니 새벽안개에 잠겨있는 숭엄한 매봉이 점점 멀어지는 것을 바라보고 있었다.

일편 남자들의 수레에서는 고향을 떠난다는 호젓함이란 없는 듯 웃고 짓거리고 떠들었다. 물론 그들에겐들 전연 호젓한 생각이 없는 것은 아니겠으나 맘 맞는 짝패가 넷이 함께 간다는 든든함이 무슨 즐거운 여행이나 떠나는 듯한 기쁨이였을 것이다. 그리고 그들은 친구를 K역까지 전송하기 위하여 우차를 자진하여 몰고 가는 친구들이 가지고온 소주를 잔을 돌려가면서 마시여 그들의 의기는 출정군사의 그것같이 충전하였다.

○

한현장의 주선으로 국경을 무사히 넘은 일행이 잔[站=驛]에 도착된 것은 H평야에 눈이 희끗희끗 날리는 날 오후였다.

고향의 맑은 하늘 붉게 물들은 산 논에 파도치는 벼이삭 숨을 쉬면 맑은 공기와 함께 구수한 벼 향기가 가슴속까지 스며드는 고향 그리고 일할 때에 쳐다보고 저녁 돌아올 때에 바라보든 매봉 그 밑에서 나서 그 밑에서 죽고 멀리 떨어진대야 읍내밖에 못가든 매봉에 대한 애착 그와 동시에 그 밑에 남겨두고 온 골육과 정든 이웃사람에 대한 애착이 한껍에 북바치여 인생의 가슴은 고향 떠나온 사람의 허전함으로 메였다.

눈은 이내 그쳤으나 구름은 걷치지 않고 벌판이 메떼게 들어서있는 새는 바람에 불리는 대로 이리저리 큰 기폭을 휘두르는 듯하였다.

방치원은 일행을 끔찍이 환영하였다. 그는 산동(山東)태생이었으며 젊어서 조선에 건너가 인천근방에서 작은 포목전을 경영한 일이 있었다. 대체로 조선안에서 자수성가한 사람으로서 조선말로 의사를 소통할 정도는 되었거니와 그 자신이 신세진 조선사람에게 대하야 깊은 이해를 가졌었다.

수전개간을 그렇게 후한 조건으로 승낙한 것도 그가 조선 있을 때 입쌀밥에 맞들인 관계도 있거니와 그것이 만주에서도 한전(旱田)보다 이윤이 훨씬 많다는 것을 안 까닭이다. 그보다도 그는 얼마 전부터 이용가치가 충분히 있으면서 그대로 팽개쳐있는 수십만 평의 황무지를 수전으로 개간할 생각을 가졌으나 이곳 원주민은 그런 기술이 없어 그가 조선 있을 때 친하든 사람에게 그런 뜻을 편지하였다. 그 사람은 만주에 들어오는 것을 무슨 귀양사리나 떠나는 것같이 여기였든지 아무런 회답도 없이 아깝게 여기면서 일 년을 지났든 판에 홍덕호가 나타난 것 이였다. 대뜸 홍덕호의 의견에 찬이를 표한 것은 이런 사정에서였다.

그는 또한 조선 있을 때 조선사람의 생활을 충분히 알았다. 그럼으로 자기의 고장을 안식처로 찾아온 이 이방(異邦)의 교인(僑人)들을 그는 너그러운 마음으로 맞았다. 그리고 개간사업에는 처음 약속대로 비용을 대인 것은 물론이려니와 그 외의 여러 가지에 이 고장 주인으로서의 아량과 후의를 충분히 가지고 있었다.

그것은 방치원의 개인적 후의만이 아니었다. 당시의 정부에서도 대체로 방치원과 같은 견해를 가졌었다. 그들은 이주민에서 안식처를 제공하는 것이 대국으로서의 금도라 자임했다. 그리고 인구가 희박하고 개간지역이 엄청나게 많은 만주에서 더욱 수전의 개간은 지원의 발굴로서 국력의 증강을 의미하는 것이라 하였다. 그들은 이주증(移住證)을 발급함으로서 월경(越境)하는 백성을 환영하였고 지주들은 먼저 이주하여온 사람을 통하여 조선인의 농호를 부르기까지 하였다. 즉 그들은 조선백성의 힘을 빌어 만주의 황무지 개간을 꾀하였든 것이었다.

한현장이 홍덕호의 청을 일언 하에 받어드린 것은 이 정부의 국력증강책에 부합된 까닭이었다.

그러나 원주민인 이곳 농부들은 바가지를 보통이에 매여 달고 거지 떼 같이 몰려오는 백성들에게 적지 않은 적개심을 느끼고 그들을 모멸하였다.

그것은 이주민으로 말미암아 그들의 기경지(旣耕地)가 침해당할까 저어함이였다.

그들은 그들이 이미 개간한 땅— 그것을 지킴으로써 만족히 여겼고 달리 개척한다거나 황무지 같은 것을 이용할 생각은 하지 않았다. 수전을 모르는 그들에게 우리도 아닌 생각이겠거니와 그들은 습지며 낮은 곳은 한전에 적당타 아니하여 그대로 팽개치고 돌보지 않았다. 그리고 그것은 어떤 사람들이고 이용할 수 없는 것인 줄만 여겼다. 그럼으로 이주민들은 떼를 지어들어와서 결국은 그들이 이미 갈아놓은 땅에서 농사를 짓지 않으면 안 될 것이고 그렇게 되면 그들의 생활은 근저로부터 위협을 당한다는 것이었다.

방치원의 호의와는 정반대인 원주민들의 이러한 냉정한 태도는 일행이 이곳에 처음 도착되든 때부터 느낄 수 있었다.

방치원은 홍덕호와 의논하고 원주민작인의 집 한 채를 내여 위선 일행의 여장을 풀기로 하였다.

추수에 한참 바쁘든 만주인 작인들은 하던 일을 집어치우고 모여들었다. 방치원이 그들에게 제일 큰집을 내라는 말을 하였고 그 집까지 지목하였으나 얼른 그 말에 순종치 안는 눈치였다. 그리고 그들끼리 무어라 볼멘소리를 하며 좀체로 가구를 옮기려 하지 않었다. 방치원은 골을 버럭 내며 그 집문을 열어제끼고 이불보퉁이며 밀가루 자루며를 닥치는 대로 집어 밖에 내던졌다. 그 기세에 눌리어 그들은 억지로 짐을 다른 집으로 옮기었으나 얼골에는 불만의 기색이 농후하였다.

이러한 승강이 끝에 든 집이었으나 살림의 구조부터가 다르고 이상한 냄새가 코를 찌르는 집에 마음이 붙지 않어서 이삿짐을 끄를 생각도 나지 않었다.

그러든 어느 날 밤 일행이 도착되어 나흘 되던 날 밤이었다. 복바치는 여수(旅愁)도 며칠 동안의 피곤으로 말미암아 멀리 달어난 듯 일행이 단꿈을 맺고 있는 때였다.

캄캄한 밤 천지를 흐르는 개 짖는 소리와 함께 그들은 아지 못할 아우성에 잠을 깨였다.

집안도 컴컴하고 바깥 역시 어두워 아우성의 주인을 알어볼 수는 없었으나 두 사람이나 세 사람의 목소리가 아닌 것만은 확실하였다. 그리고 앞만이 아니고 뒤에서도 아우성은 들려 집이 완전히 포위되어 있는 것도 짐작할 수 있었다. (마적이구나—) 생각하였으나 말(馬)우는 소리나 발굽소리도 들리지 않었다. 말은 알어들을 수 없었으나 노기를 띤 것이 역력하였으며 같은 말을 이구동성으로 되풀이하는 것을 듣는다면 "어서 나와 덤비여 바" 하는 듯하였다. 집안에서는 혼겁하여 숨을 죽이고 있었다. 이윽고 밖에서는 문을 탕탕 차고 창에는 이따금씩 돌멩이가 날러와 맞는 소리가 났다.

나가지 않으면 그들이 문을 부수고 들어올 것이고 그렇게 된다면 오히려 독안에 든 쥐가 될 것이다. 손에 방망이를 들고 나선 것이 장정네인 것은 물론이었다. 맨 앞에 익수 그 뒤에 치호 오손이 민식이 그 뒤에 박첨지 그리고 부인들— 부인들은 포장하나로 가려 논 옆방 구석에 배기여 기절이나 진배없이 넋을 잃고 있었으나 남자들이 나서는 것을 보고 무의식중에 어린 애를 안고 그 뒤에 따라나선 것이었다. 널로 만든 출입문을 홱 열어제낀 것은 맨 앞에서 익수였다. 문을 열고 두어걸음 밖으로 내딛자 익수는 앗쿠하고 자빠졌다.

치호는 자빠지는 익수를 안으려고 하였으나 그의 머리에도 역시 바깥사람의 방망이가 무수히 나려왔다. 치호는 익수를 안고 있을 겨를이 없이 몸을 재게 솟구쳐 바깥사람의 방망이를 일편 피하고 일편 그의 손에 쥔 방망이를 휘두르면서 기세 좋게 밖으로 나갔다.

바깥사람들은 치호의 방망이에 맞아 자빠지기도 하며 쭉 좌우로 갈라졌다. 익수는 뒤에 나오는 부인들에게 매끼고 치호의 뒤로

"이놈들 사람으 죽이는구나."

하고 고함을 지르면서 오손이 민식이 박첨지가 각각 방망이를 내저으며 따라섰다.

넷이 마당 넓은 곳을 향하여 내빼자 바깥사람들도 그들의 뒤를 쫓아 칠같이 캄캄한 마당가운데에서 잠간동안 짝근짝근 유혈의 난투가 벌어졌다. 개는 요란히 짖고 아우성과 아울러 비명이 밤하늘에 사무쳤다.

이 소리에 놀라 뛰어나온 것은 방치원과 그의 집에 묵고 있는 홍덕호였다.

그들이 들고 온 초롱불에 의하여 비로소 싸움의 상대편이 이곳 원주민인 것을 알아볼 수 있었으며 홍덕호의 설명으로 말미암아 그들은 집을 뺏기고 그들의 농토까지 뺏으려는 이주민들을 아예 괭이를 땅에 내려놓기 전에 내쫓자는데서 나온 행동임을 알았다.

방치원이와 홍덕호가 각각 무마하여 싸움은 일시 그쳤으나 나그네의 마음에는 슬픔이 치바치었다.

가을이라 하여도 고향의 겨울이나 다름없는 날씨 찬 기운은 그들의 옷 속으로 사정없이 쏟아들었다. 부인들의 곡성 아이들의 울음 장정들도 눈에 팔을 가져가며 어깨를 들먹이었다.

방치원은 무어라 대여 드는 그의 작인들을 일편 억누르고 일편 타일렀다.

"이 사람들은 결코 여러분들을 해치러온 사람들이 아니다. 우리나라를 살기 좋은 고장으로 알고 찾아 온 순수하고 죄 없는 백성들이다. 나는 오랫동안 이 사람들의 고장에서 살았기 때문에 이 사람들의 온순한 마음을 잘 알고 있다. 이 고장을 찾아온 이 손님들을 극진히 맞어주는 것이 우리가 마땅히 해야 될 일이다. 여러분 어데 길을 떠났다 가정하자 해는 저물고 배는 고프고 할 때 멀리서 등불이 반작거리는 집을 보고 아픈 다리를 끄으면서 그 집을 찾어가 한 그릇의 밥과 하룻밤의 잠자리를 청했다구 하자 그때 나그네에게 밥과 잠자리를 주는 것이 옳겠는가 그러치 않으면 몽둥이로 나그네를 때려 내쫓는 것이 옳겠는가 그리고 그 나그네는 그 집을 위하여 복을 가져오는 사람이라면 어찔터인가─ 여기 서있는 사람들은 이제 내가 말한 나그네요 여러분은 집주인이다. 여러분은 오늘저녁 귀중한 손님 불상한 손님에게 손을 대였다. 이것을 옳은 일로 생각하는가."

홍덕호의 설명에 의하면 방치원은 대개 이상과 같은 뜻의 말을 하였다.

그러나 그들은 방치원의 말을 이해하는 것 같지 않았다. 말을 채 듣지도 않고 하나도 알어들을 수 없는 볼멘소리를 하면서 어둠속으로 각각 그들의 집을 향하여 흩어졌다.

○

　방치원은 홍덕호를 통하여 미안하다는 말을 재삼 하였다. 그리고 흩어져
가는 작인들의 뒤를 따라 그들의 처소에까지 가서 또 무슨 말을 타이르러 가
는 모양이었다.

　박첨지를 위시하여 젊은이들은 다소의 부상을 당하였다. 박첨지는 코피
가 터져 입가로부터 눈 있는 데까지 피칠을 하였고 민식이는 뒷골을 얻어맞
은 듯 머리가 깨어져 피가 목덜미로부터 저고리를 빨갛게 적시었다. 오손이
는 가슴이 걸리오 아프다고 숨을 깊게 들이쉬었다 내쉬었다 하며 손으로 가
슴을 만졌다. 의외에 치호만은 아무런 상처가 없는 듯하였으나 찢어진 바지
에서 반쯤 들어낸 빨래돌 같은 엉덩이에 주먹만 한 어혈이 시커멓게 찍혀있
는 것을 발견하였다. 아마 된방망이에 몹시 얻어맞은 모양이었다.

　그들은 집안에 들어서면서

　"익순 괜찮허요?"

　하고 물었다.

　"익수두 뒤따라 나갔는데……"

　하고 익수 어머니는 어떤 예감에 몸을 떨면서 황겁히 말하였다. 그는 처
음 밖으로 나가다가 한 방치 얻어맞고 자빠졌으나 짝패들이 기세 좋게 밖으
로 나가자 잠깐동안 누었다, 정신을 가다듬어 어머니며 처가 붙드는 것도 듣
지 않고 어둠속으로 쫓아나갔었다.

　"우리 뒤를 쫓아 나갔단말요?"

　민식이는 놀라면서 되물었다.

　"암만 붙잡어두 듣지 않구!"

　어머니의 말이었다.

"큰일 났군……"

모두들 눈이 휘둥그렇게 되어 익수를 찾으러 나섰다.

박첨지는 얼른 바지가락을 뜯어 새까맣게 된 솜을 떼여 코에 솜마개를 해 박고 민식이는 홍덕호의 마누라가 고향에서 가지고온 항아리에서 된장을 꺼내어 콩떡짝만하게 빚어 머리 깨어진데 붙쳐준 우에 수건을 꼭 비끄러매 면서 얼른 나갔다.

한패는 홍덕호의 초롱을 앞세우고 강변으로 더듬어가고 또 한패는 집안 에 매달아놓았든 남폿불을 들고 집 뒤쪽으로 찾어나섰다.

"익수우."

하고 강변 쪽에서 익수 부르는 소리가나면 거기에 호응하여 이쪽에서도

"이익수우."

하고 불러 잠간사이에 익수 부르는 소리가 앞뒤에서 어둠속에 애타게 들 리었다.

이리하기 십여 분

"이게 익수 아닌가?"

하고 소리가 들린 것은 람포불 든 쪽에서였다.

익수는 그들이 든 집에서 사십 여간 떨어져있는 밭 뚝에 송장이 다 되어 걸치어있었다.

모두들 그리로 달려갔다.

익수는 머리가 바수어지고 허리가 붙어져서 눈으로 똑바로 볼 수 없으리 만큼 처참하였다. 숨은 겨우 붙어있었으나 사람의 꼴이 아니었다.

여럿이 쳐들어 오손이의 등에 올려놓았다. 그리고 역시 여럿이 부축하여 가지고 집에까지 왔다.

금녀와 어머니는 울상이 되어 어쩔 줄을 몰랐다. 홍덕호는 얼른 자리를

펴라 하였다. 금녀는 포장저쪽에서 그가 아까까지 깔고 누웠든 때가 케케 묻은 요와 부부 침을 끌어왔다. 그것은 결혼할 때에 만든 것이었다.

어머니는 함지에 냉수를 퍼다가 수건을 잠궈 상처를 씻기도 하고 헌겁을 뜯어 싸매기도 하였다. 그러나 희망은 없었다.

어슴푸레한 람포불 밑에 눕혀있는 익수 그를 둘러싸고 앉었는 사람들— 그들의 얼골에는 격분과 슬픔이 섞인 표정이 나타났다. 그렇게 요란 튼 개 짖는 소리도 잠잠하여 숨 막히는 몇 분간이 지났다.

금녀는 남편의 몸을 흔들었으나 아무런 감각이 없는 것을 보고 몸부림치며 울었다. 그의 어머니는 침통하게 앉어있는 박첨지에게 달려들었다.

"어째 익술 끌구 왔우? 무엇 때문에 끌구 와서 이렇게 뭇매에 죽인단 말요. 모두 영감 죄임넌다. 농사꾼이면 군소리말구 농사나 질 게지 게집질이 뭐란 말요. 논밭 다 그년 배 속에 밀어여쿠 인젠 아들마저 되땅에 끌구와 잡아 바쳤으니 속이 시원하겠우……"

그리고 덕호를 향하여

"사둔은 무슨 억하 심성으루 영감을 충둥여 다려다 이 꼴을 보게 한단 말요. 제 좋으면 혼자 좋게지 왼통 동리를 끌구 오라구 해가지구"

말은 가득하나 울음이 치바치여 방바닥을 두드리며 목 놓아 울었다. 이에 따라 금녀도 맘 놓고 소리내여 울었다. 박첨지는 한숨만 쉬고 홍덕호는 민망해서 어쩔 줄을 몰랐다. 옆에 둘러앉은 사람들은 침통하게 입을 다물고 앉어있을 따름—

이때

"그놈들 버르장머리 가르치지 않구 제멋대루 내처둔담!"

하고 화다닥 이러난 것은 치호였다. 그는 날쌔게 문을 박차고 밖으로 내뺏으나 홍덕호가 뒤를 따라 나가 그를 붙잡어 왔다.

"그 무지한 사람들과 밤낮 싸운댔자 별수 없는 게니 참게 참어 관청에서 우릴 보호해주니까 자네가 손부치지 않트래두 어련히 잘 뒷갈망 해줄라구—"

홍덕호는 이런 말을 하였으나 젊은 패들의 격분이 가라 앉을 리 없었다.

"머요? 죄 없는 사람 때려죽이는데 그저 보고만 있으란 말요?"

"영감은 우리가 송두리째 맞어죽는걸 보구서두 보홋소리 할테유?"

"이놈 영감부터 집어처야겠다!"고 일어난 것이 오손이었다. 그러나 그는 민식이의 만류로 주저앉어 두 손으로 얼골을 가리고 응응 소리쳐 울었다. 이러한 고조된 분위기도 익수의 "어머니" 하고 부르는 힘없는 소리로 기세가 꺾이었다.

익수는 감었든 눈을 겨우 뜨고 "어머—니" 하고 겨우 소리내어 불렀다. 어머니는 익수의 머리맡에 닥어앉었다.

방 안사람들은 모다 그쪽으로 머리를 돌렸다. 숨을 죽여 익수의 입술에서 무슨 말이 나오나 기다렸다. 익수는 입술에 가녈픈 경련을 일으키며 애써 입을 움직였다. 그러나 말소리는 나지 않었다.

"익수! 이 사람 무슨 말인가 할 말이 있거든 빨리 말하게 여기 어미가 있네. 아버지두 금녀두 그리고 동무들두 다아 앉어있네. 얼른 말하게 응!"

어머니는 얼골을 익수의 얼골에 바싹 가져가면서 애타게 말하였다. 익수는 또 한번 입을 움직였다. 모두들 귀뿐이 아니라 왼 몸을 고막으로 삼고 익수의 말을 들으려고 하였다.

"어머니 저어기……"

익수의 입은 힘없이 다물었다. 어머니의 뺨에는 눈물이 주르르 흘렀다. 금녀는 치마로 얼골을 가리었다.

"저기 무어 보이니……"

"금녀두 있구 아버지두 앉었구……"

어머니의 말은 익수의 입술이 움직이는 거와 함께 끊쳤다.

"저—기 매보응……"

하고 익수는 또 말이 막혔다. 얼골에는 괴로운 빛이 깊게 나타났다. 숨을 모아가지고 겨우 소리를 내였다.

"매봉이— 매봉이— 저—기 매애봉이 뵈워요……"

"응! 매봉이 그래 정신 채려 응 정신 채리기만 하문 매봉 앞에 데려다 줄게응……"

어머니는 눈물이 왈칵 쏟아져 얼골을 비와 같이 적시었으나 씻을 넘도 않고 말하였다.

"익수 정신 채리게 당장 우리 응봉리로 도루가세. 이 사람 정신 단단히 채리게……"

오손이는 어머니의 말을 이어 말하였으나 익수는 머리를 가로저으려고 애쓰는 듯하였다.

"아아니 가선 안 돼 여기서 논풀고 돈 벌어가지구…… 그리구 응봉리에 돈 벌어가지구…… 우리 논밭 우리가 판 논이구 밭이구……"

그리고 잠간 쉬였다가

"다시 물려와야지…… 빈손으룬 못 가 빈손으룬……"

그리고 나무에서 잎 떨어지듯 머리를 베개에서 힘없이 떨어뜨렸다. 그리고 운명하였다. 집안은 왈칵 울음이 터졌다.

방치원이가 부른 만주인 한의는 익수가 운명하여 네 시간이나 지난 뒤— 다 새벽이 되어 당나귀 등에 앉아왔다.

익수의 장례는 삼일장으로 하였다.

여장도 채 풀기전이라 초상이라고 예를 가출 경황이 없는 것은 두말할 것도 없으나 이역에 와서 억울하게 죽은 그를 위하여 이렇게라도 하지 않으면 남어있는 사람들은 그들의 슬픔을 위로할 길이 없었다.

노자에서 남은 푼돈과 방치원 홍덕호의 부의를 가지고 현성(縣城)에 가서 무명이지만 수의감도 끊어왔고 남자는 두건 여자는 베수건 하나씩은 다 마련하였다. 금녀에게는 상복으로 깃광목 치마저고리 한 벌 갓드시 해 입혔다.

매장은 홍덕호가 전에 발견한 매봉옆에 하기로 하였다.

상여는 임시 듬 것 비슷이 만들었고 그것을 치호와 민식이가 앞뒤에서 들었다.

상여 뒤에는 상복 입은 금녀를 비롯하여 박첨지 부부 그리고 모두 따라섰다.

슬픈 장렬(葬列)이요. 엄숙한 장렬이었다.

금녀도 어머니도 울지 않았다. 울음으로 나타내기엔 지나친 슬픔이요 아픔이었다.

모두 소리 없이 걷기만 했다. 슬픔을 깨물면서 걷기만 했다.

땅은 파졌다. 시신은 안치되었다. 흙을 올렸다.

분묘는 만들어졌다. 해는 지평선에 기우러지려 하였다.

부인이고 남정이고 어린이고 늙은이고 익수의 분묘를 둘러싸고 마음으로 익수의 영에 애도의 진정을 베풀었다. 누구하나 발을 들어 집으로 오려 고는 하지 않았다. 언제까지고 언제까지고 섰고 싶었다.

석양 엷은 햇발도 거둔 뒤라. 솔솔 부는 바람은 차가웠다.

겨우 부녀자를 돌려보내고 남은 것은 남자들— 익수의 짝패들과 홍 박 두 늙은이였다.

홍덕호가 들고 간 '빼주'를 고향에서 갖고 온 북어로 안주 삼아가며 묘앞에서 그들은 나누어 마시였다. 잔을 주고받고 하면서 그들은 이야기 끝에 자연히 금후의 일을 의논케 되었다. 홍덕호는 입이 있어도 말이 있을 리 없었고 박첨지 역시 어안이 벙벙하여 의견이라고 있을 리 없었다. 주거니 받거니

한 것이 젊은 패였음은 두말할 것도 없어 폐일언하고 고향으로 돌아가야만
된다고 주장한 것은 오손이었다. 익수를 그렇게 죽여버린 이 고장에서 우리
가 무슨 낯으로 오래 머물러 있겠느냐 그것은 첫째 익수의 양친과 그의 부인
에게 면목이 없는 일이고 고향사람이 안다면 그런 부끄러운 일이 없다. 그러
니 어느 하루를 기약하여 그들을 습격하여 익수의 앙갚음을 하고 그냥 고향
으로 돌아가자는 것이었다.

그렇게 말하면서 그는 펄펄 뛰었다.

그러나 민식이의 주장은 그런 것이 아니었다. 익수의 원수를 갚는 것은
물론 찬성이다. 그러나 우리가 이곳에서 내뺀다는 것은…… 결국 우리가 지
고 마는 것이다. 우리가 처음 이곳에 들어올 때의 목적을 훌륭히 관철해보이
는 것이 그들에게 대한 무엇보다의 승리다. 이제 싸움을 또 일으키어가지고
내뺀다면 결국 그들이 원하는 대로 되고 만다. 저놈들은 한 놈 나자빠지드니
그만 질겁해서 뺑소니를 친다고 코웃음 칠 사람은 누군가? 이런 창피가 어
디 있으며 이런 경솔이 어디 있느냐? 우리는 이를 갈면서라도 이곳 황무지
를 개간해야 된다. 이 벌판이 모두 벼루, 시퍼렇게 메꾸어질 때까지 버티어
야 된다. 그리고 돈이나 한 움큼씩 긁어쥐고 버저시 고향에 돌아가야 된다.
엊그제께 무슨 용뿔이나 뺄 듯한 기세로 응봉리를 떠난 우리가 한달도 채 못
되어 부녀자를 귀지지 끌고 돌아간다서야 말이 되느냐? 이것이 도리여 고향
사람들에게 대한 부끄럼이다. 여기 누어있는 익수도 나의 의견에 찬성일 게
다. 그것은 익수가 운명할 때 어머니께 한 유언을 생각하여도 알 일이다. 대
체로 이러한 뜻의 주장이었다.

"그럼 널랑 여기서 원대루 그 눈살을 맞어가며…… 맞어 죽기라두 해가면
서 수전인지 논인지 변지 제길할 것 푹 풀다가 오려무나 난 이놈의 땅에 한
시각두 있기 싫다"

빼주에 흠뻑 취하여 비천거리며 일어서려는 오손이의 손을 잡어 안치고 민식이는 말하였다.

"이 사람 자넨 그걸 말이라구 하나…… 이제부터 어떻게 해야 되겠다는 걸 상의하는 자리에서 그게 말이라구 하는건가?"

"말이 아니문 뭐겠는가 자네같이 벼에 미친 사람은 친구가 맞어죽는 걸 보구두 가만히 앉어있을 테니 그게 무서워 그러네. 내가 맞어죽는댓자 자넨 변지 수전인지가 크지 벼아닌 이 친구가 중할 턱이 있나 그러니 아야 맞어죽기 전에 그리고 자네하구 사이가 벌어지기 전에 난 뺑소니 치겠네 그게 상책이거든…… 내 몸은 내가 돌봐야지 친구구 뭐구 없어 왜 내말이 글은가?"

"뭐 어째?"

민식의 손은 오손이의 뺨에 철석 올라갔다.

"이 애가 환장 했구나…… 만주 와 며칠 만에 오랑캐가 다 됐네…… 빨리 빨리! 허! 허! 되놈한테 맞어죽을까 했드니 이놈 민식이놈한테서 결단이 나겠네……"

그리고 천천히 웃통을 벗고 민식이의 코밑에 바싹 다가앉았다.

"옜다. 때려라!"

하고

"이놈 날 때려죽이지 않으면 너두 사람 아니야…… 이 친구를 모르는 놈!" 그리고 머리를 숙이고 있는 민식이의 멱살을 틀어쥐는 것이었다.

치호와 박 홍 두 영감이 말리어 갈러놓았으나 오손이는 비척거름을 하며

"아이고— 불상한 익수야 불상한 내 친구야!"

하면서 혼자 집으로 내려가는 것이었다.

그 뒤를 넷은 아무말두 없이 따라섰다.

벌서 땅거미는 되어 동녘으로부터 먹물의 장막이 소리 없이 대지를 덮기

시작했다.

갈 까마귀 떼가 하늘높이 북으로 지저귀며 날러간다.

○

이튿날 아침이었다.

오손이와 민식이는 어깨를 겨누고 매봉쪽을 향하여 거닐고 있었다.

"어저께 내가 취했든 모양이지."

오손이의 말이었다.

"뭐!"

민식이는 이렇게 가볍게 대답하였다.

"빈속에 그놈 배갈 어찌두 독한지 대뜸 취하데 그려."

이러는 오손이를 민식이는 쳐다보며 말하였다.

"내가 자네 따귀 때린 것 생각나나?"

"글세 말일세 친구 모르는 놈 어찌구 호통한 생각 어슴푸레 나네"

"이사람 그게 뭔가?"

"글세 말일세."

둘의 발은 향하는 대로 매긴 것이 익수의 묘 앞에 와 머물렀다.

아침 해가 떠오르려는 때였다. 매봉이 환히 밝아졌다.

햇발은 그들 두 동무의 전신에 화려한 빛을 던지었다.

밭에는 이곳 농민들이 벌서 이곳저곳에서 나락을 걷노라 바쁜 듯이 움직였다. 콩단을 들고 왔다 갔다도 하였다. 둘은 아침 해를 향하여 가슴을 내밀고 두 팔을 활짝 폈다. 상쾌한 기분이었다. 크게 소리를 지르고 싶은 충동이 일어났다. 둘은 매봉에 기어 올라갔다. 바로 발밑에는 익수의 묘가 있고 안

계에 전개된 것은 햇발에 환한 일망무제의 황무지였다.

오른편에는 출렁출렁 강물이 흐르고 있어 이따금씩 햇빛에 반사되어 반짝반짝하였다. 일행이 들어있는 집에서는 아낙들이 아침 짓노라고 나왔다 들어갔다 하고 아이들은 두셋씩 마당에서 뜀뛰기를 하고 있었다. 평화한 풍경이었다. 갈등과 반목이 도무지 허용될 수 없는 극히 평화한 광경이었다.

"거 좋은데……"

오손이의 말이었다.

"뭣이?"

민식이는 일부러 딴전을 폈다.

"저 강물 끌어다 이쪽 황무질 논풀었으면… 십만 평이 아니라 이십만 평은 넉근히 될 걸…… 이사람 힘 안 들이구 될 일일세 아주 쉽게 될 일일세……"

오손이는 손으로 황무지와 강물을 번갈아 가리키며 민식이에게 몸을 바싹 다가대이고 말하였다.

"어저께 날더러 벼만 알구 친구 모르는 놈이라 야단이드니……"

민식이는 오손이의 말을 받아쳤다.

"하하하."

"하하하."

"미안하이 술이야 술 때문이야."

"오손이."

민수는 정색하고 불렀다.

"웨 그러는가?"

"익수의 죽엄을 더 원통해 하는 건 누구구, 덜 원통해 하는 건 누구겠는가?"

그리고 그는 오손이의 손을 꼭 쥐였다.

"미안하이."

그들은 매봉에서 내려왔다.

익수의 묘 앞에 둘은 나란히 얼마동안이고 서 있었다.

○

관청에서는 이번 일을 세세히 조사하였다. 그리고 가해자 편에서 책임자를 내여 적당히 처리할 것을 말하였다.

한현장의 호의인 것은 물론이었다.

민식이 패에서는 거기에 더욱 힘을 얻었다.

그리고 이를 갈면서 내년에는 이 벌판을 볏단으로 메꾸자고 서로 서로 무언중에 맹서하였다.

이리하여 매봉둔 개척의 첫광이는 익수의 희생으로부터 힘 있게 내려놓게 되었다.

박첨지는 W하에서 수도 끌어올 것을 실지로 밟아보며 연구하고 계획하였다.

젊은이들은 W하 방축에 서있는 백양나무를 베어서 집짓기로 하였다. 날은 하루하루 추워와서 집 없는 고생에 부녀자들이 불쌍하였다.

우선 박 홍 두 영감의 집을 두 채를 세웠다. 젊은이들은 그 두 집에 나누어 기숙하기로 한 것이었다.

겨울 추위를 막기 위하여 집은 될 수 있으면 낮게 만들었다. 온돌도 놓았다. 매봉 밑에는 온돌에 안성마침인 돌이 많았다. 지붕은 조짚을 올렸다. 벽은 돌과 흙을 한데 버무려 바람 막기만 좋게 하였다. 대체로 움막을 면치 못하였으나 우선 겨울을 덥게 나면 그만인 것이었다.

박첨지의 눈짐작은 서투른 측량기수보다 나았다. 낮은 곳을 쫓아가며 말뚝을 박았다. 새끼를 쳤다. 삽과 괭이를 둘러메고 장정들은 땅을 팠다. 연장오리의 뜰이다. 그것을 내년 봄까지 파야 된다. 추위는 세차게 닥치고 땅은 떵떵 얼었다. 불을 피어 땅을 녹여가며 한뼘 두뼘 파나갔다. 농한기라 원주민을 고용하려 하였으나 들을 리 없었다. 부인들도 소년들도 젓먹이만 떼고는 총동원이엇다. 일은 바람부는 날이고 눈 오는 날이고 쉬임없이 하였다. 발이 얼고 손끝은 퉁리쳤다. 그러나 이것이 조금도 괴롭지 않았다. 고통으로 느껴지지 않았다. 벼! 벼! 벼를 이 넓은 토지에 꽉 차게 심고 북돋우면 그만이다. 그것만이 일념이었다. 그 외의 것은 돌아볼 가치가 없었다. 원주민들과의 충돌 그런 것도 벼를 북 돋으려는 일념 앞에는 아이 장난이었다. 오직 벼! 벼 앞에는 아무런 희생도 참고 견딜 수 있었다. 일은 수도 내는 것과 한가지로 퇴수의 길을 만드는데 기술을 요하였다. 그러나 그것도 손쉽게 될 수 있었다. 강이 기억(ㄱ)자로 꺾인 것을 이용하였다. 기억자의 가루 긋는 것과 내려 긋는 것을 삼각형의 이변으로 하여 그것을 비끄러매어 제 삼변을 수도로 하였다. 물은 강에서 나와 조금 딴 곳으로 산보하다가 제강으로 도로 들어가는 격으로 되었다. 경비도 들 것 없었다. 오직 힘이면 그만이었다. 그러나 손이 모자라는 것이 안타까웠다. 고향에 편지를 떼었다. 설이 쇠고 한호가 들어왔다.

이월 달에 두호가 넘어왔다.

원병이 올 때마다. 먼저 왔던 사람들은 힘을 얻었다.

그리고 자꾸 팠다. 파고 팠다.

이리하여 수도의 개착이 끝나고 황무지를 보섭으로 갈아 물을 대인 것이 이듬해 경첩이 훨씬 지난 뒤였다.

첫해에 푼 것이 열상(十垧=大坰約二千坪)가량이었다.

농사는 쉬웠다. 볍씨는 맨 나중에 들어 온 사람이 가지고 왔다.

거름도 할 필요가 없었다.

의외에 물이 좋았다. 벼에는 좋은 물이지만 사람한테는 맞지 않았다. 설사하는 사람도 생겼다. 몸에 부스럼이 나는 사람도 있었다.

그러나 이것도 이길 수 있었다. 어른들은 이내 물에 익숙하여 졌으나 저항력이 없는 어린애들은 설사하다가 죽는 일도 있었다.

그러나 벼에 좋은 물임으로 어린애 하나둘 죽은 것이 큰일이 아니었다. 위생에 대한 상식 없는 것도 이유겠으나 어린애가 죽는 것은 수도 좋다는 고향에서도 늘 있는 일, 벼만 잘 자라고 씩씩하면 그만이다. 죽을 명이니 죽었겠거니 하는 태도였다.

○

가을이 되었다.

농사는 풍작이랄 수 있었다.

일 년전 새만 가득 찼든 황무지에 누런 벼의 물결이 바람에 넘실거렸다.

주민들은 지내온 일 년을 돌이켜 보고 밭머리에서 말들이 없었다. 그저 뒤짐을 끼고 논둑을 밟어보기만 하였다.

식구도 늘었다 힘도 더 났다. 기쁨 벼가 가져온 기쁨에 사람들은 가슴이 뛰었다. 감격에 가슴이 뻐근하였다. 익수를 생각하니 더욱 그랬다.

하늘이 높게 개인 하루였다. 바로 추석날이었다.

주민들은 벼를 베여 햇벼 쌀로 떡을 하였다. 밭에서 나는 팥으로 속을 넣고 송편도 만들었다. 모두들 익수의 묘에 갔다. 제사를 지내고 풀도 베였다. 그리고 음복한 후 그 앞에서 농악(農樂)을 잡히기로 하였다. 그것이 익수의 영혼을 위로하는데 무엇보다도 가장 적당한 놀이라는데 의견이 일치한 까닭이었다.

며칠 전부터 젊은 패들은 밤을 밝혀가며 벙거지며 상모를 만들었다. 북장구들은 가지고 온 것을 썼다.

민식이는 장구를 치고 홍덕호는 상쇠를 잡았다. 치호와 후에 들어온 젊은이 넷은 범고잡이였고 오손이와 또 하나 후에 온 젊은이는 벙거지를 쓰고 음률에 맞추어 긴 머리를 끄덕끄덕하며 상무를 팽팽 돌리었다. 모두들 신이 나서 두드리고 춤추고 들까불었다.

오직 박첨지만은 아들생각에 혼자 이 놀음에서 제외되어 있었으나 젊은 패들의 기꺼운 놀이에 가만히 앉어 백일 수 없섯다. 그는 벌떡 일어났다.

증을 쥐였다. 그리고 놀이패의 원진(圓陣)에 뛰어 들어갔다. 모두들 박첨지가 들어선 것을 보고 더욱 기꺼하였다. 더욱 명랑하여졌다. 두어 바퀴 돈 후였다.

박첨지는 증이 시원치 않은 모양인지 민식이의 장구를 뺏어서 메였다. 그리고 다리를 들썩들썩 어깨를 으쓱으쓱 춤추면서 잦은 가락의 장단을 쳤다. 증도 잦고 법고잽이도 상쇠잽이도 따라서 상무도 잦아졌다. 십여분 눈이 돌아갈 것같이 모두 땀들을 흘렸다. 숨들이 찼다.

"그만!"

그리고 그들은 술을 마시었다. 부인들은 솥뚜껑을 걸고 전을 지었다. 보시기가 시원찮하여 사발을 돌렸다. 술도 집에서 부인들과 빚은 것이었다.

또 농악이 시작되었다.

원주민들은 어린이 어른 할 것 없이 모다 구경나왔다. 나쌀이나 먹은 원주민은 익수의 묘앞에 가 꿇어앉아 절을 하며 묵도를 하는 이도 있었다. 부인들은 원주민에게 떡과 술을 대접하였다. 아이들에게는 전을 주었다.

방치원도 초대하였다. 그는 농악을 보고 대단히 부러워하였다. 원주민들도 그들의 경작지를 침해 하지 않고 못쓸 땅을 갈아 가득이 나락이 매어지도록 되게 한 이주민 솜씨에 몰래 감탄하며 농악을 잽히며 노는 모양이 힘차고 재미있다고 구경하였다.

"호호(好好)"

홍덕호는 방치원이를 일궈 세웠다. 싫다고 앙탈하는 것을 끌고 농악대속에 집어넣었다.

모두들 신이 나서 북을 두드렸다. 오손이는 도망하려는 방치원이를 붙잡아다가 뒤에 얹혀 서서 두 팔을 벌리우고 춤을 취였다.

농악이 잦았다. 방치원이도 이에 따라 오손이 시키는 대로 잦게 팔을 놀렸다. 원주민들은 모다 깔깔대고 웃었다. 박수를 하였다.

이것이 끝난 후 <쾌지랑칭칭>이였다.

목청 좋은 치호가 앞소리로서 허두를 먹였다.

"만주땅 넓은 들에도"
모두들 이를 따라 뒷소리를 받었다.
"쾌지라 칭칭 노—네"이였다.

○

벼가 자랐네 벼가 자라
쾌지랑칭칭 노—네
우리가 가는 곳에 벼가 가고
쾌지랑칭칭 노—네

벼가 있는 곳에 우리가 있네

쾌지랑칭칭 노—네

우리가 가진 것 그 무엇이냐

쾌지랑칭칭 노—네

호미와 바가지밖에 더 있나

쾌지랑칭칭 노—네

고작 고거냐 비웃지마라

쾌지랑칭칭 노—네

호미로 파고 바가지에 담아

쾌지랑칭칭 노—네

만주땅 좋은 땅에다

쾌지랑칭칭 노—네

우리살림 이룩해보자

쾌지랑칭칭 노—네

○

그날 해질 때까지 그들은 먹고 마시고 춤을 추고 노래하였다.

유쾌하고 명랑한 하루였다. 그러나 그것은 그날만의 유쾌가 아니었다. 소출이 예상이였음을 보고 그들은 더 기뻐하였다.

소출은 벼로 이백 석(石) 이것을 팔아 이천 원가량 이였다.

벼는 현성(縣城)의 송화양행(松花洋行)에 갓다가 팔았다.

송화양행은 나까모도(中田)란 사람이 경영하는 것이었으나 그는 뒤에 숨어있고 앞에는 만주사람을 내세워 이 지방에서 나는 콩서속을 무역하고 주민들에게 백면[白面]가튼 것을 공급하였다.

　나까모도는 항상 만주복을 입고 있어 얼른 보기엔 만주사람으로 빗보기 쉬웠으나 매 사람들이 벼를 가져갔을 때 극진히 대해주었다. 현성에 오직 하나인 일본사람으로 웨 이런데 쓸쓸히 와있나 이상히 생각하였으나 그때의 주민들은 그저 우리의 벼를 잘 사주는 좋은 사람이거니만 여기였다.

　논에서 나는 소출 외에 밭에서 나는 잡곡이 있었다. 방치원의 빚은 일천오백 원가량 이었으나 천원을 물어주고 천원은 남겼다.

　그리고 잡곡으로 一년게량을 보태였다.

　모든 것이 극히 순조로이 나아갔다.

　추수가 다 지나고 주민들은 또 수도 낼 계획을 세웠다. 그리고 수도를 팠다.

　고향 응봉리에서는 이 제이의 응봉리인 매봉둔에 한호두호씩 자꾸 들어오게 되었다.

　가을에 두호 겨울에 세 호 그 다음해에 다섯호— 매봉둔 넓은 황무지는 해마다 논으로 변하였다.

　낮은 곳은 논, 풀기 힘든 곳은 밭을 일구어 매봉둔을 중심으로 조선사람은 벼와 함께 자꾸자꾸 뻗어나갔다.

　처음 계약한 삼년이 지났다.

　그동안 무상으로 개간하고 지어먹은 논은 그대로 방치원이에게 바치었다.

　이것이 조금 섭섭하였으나 그때에는 논이며 얼마간의 밑천을 쥔 때였다. 그 뿐 아니라 또 삼년간 사륙제(四六制=지주四 작인六)로 소작할 것을 계약하였다. 그 우에 주민들은 황무지를 샀다. 황폐지며 초지였으나 한상에 십 원 내외면 살 수 있었다. 방치원은 묘리를 얻어 강이 가까운 곳은 황무지라도 팔지 않았으나 주민들은 이곳저곳 흩어져서 당장 논이나 밭을 풀지 못할 곳이라도 값이 싸면 자꾸자꾸 사두었다.

그리고 고향에 편지 내어 자꾸자꾸 사람들을 불러드렸다.

삼년이 지났다.

계약은 또 연장되었다. 이번에는 육년간 절반(折半)으로 하였다.

먼저 온 사람들은 그들이 사둔 토지를 고향에서 불러온 사람들을 시켜 논과 밭을 이루었다. 후에 들어 온 사람들은 처음 못 들어온 것을 후회하였다. 그때 그들도 이삼년 지나면 처음 온 사람들의 본을 따서 황무지를 자꾸 사두었다.

그리하여 박첨지 일행이 처음 들어온 지 칠년이 지냈을 때에는 매봉둔에는 오십여 호의 농민이 자리 잡게 되었으니 이십리 사십리의 거리를 두고 십호 내지 이십호씩의 부락들이 이루어지게 되었다.

일찍 들어온 사람들은 작인을 넣고 농사하게 되어 생활은 윤택하였으며 오손이 민식이는 여기서 장가들어 버젓한 살림을 했다. 치호는 아버지 초상을 당하여 사년 만에 고향으로 나갔으나 그후 어이된 일인지 다시 들어오지 않고 그의 소유 토지를 민식이로 하여금 처리케 하여 현금 이천원을 보내게 하였다.

○

향옥이가 어떤 장사꾼하고 배가 마저 떠들어온 것은 박첨지가 들어온 지 七년되는 해의 가을이었다.

그들은 매봉 둔에 자리 잡고 포목상 겸 잡화상을 폈다.

그전까지는 무엇 살 것이 있으면 멀리 현성까지 갔으나 향옥이네 상점이 생긴 후로부터 이러한 불편이 없어졌다.

매봉둔 사람들만 아니라 부근의 적은 부락에서들도 모두 이집에 와서 물건을 샀다. 이집에 없는 것이면 향옥이 남편이 현성에 물건 무역하러 갈 때 그에게 부탁했다.

자연히 부근 부락사람들은 매봉둔에 자주 드나들게 되었으며 나중에는 약속한 배도 없이 장이 서게 되었다. 향옥이네는 주민들이 갖고 온 곡식도 걷어 사기도 했다. 그것을 현성에 갖다 팔았다.

모두들 편리하다 하였다. 그렇게 생각하는 것과 함께 향옥이 부부는 주민들에게 없지 못할 사람이 되었으며 고마운 사람이 되었다. 모두 고맙다하였다.

그러나 박첨지 마누라는 이것이 못마땅하였다.

그것은 박첨지가 향옥이 온 후부터 그의 태도에 이상한 구석이 엿보이는 탓이었다.

사실 박첨지의 마음이 향옥이의 의외의 출현으로 동요되었음은 그자신도 부정할 수 없는 사실이다. 그러나 뚜렷한 남편이 있는 여자— 아무리 이전에는 노류장화였었고 그러한 탓으로 그와도 정분이 있었든 사이였으나 지금와선 마음에 있어도 떳떳한 남의 아내—박첨지는 그의 생활에 여유가 생기면 생길수록 그리고 나이 한살 더 하여가면 그럴수록 지난날의 황홀하던 향옥이와의 생활의 추억이 짙은 향기로서 그의 몸과 마음에 육박하여 오는 것이었다. 그러나 할 수 없는 일, 그리 하야 향옥이의 남편이란 사람에 대한 질투, 향옥이에 향하는 마음— 그것은 다— 타버릴 무렵 마지막으로 활딱타고스러지는 초불과도 같이 인생 오십의 고개를 넘으려는 박첨지의 애욕의 최후의 연소(燃燒)로서 치열이 불탔다. 그리고 그의 애욕의 연소는 그 최후를 최후답게 찬란히 장식할 수 있었다.

그것은 향옥이의 남편이 죽은 까닭이었다.

향옥이의 남편은 이곳에 온지 일 년 반이 채 못되어 아마 급성맹장염(急性盲腸炎)이었으리라. 저녁을 먹고 갑자기 아랫배를 움켜 쥐고 뒹굴다가 새벽녘에 절명하였다.

남편이 죽은 뒤 향옥은 전방을 혼자 맡아가지고 곧잘 장사를 하였다. 포목과 □□□니라 밤에는 술도 팔았다.

처음에는 다모토리만이었으나 나중에는 작부 하나를 데려다 색주가 비슷한 것을 차렸다.

젊은이들은 곧잘 이집에 술 먹으려 다니었고 색시에 맘 두고 치근거리는 패도 있었다.

그러나 이상한 소문이 떠돌게 되었다.

그것은 작부가 아니라 포주인 향옥이가 애기를 뱄다는 것이었다. 그 소문은 남편이 죽은 지 일 년이 지난 뒤에 떠돈 것이었다. 그리고 그 아기의 아버지가 박첨지라는 것이었다. 처음 박첨지는 그것을 부정하였으나 꼬투리가 달랑달랑하는 옥동자를 낳았을 때에는 그는 제가 아비노라 자처하고 나섰다.   향옥이와의 관계를 공공연하게 들어내 놓았다. 그리고 향옥이의 집에 가서 배기나 다름없었다. 상품의 무역도 그의 손으로 하였다.

파는 것도 그의 손으로 하였다.

박첨지 부부의 내외 쌈이 자진 것이 이때부터임도 두말할 것이 없다. "……그년 따메 고향 떠났구 그년 따메 익술 죽이구 그래두 속이 시원치 않어서 이번엔 또 누굴 잡을려꾸 이러는거유 또 생죽엄 하나 나야만 늘그막 주책 버리겠우…… 더럽구 용렬하우…… 환갑이 넬모레인 영감이 술장사 여편네 궁덩이를 두드리문서 쫓아당기는 꼴악슨이야…… 그 노릇이 죽은 익수한테 죄 되는 줄 영감은 모루우 그애가 하늘에서 내려다 보우 부끄럽지두 않수? 어서 썩어지우 그년하구 같이 푹 썩어지우."

그리고 금녀를 가리키며

"저것이 불상치 안우 저것보기 부끄럽지 안우……"

서방 죽은 지 인젠 구년이 되는 구려 어린 것하나 그것두 유복재(遺腹子)하나 바라구 수절하는게 다― 무엇 때문이우? 경식(익수 아들)애비가 너무두 원통히 죽은 때문이 아니겠우? 어린 여편네 맘에두 그게 못이 백였구려 그런데 늙은 애비가 그 지경이니 금녀대할 낯이 있우?…… 영감이 그렇게 주책없이 굴바에야 별수 있오. 영감은 영감이 좋을 대루 그년하구 살겠으면 살구 싫건 살다가 돌베개 베구 죽겠으면 죽구 인젠 그거다― 아랑곳 있우…… 금년 금녀 대루 한 살 더 젊어서 좋은 서방 마저 보내구…… 남의 자식전정을 막을 턱이 있우…… 나는 나대루 찬수래두 찾어갈박게 별수 있우…… 그리구 경식녀석은 개 되겠으문 되구 영웅이 되겠으문 되구 그건 내가 알게 있우 영감이 어련히 잘아라 할라구……”

그러면 금녀도 시어머니의 뒤를 이어 버젓이 말하는 것이었다.

“집안이 이렇게 된다문야 누굴 믿구 살겠습니까?”

그리고 시어미 며느리가 맞붙잡고 목놓아 우는 것이었다.

익수의 이야기를 끄집어내고 금녀와 경식이를 들출 때마다 박첨지는 속이 찔리우고 그의 마누라의 말이 온당하다고 천만번 인정하는 것이었다. 이럴 때마다 그는 향옥이와의 관계를 깨끗이 끊으려고 하였다. 그러나 그것은 그 말을 들을 때뿐 한걸음 밖으로 나오면 그 자신도 모르게 몸과 마음이 향옥이한테로 끌려감을 어찌는 수 없었다.

“남어지 세상이 얼마라구.”

박첨지는 향옥이의 유혹에 이끌려가며 항상 이렇게 생각하였다.

매봉둔에 들어와 근 십년 동안 그는 손끝이 무지러지도록 흙을 팠다. 그동안 한시각의 마음과 몸의 여유가 있을 리 없었다. 조금도 헛되이 발산하지 않고 뭉치었든 향락적 본능이랄까 이러한 것이 생활의 여유와 함께 한꺼번에 폭발되었다. 거기에 인간애욕의 최후의 연소, 이런 것들은 계산에 넣는 외에 박첨지는 오십에 본 어린 것에 대한 애정이 추상같은 그의 이성을 이기고도 남았다.

마누라의 푸념 익수와 며느리와 손자를 들춰내는 조전의 무기도 처음 몇 차례는 마음에 찔리우고 그 말로 말미암아 그의 행동에 대한 마음의 가책이 되었으나 그것이 번번이 말하여 질 때 그 말의 중량과 가치가 점점 경감하여져서 나중에는 응 또 그 푸념이로구나 쯤 되어 대수롭게 여겨지지 않는 것이었다.

이러할 무렵에 매봉둔을 중심으로 일어난 논의가 학교를 세우자는 것이었다.

매봉둔 그리고 원근의 적은 부락을 합하면 이백호는 논 넉넉히 되었다. 어린이들은 해마다 늘었다.

부형들은 흙 파는 것만으로는 만족해하지 않았다. 물론 그것은 잘 살기 위한 수단이다.

그러나 잘 산다는 것은 자기 자신을 위하는 동시에 그들의 이세를 잘 북돋고 그 장래를 틔워줌에 있다. 이세를 위하여 그 장래를 생각하는 마음은 남의 땅에 와서 더부사리 하며 흙을 파는 농민이나 여유 있는 도횟사람이나 다를 것이 없다. 오히려 도횟사람보다 더 불탔다. 교육기관이나 훈육기관이 완비된 도횟사람은 손쉽게 그들의 자제를 취학시킬 수 있으나 그런 기관이 없는 매봉둔주민에 있어는 그들의 희망을 실현할 길이 없다 생각하니 향학열이 도횟사람의 두곱세곱 더 탈수밖에 없다. 더욱 그들은 고향을 떠나올 때 학교 다니든 아이들을 중도에서 떼어가지고 왔다. 혹은 일학년에서 혹은 삼학년에서 어린이들은 부형들의 이사로 말미암아 꿀같이 달든 배움의 마당을 하직하고 산천부터 적막한 만주들판에 끌려온다. 부형의 경작에 조력도 하나 조력이라는 것이 대수롭지 않은 것은 물론이러니와 한창 소년다운 생활에 앞뒤를 몰라야 할 그들은 그들의 세계를 잃고 만다.

그리하여 어른도 아니요 소년도 아닌 이상한 분위기에서 악질인 것은 담배를 피우고 나쁜 장난을 하고 그렇지 않은 아이는 심성의 정상한 발전을 잃어 일종 이상한 성격을 갖게 되는 것이었다.

부형들이 근심하는 것은 이러한 점에서였다.

학교는 중심지인 매봉둔에 두는 것이 필요하였다.

그리고 그렇게 하기로들 의논이 되었다.

그러나 모다 논 갈고 밭 가는 데는 익숙하였으나 학교일은 서투른 것은 두말할 것 없었다. 필요는 느끼고 학교 둘 곳까지 이야기가 되었으나 그것을 꾸려나갈 사람이 없었다.

인재를 갈망하는 마음 지도자가 나타났으면 하는 마음— 그것은 매봉둔을 중심으로 하는 이백호 주민들의 공통된 갈구였다. 밥 다음으로 필요한 것이었다.

그러나 봄이 되고 여름이 되어 농번기가 되니 모두 논밭 일에 여념들이 없게 되었다.

이때에 나타난 것이 찬수였다.

찬수가 둔장인 홍덕호며 그 외의 주민들에게 열광적 환영을 받은 것은 이러한 때문이었다.

아버지 박첨지의 기쁨은 매봉둔주민의 한사람으로서의 기쁨과 십년 만에 만나는 성숙한 아들을 대하는 기쁨 외에 또 한 가지 더하였다.

그것은 향옥이와의 치정관계로 말미암아 떨어져있는 주민들의 신용을 찬수의 출현으로 회복할 수 있다는 점이었다.

처음 홍덕호 등의 청으로 찬수한테 이곳 사정을 대강 이야기하고 학교일 맡아볼 수 있는 적당한 사람을 보낼 수 없겠느냐의 뜻을 써 보내였을 때 찬수가 오리라고는 꿈에도 생각지 않았다. 그것은 버젓한 중등학교 교원으로 있는 찬수가 그것을 팽개치고 이곳으로 올리 만무리라 생각하였기 때문이었다.

그러나 찬수는 자기가 가겠노라 곧 편지회답을 하였다.

박첨지로서는 이외에도 의외의 일이었다. 다시 편지 내여 그럴 것까지 없노라 하려든 참에 보름 만에 찬수는 이곳에 몸으로 나타났다.

찬수가 이곳에 오는 것을 내심 즐기지 않는 것은 박첨지보다도 그의 마누라가 더하였다. 맏아들을 횡사시킨 기억이 날이 갈수록 되살아나는 요즈음 하나 남은 아들마자 데려온다는 것은 도무지 마음에 내키는 일이 아니었다.

뿐 아니라 들어오든 날부터 나간다는 것이 찬수어머니의 입버릇이었다. 금년 가을에나 하고 마음 잡았으나 내년 봄으로 밀리게 되었고 그 봄이 당하여 오면 또 가을로 밀렸다.

그러면서 근 십년이란 세월을 내려끌었다.

더욱이 영감이 향옥이와 다시 관계를 짓게 될 때부터는 당장이라도 떠나고 싶은 생각이 났었고 향옥이한테서 어린 것이 난후 박첨지가 그 애를 못 잊고 귀여워하는 것에 정비례하여 찬수어머니는 아들에 대한 골육의 애정이 갑자기 치받히는 것을 어쩔 수 없었다.

그리고 영감과 싸우는 경우에도 찬수가 조선에 있음으로 하여 그리로 가겠노라 입버릇이나 다름없이 그 말을 위협의무기로 썼거니와 그렇게 실행할 수도 있었다.

그렇든 찬수는 조선을 떠나 이곳에 온다는 것은 한편 반가움도 없지 않으나 지금까지 전 정신을 받치고 있든 기둥을 홍수에 빼앗겨버리는 것같이 마음의 한구석이 무너지는 듯하였다.

일편 박첨지는 공부도 많이 하고 출세도 맘껏 한 찬수가 무슨 까닭에 이런 곳에 와서 고생하겠느냐는 것이었다.

그러나 찬수가 불구하고 나타났을 때 주민에 대한 자신의 신용회복이란 공리적 생각이 머리에 번쩍여 차라리 온 것이 잘되었다 생각하였다.

○

찬수는 만주에 옴으로서 그의 정신의 질식을 타개하는 동시에 새로운 생활을 건설하려는 것이었다.

그는 박첨지일행이 처음 응봉리를 떠나든 때 그러니까 십년 전 그는 읍내 면사무소 급사로 있으면서 일 년간 충실하게 동경서 발행하는 강의록의 교외생(校外生)이 되어 은근히 자습하였다. 이년 되든 해 봄에 동경으로 건너갔다.

사립중학교 삼학년에 편입하여 신문배달로 고학을 하면서 그 학교를 마치고 W대학야간고등사법부에 입학하여 역시 낮에는 고학하고 밤에는 강의를 들었다.

졸업 후 K부(府)공립상업학교에서 영어를 가르치게 되었다.

아이들은 찬수를 따랐다.

학과는 물론이려니와 그 외의 것도 닥치는 대로 가르침을 받았다. 그는 경제학에 취미를 가져 거기에 대한 지식이 비교적 해박하였다.

아이들은 그의 숙사에도 찾아갔고 오면 아는 데까지 경제에 관한 이야기를 들려주었다.

이렇게 하는 사이에 아이들은 자연히 찬수를 중심으로 한 개의 <그룹>을 만들게 되었고 찬수는 차츰 교수에 보담도 이 <그룹>에 더 열이 가게 되었다.

아이들은 교장배척 등 몇 가지 조건을 제출하고 동맹휴학을 하였다. 그 사건의 주모자가 찬수의 집에 드나드는 <그룹>이었든 관계로 배후의 책동이 있다 하여 몇은 사직의 손을 번거롭게 하였다. 자연 찬수도 아이들과 함께 구금의 몸이 되었다. 영오(囹圄)에서 반년, 자유의 몸이 되어 나온 후 전직은 잃고 친구의 소개로 서울에서 어느 사립중등학원에서 역시 교편을 잡고 있었으나 그 후의 생활은 막다른 골목에 자꾸자꾸 쫓기어 들어가는 듯한 숨 가쁜 것이었다.

일시적 실수라고 할까 이러한 과거에 대한 완전한 결별을 꾀하면서도 달리 넘어들일 새로운 생활을 찾지 못하고 마치 흐리터분한 날 고래가 메인 온돌에 불을 때일 때 방굽에서와 부엌에서 내는 연기 속에 앉어있는거와 같은 질식 할 상태에 한 가닥의 신선한 공기, 그것은 찬수한테 절실히 필요한 것이었다.

환기(換氣)— 찬수는 아버지의 편지를 신선한 공기를 공급하기 위하여 비스듬히 열어놓은 퇴창으로 무한이 반겼다.

만주— 하늘부터 툭 티였을 만주, 땅은 물론 공기마저 환할 만주, 그곳에 십년간 이룩하여 놓은 제이 응봉리, 아버지와 어머니 형수며 부형친구 동생들이 생활하고 있는 곳, 그곳에 가서 맘대로 뛰놀고 맘대로 부르짖고 부조와 형제들과 함께 먹고 일하자, 그들이 호미로 파서 쌓어놓았다면 나는 그들의 이세를 가르치고 키워서 그들의 생활을 굳건히 해주고 빛나게 해주자. 그렇게 하는 것이 십년간 흙을 판 고향사람들의 노고(勞苦)에 대한 뒤에 오는 사람의 갚음이다. 이렇게 생각만하여도 찬수의 가슴은 뛰었다.

그러나 그것은 역시 찬수의 마음가운데 내왕하는 한 덩어리의 관념에 지나지 않었든 것을 그는 매봉둔에 도착된 후 며칠 안 되어 발견하였다.

그것은 씩씩하고 힘찬 매봉둔 주민들의 생활이 그리고 과거의 고뢰가 결코 그가 책상 우에서 생각하든 것 같은 시적인 것이 아니었다는 것을 눈으로 보고 느낀 까닭이었다.

그들의 고뇌, 그들의 굳은 의지 그것에 비긴다면 찬수의 생각, 그리고 그가 하려는 일은 너무도 빈약하고 허잘 것 없는 것이 아닌가 그는 전에 들어온 이주민들의 거룩한 업적에 스스로 머리가 숙여지며 아지 못할 위압이 그의 마음을 내려누름을 어쩔 수 없었다.

주민들의 극진한 환영 그것이 더욱 그에게는 커다란 짐이었고 괴롬이었다.

그들은 마치 무슨 구세주나 만난 것 같은 대접이요 환영을 베풀었다. 이집에서 아침을 지으면 저 집에서 저녁을 짓고 하여 며칠 동안은 이집에 들려대니고 저집에 들려대니었으나 그럴 때이면 더욱 그는 부끄럼을 느꼈다.

학교를 맡아 건설해 달라 아이들을 맡아 길러 달라 주민들은 열과 정성으로 그리고 진심으로 찬수에게 부탁하였다. 그러나 이러한 주민들의 신뢰와 기대가 크면 클수록 그는 그의 허잘 것 없는 힘 관념적인 유희를 더욱 반성하는 것이었다. 내가 지도자의 자격을 갖추었을까? 그들, 씩씩한 그들의 신망에 어김이 없을까— 이러한 것을 생각하고 그는 얼마동안 우울한 날을 보내었다. 이같은 상태도 찬수가 역시 지난날의 탈을 완전히 벗지 못한 탓인 것은 더말할 것도 없어 시각을 다투어 설계하고 시작해야 된 학교건설에 대한 일도 와서 한달이 지냈건만 도모지 손에 잡히지 않았다.

거기에 그를 더욱 그러한 정신상태에서 속히 벗어나지 못하게 한 것은 아버지와 어머니와의 사이의 암운이었다.

어머니는 아버지의 소행을 원망이 가득 찬 말로써 찬수에게 전하고 웨 왔느냐 나무랬다.

찬수는 아무리 부모의 일이라 하드래도 도리어 부모의 일인 탓으로 하여 늙은 부부의 치정관계에 깊이 들어가 간섭할 수 없었다.

그리하여 어머니의 마음이 시원할 말을 못하고 있었음으로 어머니는 너한테서나 속 시원한 이야기를 듣자고 했드니 너마저 애비편이로구나 하는 태도로 아들을 못마땅하게 여기였다.

그리고 어머니는 인젠 내혼자다 하는 생각으로 생전 알지도 못하든 술을 입에 대이게 되었다. 처음에는 집에 조금씩 받어다 마시고 아들한테 노엽다, 영감은 죽일 놈, 익수가 불상해 며느리신세가 가련타…… 항상 이 같은 푸념을 뇌이더니 나종에는 밖으로 나대니며 옆집 늙으니들과 떼를 지어 술을 무작정으로 마시었다.

이렇게 되고 보매 며느리 금녀는 신산한 시댁에 있으니 보담 친정에 가있는 시간이 더 많아 찬수는 끼니도 제대로 찾어먹을 수 없는 형편이었다.

이러든 어느 날 그는 현성(縣城)에 가서 송화양행의 나까모도를 만났다. 벼를 항상 사주고 여러 가지로 매봉든 사람에 고맙게 굴어준다는 이야기는 그가 이곳에 와서 들은 일이거니와 무료를 이기지 못하여 찾아갔든 어느 날 이 늙은이를 처음 만날 때부터 그는 정다움을 느꼈다. 나까모도는 만주말을 잘하는 것은 물론이려니와 항상 만주복을 입고 있어 현성사람들한테서는 친중파(親中派)로서 존경과 이해를 받었었다. 그러나 다만 그뿐이요 그가 무슨 까닭에 만주인 속에 다만 홀로 끼어 십사오년을 한곳에서 지내는지 아무도 몰랐고 그자신도 이야기하지 않았다. 이야기 안한 것이 아니라 이야기 못한 것이며 또 이야기할래야 그의 참뜻, 그의 사명을 이해할 사람이 없는 것도 사실이었다.

처음 그를 만주인 측에서는 정치적 비밀사명을 띄고 온 사람인 것으로 알아 감시를 게을리 하지 않았으나 그는 조금도 그런 티가 없었고 도리어 만주사람들을 위하야 여러 가지로 은혜를 베풀었다.

말도 옷도 생활도 모다 만주사람의 그것을 따랐고 송화양행을 경영하는 일편 고아원 유치원 같은 것을 경영하고 나중에는 소학교도 열었다.

그는 기독교도는 아니었으나 그가 신앙하는 아지 못할 종교가 있어 다만 그것을 아동들에게 선전하는 것으로 만족해하였다. 일종 세계 동포애와 같은 교리였다. 그는 그것을 추상적으로 이야기한 일이 없고 아동을 통하여 그의 주의와 신념을 실행에 옮기는 것으로 일생의 업을 삼았다.

웨 일본에서 일을 못 하였는가 의심이 되나 그러지 못할 심각한 이유가 있었는지는 차치하고 외국에 와서 외국 사람을 상대로 일하는 것이 그의 신념의 실행에 더 의의가 있다 생각한 것인지도 알 수 없었다.

매봉둔 주민들은 다만 그를 벼 잘 사주는 사람으로만 여기었지 뒤에서 그러한 정신적 사업을 하는 줄은 몰랐다. 그렇게 깊게 교제하지 않은 탓도 있으려니와 주민들은 일본말을 모르고 만주말도 잘 못함으로 그처럼 덤덤히 지난데 원인이 있었다.

찬수는 의외에도 그를 만나 그의 뒤에 숨어있는 사업을 알았고 홀몸으로 이역에서 꾸준히 자기의 신념을 위하여 일하는 위대한 인격에 억눌리었다. 나까모도도 모국어를 상통할 수 있는 찬수를 만나 온종일 그를 놓지 않고 이야기하였다. 그리고 그날 함께 송화양행이층에서 자면서 나까모도의 고심담 사업에 대한 이야기를 들었다. 그리고 감격하였다.

매봉둔에 학교 건설한 것도 찬수는 이야기하여 나까모도는 찬수를 격려하였고 교사의 재료며 그의 정신적 원조를 아끼지 않겠다는 것을 말하였다.

그는 이튿날 매봉둔으로 돌아오면서 한 달 동안이나 가슴속에 뭉키었든 울적이 한껍에 풀려나가는 것을 깨달았다. 새 힘을 얻었다.

그날부터 그는 잡념이 없는 시간을 가질 수 있었다. 그가 처음 들어올 때 마음가운데 다졌든 사명에 곧게 나갈 수 있는 마음의 긴장을 회복하였다. 그가 학부에서 연찬한 학문을 아무의 지배도 받지 않고 제 이상대로 실천할 수 있는 열의에 몸을 떨었고 행복감에 가슴이 울렁거렸다.

그는 위선 금년은 백 명을 수용할 수 있는 교실 두간을 지을 것을 설계하였다.

학령아동은 오십 명을 넘지 못하였으나 조선서 중도에 퇴학하고 온 아이들이 많아 처음 학교에 입학하는 아이를 한급에 수용하고 다른 한급에는 중도 퇴학한 아이를 두 학년을 함께 넣고 그를 오전에 교수하고 오후에는 나머지 세 학년을 한급에는 단식, 한 급에는 복식으로 교수하려는 것이었다.

그리고 一년에 두급씩 늘리어 이년 후에는 육 학급을 완전히 차려놓자는 것이었다.

금년은 위선 찬수 혼자 교수하기로 하고 내년 봄에는 그의 친구서 가히 이런 일에 이해있을 만한 사람까지 물색하여 데려올 계획까지 세웠다.

밤에는 장년들을 위하여 야학을 열 것도 계획 중의 하나였다. 그리고 나까모도씨는 가끔 모셔다가 강회를 들리기로 하였다.

주민들은 두 손을 들어 이에 찬동하였다.

그리고 하루 바삐 교실을 짓기로 하였다.

건축 재료는 천변의 백양나무를 베여 기둥이며 섭가래 등으로 쓰고 그 외 널이며 유리 같은 것도 그들의 손으로 자급자족할 수 없는 것은 송화양행에 말하여 나까모도의 알선으로 실어오기로 하였다.

부근 동리에 목수 잘하는 사람이 있었다. 그 사람의 지휘로 집을 세우고 그의 토역(土役)일체는 주민들의 부역이었다.

주민들은 열심들이었다.

가을 새 학기부터 학교 문 열 것을 목표로 하고 찬수는 공사를 다그쳤다.

농번기였으나 주민들은 낮은 낮대로 논일에 힘쓰고 밤이면 학교공사에 종사하였다.

달밤이면 그대로, 달 없는 밤이면 솜뭉치를 철사로 공같이 감어 만든 횃불을 여러 군데 켜놓고 외를 역고 벽을 부치고 흙질하고 널을 다루었다.

학교위치는 매봉 바로 옆이어서 주민들의 집과는 거리가 멀었으나 그들은 열심히 낮에 피곤한 하품을 깨물면서 잘들 일하였다.

기둥은 서고 서까래가 얹히우고 마룻바닥이 깔리었다.

하루하루 집의 형용이 잡히어 갔다.

공책 교과서 연필 등 학용품도 가져왔다.

책상은 긴 널장에 발을 붙여 마치 국숫집 상같이 만들었고 걸상은 없이 널 우에 방석을 깔고 앉게 할 작정이었다.

찬수의 마음가운데는 완전히 매봉둔 주민의 한사람이라는 생각이 자리 잡게 되었으며 그들의 머리를 깨우치고 그들의 이세를 훈육하는 사업으로서 매봉둔 개척의 한쪽나래로서 이바지하자는 생각이 신념으로서 굳어지는 것이었다.

이러한 생각이 굳어지는 거와 한 가지 학교 집은 날로 완성에 가까워 벽도 다 부치고 인젠 지붕에 흙을 올리게 되었다. 흙을 올리고 볏짚 이영만 올리면 그만이었다.

준공이 된다고 생각하니 찬수의 마음은 조급하였다. 주민들도 찬수와 마찬가지였다.

비가 내리어 공사에 지장이 생겨 준공이 하로라도 늦어지는 것은 참을 수 없는 일이었다.

찬수가 비가 올듯말듯한 하늘을 쳐다보고 안절부절 못한 것은 이 때문이며 급기야 소낙비가 쏘다지는 것을 보고 입맛을 다신 것도 이 때문이었다.

後章

비는 자꾸 내리었다.

우박이 아닌가 의심하리만치 세게 퍼부었다.

어머니는 섶나무를 헛간에 다 쳐드렸는지

"엇쯔거."

하며 방문을 열고 드려오는 듯하였다.

그리고 잠간사이 잠잠 하드니 또 오금 박는 소리가 이번에는 크게 들리었다.

"하루저녁 못니저 이 비 오는데 나서는 거유."

아버지는 밖으로 나가려는 모양이었다.

"어째 이리 수선 떨구 야단야."

아버지의 퉁명스런 목소리였다.

"뭣이 수선이란 말요?"

어머니는 독이 삐친 어세로 냅다 쏘았다.

"그때 모진 소낙비에 기체 안녕합시유 문안 드리러 가는 참이유? 정렬부인 있단 소린 들었서두 정렬남편 있단 소린 못 드렀우 그래 영감은 그 없는 정렬남편노릇 하자는 게로군 열남문 세워야 겠어."

우뢰가 납작한 집을 꽉 내려 누를 듯이 울리었다.

집 뿐 아니라 그 안에 있는 사람의 내장까지 흔들리었다. 이어 번개가 뻔쩍하고 뻔쩍였다. 비는 뇌성벽력과 보조를 맞추어 내려 퍼부었다.

우뢰, 번개, 비…… 천지는 태고의 암흑 속에서 한동안 뒤집히는 듯하였다. 늙은 부부의 싸움도 자연의 폭우 속에 사라지고 말았다.

삼십분은 넉넉히 되었을까 뇌성도 끝이고 비도 개였다. 맑은 하늘에는 별이 반작였다. 무슨 일이 있었느냐 하는 것 같은 맑음이었다.

찬수는 문을 열고 하늘을 치어다보며 어머니와 아버지의 갈등도 소낙비 지난 뒤의 하늘과 같이 언제 한번 깨끗이 개일 수 없을까 생각하였다. 그러나 그로서 해결 지을 수 없는 문제인 것은 전이나 지금이나 다름이 없었다.

—아버지는 이곳 개척의 공로자다 십년을 하루같이 흙을 파고 애를 썼다. 그 공적은 이미 뚜렷하다. 이제 생활의 여유를 얻은 오늘 다소의 향락은 용서할 수 있는 것이 아닐까 아버지 자신이 그것을 기피한다면 몰라도 그러한 생활에서 위안을 얻고 생애의 기쁨을 맛볼 수 있다면 그의 과거의 공적이 큰 것에 비치여 그 생활이 탈선된 것이라고 그것을 뺏는다는 것은 너무도 가혹한 일이 아닐까.

찬수의 아버지에 대한 태도는 이러한 것이었다.

이러한 생각은 찬수로서는 극도의 너그러운 것이어서 이런 아량으로 대하면 아버지의 행동의 이유는 우선 합리화할 수 있으나 그러면 어머니—하고 생각을 돌릴 때 아버지에 대한 동정과 이론이 그만 무너지고 마는 것이었다.

아버지에게 공적이 있다면 어머니에게도 반만큼 아니 그와 꼭 같은 분량의 공적이 있었을 것이요, 아버지가 그 공적의 값을 받는다면 어머니에게도 응당 거기에 상응한 베풂이 있어야 된다.

아버지만 용서받고 어머니는 희생되어야 된다는 법이 어디 있느냐 찬수는 그만 막다른 골목에 이르고 마는 것이었다.

○

소낙비로 말미암아 학교공사장은 말이 아니었다.

벽도 망가고 집안에는 물이 고이고 지붕석가래 우에 펴놓은 수수대기가 불거지고 날려 떨어져서 그것을 복구하려면 목수와 주민들이 총동원으로 부역한대도 열흘품은 넉넉히 걸릴 정도였다.

찬수는 어안이 벙벙하였다.

자연의 위세 앞에 허잘 것 없이 쓰러지는 사람의 힘이라는 것을 그는 허무하게 생각하였으나 그 자연을 정복하고 그것을 이용하는데 또한 인간의 지능이 있고 인간의 힘이 있다는 것을 그리고 그것이 인간사회의 발달의 역사이며 이것이 소위 문명의 피비린내 나는 과정이라는 것을 새삼스럽게 느끼었다.

그렇게 생각하고 보매 찬수는 여기에서 낙망만하고 서있을 아무런 근거도 없었다.

그는 한번 허허 웃고 자연의 주정꾼이 한바탕 들 부시어 놓은 낭자한 자최를 웃음으로써 대할 마음의 여가 생긴 것을 그 스스로도 대견히 여기면서 건축장 주위를 뒤짐을 집고 한 바퀴 돌았다.

널 우에 고인 물에는 개구리가 여러 마리 목욕을 하고 있었고 어떤 놈은 깡충깡충 물 없는 널판에서 뜀뛰기를 하고 있었다.

자연의 한때의 장난으로 만들어진 운동장에서 세상모르고 목욕감고 있는 개구리— 문득 찬수는 이것이 매봉둔 주민들 운명이 아닌가하고 생각하였으나 이내 그것을 부정하고 말았다.

해가 나면 위선 물은 증발하여 버릴 것이겠고 그렇지 않아도 학교교실로 씨울 널장 우에 고여있는 물이라 곧 목수와 미장이의 손으로 퍼냄을 받거나 씰리움을 당할 것이니 개구리 제 아무리 즐거웁게 노닌다 하여도 천생의 논물이나 개울물에서와 같은 안전을 얻을 수는 만분 없을 일이요, 몰리우고 쫓김 받을 것은 시간문제로 되어있는 것이다.

찬수는 이러한 생각이 들자 곧 매봉둔주민의 운명을 이 개구리의 운명과 한 가지로 느끼었든 조금 전의 생각을 요사스러운 것으로 여겨 이내 부정한 것이었다.

그러나 이상하게도 한번 그의 뇌리를 스쳐지나간 그 생각은 좀처럼 나머지 자최를 거두지 않고 뱅뱅 돌아 무슨 불길한 것을 암시하는 듯 그의 마음에는 금시 검은 그림자가 자리 잡는 것이었다.

찬수의 예감은 적중하였다.

그것은 위선 복구공사를 시작한지 일회— 찬수며 목수며 원주민들이 모다 힘을 모아 망가진 곳을 고치고 새로이 손 갈 데는 손질하면서 오로지 준공의 날을 기다리고 있는 날이었다.

둔장 홍덕호는 요즈음 새로 갈린 현장의 호출을 받게 되었다.

학교에 관한 것이 아닐까 생각하고 새 현장은 이에 대하여 어떠한 처리를 할까 굼굼히들 생각하였다.

한현장은 오년간 현장의 자리에 있다가 고향으로 돌아가고 후임으로 두 사람이 왔다갔다. 그 두 사람들도 한현장과 마찬가지로 조선농민에게 이해가 깊었다. 마지막 현장은 양씨였으나 그는 이년간 있는 사이에 역시 여러 가지로 매봉둔의 조선사람에게 편의와 후의를 베풀었다.

학교문제가 났을 때에도 홍덕호는 양현장을 맞나 그 계획을 이야기하였고 양현장으로부터 묵인을 얻은 것이었다.

양현장이 새로 온 소(邵)현장과 자리를 바꾸게 된 것은 바로 찬수가 학교집을 짓기 시작할 무렵이었다. 홍덕호는 양현장에게 그가 가드래도 학교에 대한 것은 주민의 열성을 받으러 새 현장에게 지장 없이 진행하도록 부탁하여달라고 말하였다. 그는 물론 이것을 응낙하였다.

그러나 소현장은 부임하든 날부터 한현장이나 양현장 같은 사람이 아니라는 소문이 떠돌았다. 나이는 젊어 사십을 넘으락말락 하였으나 일일에 까다롭기 써개 훌치라는 것이었다.

만국 십칠 년(소화삼년) 장개석의 북벌(北伐)이 성공하여 동년 시월 십일부터 동삼성(東三省)에도 청천백일기가 나부낀 지 불과 반년이 남짓한 때라 그들은 종래의 매관매직의 부패한 정치를 쇄신하고 삼민주의에 의거한 새롭고 힘센 정치를 펴야 된다고 지방에는 소위 정예분자를 발탁하여 파견하였다.

거기에 발탁되어온 것이 소현장이었다.

그는 북경의 대학을 졸업하자 동경에 가서도 모 대학에서 정치를 배운 일이 있어 지식으로나 패기에 있어서나 또는 정치적 의식에 있어서나 가위 진보적 인물이었다.

한현장이나 양현장 같은 돈으로 현장의 자리를 사고 돈만 주면 죽일 놈이라도 살리고 친분만 있으면 아무리 어려운 일이라도 그래야지 하고 허락하는 정치가에 비긴다면 국책에 충실하고 의식적인 정치를 행하는데 있어는 소현장은 발탁될만한 자격이 충분히 있었으나 그것은 중국이란 국가로 보아 그런 것이고 매봉둔 주민에게는 정예분자가 아닌 물렁물렁한 한현장이나 양현장 편이 더 무난하였다.

소현장의 정치적 목표는 배일에 있었다. 그는 배일사상으로 무장을 하였다.

소현장은 부임하는 날부터 전 현의 관리명부를 조사한다. 현직관리의 인물고사를 한다.

맨 먼저 인적전용의 정비에 힘을 썼다.

능률이 없는 관리는 사정없이 파면시키고 뇌물 먹은 관리도 조사하여 처벌하였다.

반면에 인재는 착착 등용하는 등 그의 급진성을 여지없이 발휘하였다. 이것이 위선 일단락 지은 다음에 달라붙은 것이 현내에 사는 일본사람에 대한 조사였다.

부하의 보고로 현내에는 거의 일본사람이 없고 현성에 송화양행을 경영하는 나까모도라는 사람이 있으나 그 사람은 지극히 좋은 사람으로 부근에서 나는 곡식을 사드리고 주민들에게는 빼면[白面]같은 것을 대량으로 공급하여 없어서는 안될 사람인 것은 물론이려니와 그는 친중파(親中派)로서 옷도 만주 복이요 말도 만주 말을 쓴다.

그 외에 우리들의 아동을 위하여 유치원이며 소학교를 경영하는 고마운 사람이라는 것을 알았다. 따라서 길림에는 영사관이 있으되 현내에는 영사관이 없노라, 소현장의 비위를 맞추어 부하는 보고하였다.

그는 나까모도에게 붉은 점을 찍었다.

그를 불러 사람 된 품을 살피어도보고 속도 떠보았으나 아무런 단서를 잡을 수 없었다.

어느 날밤 삼경 그는 그자신이 지휘한 순경대를 이끌고 나까모도의 상점과 학교 등을 습격하여 샅샅이 가택수색을 하였다. 그것은 마침 그 무렵 송화양행에 도적이 들어 빼면과 통조림 그리고 현금까지 천여 원어치를 잃은 일이 있은 것을 빙자하고 그 범인이 그 집안에 있는 사람이라는 이유를 부친 것이였다. 그리고 나까모도의 사용인 사오 명을 붙잡아옴으로서 가택침입의 비법을 덮으려하였으나 그가 찾아내려는 아무런 단서도 못 얻고 도리어 나까모도의 항의만 받았다.

소현장은 그 후 사람을 내세워 그날 밤의 일을 사과하고 친밀한 듯이 표면은 꾸미였으나 더욱 그한테 날카로운 눈을 떼지 않고 있을 때 그의 집에 자주 드나들면서 널이며 횟가루며 유리며…… 이러한 건축 재료를 수레에 실어가는 젊은 사람이 있는 것을 알았고 그것이 매봉둔의 조선사람이며 그들은 그곳에 학교를 짓는 중이라는 것을 알았다.

소현장은 곧 부하를 불러 매봉둔의 조선사람의 일을 조사하라하였다.

그 보고로 매봉둔에 오십여호 그 부근에 십호 내지 이십호씩 적은 부락들을 합하여 이백여 호가 산다는 것을 알고 깜짝 놀랐다.

그리고 그들은 학교까지 짓고 있으며 학교 짓는 재료가 나까모도한테서 나간다는 것을 알고 큰일이 나는 것같이 서둘렀다.

그의 지론으로 한다면 조선사람이 많이 모여 사는 곳에는 그 사람들을 보호하기 위하여 <링스관>[領事館]이 들어온다는 것이었다.

다른 곳에서는 조선사람을 민국에 입적시키고 중국옷입기를 강조하여 자기나라 백성으로 취급해버리나 소현장의 지론은 그런 미지근한 방법이 틀렸다는 것이었다.

중국복을 입으나 국적에 드나 조선 놈은 어디까지든지 조선놈이고 조선놈인 이상 일본신민으로서 보호할 의무가 있다 주장함은 당연한 일로서 여기에 비로소 영사관설치가 문제되며 영사관이 설치된다는 것은 곧 일본의 정치세력이 이 나라에 인을 친 것을 의미하는 것이라는 것이었다.

그리고 조선사람은 천성이 간사하여 이익을 위하여 필요한 편에 잘 들어붙으나 그것이 불리하면 배은망덕하고 은혜 베푼 사람에게 침 뱉기가 일수라는 것이었다.

그럼으로 그 문제의 백성인 조선사람을 전연 입국시키지 않는 것이 마땅한 일이나 이미 들어와 있는 사람들은 처음에는 온순한 수단으로, 그것을 듣지 않으면 문제가 생기지 않을 정도의 강제수단을 써서 몰아냄으로 화근을 빼어내는 것이 상책이라는 것이었다.

그러나 문제가 생기지 않을 정도의 강제적 수단이란 있을 수 없이 도리어 문제를 버르집어놓는 결과가 생기는 것이었다.

홍덕호를 부른 것은 제 일단의 수단을 선고하자는데 있었다.

학교건축을 중지하고 학교의 경영을 허가할 수 없다는 것이었다. 이것을 선고한 후 그 반영을 보아 매봉둔에서 떠나라는 제이의 수단을 쓰자는 것이었다.

홍덕호는 다 저녁때가 되어 돌아왔으나 그의 얼굴에는 검은 구름이 짓게 끼였다.

주민들은 홍덕호를 에워싸고 건축장인 학교 교실 안에 앉어 현장의 명령이 부당함을 일편 분히 여기고 일편 그 선후책을 강구하였다.

그렇지 않아도 어둠컴컴한 교실 안이 해가 떨어져 이슥하였음으로 황혼의 장막이 사방에 덮이기 시작하여 마주 앉었는 사람의 눈과 코도 잘 분간할 수 없게 되었으나 모두들 일어날려는 기색도 없이 우두머니 마주 보고들만 앉았었다.

모기는 앵앵 대부대를 지어 습격하여 이쪽저쪽에서 철썩철썩 넓적다리를 때리는 소리와 써억 썩 팔을 긁는 소리가 이따금씩 날뿐 누구하나 말 한마디 없이 숨 가쁜 침묵이 여러 순간 지나갔다.

아이들은 그들의 부형에게 저녁진지 받으라고 이르러 왔다가는 이 교실 안의 묵직한 공기에 그만 주춤하고 밖에서 여러 놈이 소리는 내지 않고 장난을 하다가

"아버지 저녁잡수시래요."

한마디 껀으로 소리를 질르고는 집으로 내빼고 하였다.

얼마동안의 침묵도 젊은이들의 격분한 말로 깨여졌다.

"기껀 학교 세워 노니까 그만두라 말라 이건 사람을 어린애루 아나."

"학교 고만두란 건 결국 우릴 이 고장에서 살지 말란 말이 아닌가……"

"글쎄 말일세……"

"그거야 말 되나 학곤 학교겠지 이 고장에서 살지 말라는 것과는 다르지 안나……"

"아닐세 학교 못한다면 이곳서 사나마나지 애들은 어떻게 할려구?"

"에이키 시끄러워서 학교구 무어구 다― 불질러버리구 논은 흙으루다 메꿔비리구 모두 이 고장을 떠나 버릴까 부다 원 더러워 못살겠네."

들어 온지 얼마 안 되는 젊은 사람의 말이었다.

"그게 무슨 말인가 이 고장은 못 떠나네 논이면 좀한 논인가 학꼴 못하면 못할까 논을 폐답하구 떠나진 못해."

먼저 들어온 늙은이들의 말이었다.

"그렇지 그 논 때문에 죽은 사람은 몇이며 우선 익수가 있지 않나 익수의 영을 위해서두 그런 말 함부루 내선 못쓰네!"

"그렇고말고 익수두 익수려니와 우리 손발톱이 무즈러지구 눈에서 피눈물 흘려가며 악으루 파헤쳐 논 논이지 이걸 그대루 내놓구 갈량이면 목숨을 바치겠네 익수두 익수려니와 수토 불복으루 고생한 사람은 몇이며 생으루 죽은 사람은 얼만가. 손발 얼구어 겨울만 되면 손구락 발구락에서 물이 찔금 찔금 나오구…… 그 고생 생각한다면 이 논을 그냥 이빨루 물어뜯구 느러져두 시원치 않겠는데 이제 겨우 더운 밥술이나 입에 들어가려하는때 떠난다 만다 그런 말 아예 입 밖에 내지 말게……"

이러한 넋두리뿐 아무런 구체안이 얼른 그들의 입에서 나올 것 같지 않았다.

찬수는 뒤보는 앉음앉이를 하여가지고 그들의 뼈 어이는 넋두리를 듣고 있노라니 가슴에서는 아지 못할 분노가 와락 치밀어 무턱대고 울고 싶었다.

"박 선생 무슨 존수 업겠수?"

홍덕호의 한마디는 찬수의 슬픔으로만 끌려가는 마음에 긴장의 매였다. 자신에 돌아온 찬수는 잠간동안 눈을 감았다가 떴을 따름 묵묵한 한 순간이었다.

"방치원 영감한테 물을 수밖에—"

홍덕호의 이견이었다.

"그럴 수밖에—"

찬수도 대답을 하였으나 정부의 정책으로 하는 일에 더욱 새 현장의 사정 업는 정책에 이전시대의 토호(土豪) 방치원의 힘이 미칠 것 같지 않았다.

그날 밤으로 홍덕호 박첨지 오손이는 방치원을 차저갔다.

방치원은 그들을 만나 주었으나 전일의 태도가 아니었다.

"글쎄 소현장은 도무지 친분도 업구— 전에 친튼 관리들두 얼마 없구."

방치원은 시원한 대답이 없었다.

할 수없이 돌아오는 수밖에 없었다.

그리고 홍덕호의 집에 모여 또 의논들이었다. 학교는 사오일만 손질하면 준공이 되는 것이니 어찌 되었든 간에 준공이나 시켜놓고 무슨 교섭이든 하자는데 의견이 일치되었다.

찬수는 이튿날 일찍 매봉둔을 떠나 현서의 나까모도를 방문하였다. 나까모도한테 학교에 대한 현장의 통고를 이야기하였다.

나까모도는 그것은 결국 중국정권의 배일정책으로 나오는 것이라 말하며 내일 길림에 갈일이 있으니 영사관에 그 사실을 이야기하겠노라 말하였으며 어떻게 하든지 처음 뜻을 굽히지 말고 학교는 문을 열도록 하라 격려하였다.

돌아오니 주민들은 논일을 쉬면서 학교일을 하고 있었다.

아무런 일이 없이 사흘이 지났다. 기다리든 학교의 준공은 되었다. 먹 냄새 훈훈히 풍기는 칠판도 달아놓았고 국수상같은 책상도 송진 냄새를 그대로 지닌채 가즈런히 놓였다.

유리창도 말쑥하게 닦었고 사무실 방에 테―불 두개를 갖다 놓았다. 그 우에는 잉크병 철필대도 뇌어있었고 아이들이 쓸 공책과 교과서는 구석에 쌓여놓았다. 그리고 밤낮 할 것 없이 학교에 모여 놀며 노래 부르며 그 옆을 떠나지 않았다.

학교이름은 응봉학교 그 간판도 써 부쳤다.

그러나 해결되지 못한 문제는 학교의 허가였다. 찬수는 나까모도를 믿고 그가 길림 갔다 돌아오기만 기다리었다.

그러나 그는 사흘이 되어도 돌아오지 않았다.

나흘 되든 날 홍덕호는 현공서에 호출을 받었다.

저녁때 홍덕호는 말 등에 얹히어 겨우 숨이 붙어 돌아왔다.

홍덕호의 말에 의하면 학교공사를 중지하고 교수도 하지 말라하였는데 누구의 허가로 교사를 준공하고 교수를 시작하였느냐는 것이었다. 홍덕호는 그렇지 않다는 것을 무수히 변명하였으나 갖가지로 구박받고 반죽엄이 되어 나오게 되었다. 그리고 다짜고짜로 내일 안으로 모다 매봉둔을 떠나 조선으로 도루 나가라는 것을 통고하였다. 이 명령을 어기면 홍덕호자신은 물론이려니와 매봉둔 사람 모두가 결단날줄 알라, 두세 번 말하고 내일 안으로 매봉둔을 떠난다는 문서에 홍덕호가 주민대표의 자격으로 도장을 찍게 하였다.

주민들은 어안이 벙벙하였다. 의논의 여부가 없었다. 격분이란 말로 표현할 수 없는 심정으로 가슴들이 떨리었다.

"거기에 도장을 찍다니……"

모두 거짓말 같았다. 농담 같았다. 그러나 엄연한 시실이었다. 울음도 말도 한숨도 나오지 않았다. 정신 잃은 사람들처럼 집안에 있는 사람은 천정을 쳐다보고 밖에 있는 사람들은 하늘을 쳐다보았다.

벼는 꽃이 피어 향기가 진동하였다. 매봉둔 오십여 호의 처마를 잇대이고 자복히 움켜져 있는 초가집뭉치를 한가운데 두고 벼는 그 주위에 안계가 모자라게 보이지 않는 꽃을 피우고 있었다. 벼 함지박속에 앉아있는 것 같은 흐뭇함도 옛날이야기, 이제는 그렇게 정이 들었고 그것 가꾸노라 갖은 희생 마다않든 벼, 온갖 슬픔과 울적한 일이 있어도 그 싱싱하게 자라는 모양을 내다보고 아지 못하는 위안을 얻었든 벼, 그것을 봄으로 치받히는 고향 생각 하는 가슴을 어루만졌든 벼, 항상 마트면서도 지치지 않는 향기, 겨울동안에도 벽에나 처마 끝에 걸어놓고 보고 즐기고 흐뭇해하든 벼— 그것도 이날에는 눈에 들어오지 않았다.

하늘도 까맣고 땅도 까맣고 벼도 까맣고 사람도 매봉도 학교도 까맣게만 보였다.

"그 황무지를 문전옥토를 만들어 강냉이 맛밖에 모르는 저이들에게 쌀밥맛을 겨우 드리게 만들어놓으니 그 은덕은 생각지 않구 떠메고 돌아가라니……"

그러나 갈 곳이 어디냐?……

죽어도 예서 죽고 살아도 예서 살밖에 없는 그들이었다.

고향에는 도루 나갈 수 없는 것을 잘 알고 있는 그들이었다.

찬수는 사람 둘을 내여 현성 나까모도에게 이 사연을 쓴 편지를 주어보내였다. 길림에 갔다. 아직 돌아온 것 같지 않으나 떠난 지 벌써 사흘이 되었으나 오늘쯤 돌아왔는지 모르며 그 집에 가서 알아보아 언제 올 기약이 없으면 길림에까지 가서 그를 찾아 편지를 전하라 이르고 차비까지 마련하여 주었다.

그날 밤 박첨지와 오손이와 민식이는 최후의 청으로 방치원을 찾았다.
"처음부터 우리들을 돌보아주든 방대인께서 어려운 고비를 좀 도와주시요."

하는 뜻을 세 사람은 간곡히 말하였다.

"당신네들의 딱한 사정은 잘 이해하나 현장의 명령이니 할 수 없는 일인 것은 두말할 것 없고 나까지 지금 현장한테 된불을 맞었소."

하며 그는 오늘 현장의 호출을 받아 현공서에 갔었다는 이야기를 하였다.

현장은 방치원에게 매봉둔이란 곳에 조선농민을 불러들이어 지금같이 큰 부락을 이루게 한 것은 오로지 방치원이 때문이란 것을 말하고 그것은 곧 자기나라의 국토를 다른 나라 사람한테 함부로 매매하는 것으로 나라를 파는 사람과 다를 것이 없다는 뜻을 말하여 방치원이 변명할 겨를도 주지 않고 곧 돌아가서 주민들을 국외로 내보내든지 그것이 정 안되면 현외(縣外)에까지라도 내어 몰라는 것을 명령하였다.

이것은 국책이니 이 명령에 위반하고 주민에게 정을 베푼다든가 우물쭈물하는 경우는 방치원을 매국노로 법의 재단에 매끼겠다는 추상같은 말로써 결론을 맺었다. 방치원은 이러한 이야기를 하고 도리어 조선사람들이 처음 이곳에 들어올 때에 후의를 베픈 것을 고맙게 여긴다면 이 딱한 경우에 동정하여 나한테 욕이 돌아오지 않도록 해달라 호소하였다.

박첨지와 민식이 오손이는 혹 떼려갔다 혹 부친 격이 되어 그 집을 나올 수밖에 없었다.

이 난관을 타개할 방도는 그들 셋의 머릿속에는 있지 않아 어둠가운데 힘없는 거름을 옮겨놓으면서 부락으로 돌아오는 도중이었다.

W하의 다리를 건너 수도방축으로 십분 쯤 걸었을 때였다.

어둠속에서 으악 하고 십여 명의 사람이 방축 밑에서 올라왔다.

"따! 따바."

소리와 함께 맨 앞에 섰든 박첨지는 에쿠 하고 자빠졌다.

"웬 놈들이야."

하고 민식이가 소리를 질렀으나 방축에서 올라온 사람들은 휙 몰려들어 민식이와 오손이를 에워쌌다. 그리고 연방 몽둥이와 주먹이 두 사람의 몸 우에 내렸다.

둘은 포위와 몽둥이를 빈주먹으로 막고 무찌르면서 악전하였으나 불의의 습격에 이를 대항해 이길 재주가 없었다.

맨 먼저 자빠졌든 박첨지는 슬슬 기어 포위지은 밖에 나와 주민들에게 알리었다.

여럿이 소리를 지르면서 현장에 나왔을 때에는 민식이와 오손이는 방축 우에 느러져 있었고 옆에는 가해자가 하나도 없이 도망한 뒤였다.

몰려온 군중의 一부는 나자빠진 민식이와 오손이를 업고 들고 부락으로 돌아갈 차비를 하였으나 젊은이의 대부분은 격분이 머리끝까지 치밀었다. 흥분한 군중은 가해자가 어떠한 사람들이였으리라는 것은 미처 캐어 밝힐 이유도 없이 건너편 부락 원주민들이 사는 곳을 향하여 욱하고 다름질 쳤다. 저녁때부터 실신하나 다름없는 정신상태에 빠져있든 그들은 가해자가 현에서 보낸 육군들의 편의대(便衣隊)며 그들은 원주민과 매봉둔 사람들을 이간 (離間)붙여 원주민들로 하여금 매봉둔 사람을 스스로 싫어하게 하여 그들을 내모는데 정부의 편이 되게 하자는 데서 나온 것이란 미묘한 술책은 생각할 수 없었다.

그러므로 군중들은

"우리가 학교건축 계속한 것을 고자질한 것 두 너희들이구 오늘저녁 우릴 때린 것 두 너희 놈이구나!"

입에 입에 소리 지르면서 제각기 팔을 부르걷고 불이 띄염띄염 켜져있는 원주민의 집을 향하여 달리었다.

"흥 바루 됐다 너이가 사나 우리가 견듸나."

헐레벌떡 거리면서 몰려가는 군중들의 걸음은 또 한 가지 의외의 일로 말미암아 멈추어 졌다.

그것은 매봉 있는 쪽에 화광이 충천하여 학교가 맹렬한 화염에 쌓여있는 것이었다.

"불이야!"

"불이야!"

부락에서들은 아이들과 부인들의 아우성이 밤하늘에 사무치게 들리었다.

군중의 발끝은 기약한 바도 없이 학교로 돌려졌다.

젊은이들은 전력으로 달음박질하였으나 학교까지는 二十분은 넉넉 걸리었다.

그들이 달려갔을 때에는 널과 짚으로 만든 학교 더욱이 요즈음 몇일 동안의 가물로 바싹 마른 학교는 완전히 불에 쌓여버렸다. 거기에 바람까지 불었다. 우물은 장차 파려고 했을 것뿐 가까운 곳에 물이라고 없는지라, 맹렬한 화염에 손을 부칠 수 없었다.

부인들은 함지며 동이를 이고 총동원이었고 아이들은 저이의 학교가 탄다가 발을 구르며 야단이었다. 함지와 동이를 논물을 퍼다 가 겨우 진화하였으나 불을 껐다기보다 다— 타서 스스로 주저앉졌다 함이 맛당할 것이었다.

주민들은 미칠 듯하였다.

늙은이고 젊은이고 부인이고 어린이고 모다 덜덜 떨었다. 몸 뿐 아니라 마음까지 그랬다. 그리고 그 마음이 육체로부터 튀어나와 사방에 흩어지는 듯하였다.

발화의 원인이고 그런 것을 상고할 이성이 아무에게도 없었다. 이번에는 하늘이 무너지지 않나하는 겁만이 일어났다.

얼마를 지났다.

짧은 밤이라, 동이 트였다. 부락에는 한사람도 남기지 않고 불탄 자리에 나왔었다.

박첨지는 물론 심지어 매 맞은 민식이 오손이까지 나중에는 찔룩 발을 끄을고 왔다. 홍덕호도 나왔다.

불은 밖에서 논 것이라는 말이 누구 입에선가 나왔다. 그것은 학교에서 제일 가까운데 있는 오손이의 동생이 달음박질하여 학교에 다달었을 때 매봉 저—쪽으로 사람 두셋이 도망하는 것을 본 것 같다는 것이었다.

"정말 보았느냐."

어른들이 따져 물었으나 열네 살밖에 안되는 그는 자기의 한마디가 사건의 전부를 결정지을 중요한 열쇠임을 알았으며 어른들이 눈을 둥그렇게 하여 가지고 대어드는 바람에 겁이 나서 본 것도 같은데—하며 확실한 대답을 못하였다.

"옳지 이놈들이 학교에 불까지 질렀구나!"

"그런 죽일 놈들."

"그걸 가만둬".

"가자."

휙 또 몰리었다. 또 대상은 원주민들이였다. 육군이 지른 불이라곤 또 생각지 못하였다.

젊은이 하나는 앞장을 섰다.

"다 하나두 빠지지 말구 내 뒤를 따르시요. 사생결단이유 우릴 쫓구 저이가 얼마나 잘사나 두구 봅시다. 우리가 이루어 논 논에서 벼를 지어 먹구 잘살게 내처둔단 말요. 모두 몽둥이 드시유 없으면 돌맹이래두 쥐시유 우린 이렇게 터만 닦어놓구 쪼껴가야 옳단 말요?"

군중의 격분은 고조에 달하였다.

손에 손에 방망이 돌멩이를 쥐고 그 젊은이의 뒤를 따라섰다.

찬수는 주민들의 울분도 일단 수긍하였으나 나쁜 것은 따로 있는 것으로 이때에 맹동하는 것은 도리어 사태를 수습하지 못할 지경에 이르게 하는 것임을 잘 알고 있었다.

피치 못할 경우라면 학교는 없어져도 괜찮다. 그러나 십여 년간 이룩한 이 고장에서 떠나지 않아서는 안된다는 것은 학교문제보다 더 큰 것이었다. 그럼으로 학교를 폐쇄하라면 시키는대로 하고 시일을 천연하여 나까모도를 중간에 넣어 길림영사관에 매봉둔사건을 진정하여 문제를 정치적으로 해결짓는 것이 순서라 생각하였다. 이백 여 호가 모아 살면서 지금까지 영사관과 연락이 없는 것은 여기에 그럴 듯한 지도자가 없는 까닭이었다. 찬수자신이 우선 그것에 생각이 미치지 못한 것은 결국 본다면 적은 문제인 학교에 열중하기 때문이었다.

그는 스스로 뉘우쳤다. 그럼으로 지금이라도 무저항주의를 써서 그 사람들이 총을 쏘면 몇 사람 맞아죽을 요량하고 뻗치고 있어 길림영사관하고만 연락이 되는 날이면 매봉둔에도 서광이 비칠 것이 아닌가 그는 나까모도한테 보낸 사람이 돌아오기만 기다리었다. 이렇게 생각하고 찬수는 형 익수가 죽었을 때의 여러 사람들의 심경을 상상하였다.

그러나 격분한 군중에게 이러한 조리 있는 이야기를 타일러 들을 리 만무하였다.

뿐 아니라 젊은 찬수자신도 치밀어 오르는 억울이 몸을 휩쓸어 그 자신이 군중의 앞장을 서서 무슨 행동이고 하지 않고는 배기지 못할 지경이었다.

그러나 호미밖에 지닌 것 없는 그들, 상대는 총과 권력을 쥐고 있는 정부, 그리고 그 지휘에 맹동하는 무지한 백성― 찬수도 박첨지 등을 때리고 학교 불 놓은 것을 원주민인줄만 여기었다. 그리고 하염없는 눈물이 걷잡을 수 없이 그의 얼골을 적시었다.

군중은 막았든 물을 터트린 것같이 입에― 소리 지르며 한데 뭉켜 내달음질하였다.

찬수는 선뜻 일어났다.

"여러분! 이 뒷수습은 나한테 매껴두고 그 걸음 멈추시우."

하고 염연한 어조로 말하였으나 한번 터쳐놓은 군중의 물은 이 말이 먹힐 리 없었다.

철벅철벅 땅을 구르며 그들은 달리었다.

앞에는 장정들 그 뒤에 어린이와 부인들…… 매봉둔 주민 전부였다.

"잠간만…… 잠간만……"

찬수는 연해 소리를 지르면서 군중의 뒤를 쫓아갔으나 그의 고함은 헛된 것이었다.

군중은 목적한 부락을 향하야 일직선으로 달음질쳤다. 물론 길이 없다. 논이고 논뚝이고 막 밟히는 대로 밟고 달렸다. 눈이 다 하는 곳에 수도방축이 있었다.

그 방축을 넘고 수도를 건넌 다음 또 그건너 편 방축을 넘어 곧게 한 마장가량 가면 목적하는 부락이었다.

앞장선 젊은이는 방축에 다달었고 뒤에 따르는 사람들은 아직 논에서 달음질 치고 있었다.

그 젊은이가 방축에 오르려고 할 때였다.

탕― 한방의 총소리가 새벽하늘에 쑤애액 하는 여음을 남기고 울리었다.

앞장선 젊은이가 방축에 배를 부치고 착 엎드리자 그와 같은 순간에 논을 달리든 사람들도 벼가 꿋꿋이 자라있는 논바닥에 엎드렸다. 그러자 시퍼런 총칼 든 육군 십여명이 건너편방축위에 올라와 총뿌리를 이쪽에 겨누는 것이 군중의 눈에 띄었다.

군중은 모다 논물에 몸을 잠그고 벼를 가슴에 안은 채 논바닥에 파묻히랴 배를 착 부쳤다.

찬수는 군중과 함께 그들이 하는 대로 업드렸다.

몸에 깔리운 볏모! 찬수는 흙에 두 팔을 깊이 박었다. 팔은 그다지 저항이 없이 흙속으로 들어갔다. 그는 흙밑에서 두 손을 마주 쥐었다. 손가락을 갈구리로 틀었다. 그리고 흙과 함께 볏모를 힘껏 안았다. 가슴은 듬뿍하였다. 안으면서 그는 오른쪽 볼을 바로 얼굴 밑에 있는 볏모에 가져갔다. 볏모는 그의 얼골 반편을 푹 쌌다. 볼에 닷는 볏모의 촉감을 찬수는 볼 뿐만이 아니라 전신에 느끼자 왈칵 울음이 치밀었다. 얼마동안 그는 그의 감정이 시키는 그대로 맡겨두었다.

그가 엎드린 자리서 한간쯤 앞에 향옥이가 엎드린 것이 눈에 띄였다. 그 조금 앞에는 어머니가 엎드렸다. 머리를 돌리어 살피니 아버지도 홍덕호와 함께 맨 꽁지에 엎드려 있었다. 금녀를 찾었으나 보이지 않었다. 치정(痴情), 그런 사치한 감정이 용납될 수 없었다. 모두 한마음 한감정이였다. 여름내 그의 마음에 검은 그림자를 던지든 아버지와 어머니의 사이의 문제도 이 폭풍우 앞에 스스로 해소되었다.

그는 얼굴을 바로 하였다가 이어 잠수(潛水)하듯 얼굴을 논물 속에 푹 박었다. 물은 그의 머리우에 넘쳤다.

물속에서 그는 어렴풋이 누구의 이런 고함을 들었다.

"우리가 피땀으로 푸러놓…… 꼼짝 말구 이대루 엎드린 채 이곳에서 모두 같이 죽자―"

찬수는 물에 머리를 박은 채 다시 한 번 흙속의 팔에 온힘을 주어 흙과 볏모를 안았다.

군중은 엎드린 채, 육군은 총부리를 겨눈 채 안무런 동요도 없이 무시무시한 침묵이 오래도록 계속되었다.

마을의 개들은 요란히 짖고 매봉넘어로 아침 해가 삐꿈이 머리를 내밀었다.

학교불탄 자리에서는 아직도 북데기 속에서 연기가 났다.

나까모도한테 갔든 사람들은 그때까지 오지 않았다.

그러나 곳 오고야말 것이다.

총은 하늘을 향하여 놓은 것이었다. 사람은 하나도 상하지 않았다.

(康德八年十一月)

출처: 『만선일보』, 1941.11.16.—12.25.

엮은이
소 개

이광일(李光一)

중국 길림성 연길시에서 태어나 연변대학교 조선언어문학학과를 졸업하였
고 동 대학원에서 문학박사학위를 받았다. 연변대학교 조선언어문학학과 교
수이고 박사연구생 지도교수이다. 저서로『해방 후 조선족소설문학 연구』,
『조선족문학사』등 다수가 있다. 논문으로「잠재창작과 김학철의 장편소설
'20세기의 신화'」등 70여 편이 있다. 작품집 주편으로『중국 조선족문학 대
계-해방 후 편』(전20권),『21세기 중국 조선족문학 작품선집』(전10권) 등이 있
다. 수상으로 길림성 제7차 사회과학연구 우수상 등이 있다.

김은자(金銀子)

중국 하얼빈이공대학교 조선어학과 전임강사. 연변대학교 조선언어문학학
부를 졸업하였고 동 대학원 석·박사 과정을 졸업했다. 논문으로「가족 부재에
서 오는 자아의 위기 극복과 상처 치유」,「〈국자가에 서있는 그녀를 보았네〉
에 나타난 도시 주변부의 삶과 도시발견의 의미」등 다수가 있다.

'한국근대문학과 중국' 자료총서 ❷

장편소설·중편소설

초판 1쇄 인쇄 2021년 9월 17일
초판 1쇄 발행 2021년 9월 27일

지은이   함대훈 외
엮은이   이광일·김은자
기 획   『한국근대문학과 중국' 자료총서』 편찬위원회
펴낸이   이대현
편 집   이태곤 문선희 권분옥 임애정 강윤경
디자인   안혜진 최선주 이경진
마케팅   박태훈 안현진
펴낸곳   도서출판 역락
주 소   서울시 서초구 동광로 46길 6-6 문창빌딩 2층
전 화   02-3409-2060(편집), 2058(마케팅)
팩 스   02-3409-2059
등 록   1999년 4월 19일 제303-2002-000014호
전자우편   youkrack@hanmail.net
홈페이지   www.youkrackbooks.com
字 數   407,364字

ISBN   979-11-6742-017-6   04810
         979-11-6742-015-2   04810(전16권)